國家古籍整理出版專項經費資助項目

棲芬室

栖芬室藏中醫典籍精選·第三輯

新刻太乙仙製本草藥性大全 叁

【明】王文潔　輯
中國中醫科學院中醫藥信息研究所組織編纂
牛亞華◎主編　　　　張瑞賢◎提要

北京科学技术出版社

圖書在版編目（CIP）數據

栖芬室藏中醫典籍精選·第三輯．新刻太乙仙製本草藥性大全　叁/牛亞華主編．—北京：北京科學技術出版社，2018.1

ISBN 978－7－5304－9245－1

Ⅰ．①栖⋯　Ⅱ．①牛⋯　Ⅲ．①中國醫藥學—古籍—匯編②中藥性味　Ⅳ．①R2-52②R285.1

中國版本圖書館CIP數據核字（2017）第213666號

栖芬室藏中醫典籍精選·第三輯．新刻太乙仙製本草藥性大全　叁

主　　編： 牛亞華
策劃編輯： 章　健　侍　偉　白世敬
責任編輯： 張　潔　周　珊
責任印製： 張　良
出 版 人： 曾慶宇
出版發行： 北京科學技術出版社
社　　址： 北京西直門南大街16號
郵政編碼： 100035
電話傳真： 0086-10-66135495（總編室）
0086-10-66113227（發行部）　0086-10-66161952（發行部傳真）
電子信箱： bjkj@bjkjpress.com
網　　址： www.bkydw.cn
經　　銷： 新華書店
印　　刷： 虎彩印藝股份有限公司
開　　本： 787mm×1092mm　1/16
字　　數： 254千字
印　　張： 21.75
版　　次： 2018年1月第1版
印　　次： 2018年1月第1次印刷
ISBN 978－7－5304－9245－1/R·2413

定　　價： **550.00元**

栖芬室藏中醫典籍精選·第三輯

新刻太乙仙製本草藥性大全　叁

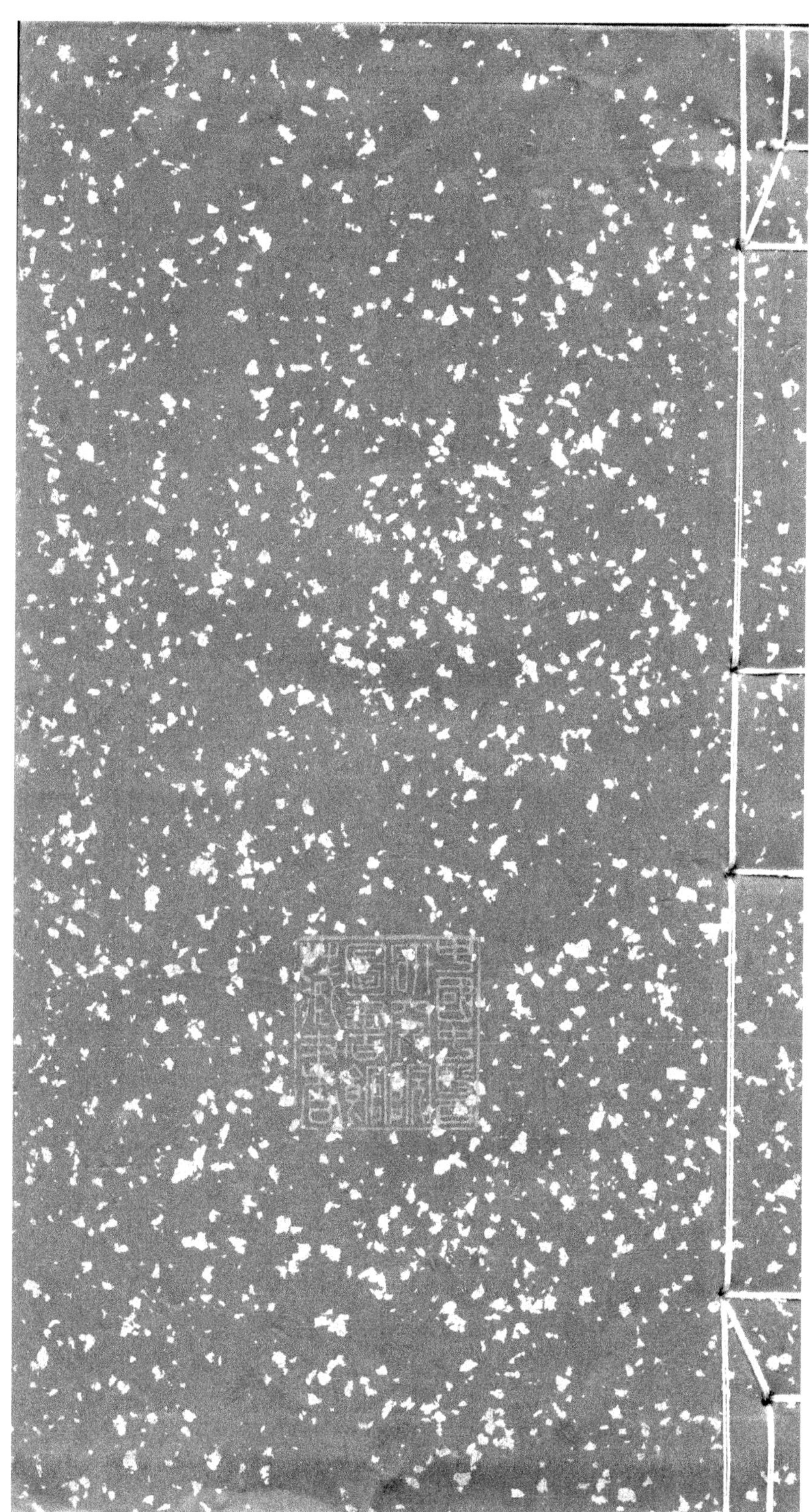

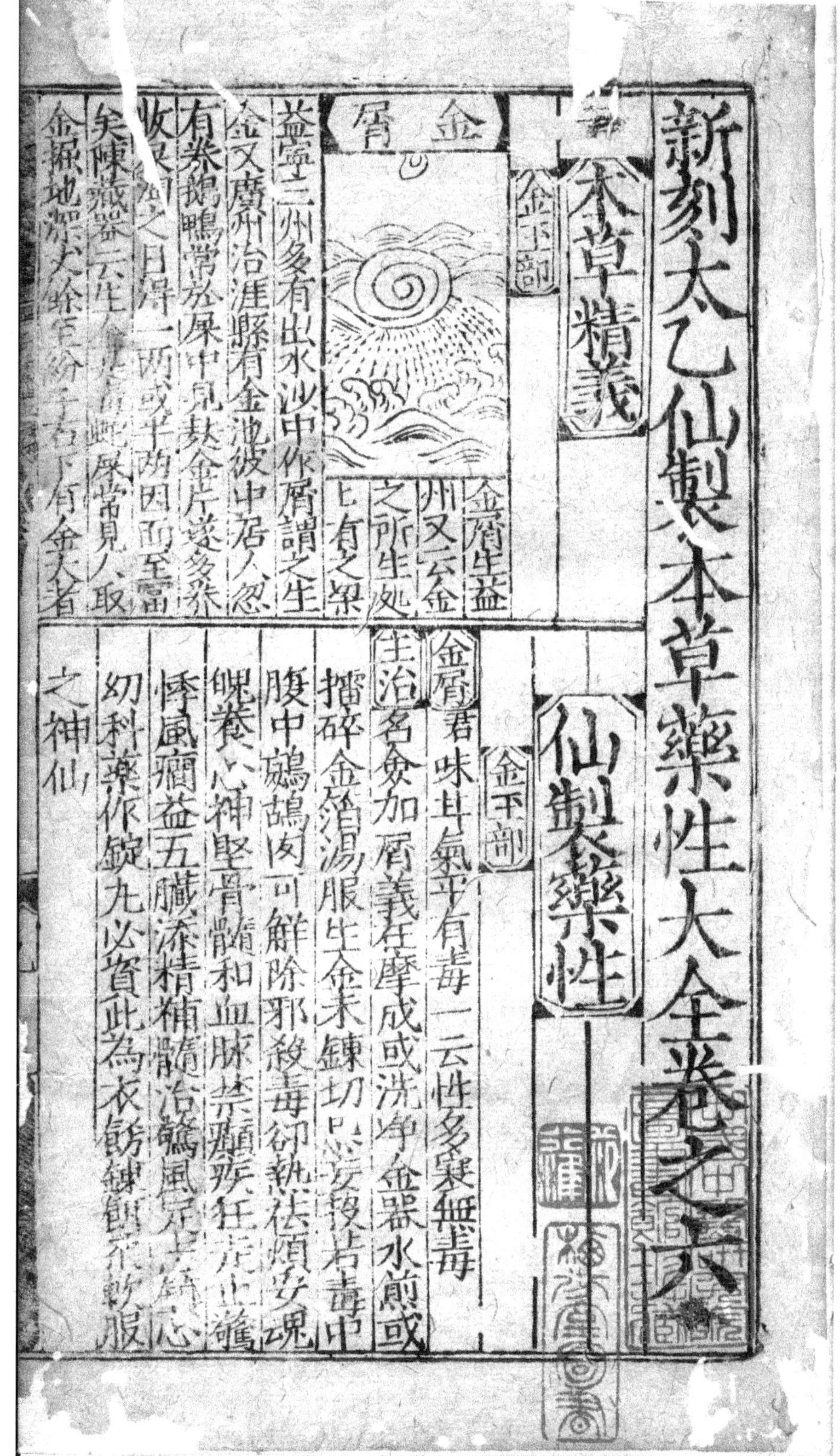

新刻太乙仙製本草藥性大全卷之六

本草精義

金石部

金屑

金屑生益州又云金之所生處處有之梁益寧三州多有出水沙中作屑謂之生金又廣州治湟縣有金池彼中居人忽有養鵝鴨常於屎中見麩金片遂多養收屎淘之日得一兩或半兩因而至富矣陳藏器云生金[illegible]蛇屎常見人取金掘地深丈餘至紛子石下有金大者

仙製藥性

金石部

金屑　君　味辛氣平有毒一云性多寒無毒

生治　名爲加屑義在磨成或洗淨金器水煎或擂碎金箔湯服生金末鍊切忌妄投若毒中腹中鷓鴣肉可解除邪殺毒卻熱祛煩安魂魄養心神堅骨髓和血脉禁癲疾狂症止驚悸風癇益五臟添精補髓治驚風定志鎮心幼科藥作錠丸必資此為衣餙鍊餌不飲服之神仙

如指小者若麻豆色如桑黃咬時極軟即是真金麩金出水沙中氊上淘取或鵝鴨腹中得之今饒信南劍登州所出金如採得金亦多喘或有若山石狀者或有若米豆粒者若此類未經火皆可為生金百鍊者堪入藥生者殺人水飲合膏飲之即不鍊畏水銀又設西北金色淺東南金色深此又各土所宜尔畏水銀錫得犯色變餘上并子相感作柔古方紫雪用之蓋假自然氣也

○按衍義云金屑不曰金而更加屑字者是已經磨屑可用之義如玉漿之義同二經不解屑為末乃盖須烹鍊鍛屑為薄方可研屑入藥如惠民局令紫雪用金葉盖假其自然金氣耳然惡錫又東

○補註 仙經以醋蜜及猪肪牡荊酒輩鍊餌柔軟服之神仙亦以水銀作丹砂外○小兒驚癇煎取金汁便服鎮心

金石 味甘無毒 出五臺山清涼寺石中金屑作赤褐色

主治 主久羸瘦不能食無顏色補腰脚冷令人健壯益陽有暴熱脫髮宜飛鍊服食

○補註 常見人取金掘地深丈餘至紛子石褐色石皆一頭黑焦石下有金大者如指小者麻豆色如桑黃咬時極軟即是真金夫匠竊而吞者不見有毒其麩金出水沙氊上掏取或鵝鴨腹中得之即便打成器物亦不重鍊

金漿 味辛氣平無毒餌之可長生神仙延年益壽久服腸中盡成金色

○補註 神仙術金玉漿法葱者染之伯雖臭而有用消金玉錫石也又以冬至日取葫芦盛葱汁根莖埋於庭中到夏至發之盡為水以漬金玉銀青石各三分自消矣曝令乾如飴可休糧久服神仙亦曰金漿也

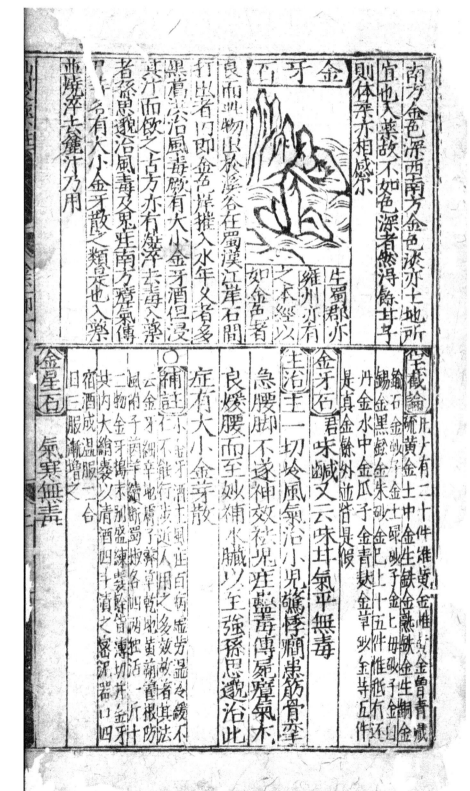

南方金色深西南方金色淡亦土地所宜也入藥故不如色深者然得餘甘子則体柔亦相感尔

金牙石

生蜀郡亦羅州亦有之本經以如金色者良而無物出於溪谷在蜀漢江岸石間打出者内即金色岸摧入水年久者多黑爛浴治風毒脚有大小金牙酒但浸其汁而飲之古方亦有燒淬去毒入藥者孫思邈治風毒及鬼疰南方瘴氣傳尸等各有大小金牙散之類是也入藥並燒淬去粗汁乃用

【金截論】凡天有二十件雄黄金雌黄金曾青蔵硫黄金土中金生鉄金熟鉄金生銅金鍮石金砂子金土碌砂子金母砂子金白錫金黒鉛金朱砂金已上十五件惟㡳布还丹金水中金瓜子金青麸金草砂金等五件是真金餘外並皆是假

【金牙石】君 味鹹 鹹又云味甘 氣平無毒

【主治】主一切冷風氣治小兒驚悸癇患筋骨攣急腰脚不遂神效袪鬼疰蠱毒傳屍瘴氣不良煖腰而至妙補水臟以至強孫思邈治此症有大小金牙散

○【補註】小金牙酒主風疰百病虚劳温冷緩不仁不能行步近人用之多效故者其法云金牙細辛地膚子蒴藋乾地黄蒴藋根防風附子茵芋續斷蜀椒各四兩独活一斤十二物金牙搗末別盛練囊餘皆薄切并金牙共内大絹囊以清酒四斗漬之密泥器口四宿酒成温服二合日三服漸增之

【金星石】氣寒無毒

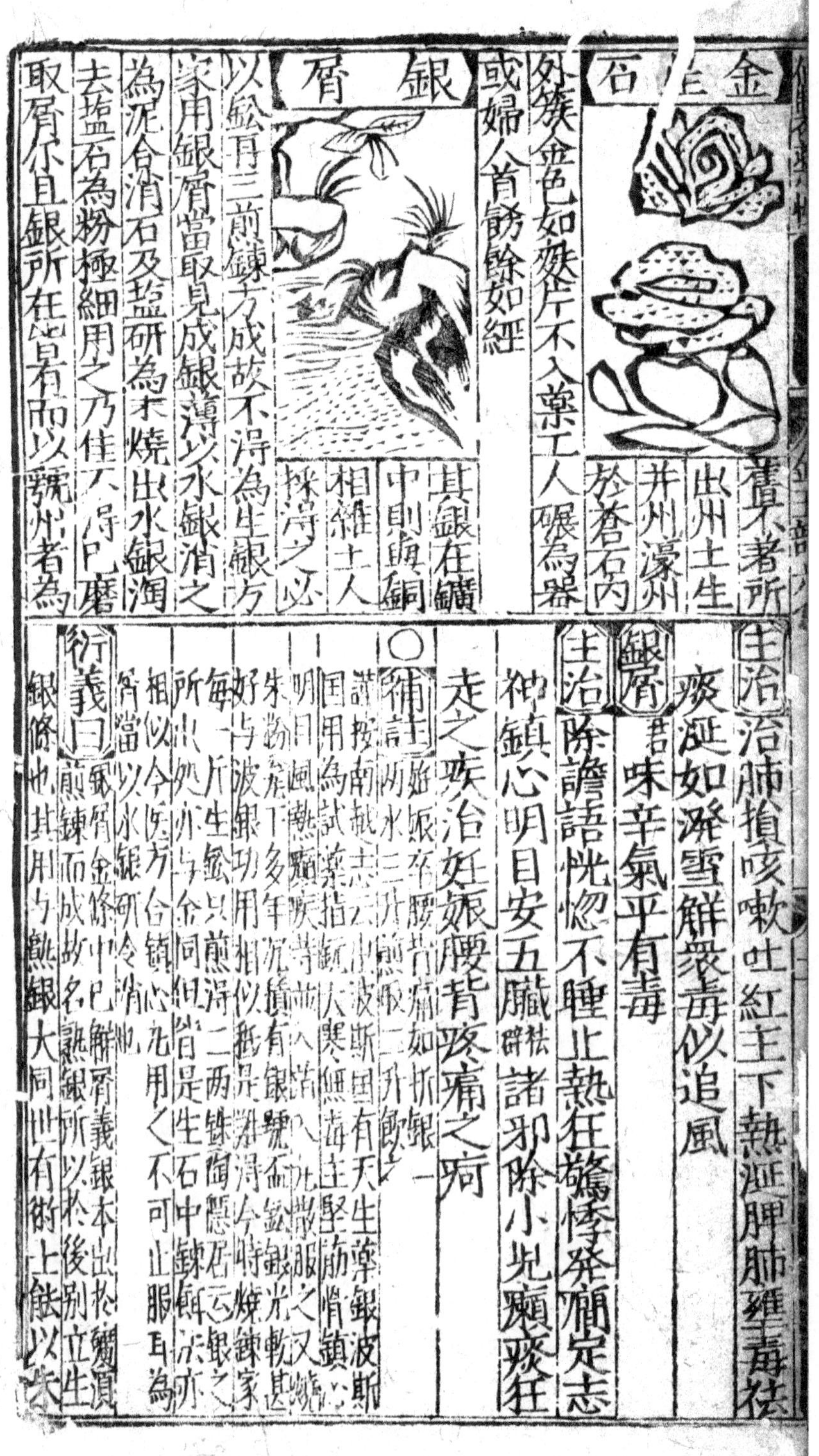

金星石

舊不著所出州土生并州濠州於蒼石內外簇金色如簇金斤不入藥工人碾為器或婦人首飾餘如經

銀屑

其銀在鑛中則與銅相雜土人採得之必以鉛再三煎鍊方成故不得為生銀方家用銀屑當取見成銀薄以水銀消之為泥合消石及鹽研為粉燒出水銀淘去鹽石為粉極細用之乃佳不得已磨取屑亦且銀所在皆有而以虢州者為

【主治】治肺損咳嗽吐紅主下熱涎脾肺經毒祛痰涎如潑雪解衆毒似追風

【銀屑】君 味辛氣平有毒

【主治】除譫語恍惚不睡止熱狂驚悸發癇定志御鎮心明目安五臟祛辟諸邪除小兒癲痰狂走之疾治妊娠腰背痠痛之疴

○【補註】姙娠卒腰背痛如折銀一兩水三升煎取二升飲之

謹按南越志云波斯國有天生藥銀波斯國用為試藥指環大寒無毒主堅筋骨鎮心明目風熱癲疾等並入丸散服之又燒朱粉甕下多年沉積有銀號杯鉛銀光軟甚好與波銀功用相似無毒只得今時燒鍊家每一斤生鉛只煎得二兩鉾陶隱居云銀之所出處亦與金同但皆是生石中鍊餅亦亦相似今醫方合鎮心丸用之不可止服耳為屑當以水銀研令消也

【衍義曰】銀屑金條中已解屑義銀本出於礦須煎鍊而成故名熟銀所以於後別立生銀條也其用與熟銀大同世有術士能以朱

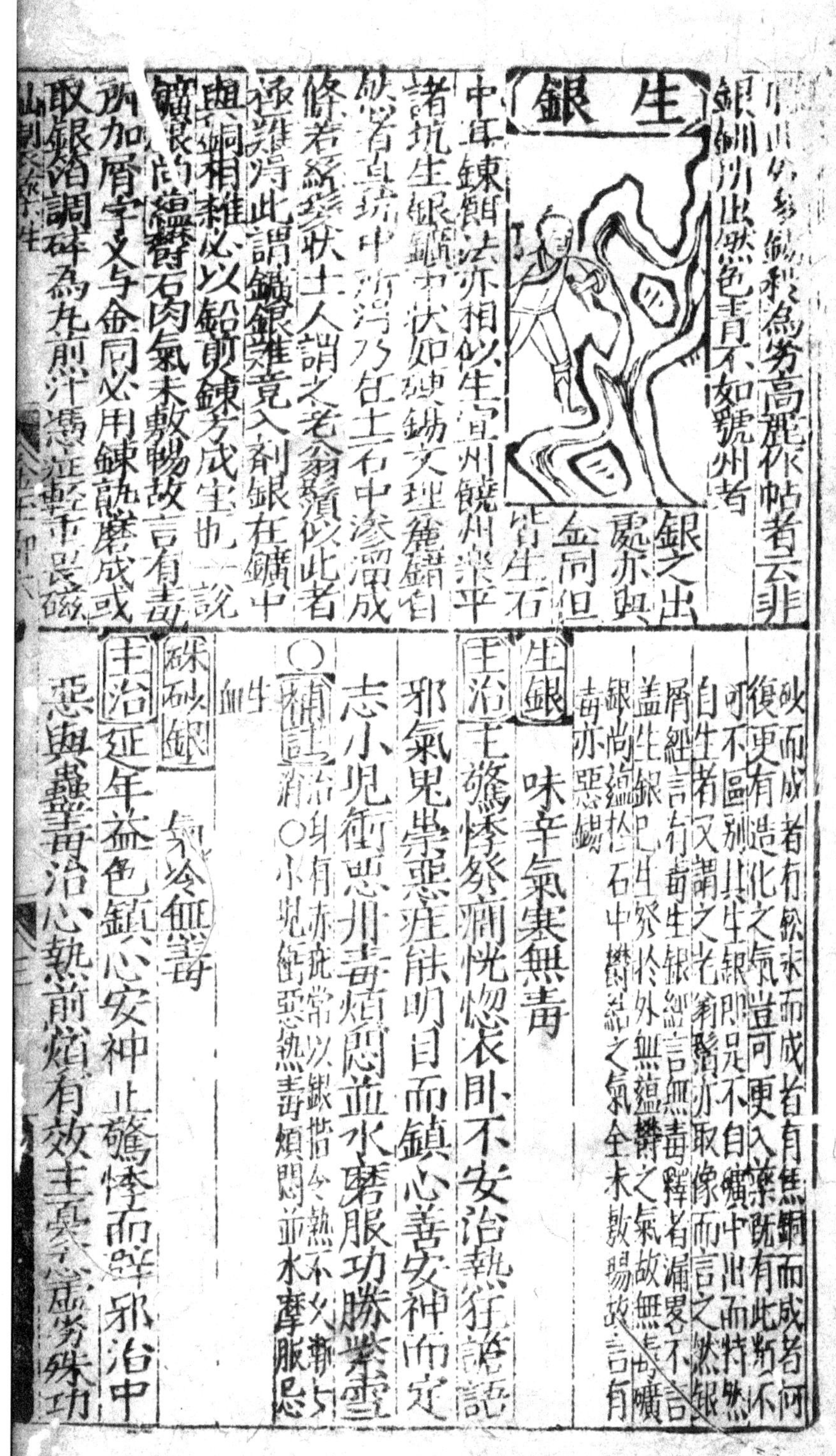

□川谷多鉛礦稍為劣高麗作帖者云非

銀銅州出然色青不如虢州者

生銀

銀之出處亦與金同但皆生石中耳鍊餌法亦相似生宜州饒州樂平諸坑生銀礦中狀如硬錫文理粗錯自然者真坑中所得乃在土石中滲溜成條若絲髮狀土人謂之老翁鬚似此者極難得此謂鑛銀雖竟入劑銀在鑛中與銅相雜必以鉛煎鍊方成至也一說鑛銀尚蘊鬱石內氣未敷暢故言有毒所加屑字又與金同必用鍊熟磨成或取銀箔調碎為丸煎汁隨症輕重甚磁

砂而成者有鉛末而成者有焦銅而成者何復更有造化之氣豈可更入藥既有此數不可不區別其生銀則是不自礦中出而特然自生者又謂之老翁鬚亦取像而言之然銀屑經言有毒生銀經言無毒釋者漏畧不言蓋生銀已生發於外無蘊鬱之氣故無毒鑛銀尚蘊於石中鬱結之氣全未敷暢故言有毒亦惡錫

生銀　味辛氣寒無毒

主治　主驚悸發癇恍惚夜卧不安治熱狂譫語邪氣鬼祟惡疰能明目而鎮心善安神而定志小兒衝忤川毒煩悶並水磨服功勝紫雪

○**補註**　治身有赤疵常以銀揩令熱不久漸消○小兒衝惡熱毒煩悶並水磨服忌

生血

硃砂銀　氣冷無毒

主治　延年益色鎮心安神止驚悸而辟邪治中惡與蠱毒治心熱煎煩有效主□□虛勞殊功

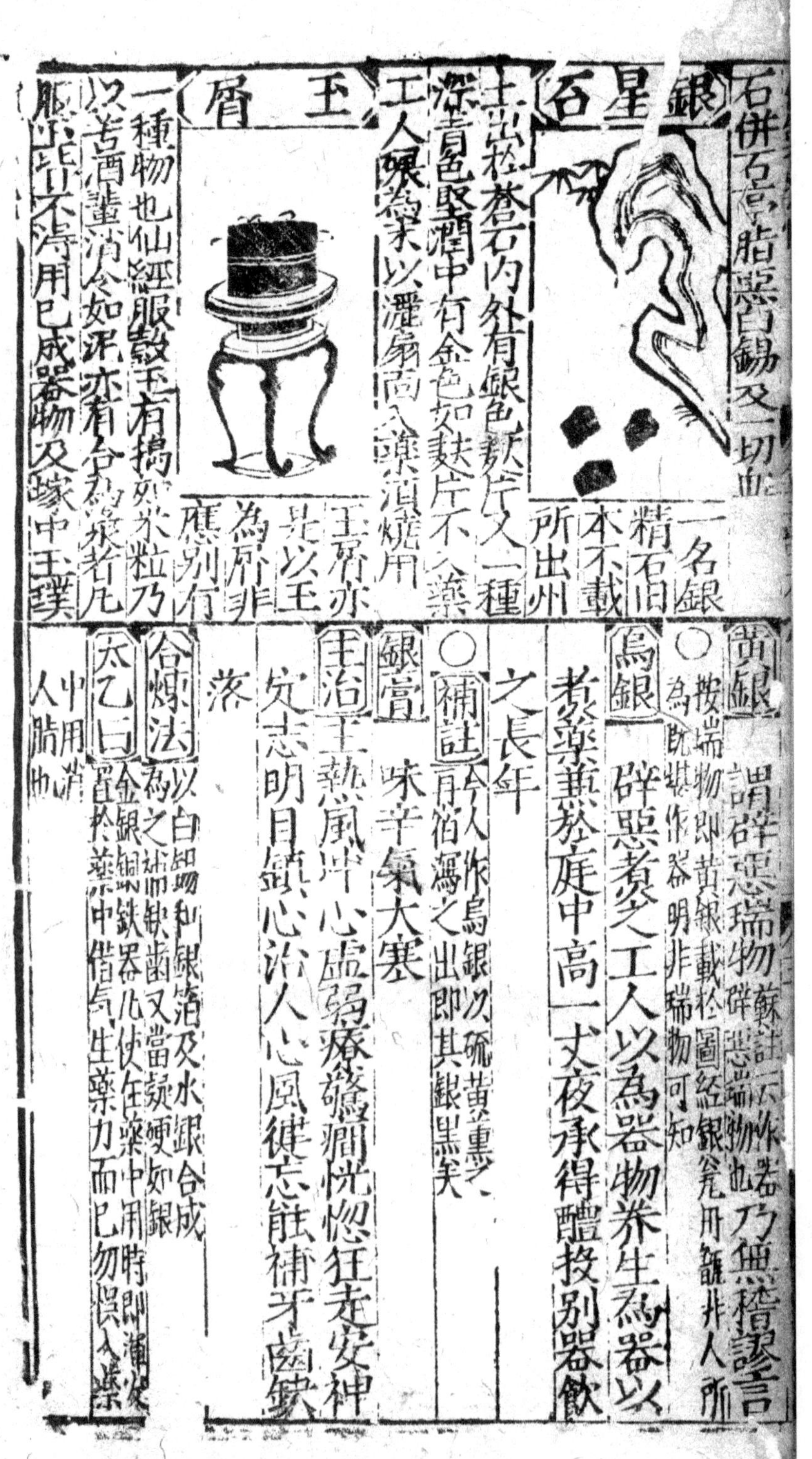

石併石亭脂黑鉛錫及一切血

銀星石

一名銀精石舊本不載所出州土出於蒼石內外有銀色鈇片又一種深青色堅潤中有金色如麩片不入藥工人碾為末以灑扇面入藥須燒用

玉屑

玉屑亦是以玉為屑非應別有一種物也仙經服穀玉有搗如米粒乃以苦酒輩消令如泥亦有合為漿者凡服玉皆不得用已成器物及塚中玉璞

黃銀 謂辟惡瑞物蘇註云作器乃辟惡瑞物也乃無稽謬言

○按瑞物即黃銀載於圖經銀瓮丹甑非人所為既堪作器明非瑞物可知

烏銀 辟惡煮之工人以為器物養生為器以煮藥兼於庭中高一丈夜承得醴投別器飲之長年

○**補註** 今人作烏銀以硫黃熏之再宿瀉之出即其銀黑矣

銀屑 味辛氣大寒

主治 主熱風并心虛驚癇恍惚狂走安神定志明目鎮心治人心風健忘餘補牙齒缺落

合煉法 以白錫和銀箔及水銀合成為之補缺齒又當鍛硬如銀

太乙曰 金銀銅鐵器凡使在藥中用時即渾安置於藥中借氣生藥力而已勿誤入藥中用消人脂也

也。【抱朴子云】玉屑服之與水餌之，俱令人不死。所以不及金者，令人數數發熱，似寒食散狀也。若服玉屑者，宜十日輙一服雄黃、丹砂各一兩，圭散髮洗沐寒水，迎風而行，則不發熱也。

玉

鄭康成云：玉是陽精之純者，食之以禦水氣。出藍田及南陽徐善亭部界中、日南盧容水中、外国于闐、疏勒諸處皆善。今藍田、南陽、日南不聞有玉，禮器及乘輿服御多是于闐国玉。玉河在于闐城外，其源出昆山，西流一千三百里至于闐界牛頭山，乃疏為三河：一曰

【寶藏論】夫銀有一十七件：真水銀、白錫銀、曾青銀、土碌銀、丹陽銀、生鐵銀、生銅銀、硫黃銀、雄黃銀、雌黃銀、鍮石銀，惟有至藥銀、山澤銀、草砂銀、母砂銀、黑鉛銀五件是真，外餘則假。銀坑內石縫間有生銀，迸出如布綫，土人曰老翁鬚，是正生銀也。

【丹房鏡源云】銀生洛平盧氏縣，陷石打破內即白，生於鉛坑中，形如笋子，亦有變化之道，亦曰自然牙，亦曰生銀，又曰自然鉛。可為利術，不堪食。鉛內銀汁[illegible]可用結砒子。○太清服煉灵砒法：錫稟兩方辛明之神結精而為質，性突，服之傷肝。○抱朴子云：銀但不及金玉，可以地仙也。服之法：黍粱化之，亦可以朱草酒餌之，亦可以龍膏鍊之，然三服輙大如彈丸者，又非清貧道士所能得也。

【銀星石】氣[illegible]無毒。

【主治】下熱涎，作解衆毒，主肺損，治吐嗽血，脾肺壅毒，以潛消大風癩疾而袪走。

【玉屑】味甘，氣平。一云味鹹，氣寒，無毒。

【主治】解消咽喉，除熱胃脘，潤心肺，明目，滋毛髮。

白玉河在城東三十里二曰綠玉河在城西二十里三曰烏玉河在綠玉河西七里其源雖一而其玉隨地而变故其色不同每岁五六月大水暴漲則玉隨流而至玉之多寡由水之大小七八月水退乃可取彼人謂之撈玉其国之法官未採玉禁人輙至河濱者故其國中器用服飾往〻用玉今中国所有多冇彼來書冊載玉之色曰赤如鷄冠黄如蒸栗白如截肪黑如純漆謂之玉符而青玉独無說焉又其質溫潤而澤其声清越而長所以為貴也今五色玉清白者常有黑者時有黄赤者絶無雖礼之六器亦不能得其真今仪州出一種石如蒸栗色彼人謂之栗玉或云亦黄玉

蟣癥功音声而定喘息治煩滿而利咽喉久服勿已耐老輕身

【玉】味甘氣平無毒

【主治】治胃中熱犬効療腹煩滿硃功唐本云含玉嚥津以解肺渴馬鳴生常服玉屑不乱精神久服益寿長年飛昇輕举

【玉泉】即玉液也 味甘氣平無毒

【主治】療百病尤妙補五臟極良強骨益筋安魂定魄長肌肉益氣耐寒暑不飢不老神仙輕身仕世人臨死灌下五斤屍三年不至爛朽

○【補註】青霞子云玉屑一升地榆草一升稲米一升三物取白露二升置銅器中煮米熟絞取汁玉屑化為水名曰玉液以藥内杖中美體所謂神仙玉漿也

【寶藏論】玉玄真者餌之其命無及令人舉身輕飛不但地仙而已然其道遲成服一二斤

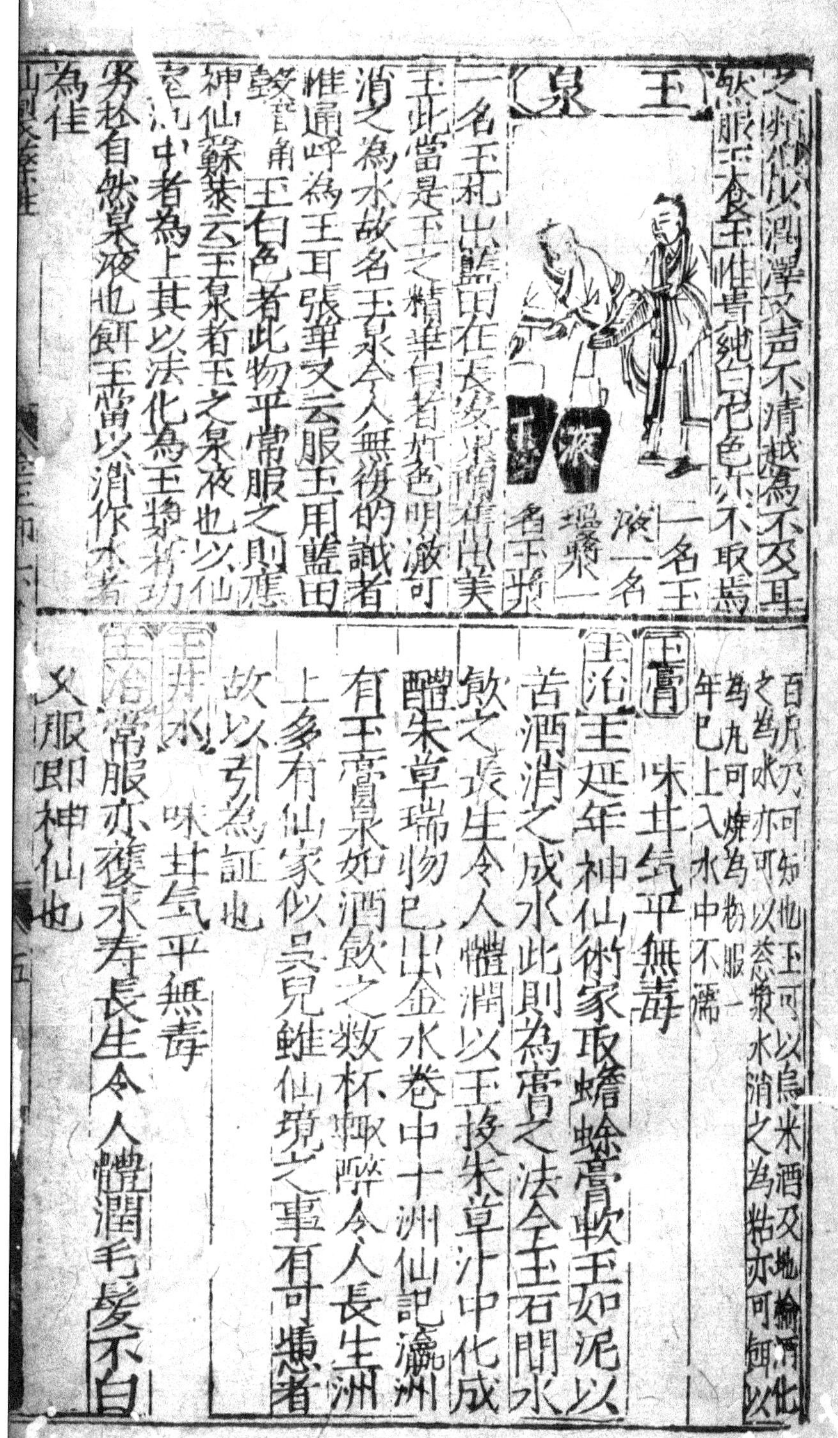

之晰，然皆潤澤，又声不清越，為不及耳。然服玉食玉，惟貴純白，他色亦不取焉。

玉泉

一名玉液，一名瓊漿，一名玉[illegible]

一名玉札，出藍田，在長安東南，舊出美玉，此當是玉之精華，白者佳，色明澈，可消之為水，故名玉泉。今人無復的識者，惟通呼為玉耳。張華又云：服玉用藍田瑴（音角）玉白色者。此物平常服之，則應神仙。蘇恭云：玉泉者，玉之泉液也，以仙室池中者為上。其以法化為玉漿者，功劣於自然泉液也。餌玉當以消作水者為佳。

百歲亦可知也。玉可以烏米酒及地榆酒化之為水，亦可以葱漿水消之為粘，亦可餌以為丸，可燒為粉，服一年已上，入水中不濡。

玉膏

味甘，气平，無毒。

主治：玉延年神仙。術家取蟾蜍膏軟玉如泥，以苦酒消之成水，此則為膏之法。今玉石間水飲之，長生，令人體潤。以玉投朱草汁中，化成醴。朱草，瑞物也。已出金水卷中。十洲仙記：瀛洲有玉膏泉，如酒，飲之數杯，輒醉，令人長生。洲上多有仙家，似是見雖仙境之事有可憑者，故以引為証也。

玉井水

味甘，气平，無毒。

主治：常服亦獲永寿，長生，令人體潤，毛髮不白。又服即神仙也。

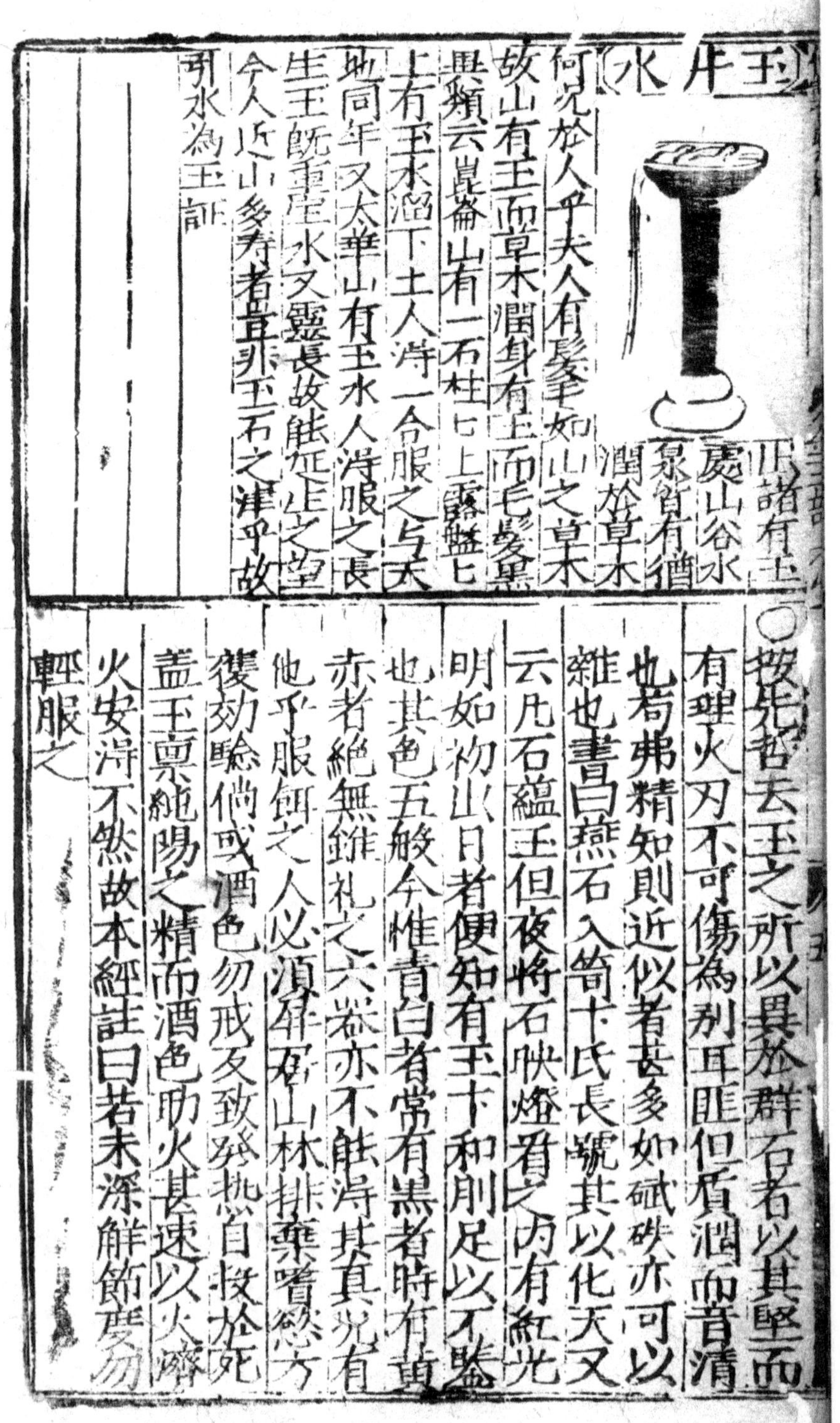

玉井水

凡諸有玉處山谷水泉皆有滋潤於草木何况於人乎夫人有髮猶如山之草木故山有玉而草木潤身有玉而毛髮黑異類云崑崙山有一石柱柱上露盤盤上有玉水溜下土人得一合服之與天地同年又太華山有玉水人得服之長生玉既重庄水又靈長故能延生之望今人近山多壽者豈非玉石之津乎故引水為玉部

〇按先哲云玉之所以異於群石者以其堅而有理火刃不可傷為别耳匪但質潤而音清也苟弗精知則近似者甚多如碔砆亦可以雜也書曰燕石入笥卞氏長號其以此夫又云凡石蘊玉但夜將石映燈看之內有紅光明如初出日者便知有玉卞和刖足以不鑒也其色五般今惟青白者常有黑者時有黄赤者絕無雖礼之六器亦不能得其真况有他乎服餌之人必須屏於山林排棄嗜慾方獲効驗倘或酒色勿戒反致發熱自投於死蓋玉禀純陽之精而酒色助火甚速以火濟火安得不然故本經註曰若未深解節度勿輕服之

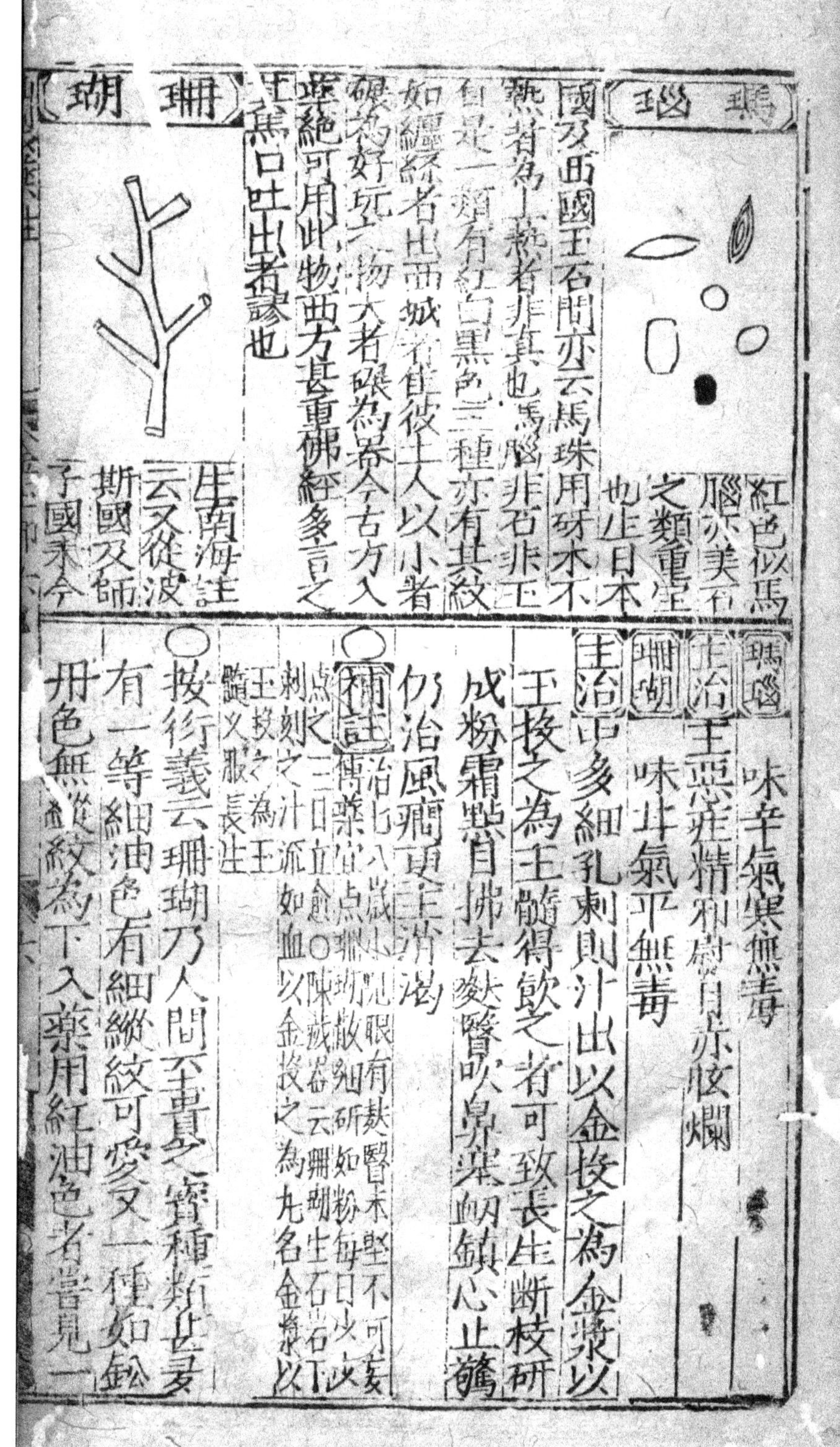

瑪瑙

紅色似馬腦亦美石之類重寶也生日本國及西國玉石間亦云馬珠用砑木不熱者爲上熱者非真也馬腦非石非玉自是一類有紅白黑色三種亦有其紋如纏絲者出西域者佳彼土人以小者碾爲好玩之物大者碾爲器今古方入藥絕可用此物西方甚重佛經多言之生馬口吐出者謬也

珊瑚

生南海註云又從波斯國及師子國來今

瑪瑙　味辛氣寒無毒

主治　主惡瘡精和熨目赤爛

珊瑚　味甘氣平無毒

主治　中多細乳刺則汁出以金投之爲金漿以玉投之爲玉髓得飲之者可致長生斷枝研成粉霜點目拂去翳膜吹鼻孔衄鎮心止驚仍治風癇更止消渴

○補註　治七八歲小兒眼有熱翳未堅不可妄傳藥宜点珊瑚散細研如粉每日少少点之三日立愈○陳藏器云珊瑚生石岩石下刺刻之汁流如血以金投之爲丸名金漿以玉投之爲玉髓以服長生

○按衍義云珊瑚乃人間至貴之寶種類甚多有一等細油色有細縱紋可愛又一種如鉛丹色無縱紋爲下入藥用紅油色者嘗見一

廣州亦有云生海底作枝柯狀明潤如紅玉中多有孔亦有無孔者枝柯多者更難得採無時謹按海中經曰取珊瑚先作鐵網沉水底珊瑚貫中而生歲高三二尺有枝無葉因絞網出之皆摧折在網中故難得完好者不知今之取者果耳否漢積翠池中有珊瑚高一丈二尺一本三柯上有四百六十三條云是南越王趙佗所獻夜有光影晉石崇家有珊瑚高六七尺今並不聞有此高大者

青琅玕

乃玉石類是西國重寶也生蜀郡平澤蘇

本高尺許兩枝直上分十餘岐將至其顛則交合連理仍紅潤有縱紋亦一異也波斯國海中有珊瑚洲海人乘大舶墮鐵網水底珊瑚所生盤石上白如菌一歲而黃三歲赤枝幹交錯高三四尺鐵發其根繫網舶上絞而出之失時不取則腐

青琅玕 味辛氣平無毒得水銀良

主治 主皮膚浸淫死肌去身體瘙癢殺疥除石淋且破惡血起陰氣可化爲用醫火瘡癰傷

秘訣 疣瘰白禿妙方

玻瓈 味辛氣寒無毒

主治 主驚悸而治心熱去赤眼而摩腎膜安心明目每著奇功夜向太陰可取真水火精取

蘇注云琅玕乃有數種是琉璃之類火齊寶也琅玕五色具以青者入藥爲勝出嶲州以西烏白蠻中及于闐國也今書中有異魚圖載琅玕青色生海中海人於海底以鐵網撈得之初出水紅色久而青黑枝柯似珊瑚而上有孔竅如蟲蛀擊之有金石之聲剤用堪者汁服殺錫者同是類也與珊瑚相類其說不同人稱識尚書曰雍州厥貢璆琳琅玕爾雅云西北之美者有崑崙墟之璆琳琅玕焉孔安國郭璞皆以爲石之似珠者而山海經云崑崙山有琅玕若然是石之美者明瑩若珠之色耶其狀生植耳

火向太陽取之用異名同

【琉璃】乃火成之物其身熱門赤以水浸令冷熨之大效

【性味】氣大寒無毒

【主治】寶安神鎮宅之最符解諸毒蠱毒之妙藥以玳瑁一片同車渠一倍人乳摩之及有效

【諸水】味甘氣寒無毒

【主治】主明目定志去小兒熱煩補燥不良止渴大效

【鹽】味甘鹹氣大寒無毒

【主治】入劑治療銷心安神主鬼疰瘿瘤止反胃悒嘵蛇蠍傷毒灸熨否

○【制法】取昔及諸般臨毒藥等用一斤以草[illegible]石鹼多則川渭一斗以布空攎布傍先以

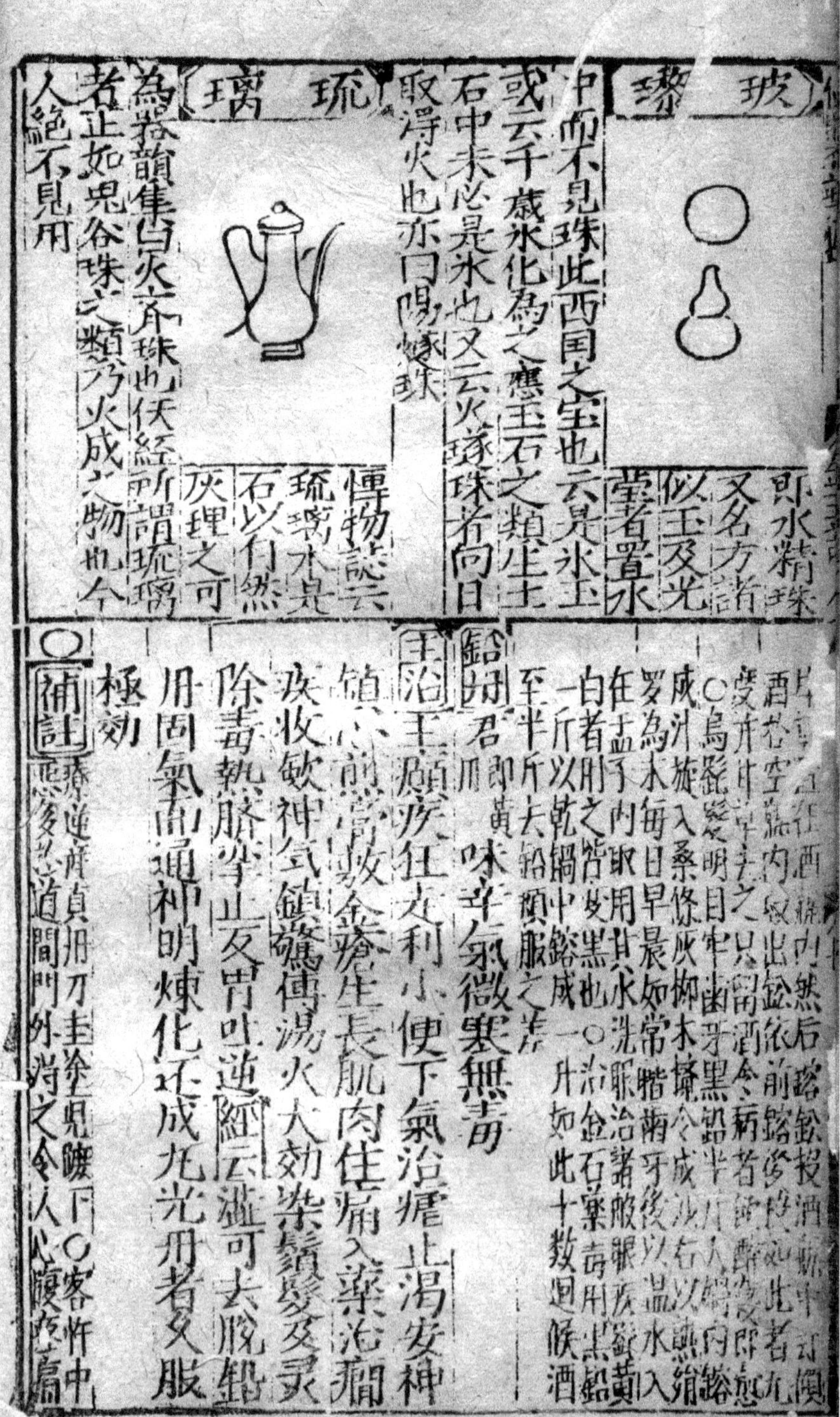

玻瓈

即水精珠又名方諸似玉及光瑩者置水中而不見珠此西国之宝也云是氷玉或云千歳氷化為之應玉石之類生土石中未必是氷也又云火瓈珠者向日取得火也亦曰陽燧珠

琉璃

博物志云琉璃本是石以自然灰理之可為器韻集曰火齊珠也伏經所謂琉璃者正如兜谷珠之類乃火成之物也今人絶不見用

片亦在酒熔内然后鎔鉛投酒中討熟酒盎空熬内取出鉛依前鎔多投如此者九度去汁只留酒令病者飲醉後即愈○烏髭鬢明目牢齒牙黑鉛半斤入鍋内鎔成汁旋入桑條灰柳木攪令成沙右以熟硝羅為末每日早晨如常揩齒牙後以温水入在盂子内取用其水洗眼治諸般眼疾鉛黄一白者用之皆變黑也○治金石藥毒用黑鉛一斤以乾鍋中鎔成一升如此十数遍候酒至半斤去鉛頓服之差

【鉛】君 川 即黄 味辛氣微寒無毒

【治】主癲疾狂走利小便下氣治瘴止渴安神鎮心補骨散金瘡生長肌肉住痛入藥治癇疾收斂神气鎮驚傳湯火大効柒鬚髪及灵除毒熱臍挙止反胃吐逆【經】云澁可去脱鉛用固氣而通神明煉化還成九光用者久服極効

【補註】療逆産貞用刀圭塗兒蹠下○客忤中惡多於道間門外得之令人心腹疼痛

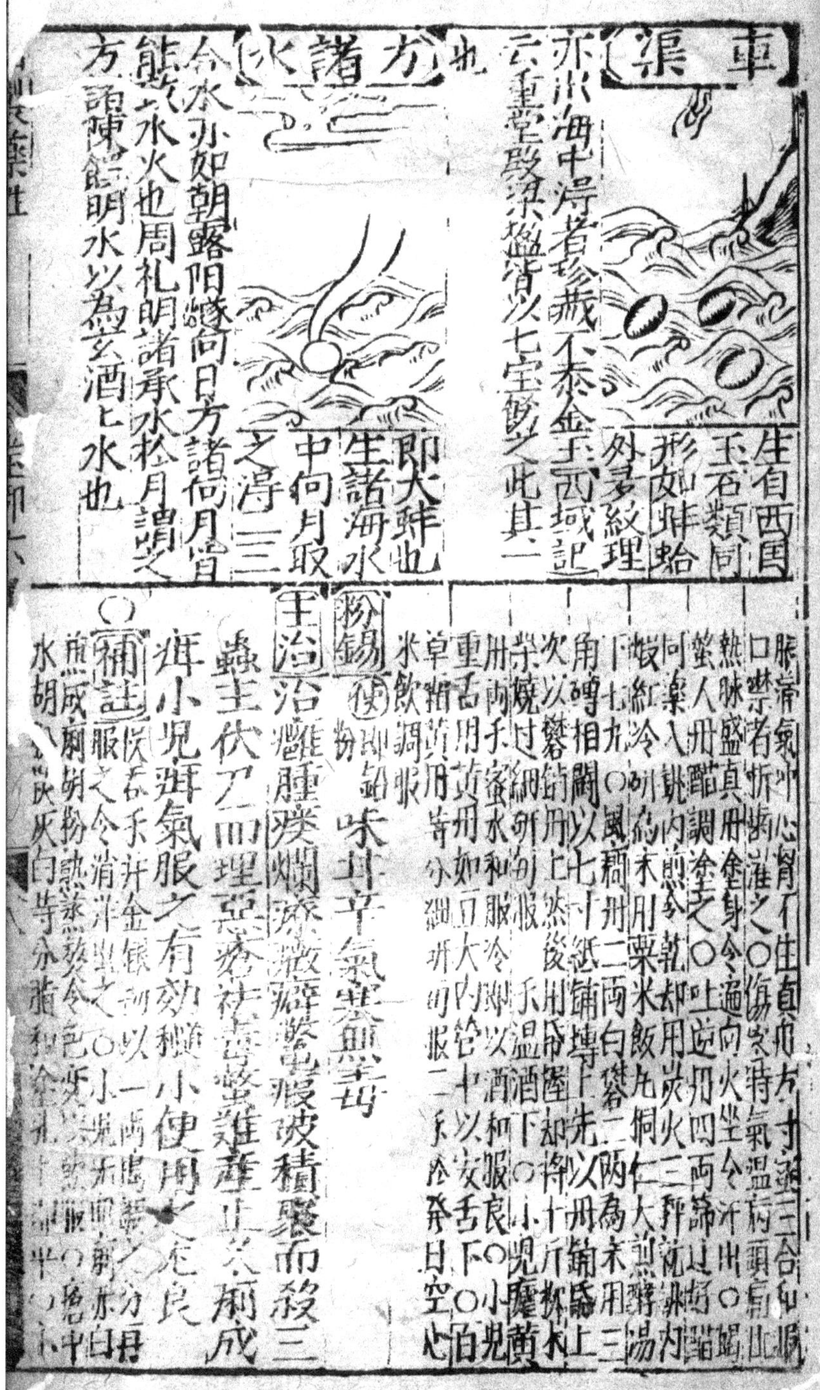

車渠

亦水海中得者珍藏不悉金玉西域記云重堂殿梁盤皆以七宝飾之此其一也

生自西国　玉石類同　形如蚌蛤　外多紋理

方諸水

即大蚌也　生諸海水　中向月取　之得二三

合水亦如朝露陽燧向日方諸向月皆能致水火也周礼明諸承水於月謂之方諸陳錯明水以為玄酒之水也

脹滿氣冲心胸不佳煎服方寸匕三合和服

口噤者折齒灌之○傷寒特氣溫病頭痛出

熱脈盛真丹金身令遍向火坐令汗出○蝎

螫人丹醋調塗之○吐逆丹四兩篩過將醋

同藥入銚內煎令乾却用炭火三斤就銚內

煅紅冷研為末用粟米飯丸桐子大煎醋湯

下七丸○風癇丹二兩白礬二兩為末用三

角磚相闘以七十紙鋪磚上先以丹鋪磚上

次以礬鋪丹上然後用盆蓋却將十斤柴木

柴燒過細研勻服　飯溫酒下○小兒癲黃

丹兩丹蜜水和服冷以酒和服良○小兒

重舌用黃丹如豆大內管中以安舌下○小兒白

禿[illegible]黃丹用等分細研勻服二錢今發日空心

米飲調服

粉錫　使　即鉛粉　味甘辛氣寒無毒

主治　治癰腫瘻爛瘡疥癬瘕痕破積聚而殺三蟲主伏尸血理惡瘡去毒螫雞癰止痢成疳小兒疳氣服之有効利小便用之定良

○補註　陳藏器云升金銀以一兩[illegible]分再服之令消出之○小兒[illegible]熟服○[illegible]

蕉成痢胡粉熟蒸令色變以熟服○搗中

水胡粉[illegible]灰白等分猪[illegible]和塗之[illegible]半○下

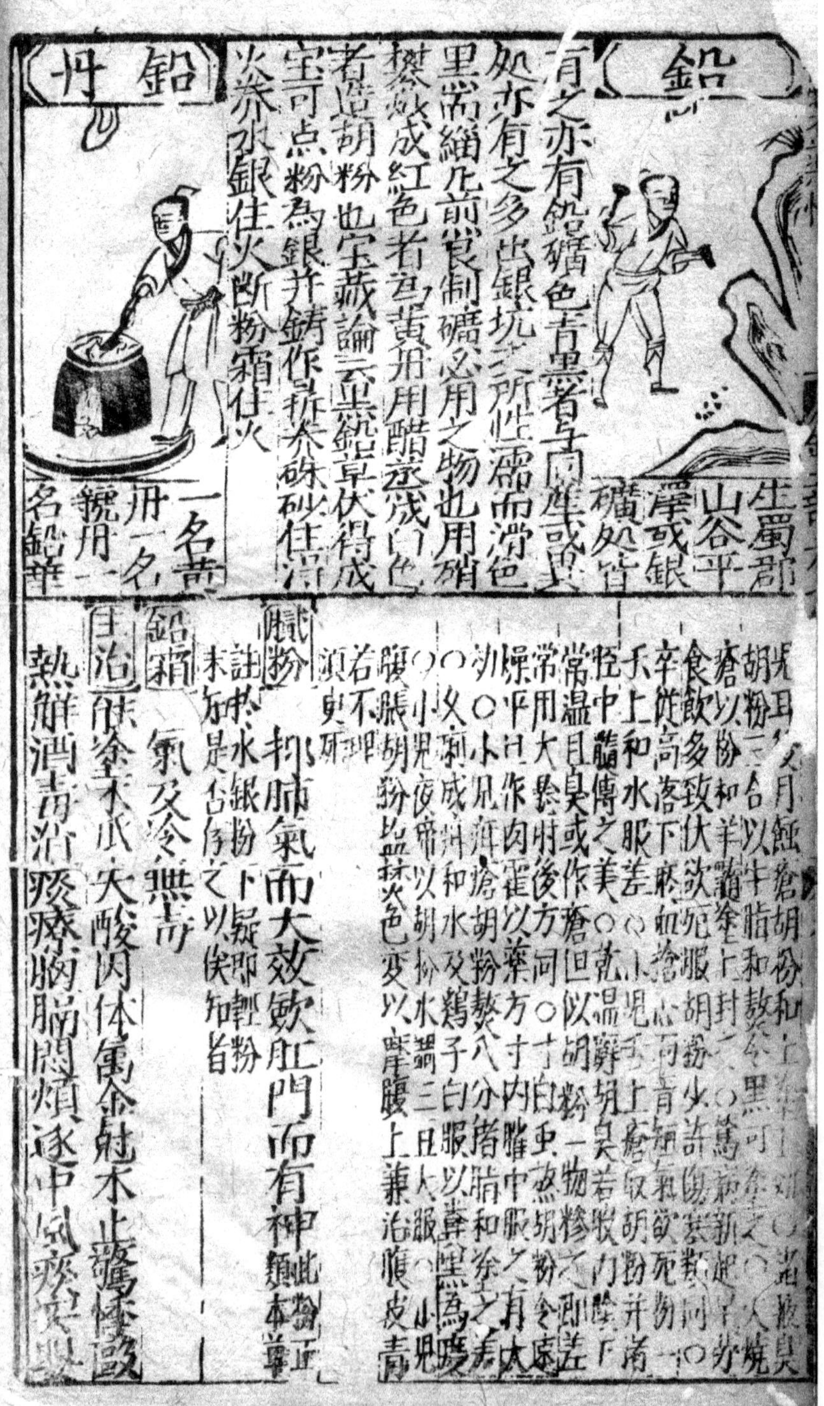

鉛

生蜀郡山谷平澤或銀礦處皆有之亦有鉛礦色青黑者與銀同產或單處亦有之多出銀坑之所性濡而滑色黑而緇凡前代制礦必用之物也用硝礬燒成紅色者為黃丹用醋蒸成白色者為胡粉也寶藏論云黑鉛草伏得成寶可點粉為銀并鑄作瓶杵砂住滑淡养水銀住火断粉霜住火

鉛丹

一名黃丹一名號丹一名鉛華

兒耳後月蝕瘡胡粉和上[illegible]塗之〇治腋臭胡粉一合以牛脂和煎令黑可塗之〇入燒瘡以粉和羊髓塗上封之〇驚癇新起子分食飲多致伏欲死服胡粉少許傷寒數問一〇辛從高落下瘀血搶心面青短氣欲死胡粉并消手上和水服差〇〇小兒上瘡取胡粉內陰下牲中髓傳之美〇熱温解胡臭若收內陰下常温且臭或作瘡但以胡粉一物摻之即差常用大懸射後方同〇寸白雞子蒸胡粉燥〇平旦作肉臛以藥方寸內臛中服之有大效功〇小兒癖瘡胡粉熬八分猪脂和塗之差〇灸瘡成瘡和水及鷄子白服以葬黑為膠〇小兒夜啼以胡粉水調三豆大服〇小兒腹脹胡粉鹽熬色變以摩腹上兼治腹皮青若不理須臾死

試粉 抑肺氣而大效斂肛門而有神 此粉類本草 註於水銀粉下疑即輕粉未知是否存之以俟知者

鉛霜 氣及冷無毒

主治 能塗木瓜失酸內体氣叅射木止驚悸熱解酒毒治痰疾胸膈悶煩逐中風痰實[illegible]

鉛錫乃北方壬癸陰極之精性濡滑服之亦多陰毒傷人心胃鉛用製煉有法其法鉛一斤土硫黃一兩硝石一兩先鎔鉛成汁下醋點沸時下小硫黃一塊續下硝石少許沸定再点醋依前下黃硝少許待硝沸盡黃亦盡炒為末成丹外科多用先以水飛淨砂土後加火炒変褐黃色可入丸散煎膏藥不入湯用

粉錫

一名胡粉一名解錫一名鉛粉

一名鉛粉一名定粉即今化鉛所作其製煉之法用鉛鎚泊捲筒用醋蒸九遍成白色者佳其有金色者尿尸重弥良

猯礦滯大効止渴生津尤可

○補註室女月經滯澁心煩恍惚鉛白霜細研為散每服一錢溫地黃汁一合調下生乾地黃煎湯調服〻鼻衄以為末用新汲水調一字

鉛灰　氣大寒無毒

主治　療瘰癧而至妙以祛鼠瘻以殊功

○補註取此灰和豬脂塗子上仍以舊帛貼之數次去帛拭惡汁又貼如此半月許亦不痛不破不作瘡但內消之為水差盡流过頃亦差

胡粉　味鹹辛氣平有小毒

主治　禁久痢且治五痔除白癜而療諸瘡補五臟而鎮心治驚癇嗽欬嘔吐痰仙方尊為絕妙

○補註治對口瘡斑点少加二兩細研乳調塗面每夜用之○赤白痢所下不多遍數不減用三兩燒令黃色研如粉每服醋茶調下一錢○令面生光用為末以乳煎茶塗面佳○治齒鼻疳○豆瘡癰面黶細研末水調夜塗之明早洗去平伏矣

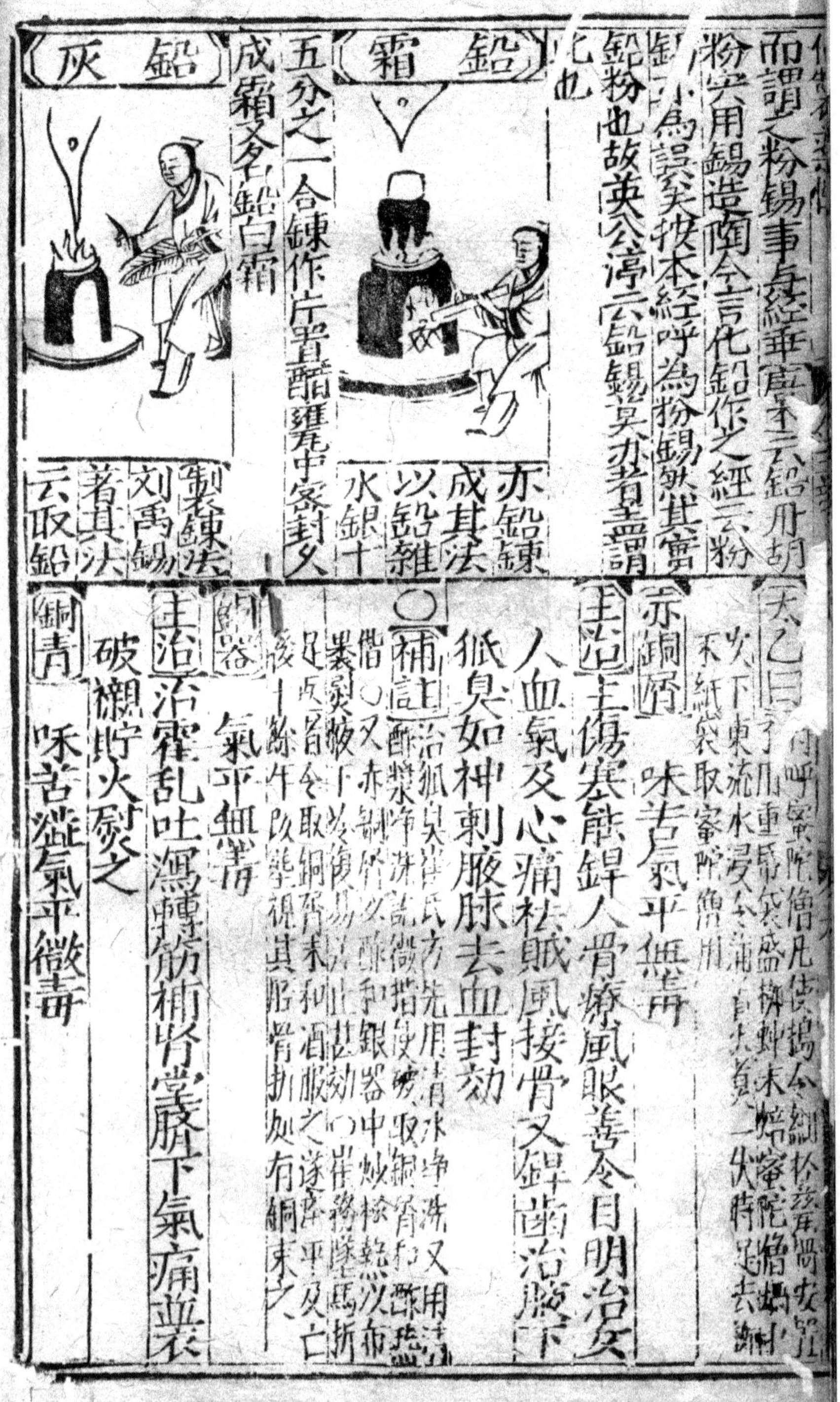

[illegible]
而謂之粉錫事自經華唐本云鉛丹胡
粉實用錫造陶今言化鉛作之經云粉
錫亦為誤矣按本經呼為粉錫然其實
鉛粉也故英公唐本云鉛錫莫辨者豈謂
此也

〈鉛霜〉

亦鉛鍊
成其法
以鉛雜
水銀十
五分之一合鍊作片置醋甕中密封久
成霜今名鉛白霜

〈鉛灰〉

製鍊法
劉禹錫
著其法
云取鉛

【太乙曰】用呼蜜陀僧凡使搗令細於瓷鍋中安置
了用重紙袋盛柳蚛末焙蜜陀僧蚛
次下東流水浸令滿著火煮一伏時足去柳
末紙袋取蜜陀僧用

【赤銅屑】味苦氣平無毒

【主治】主傷寒能銲人骨療風眼善令目明治反
人血氣及心痛祛賊風接骨又銲齒治腋下
狐臭如神刺腋脉去血封效

○【補註】治狐臭崔氏方先用清水净洗又用清
酢漿净洗訖微揩使破取銅屑和酢熱
揩○又赤銅屑以酢和于銀器中炒極熱以布
裹熨腋下冷復易之甚效○崔務墜馬折
足醫者令取銅屑末和酒服之遂瘥平及亡
後十餘年改葬視其脛骨折處有銅束之

【銅器】氣平無毒

【主治】治霍乱吐瀉轉筋補腎堂臍下氣痛並裹
破襯貯火熨之

【銅青】味苦澁氣平微毒

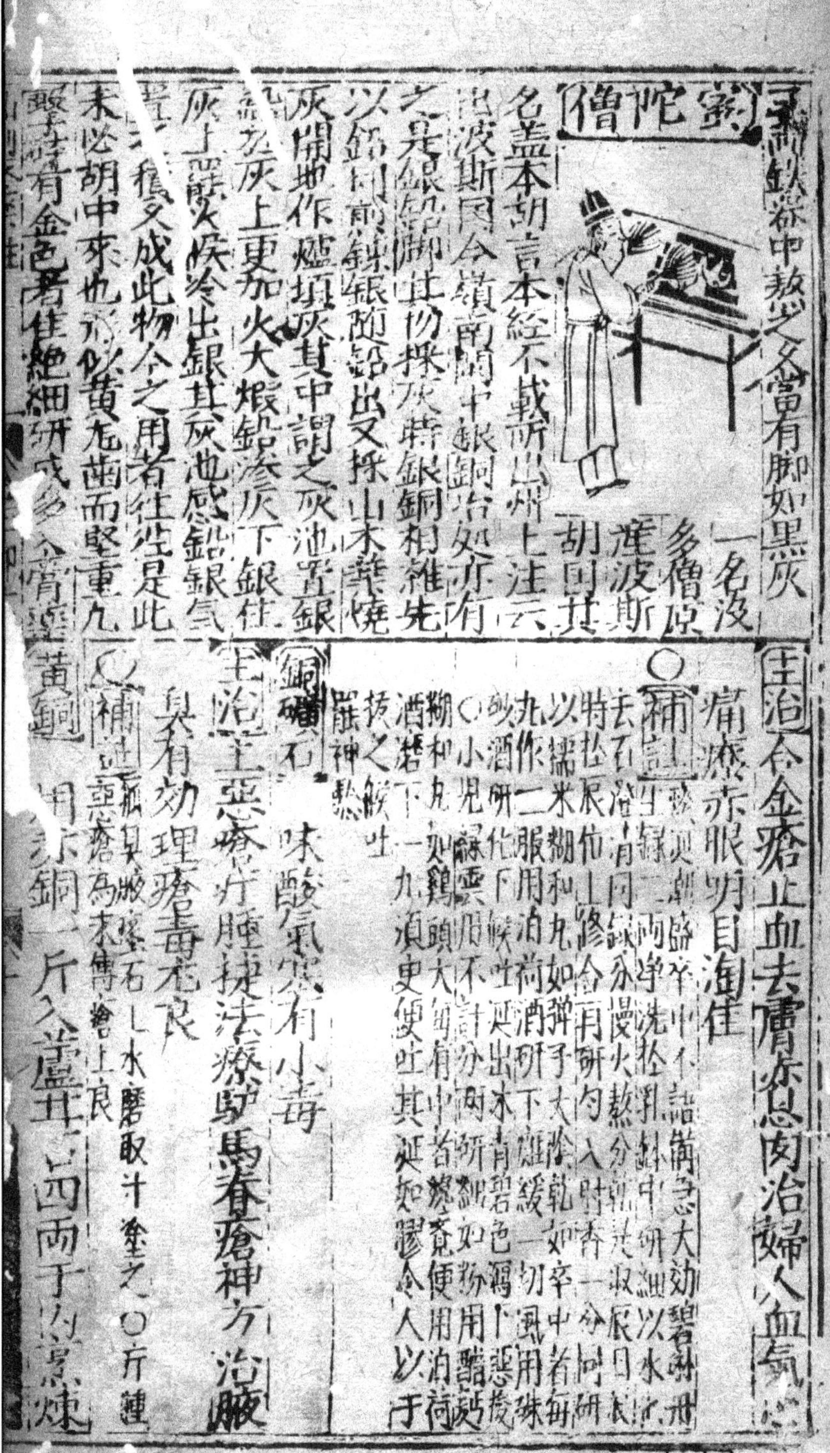

□□鉄器中熬之久當有脚如黑灰

密陀僧

一名沒多僧　原產波斯　胡目其

名盖本胡言本經不載所出州土注云出波斯國今嶺南閩中銀銅冶處亦有之是銀鉛脚其初採礦時銀銅相雜先以鉛同煎鍊銀隨鉛出又採山木葉燒灰開地作爐填灰其中謂之灰池置銀鉛於灰上更加火大煅鉛滲灰下銀住灰上罷火候冷出銀其灰池感鉛銀氣置之積久成此物今之用者往往是此未必胡中來也形似黃龍齒而堅重亦堅者有金色者佳絕細研或多入膏藥

主治　合金瘡止血去黶滅息肉治婦人血氣□痛療赤眼明目淘佳

○補遺　療[illegible]去石滑清同鍊[illegible]特於爐上修合研內入時[illegible]以糯米糊和丸如彈子大陰乾一如辛中着每丸作二服用薄荷酒研下雞緩一切風用硃砂酒研化下候吐延出木青碧色瀉下惡痰○小兒驚風不計分兩研細如粉用醋糊和丸如雞頭大每有中者燃烹便用薄荷酒磨下一丸須臾便吐其延如膠令人以手挖之䘮吐嚴神[illegible]

銅礦石　味酸氣寒有小毒

主治　主惡瘡疔腫捷法療驢馬脊瘡神方治腋臭有効理瘡毒甚良

○補遺　[illegible]惡瘡為末傅塗上良磨石上水磨取汁塗之○疔[illegible]

黃銅　用赤銅一斤入蘆甘石四兩于爐內煉

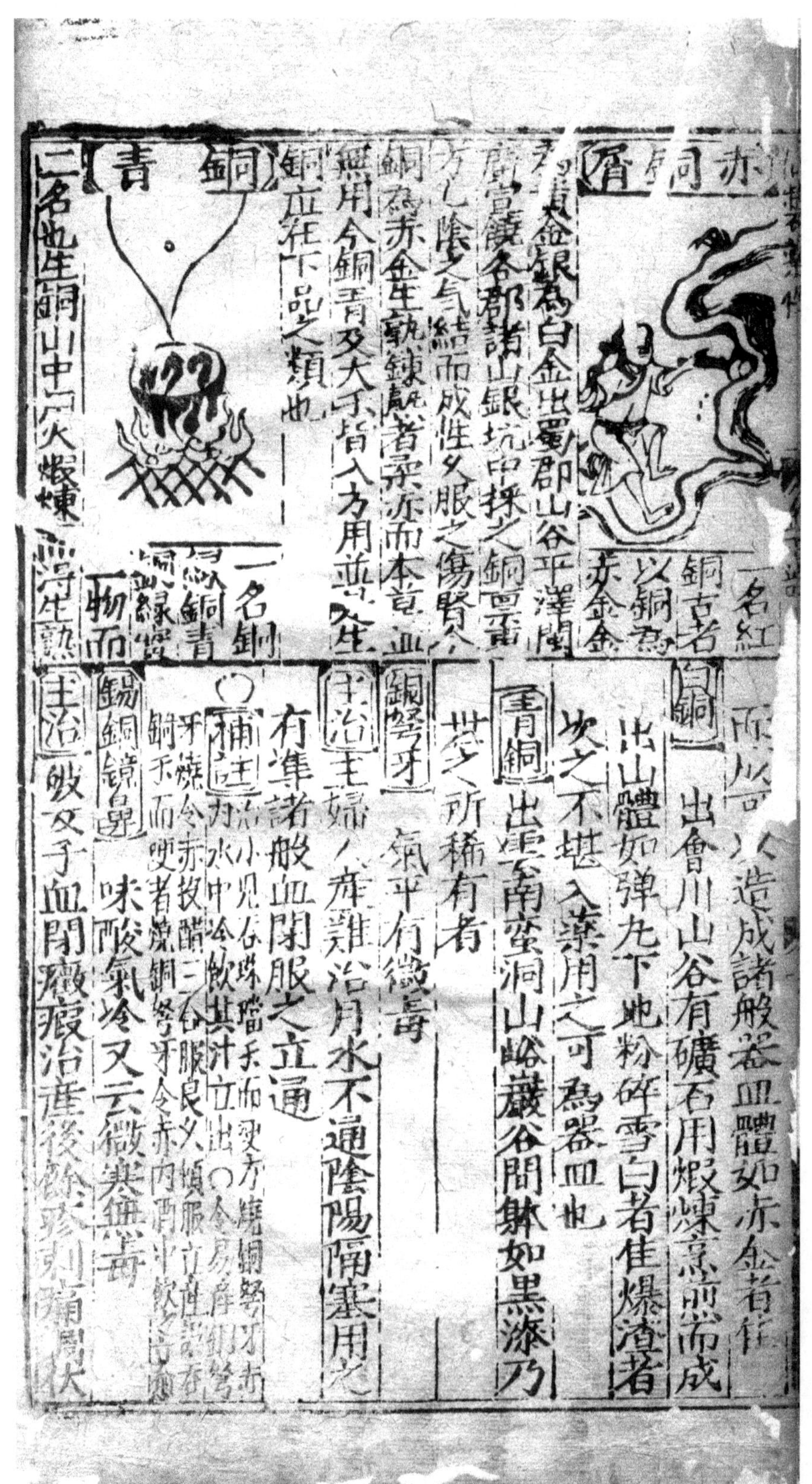

赤銅屑

一名紅銅古者以銅為赤金

為黃金銀為白金出蜀郡山谷平澤間所產饒各郡諸山銀坑中採之銅禀乃乙陰之氣結而成性久服之傷腎今銅為赤金生熟鍊者其赤而本草並無用今銅青及大小皆入方用並生銅亦在下品之類也

所以可造成諸般器皿體如赤金者佳

【白銅】出會川山谷有礦石用煅煉烹煎而成出山體如彈丸下地粉碎雪白者佳爆渣者次之不堪入藥用之可為器皿也

【青銅】出雲南蠻洞山嶺巖谷間躰如黑漆乃世之所稀有者

【銅弩牙】氣平有微毒

【主治】主婦人產難治月水不通陰陽隔塞用之有準諸般血閉服之立通

【補注】治小兒吞珠璫兵而哽方燒銅弩牙赤內水中冷飲其汁立出○又方易產銅弩牙燒令赤投醋三合服良久頓服立產○治吞銅禾而哽者燒銅弩牙令赤內酒中飲之立愈

銅青

一名銅綠銅青銅綠一物而二名也生銅山中以火煅煉而得生熟

【錫銅鏡鼻】味酸氣冷又云微寒無毒

【主治】女子血閉癥瘕治產後餘疹刺痛伏

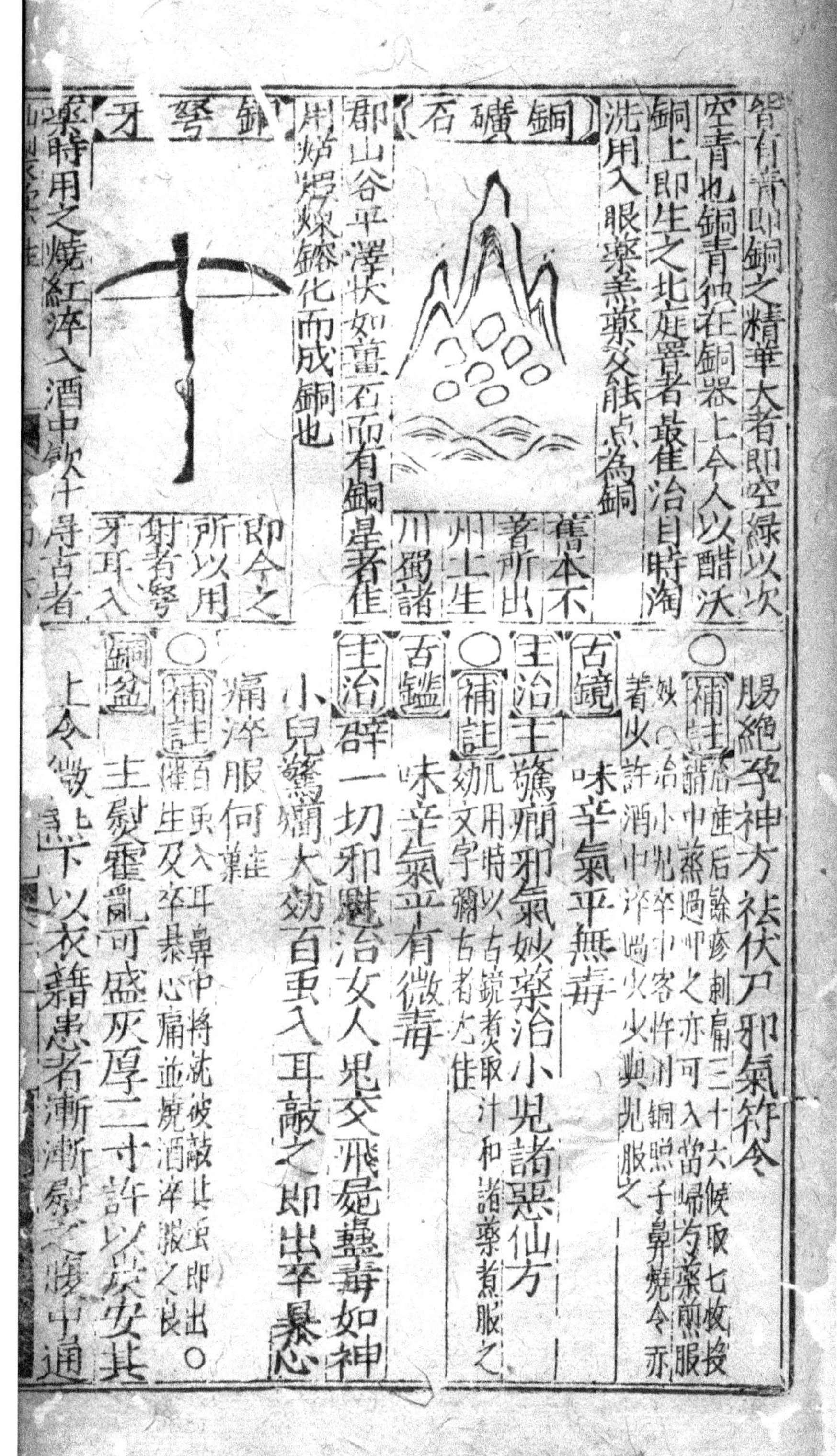
背有青即銅之精華大者即空綠以次
空青也銅青獨在銅器上今人以醋沃
銅上即生之北庭暨者最佳治目時淘
洗用入眼藥烝藥及熊点爲銅

銅礦石

舊本不著所出州上生川蜀諸
郡山谷平澤狀如薑石而有銅星者佳
用炉焊煉鎔化而成銅也

銅弩牙

即今之所以用射者弩牙耳入
藥時用之燒紅淬入酒中飲汁得古者

腸絕孕神方祛伏尸邪氣符令
○補註 産后産后餘疹刺痛三十六候取七枚投醋中蒸過叩之亦可入當歸芍藥煎服
奻○治小兒卒中客忤以銅照子鼻燒令赤著火許酒中淬過火火熱與兒服之

古鏡 味辛氣平無毒

主治 主驚癇邪氣妖藥治小兒諸惡仙方

○補註 凡用時以古鏡煮取汁和諸藥煮服之効文字彌古者尤佳

古鑑 味辛氣平有微毒

主治 辟一切邪魅治女人鬼交飛屍蠱毒如神小兒驚癇大効百虫入耳敲之即出卒暴心痛淬服何難

○補註 百虫入耳鼻中將銳彼敲其虫即出○催生及卒暴心痛並燒酒淬服之良

銅盆 主熨霍亂可盛灰厚二寸許以炭安其上令微熱下以衣藉患者漸漸熨之腹中通

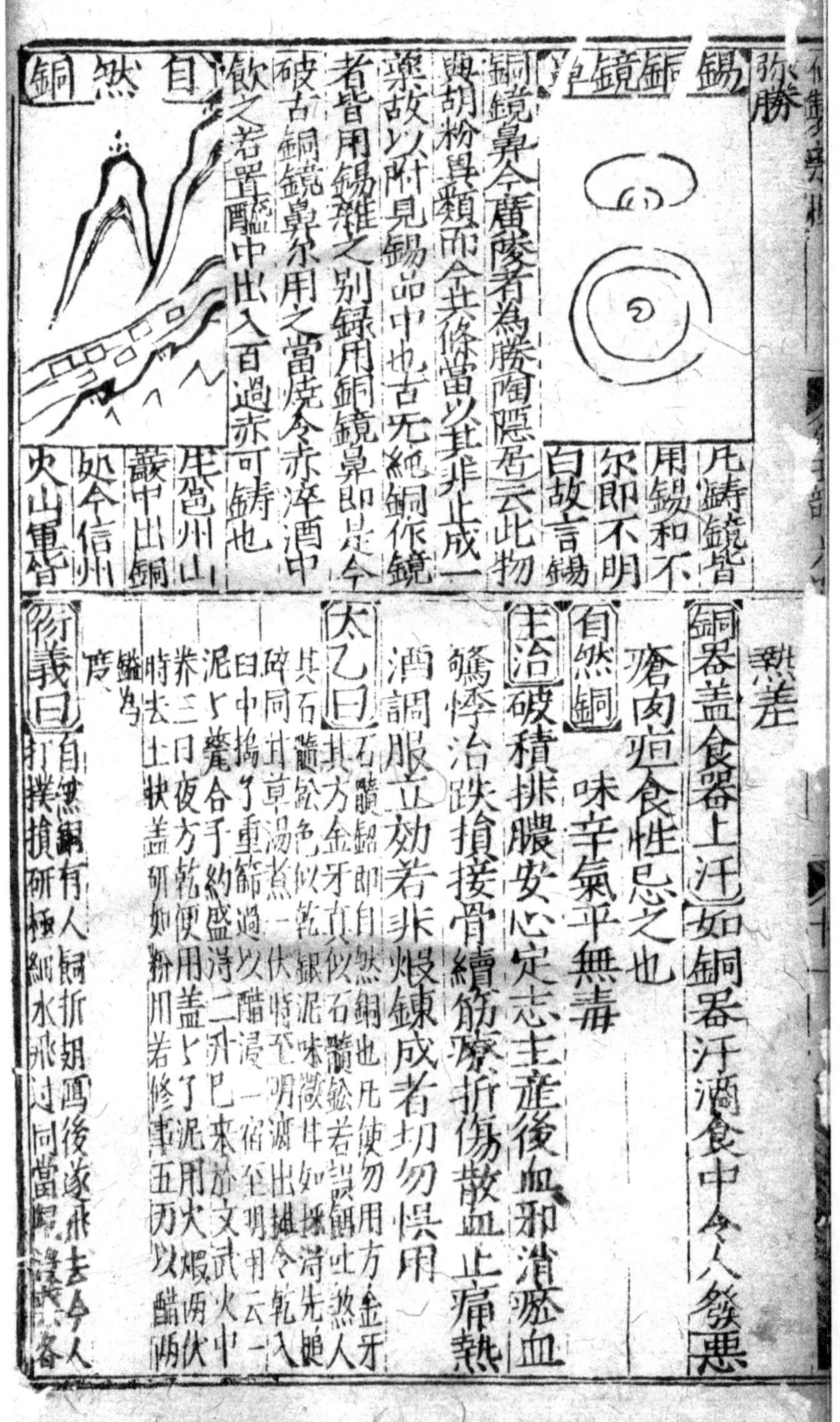

彌勝

錫銅鏡鼻

凡鑄鏡皆用錫和不尔即不明白故言錫

銅鏡鼻今廣陵者為勝陶隱居云此物與胡粉異類而今共條當以其非止成一藥故以附見錫品中也古无純銅作鏡者皆用錫雜之別錄用銅鏡鼻即是今破古銅鏡鼻尔用之當燒令赤淬酒中飲之若置醯中出入百過亦可鑄也

自然銅

生邕州山巖中出銅處今信州火山軍皆

熟差

銅器蓋食器上汗如銅器汗滴食中令人發惡瘡內疽食性忌之也

自然銅 味辛氣平無毒

主治 破積排膿安心定志主產後血邪消瘀血驚悸治跌撲接骨續筋療折傷散血止痛熱酒調服立効若非煆鍊成者切勿誤用

太乙曰 其石髓鉛即自然銅也凡使勿用方金牙其方金牙真似石髓鉛若誤餌吐煞人石髓鉛色似乾銀泥味澀井如採得先鎚碎同甘草湯煮一伏時至明漉出攤令乾入臼中擣了重篩過以醋浸一宿至明用六一泥泥瓷合子約盛得二升已來於文武火中養三日夜方乾便用蓋蓋了泥用火煆兩伏時去土抉蓋研如粉用若修事五兩以醋兩鎰為度

衍義曰 自然銅有人飼折翅鴈後遂飛去今人打撲損研極細水飛過同當歸沒藥各

有之於銅坑中及石間採之方圓不定其色青黃如銅不從鑛石氣結鍊自然而生故以為名凡用製宜火煅醋淬研末絶細水飛入藥出信州鉛山縣銀場銅坑中似馬屁勃色紫重味澁又一種如乱銅絲狀云在銅鑛中山氣薰蒸自然流出亦若生銀如老翁鬚之類入藥最好今宣州鶴門山一種生於土中一番大雨洗出一番其形極方正色黑如漆光照日人以為自然銅市者亦多是此火山軍者顆塊如銅而堅重如石醫家謂之鍮石用之力薄採无時今南方出者說自然銅有兩三躰一躰大如麻黍或多方解纍纍相綴至如斗大者色煌煌明爛如黃金鍮石最上一躰成

半錢以酒調頓服仍以手摩痛處

○按丹溪云世以自然銅為接骨妙藥不知跌損之方貴在補氣補血補胃俗工不明此理惟圖速効取錢倘遇老弱之人若服此新出火者其火毒金毒相煽又挾香熱藥之毒雖有接傷之功然燥散之禍甚於刀劒戒之戒之

【古文錢】味苦澁氣平無毒

【主治】治瞖障明目之良方療風眩赤眼之妙劑下横逆産而順遂祛心腹痛以撫危兼治五淋又主時氣

○【補註】錢青者是大錢煮汁服主五淋瓜入目主盲障膚赤和薏苡根煮服主心腹痛煮比輪錢以新汲水投服之主時氣又含青錢上□內熱者以二十文燒令赤投酒中服

塊大小不定亦光明而赤一錁如薑鈇矢之類又有如不冶而成者形大小不定亦出銅坑中擊之易碎有黄赤有青黑者鍊之乃成銅也據如此說雖分析頗精而未見似亂絲者耳又云今市人多以鍮石為自然銅燒之皆成青焰如硫黄者是也此亦有二三種一種有殼如禹餘粮擊破其中光明如鑑色黄類鍮石也一種青黄而有墻壁或紋如束針一種碎理如團砂者皆光明如銅色多青白而赤少者燒之皆成烟焰頃刻都盡今醫家多誤以此為自然銅市中所貨往往是此自然銅用多須鑒此乃畏火不必形色只此可辨也

之立𫝀又主婦人患横生○患暴赤目腫痛不能開以生姜一塊洗淨去皮以古青銅錢刮取姜汁就錢稜上点初甚苦熱淚蔑面冗不復發驗一点遂愈有瘡者不可用

〔錫灰〕味甘性冷有微毒

〔主治〕主殺三虫而逐毒氣善破積聚而驅蠱毒小兒百痛癖癇益効男子皮中結熱堪除

〔生鐵〕味辛氣微寒無毒

〔主治〕治癇疾鎮心安五臟黑髮療癬疥妙方祛惡瘡秘法脫肛及熊虎咬傷取湯日洗被打致血疑骨節用酒時常耳聾蒸汁可服之必塞磁石絕効

○〔補註〕治耳聾燒鐵令赤投酒中飲之仍以磁石塞耳中日一易夜去○熊虎所傷毒痛者煑生鐵令有味以洗之○被打瘀血在骨節及脇外不去者以生鐵酒煑服之○脫肛歷年不愈以生水煑汁洗之日再洗○小兒卒得𤺋瘡一名爛瘡燒鐵淬水七浸以治兒

古文錢

周太公立九府圜法始名錢以圓含方輕重以銖周流四方之象

○按衍義云古文錢古銅焦赤有毒特為有錫也此說非是今但取景王時大錢五十及寶貨秦半兩漢莢錢大小五銖吳大泉五百大泉當千宋四銖二銖及梁四柱北齊常平五銖尔後其品尚多如此之類方可用

禹以歷山之金鑄鎔以周人因

錫灰

生桂陽山谷今有銀坑恐皆有

二三次即差

熟鐵　味辛氣平無毒

主治　主堅肌之妙劑耐疼痛之良方能刺石亭脂毒煮汁下咽尤捷

鐵精　味辛氣平又云微温無毒

主治　療驚悸心神不定治小兒風癇亦宜主陰癀脫肛又化銅明目

○補註　陰脫鐵精羊脂二味攪令稠布裹炙熱熨推内之差○食中有蠱毒令人腹内堅痛面目青黃淋露骨立病變無常用炉中鐵精細研搗鷄肝和為丸如梧子大仟食前後酒下五丸○産後陰下脫鐵精粉推内之○陰腫鐵精粉傅之○蛇骨刺人毒痛以鐵精粉如大豆以管吹瘡内○小兒因痢肛門脫以鐵精粉之

鐵漿　味澁氣平無毒

主治　解諸毒入腹内治虎蛇犬齒傷主顛癇發

之而臨賀出錫尤盛亦謂之白鑞謹按字書錫為鑞鉛為青金雖相似而入用殊別只今醫家無靈丸故以錫灰代之大抵治証與靈丸無異也故錄之以俟後之知音者

生鐵

諸鐵舊本不著所出州土今湖陝閩廣

江南西蜀皆有之所出山谷皆有鐵砂用炉冶烹煅鎔化初煉去鑛用以鑄瀉器物鍋鼎鐺釜者俱為生鐵入藥用煅水飛淘去麁汁上烘乾再燒令赤酒淬服之諸鐵不入丸散皆煮汁用之俱畏

任鎖以之退熱惡蟲醫秘法明眼目仙方

○補註 療漆瘡以鐵漿洗之隨手差㿗為之鉞○治脇氣病骨中熱生瘡瘰癧五痔飲鐵漿差○六畜顛狂蛇犬虎狼毒刺惡蟲等齧鐵漿服之毒下入內

鋼鐵 味甘氣平無毒

主治 去胸膈痞積食停止金瘡煩滿熱中

鐵華粉 味鹹氣平無毒

主治 止驚悸癲癇治冷氣心痛去痃癖癥結積聚瘀脹肛痔瘻何逃善補五臟能去百病安心神堅骨髓強志力卻風邪亦治健忘又消宿食養血氣延年烏鬚髮耐老若為丸散須知要膏

○補註 治心虛風邪精神恍惚健忘以經使鐵鐵四斤炭火內燒令通赤投於醋中如此七遍即堪打碎如碁子大以水二斗浸經二七日每於食後服一小盞

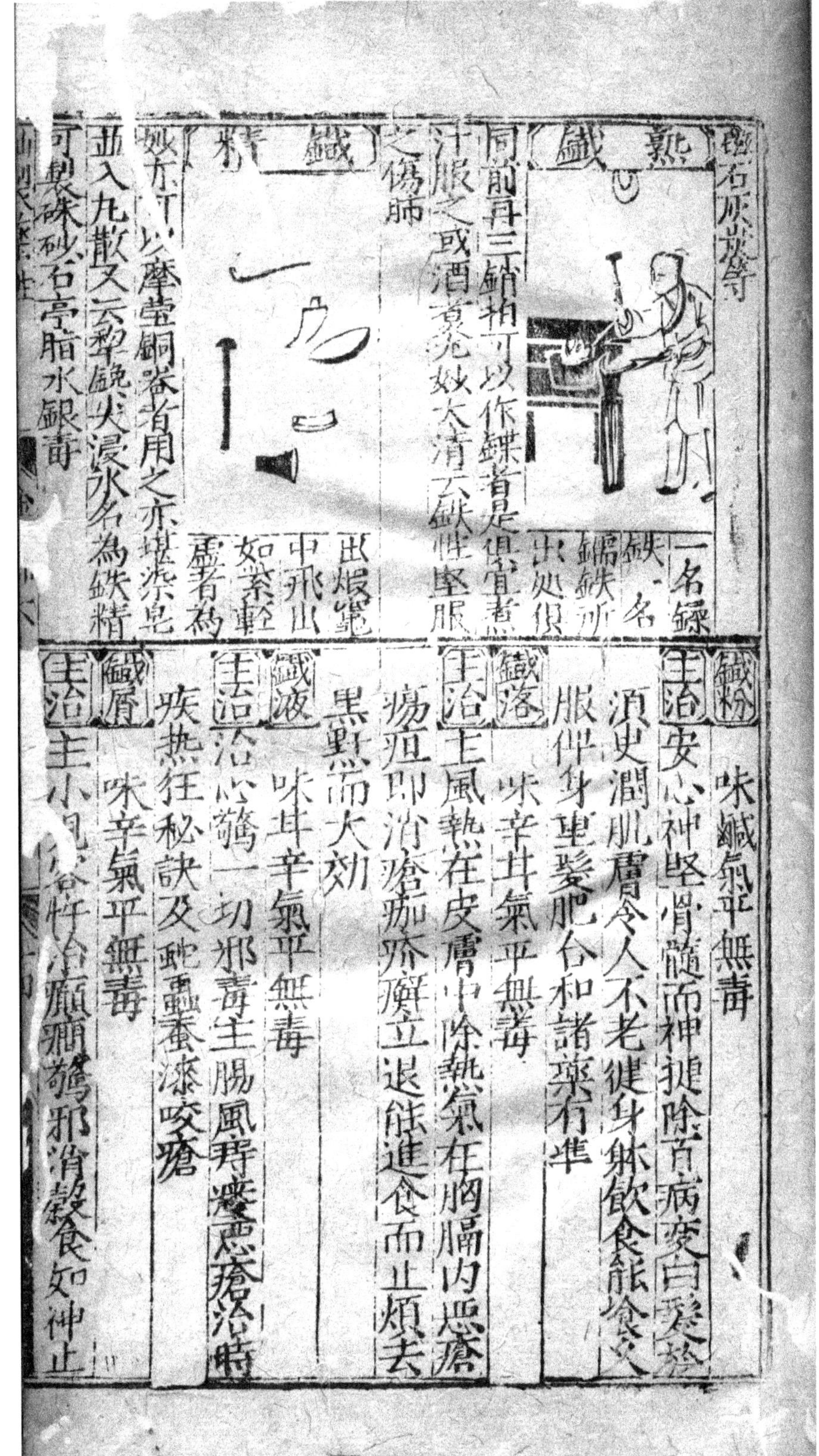

礬石灰礬等

熟鐵

一名鍒鐵一名鑐鐵所出处俱同前毎三斤錫柏可以作鍒者是俱宜煮汁服之或酒煮光妙太清云鐵性堅服之傷肺

鐵精

出煆竈中飛出如紫輕虛者為妙亦可以摩瑩銅器皆用之亦堪染皂並入丸散又云釆鍛火浸水名為鐵精可製珠砂石亭脂水銀毒

鐵粉　味鹹氣平無毒

主治　安心神堅骨髓而神撻除百病変白髮於須臾潤肌膚令人不老健身耐飲食能令久服伊身重髮肥合和諸藥有準

鐵落　味辛甘氣平無毒

主治　主風熱在皮膚中除熱氣在胸膈內惡瘡瘍疽即消瘡痂疥癬立退能進食而止煩去黑點而大効

鐵液　味甘辛氣平無毒

主治　治心驚一切邪毒主腸風痔瘻惡瘡治時疾熱狂秘訣及蚘蟲蚕漆咬瘡

鐵屑　味辛氣平無毒

主治　主小兒客忤治癲癇驚邪消穀食如神止

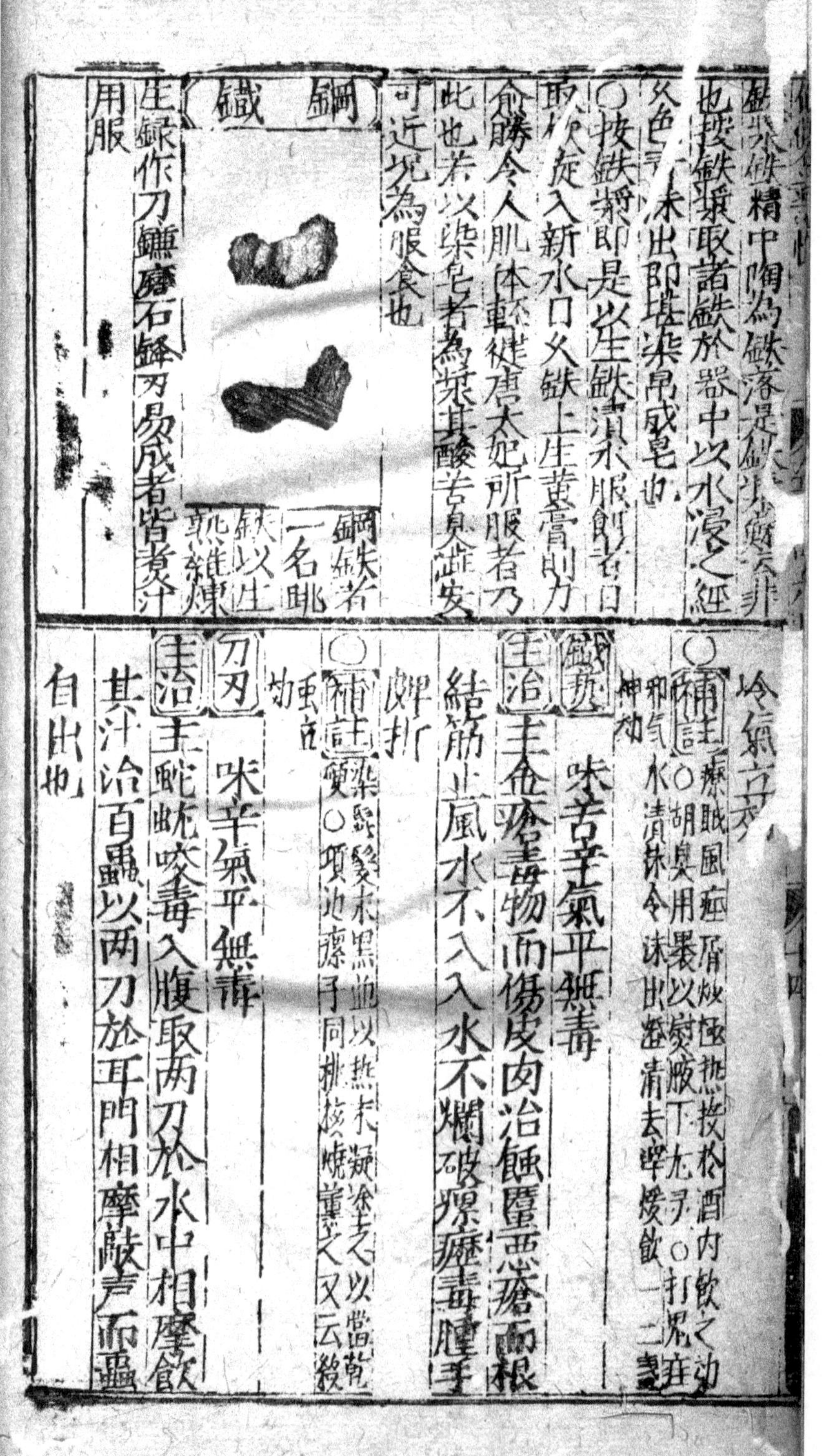
鐵漿鐵精中陶為鐵落是鐵汁鐵液非也按鐵漿取諸鐵於器中以水浸之經久色青沫出即堪染皂成皂也

○按鐵漿即是以生鐵漬水服餌者日取飲旋入新水久久鐵上生黃膏則力愈勝令人肌体輕健唐太妃所服者乃此也若以染皂者為漿其酸苦臭澀安可近况為服食也

鋼鐵

鋼鐵若一名跳鐵以生熟雜煉

生錄作刀鐮磨石鋒刃易成者皆煑汁用服

冷氣立[illegible]

○補註主療賊風痙屑炒極熱投於酒內飲之効○胡臭用墨以熨腋下尤好○打撲瘢邪氣水漬沫令沫出澄清去滓煖飲一二盞神効

鐵鏽 味苦辛氣平無毒

主治 主金瘡毒物而傷皮肉治蝕匿惡瘡而根結筋止風水不入入水不爛破瘰癧毒腫手脚折

○補註主染鬚髮末黑並以熱末凝塗之以當乾硬○項池瘰子同排核燒薰之又云殺重立効

刀刃 味辛氣平無毒

主治 主蛇虺咬毒入腹取兩刀於水中相摩飲其汁治百蟲入耳以兩刀於耳門相摩敲声而蟲自出也

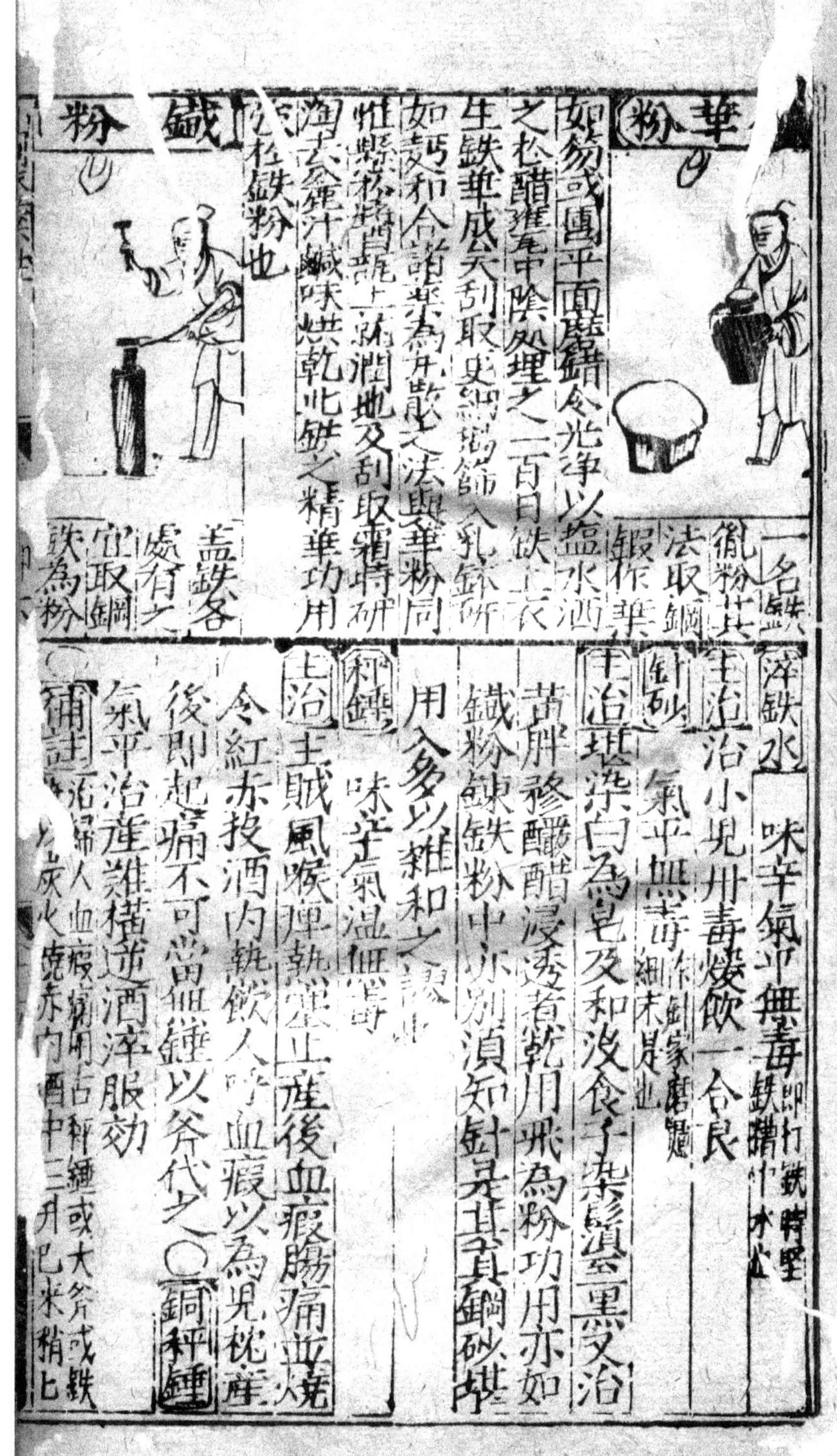

華粉

如笏或團平面磨錯令光淨以鹽水洒之於醋甕中陰處埋之一百日鐵上衣生鐵華成矣刮取更細搗篩入乳鉢研如麪和合諸藥爲丸散之法與華粉同性緊精鐵貴上上潤也及刮取霜時研淘去礬汁鹹味烘乾此鐵之精華功用亦於鐵粉也

鐵粉

一名鐵亂粉其法取鋼鍛作葉

蓋鐵各處有之宜取鋼鐵爲粉

淬鐵水

味辛氣平無毒即打鐵時堅鐵淬水也

主治　治小兒丹毒燒飲一合良

針砂

氣平無毒作針家磨鑢細末是也

主治　堪染白爲皂及和沒食子染鬚髮黑又治黃胖穆醃醋浸透煮乾用飛爲粉功用亦如鐵粉鍊鐵鐵粉中亦別須知針是其眞鋼砂堪用入多以雜和之謬也

秤錘

味辛氣溫無毒

主治　主賊風喉痺熱塞止產後血瘕腸痛並燒令紅赤投酒內熱飲人咋血瘕以爲兒枕產後即起痛不可當用錘以斧代之○

銅秤錘

氣平治產難橫逆酒淬服効

補註　治婦人血瘕痛用古秤錘或大斧或鐵以炭火燒赤內酒中三升已米稍上

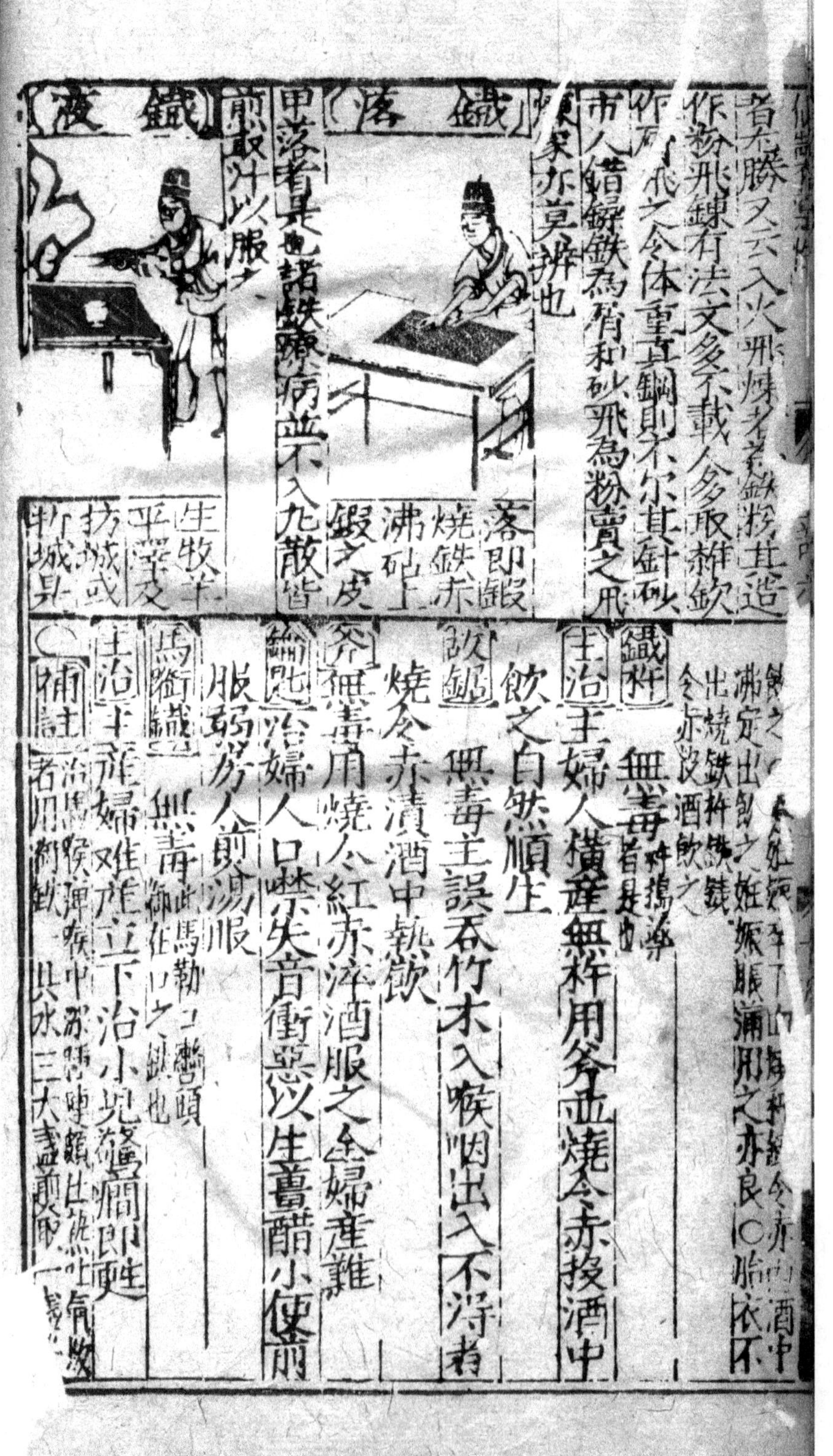

者尤勝。又云入火飛煉者，若鍛粉，其造作粉飛鍊有法，文多不載。人多取辨鈗作砂飛之，今体重。真鋼則不尔，其針砂，市人錯以鍒鐵為屑，和砂飛為粉賣之，凡煉家亦莫辨也。

鐵落

甲落者是也。諸鐵療病，並不入丸散，皆煎取汁以服之。

鐵液

飲之。○姙娠卒下血，燒秤錘令赤，內酒中，沸定出，飲之。姙娠脹滿，用之亦良。○胎衣不出，燒鐵杵鐵錢，令赤，投酒飲之。

【鐵杵】無毒。杵搗藥者是也。

【主治】主婦人橫產，無杵用斧亦燒令赤，投酒中飲之，自然順生。

【鈂鍋】無毒。主誤吞竹木入喉咽，出入不得者，燒令赤，漬酒中，熱飲。

【斧】無毒。用燒令紅赤，淬酒服之，令婦產難。

【鑰匙】治婦人口噤失音，衝惡，以生薑醋小便煎服，弱房人煎湯服。

【馬銜鐵】無毒。此馬勒口鐵頭，御在口之鐵也。

【主治】主難產，婦人難產立下。治小兒驚癇，即生。

〇【補註】治馬喉痹，喉中腫痛，喉頰生瘡，熱吐氣啟者，以銜鐵一具，水三大盞，煎取一盞

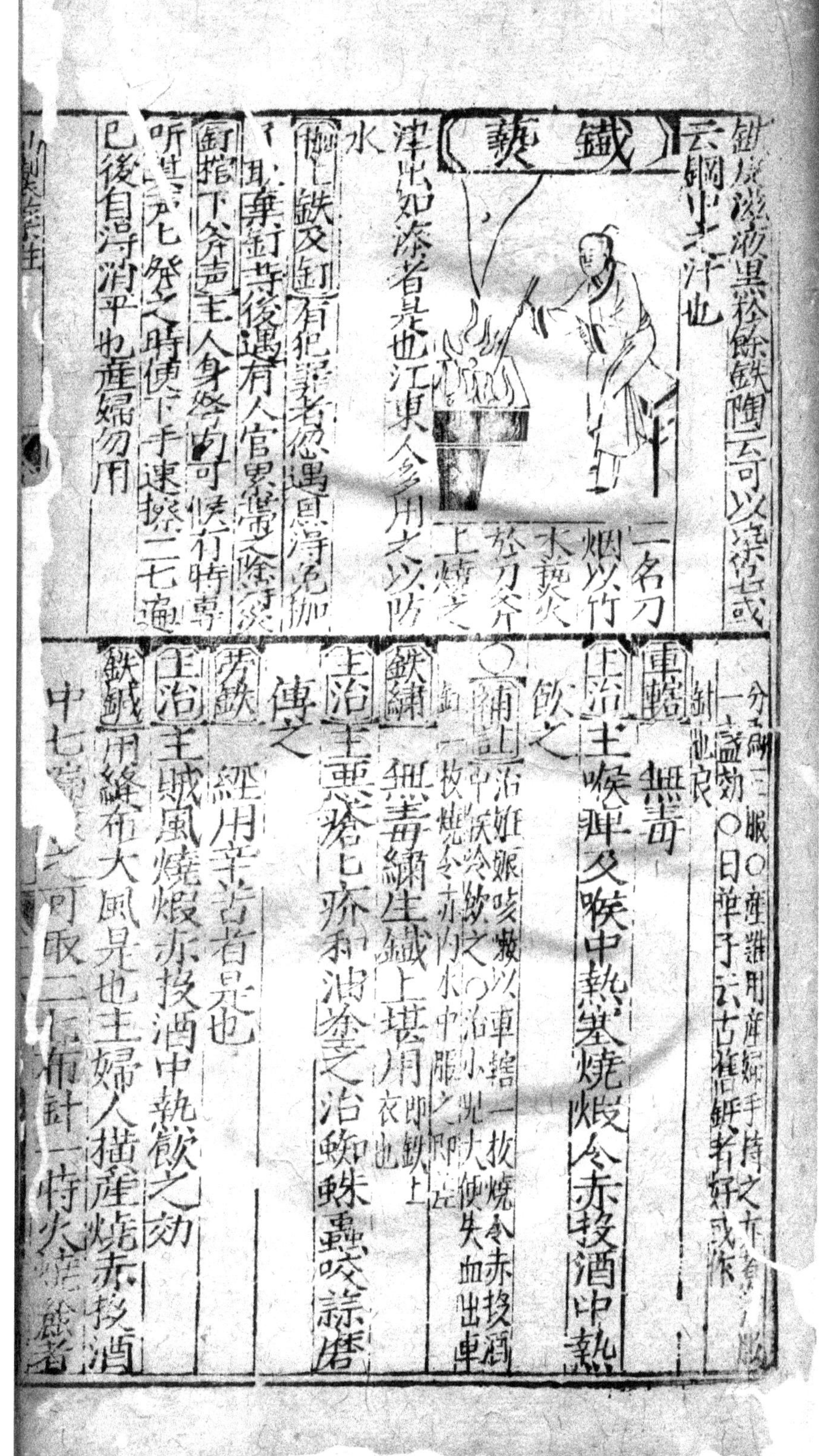

鉎人熬液黒拴餘鉄陶云可以染皂或云鋼中之汗也

《鐵漿》

一名刀烟以竹木燒火於刀斧上燒之津出如漆者是也江東人多用之以防水

【枷上鉄及釘】有犯罪者忽遇恩得免枷了取鎖釘等後遇有人官累當之除得災

【釘搭下斧声】主人身於內可候行時專听其声之纔之時便下手速揬一七遍已後自得消平也產婦勿用

分爲三服○產難用產婦手持之亦煮之服一盞効○日華子云古舊鋌者好或作釗也良

【車轄】無毒

【主治】主喉痺及喉中熱塞燒煅令赤投酒中熱飲之

【補遺】治妊娠咳嗽以車轄一枚燒令赤投酒中疾冷飲之○治小兒大便失血出車釗一枚燒令赤內水中服之即差

【鉄繡】無毒繡生鐵上堪用即鉄上衣也

【主治】主惡瘡乚疥和油塗之治蜘蛛蟲咬蒜磨傅之

【芳鉄】經用年古者是也

【主治】主賊風燒煅赤投酒中熱飲之効

【鉄鍼】用縫布大鍼是也主婦人横產燒赤投酒中七遍[illegible]可服二[illegible]布針一特火燒[illegible]著

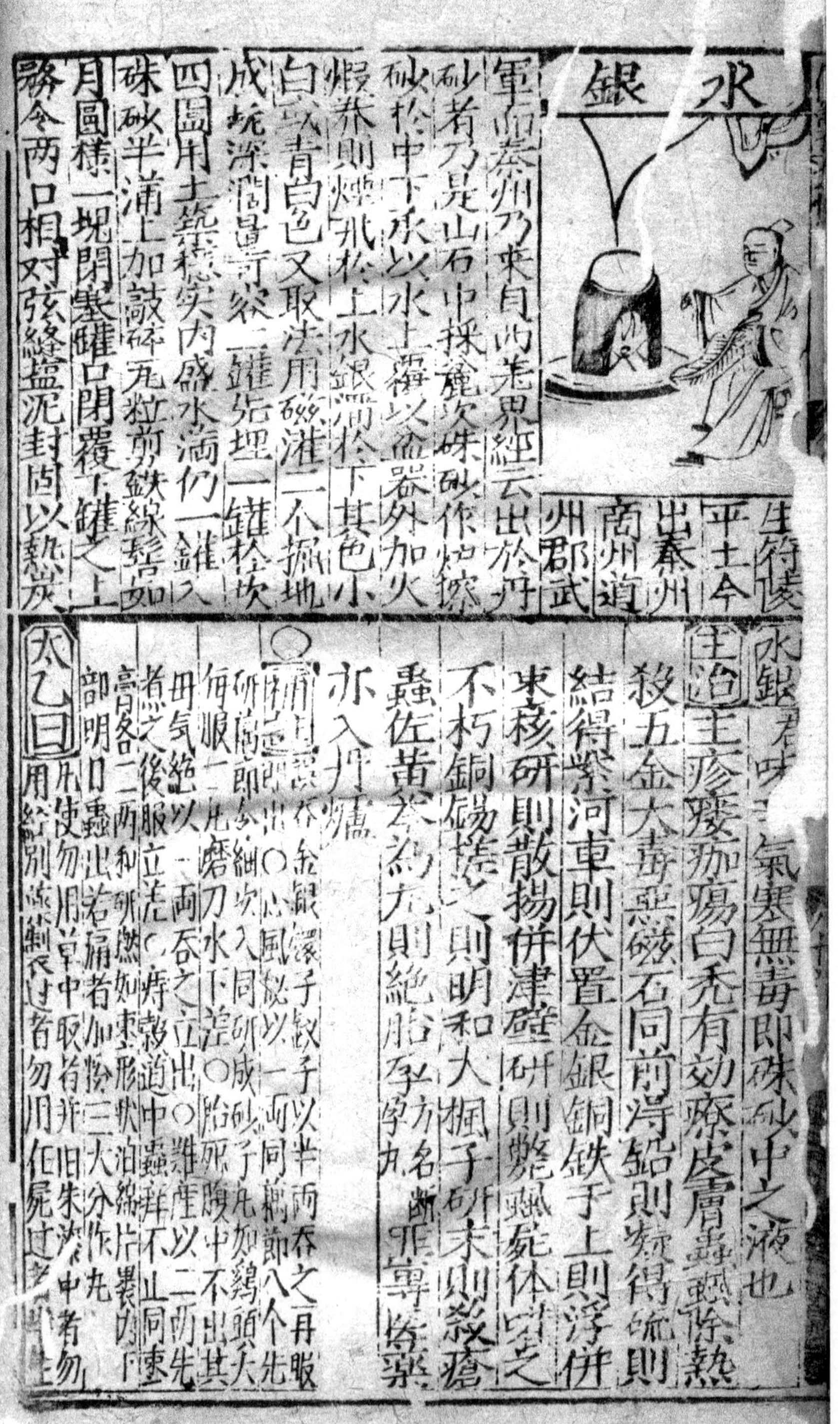

生符陵平土，今出秦州、商州、道州、邵武軍。而秦州乃來自西羌界。經云出於丹砂者，乃是山石中採粗次朱砂，作爐安砂於中，下承以水，上覆以盆器，外加火煅養，則煙飛於上，水銀溜於下，其色小白，或青白色。又取法：用磁罐一个，掘地成坑，深闊量可容一罐，先埋一罐於坑四圍，用土築穩實，內盛水滿，仍一罐入硃砂半蒲，上加敲碎瓦粒，剪鐵線髮如月圓樣一塊，閉塞罐口，閉覆下罐之上，務令兩口相对，弦縫鹽泥封固，以熱炭

水銀 君 味辛，氣寒，無毒。即硃砂中之液也。

主治 主疥瘻痂瘍白秃，有効。療皮膚蟲蝨，除熱，殺五金大毒，惡磁石。同煎得鉛則類，得硫則結，得紫河車則伏，置金銀銅鐵于上則浮。併棗核研則散，揚併津唾研則斃蝨虱，死体逆之不朽。銅錫搽之則明，和大楓子研末則殺瘡蟲，佐黃芩為丸則絕胎孕，孕丸方名斷產導經藥。亦入丹爐。

○用其製 誤吞金銀環子釵子，以半兩吞之，再服即出。○治風癇，以一兩同藕節八个先研爛，即参細，次入同研成砂子，丸如雞頭大，每服一丸，磨刀水下，瘥。○胎死腹中不出，其母氣絕，以一兩吞之立出。○難產，以二兩先煮之，後服立生。○痔發道中蟲癢不止，同棗膏各二兩，和研爛，如棗形狀，油綿片裹，內下部，明日蟲出。若痛者，加粉三大分作丸。

太乙曰 用紙別藥制伏過者勿用，任屍過者勿用。凡使勿用草中取者并旧朱漆中者，勿

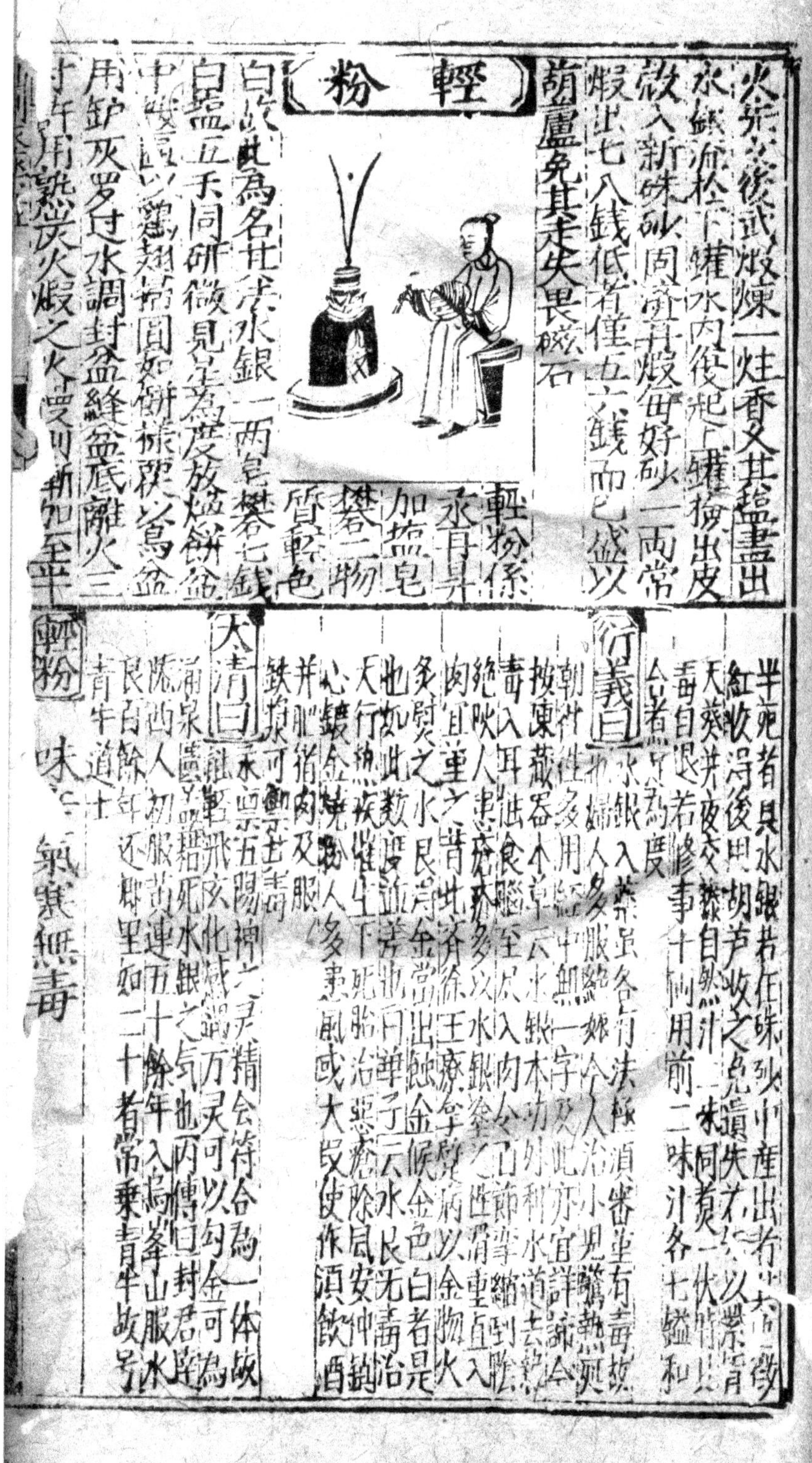

火先文後武煆煉一炷香又其鹽盡出水銀洒於下罐水内後起下罐掃出皮放入新鍋砂同研再煆每好砂一兩常煆出七八錢低者僅五六錢而已盛以葫蘆免其走失畏磁石

輕粉

輕粉係水銀昇加鹽皂礬二物質輕色白故此為名其法水銀一兩皂礬七錢白鹽五天同研微見星為度放盆餅盆中按以鷄翎掃圓如餅狀以烏盆用鋁灰罗过水調封盆縫盆底離火三寸午用熟炭火煆之火要小漸加至半苑著貝水銀若在硃砂中産出者尤微紅收泻後用胡芦收之免遺失以紫背天葵并夜交藤自然汁二味同煮一伏時其毒自退若修事十兩用前二味汁各七鎰和合着烹以為度

行義曰：水銀入藥雖各有法極須審謹有毒故婦人多服絶娠今人治小兒驚熱涎潮往往多用經中無一字及此亦宜詳謹今按陳藏器本草云水銀本功外利水道去熱毒入耳能食人腦至盡入肉令百節攣縮倒陰絶陽人患瘡疥多以水銀塗之性滑重直入肉宜謹之昔此濟徐王療孪疥病以金物火炙熨之水银当出蝕金候金色白者是也如此数度並差也同華子云水銀無毒治天行熱疾催生下死胎治悪瘡除風安神鎮心鍍金燒粉人多患風或大段使作須飲酒并肥豬肉及服鐵漿可制其毒

太清曰：水銀禀五陽之精會符合為一体故鈆能制化歸万灵可以匀金可為涌泉匱又能制死水銀之气也丙傳曰封君達隴西人初服黄連五十餘年入鳥鼠山服水銀百餘年還鄉里如二十者常乘青牛故号青牛道士

輕粉　味辛氣寒無毒

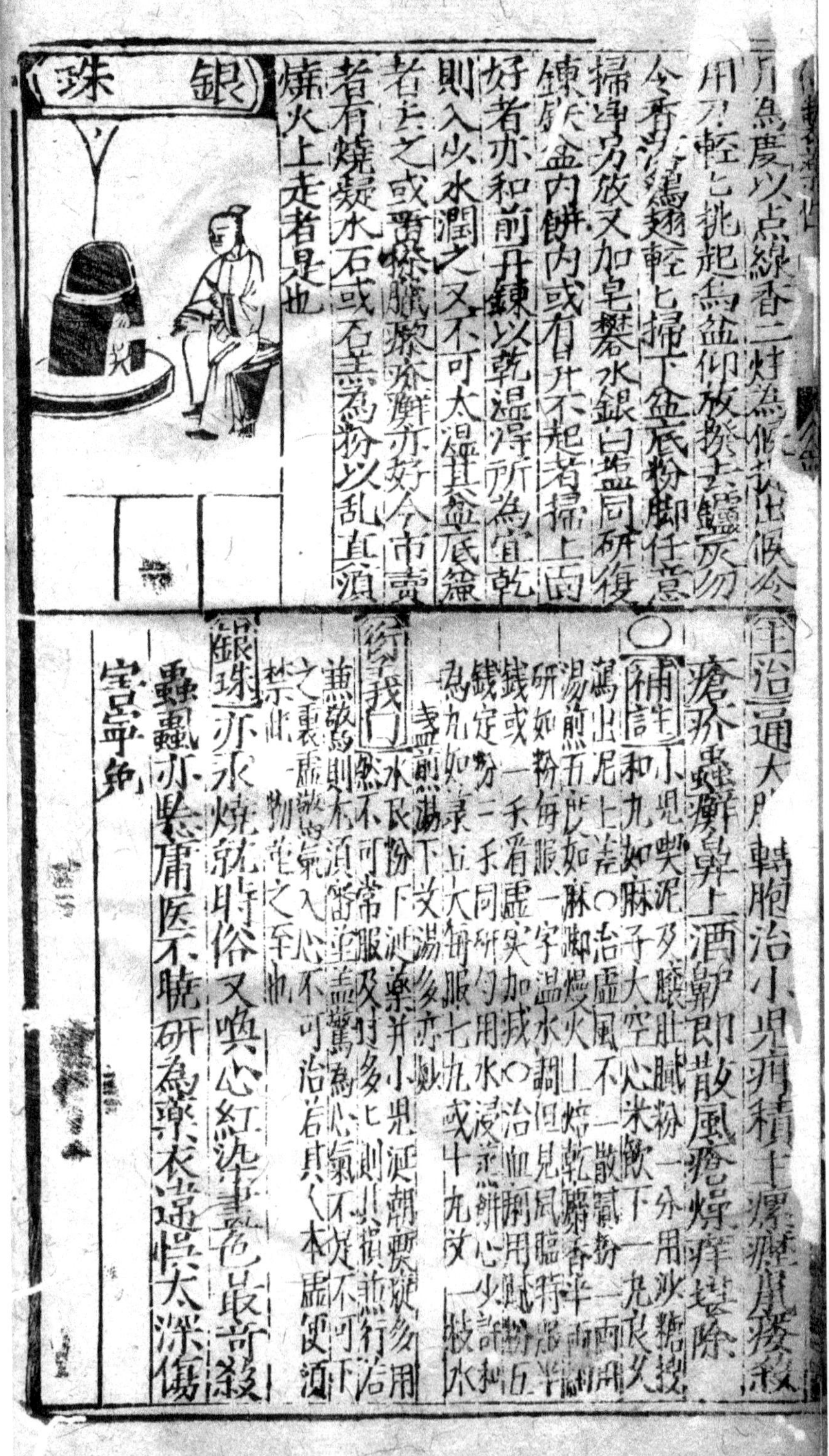

一斤爲度以点線香二炷爲候取出候冷用刀輕輕挑起爲盆仰放務去鑪灰另令荊汋鵝翎輕輕掃下盆底粉脚任意掃淨另放又加皂礬水銀白鹽同研復鍊然盆內餅內或有升不起者掃上面好者亦和前升鍊以乾濕得所爲宜乾則入少水潤之又不可太濕其盆底鑑者去之或賣燐臘燦齊辯亦好今市賣者有燒凝水石或石膏爲粉以乱真須燒火上走者是也

【主治】通大腸轉脇治小兒疳積壯熱瘰癧風痰殺瘡疥蟲癬鼻上酒齇即散風瘡痒疥蟲除

○【補遺】小兒喫泥及驚肚脹膩粉一分用沙糖搜和丸如麻子大空心米飲下一丸良久瀉出泥土差○治虛風不一散膩粉一兩湯煎五片如麻脚爆火上焙乾麝香半兩同研如粉每服一字温水調但見風臨特服半錢或一手看虛實加減○治血刺用膩粉五錢定粉一手同研勺用水浸蒸餅心少許和爲丸如菉豆大每服七丸或十丸艾一盞水一盞煎湯下艾湯多亦効

【衍義】水銀粉下涎藥并小兒涎潮瘈瘲多用然不可常服及过多多則損人若兼驚則不須用盖驚爲心氣不足不可下之裏虛驚氣入心不可治若其人本虛便須禁此一物慎之至也

【銀珠】亦水燒就時俗又喚心紅染朱色最奇殺蟲蝨亦堪庸医不曉研爲藥衣遇愕太深傷害宜戒

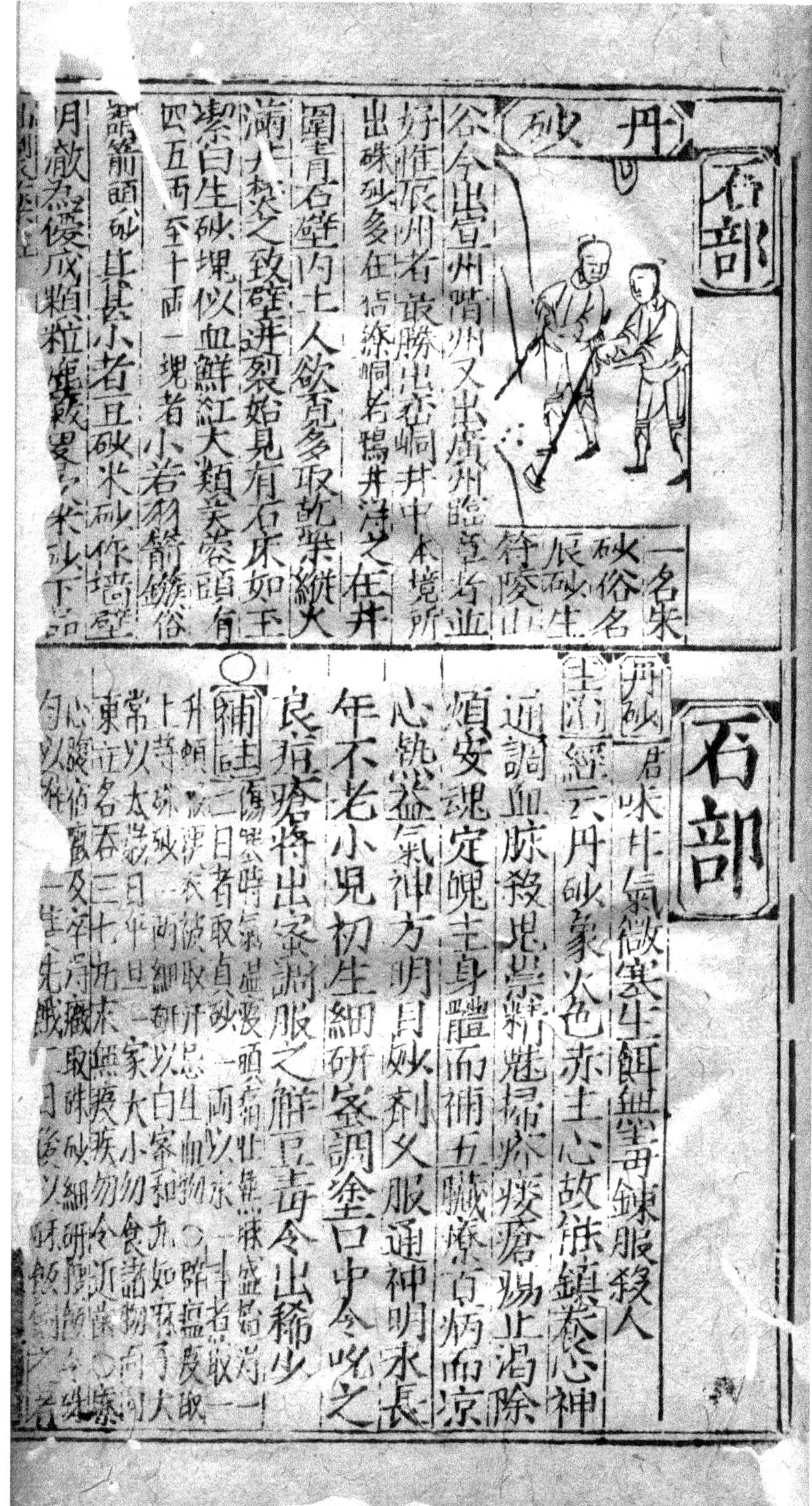

石部

一名朱砂俗名辰砂生符陵山谷今出宜州階州又出廣州臨賀者並好惟辰州者最勝出於峒井中本境所出硃砂多在蓓蒢峒老鴉井穴之在井圍有石壁內土人欲覓多取乾柴縱火滿七焚之致壁迸裂始見有石床如玉潔白生砂塊似血鮮紅大類芙蓉頭有四五兩至十兩一塊者小者若箭鏃俗名箭頭砂其甚小者豆砂米砂作墻壁明澈爲優成顆粒塊鐵屑者次米砂下品

石部

丹砂　君　味甘氣微寒生餌無毒鍊服殺人

主治　經云丹砂象火色赤主心故能鎮養心神通調血脈殺鬼祟精魅掃除疥瘻瘡瘍止渴除煩安魂定魄主身體而補五臟療百病而涼心熱益氣神方明目砂劑久服通神明不老長年不老小兒初生細研蜜調塗舌口中令咽之良痘瘡將出蜜調服之解痘毒令出稀少

○補註　傷寒時氣溫疫頭痛壯熱脈盛始得一二日者取真砂一兩以水一斗煮取一升頓服覆衣被取汗忌生血物　○辟瘟疫取上等硃砂一兩細研以白蜜和丸如麻子大常以太歲日平旦一家大小勿食諸物面向東立各吞三七丸永無疾疾勿令近齒　○療心腹宿癥及卒得癥取硃砂細研以飲調勻以雞子一隻先敲開一口後以砂飲入封合若

鉛屑常多磁石引[illegible]層丹三云火
井煮不如水井乃勝水井有砂者其水
亦甘有然亦無苛熱之氣新井者雖及
舊井色深凡治病亦惟取優等砂味甜
細清水淘勻服則无毒功能自然磁
石長鹹水
○按汪石山曰經云朱砂微寒生餌無
毒伏火者大毒殺人水銀乃火煅朱砂
而成何謂無毒此性滑動走而不守氣
味俱陽從可知矣陽屬火經云水銀
辛寒以難消鍊又云有毒得非謂以朱
砂伏火而成之耶故毒此朱砂性宜
其餌腦至丕入肉百節拘攣此又水銀
和入皁礬再加火煅陽中之陰更[illegible]
礬燥烈比之朱砂水銀不為大毒燥烈

新汲井[illegible]清[illegible]服方
匙至五分日三服若病困者石夜可六服
鷄冠血更飼一鷄取足服之候愈即止○小兒
末蒲月驚者以中風欲死者用朱砂以新汲
水濃磨汁塗五心上立差最有神驗○療子
死腹中不出用朱砂一兩以水煮數沸末之
然後取酒服之立出○小兒初生六日溫腸
胃壯血氣方煉成朱砂如大豆許細研以蜜
一棗大熟調以綿揾取之如小兒吮之日
令盡

【太乙曰】
凡使宜須細認取諸般尚有百等不可一
一論之有妙硫砂如拳許大或重一
鎰有十四面面如鏡若遇陰沉天雨即鏡面
上有紅漿汁出有梅柏砂如梅子許大夜有
光生照見一室有白庭砂如帝珠子許大面
上有小星現有神座砂又有金座砂玉座砂
不經丹竈服之而自延壽命次有白金砂澄
水砂陰成砂辰錦砂芙蓉砂鏡面砂箭鏃砂
曹末砂土砂金星砂平面砂神末砂已上不
可一一細述也夫修事朱砂先於一靜室內
焚香齋沐然後取砂以香水浴過了拭乾即
碎搗之後向鉢中更研三伏時竟取一瓷鍋
子著研了砂於內用甘草紫背天葵五方草
各剉之著砂上下以東流水煮亦三伏時勿
令水火闕失時候滿去三件草又以東流水
淘令淨乾熬又研如粉用小瓷瓶子盛又入

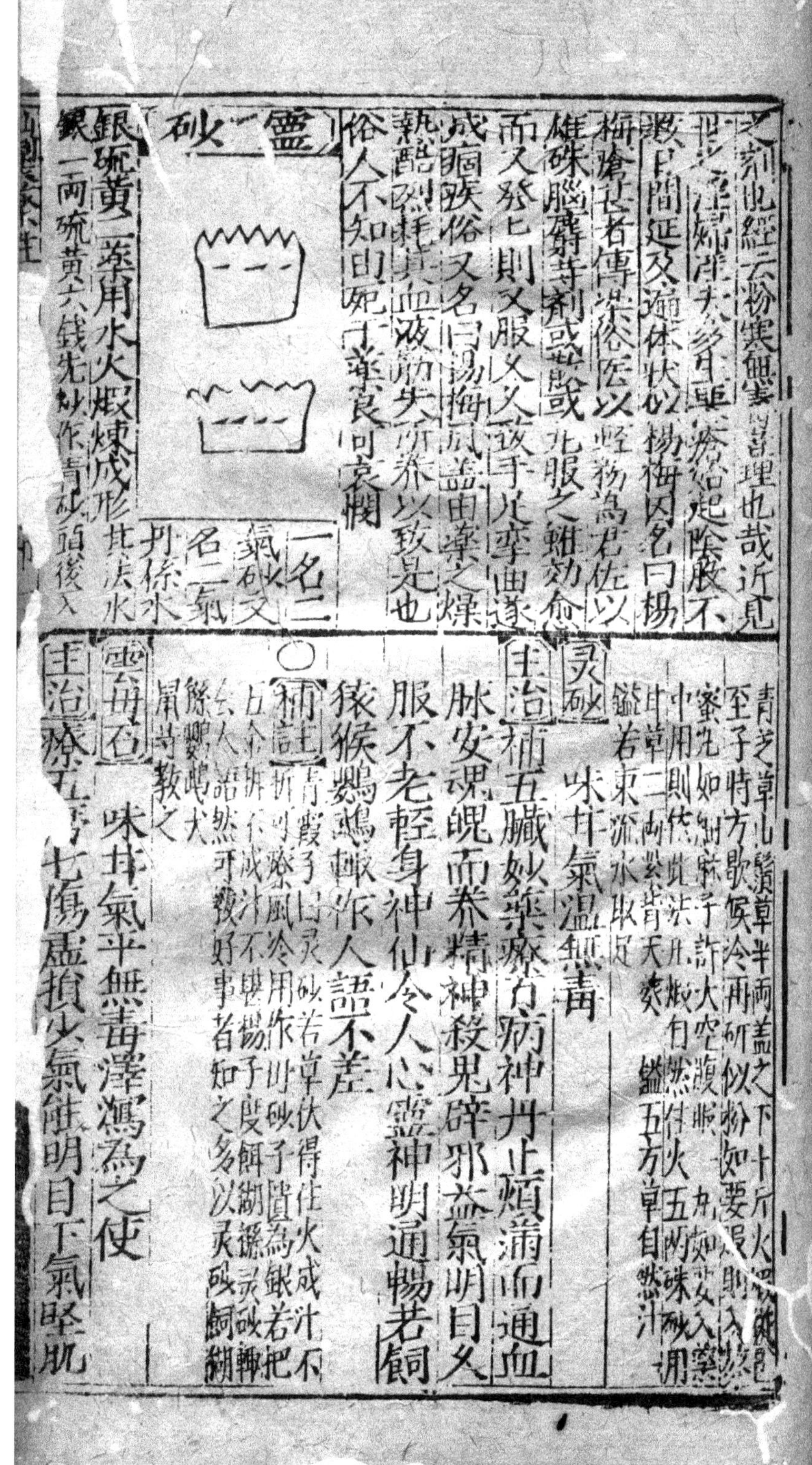

之刻也經云粉實[illegible]理也哉近見
此外經詳洋大多耳亚瘀絡起陰廢不
躁上闇延及遍体状似楊梅因名曰楊
梅瘡古者傳染俗医以輕粉為君佐以
雄硃腦麝等劑或熏或洗服之雖効愈
而又發已則又服久久致手足攣曲遂
成痼疾俗又名曰楊梅風蓋由藥之燥
熱酷烈耗其血液筋失所養以致是也
俗人不知因此而亡藥良可哀憫

靈砂

一名二氣砂又名二氣丹係水銀硃黃二藥用水火煆煉成形其法水銀一兩硫黃六錢先炒作青砂頭後入

青芝草止鬚須草半兩蓋之下十斤火煆[illegible]
至子特方歇候冷再研似粉如要服則入[illegible]
蜜先如棗子許大空腹服丸如[illegible]入藥
中用則依此法丸服自然付火五兩硃砂用
甘草二兩紫背天葵　鹽五方草自然汁
鹽若東流水取足

靈砂　味甘氣溫無毒

主治　補五臟妙藥療百病神丹止煩滿而通血脈安魂魄而養精神殺鬼辟邪益氣明目久服不老輕身神仙令人心靈神明通暢若飼猿猴鸚鵡鷯哥作人語不差

○補註　青霞子曰靈砂若草伏得住火成汁不折斫療風冷用作朋砂子圓為銀若把五金折不成汁不變錫子度餌鍊靈砂轉合人諸然可發好事者知之多以靈砂飼鸚餘鸚鵡犬鼠等教之

雲母石　味甘氣平無毒澤瀉為之使

主治　療五勞七傷虛損少氣能明目下氣堅肌

水火炉搗之如東劍絲者人家出畏鹹

求勿加惡礬石須避

雲母石

一名雲珠色多赤一名雲華五

色一名雲英色多青一名雲液色多白

一名雲砂色青黃一名磷石色正白生

太山山谷齊盧山及琅邪北定山石間

色有五般白澤為貴作片成層可析通

透輕泊泥明沙土淬之月月生長[illegible]

甲及東流水忌羊血惡徐長卿

○按本經註云雲母有五種當審以何

月詳占視之乃可分別若陰地視不見

其雜色也若五色具者名雲華五色只

補[illegible]身[illegible]死肌如車船上中風寒熱治赤白

痢疾及女婦人帶下崩中安五臟且益子精

除邪氣能耐寒暑遍身風痹百計不差者煅

粉調水可服諸類惡瘡一切作痛者研末和

油可敷久服延年輕身明目

○補註治火瘡敗壞用雲母粉同生羊髓和如泥塗之○風疹遍身百計治不差者煅

雲母粉以清水調服之看人大小以意酌量

與之多少服○帶下溫水和服三方寸匕立

効○赤白痢積年不差者飲調服方寸匕兩服

立見神効○治金瘡并一切惡瘡用雲母粉

傅之絕妙○淋疾溫水和服三錢○小兒赤

白痢及水痢雲母粉半大兩研作粉煮白粥

調空腹食之

太乙曰凡使色黃黑者厚而頑赤色者經婦人

手把者並不中用須要光瑩如冰色者

為上凡修事一斤先用小地膽草紫背天葵

生甘草地黃汁各一鎰乾者細剉濕者取汁

了於瓷堝中安雲母并諸藥了下天池水三

鎰著火煮七日夜水火勿令失度其[illegible]

而多青者名雲英宜春服之五色具而多赤者名雲朱宜夏服之五色具而多白者名雲液宜秋服之五色具而多黑者名雲母宜冬服之但有青黄二色者名雲砂宜季夏服之晶晶純白者名磷石四季可服也医方所用白澤者正磷石是也文云他物埋土即朽着火即焦而五雲納猛火中經時不焦埋深穿内雖久不腐故能令人長生服經十年雲氣常覆其上夫服其母以致其子亦理當然也在古故此為言但今之學者未聞一人服此者蓋因金石性悍抑且修製節度甚非文字可詳弗輕餌之重之至也

然成碧玉漿在鍋底却以天池水猛投其中將物攪之浮如蝸涎者即去之如此三度淘淨了取沉香一兩擣作末以天池水煎沉香湯三升已來分為三度再淘雲母漿了日中晒任用之

治[illegible]病製雲母法　雲母一斤拆開揉碎入一大瓶內築實上澆水銀一兩封固以十斤炭火煆通赤取出却拌香葱紫引[illegible]草二件合搗如泥後以夾絹袋盛於大水盆內撋取粉餘滓未盡再添草藥重搗如前法取粉沉水乾以小木盤一面於灰上印一淺坑鋪紙鎮粉在上直候乾移入火焙之取出細研以熟蜜為丸如梧子大遇有病者服之無不効知成者附子謙議曾患大風製醫遇此道士進符此方服之有効

服五雲之法　或以甘露以露水上化之以為水或以露於鐵器中以元水煮之為水或以消石合於筒中埋之為水或以蜜浸為酪或以秋露漬之百日韋囊挺以為粉或以無顛草樗血合餌之服之一年久服衣老成童五年不闕服可役使鬼神入火不燒入水不濡踐棘而不傷膚與仙人相見他物埋之即朽著火即焦而五雲內猛火中經時終不燃埋之水不腐故能令人長生也服經十年雲氣常覆其上夫服其母以致其

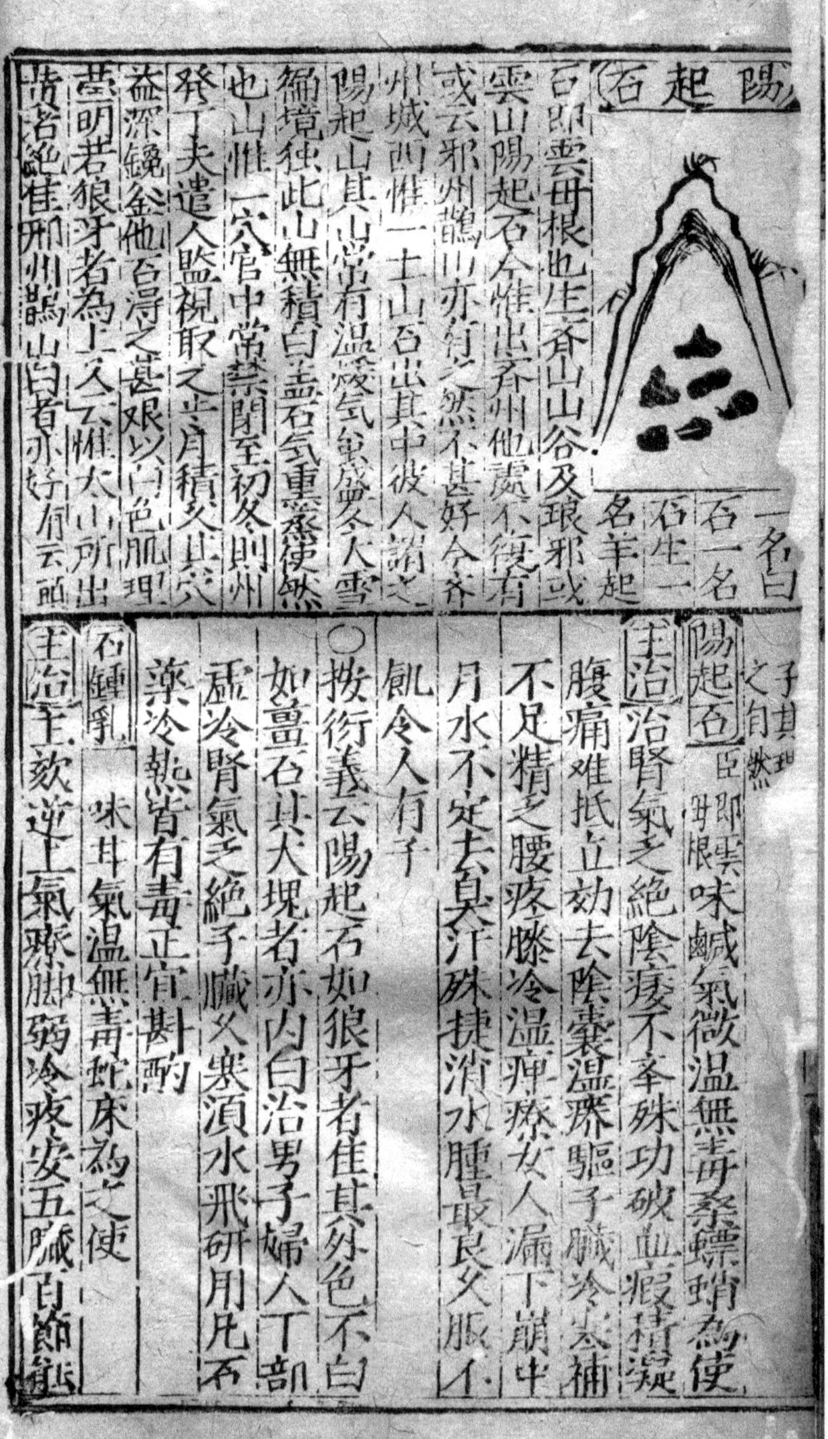

陽起石

石即雲母根也生齊山山谷及琅邪或雲山陽起石今惟出齊州他處不復有或云邪州鵲山亦有之然不甚好今齊州城西惟一土山石出其中彼人謂之陽起山其山常有温煖氣雖盛冬大雪徧境獨此山無積白盖石氣熏蒸使然也山惟一穴官中常禁閉至初冬則州發丁夫遣人監視取之歲月精久其穴益深鑱鑿他石得之甚艱以白色肌理瑩明若狼牙者為上又云惟太山所出黄者絕佳邢州鵲山白者亦好有云頭子其理之自然

一名白石一名石生一名羊起

陽起石 臣即雲母根 味鹹氣微温無毒桑螵蛸為使

主治 治腎氣之絕陰痿不舉殊功破血瘕積凝腹痛难抵立効去陰囊温濕驅子臓冷尤補不足精乏腰疼膝冷温痺療女人漏下崩中月水不定去臭汗殊捷消水腫最良久服不飢令人有子

○按衍義云陽起石如狼牙者佳其外色不白如薑石其大塊者亦内白治男子婦人丁部虚冷腎氣之絕子臓久寒須水飛研用凡石藥冷熱皆有毒正宜斟酌

石鍾乳 味甘氣温無毒蛇床為之使

主治 主欬逆上氣療脚弱冷疼安五臓百節能

雨淋及將鵞毛者佳欲試緊傷絕細研成餅於瓷盆中曬當午日下盆面温暖密掩盆底文火微熏并起粘紙者力洪仍復在盆者力劣惟畏菟絲子惡羊血惡澤瀉菌桂并蛇蛻雷丸

石鍾乳

一名公乳一名蘆石一名夏石

一名盧中生少室山谷及泰山今道州江華縣及連英韶階陝州山中皆有之生巖穴陰處溜山液而成其黃赤二色不任用今医家但以鵝管中空者為最又空中相通長者六七寸如鵝翎管狀碎之如爪甲中無鴈齒光明者善色白

通下乳汁九竅並利解舌痺瀉救飲補下焦傷遺精益氣強陰通声明目補虛損有効好顏色甚良不鍊病淋久服育子延年益壽不老神仙

○補注　治舌痺瀉而救飲者用鍾乳石主之

太乙曰　凡使勿用頭麁厚并尾大者為孔公石不用色黑及經大火驚過并久在地上收者曾經藥物制者並不得用須要鮮明而有光潤者似鵝翎筒子為上有長五六寸者凡修事法以五香水煮過一伏時然後出又別用甘草紫背天葵汁漬再煮一伏時凡八兩鍾乳用沉香零陵藿香甘松白茅等各一兩以水先煮過了第一度方用煮乳草并二味各二兩再煮了漉出拭乾緩火焙之然後入臼杵如粉篩過入鉢中令有力少壯者三兩人不住研三日夜勿歇然後用水飛澄了以絹籠之於日中曬令乾又入鉢中研二万遍後以瓷合子收貯用之毛將合鎮暍藥須是一氣研七周時点木背上乍入肉不是為度恐人歇即將鈴係於鋌柄上研常鳴[illegible]

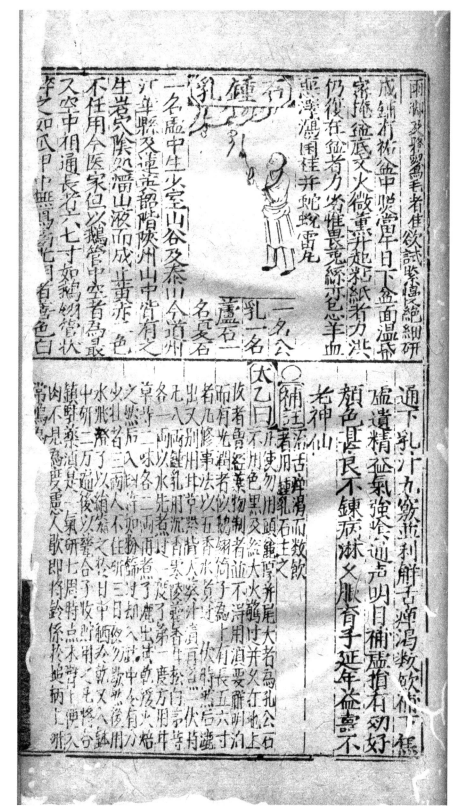

微紅採細贈舊說乳有三種有石鍾乳
者其山純石以石津相滋狀如蟬翼為
石乳石乳性溫有竹乳者其山多生篁
竹以竹津相滋乳如竹狀謂之竹乳竹
乳性平有茅山之乳者其山土石相雜
徧生茅草以茅津相滋乳色稍黑而滑
潤謂之茅山之乳茅山之乳性微寒用
此三種石雖識別

【鍊鍾乳法】太清經云取好細末置金銀
瓷器中用一片瓷蓋覆上勿令泄氣候
之自然化作水

殷孽

一名薑石
即鍾乳根
生趙國山
谷及梁山

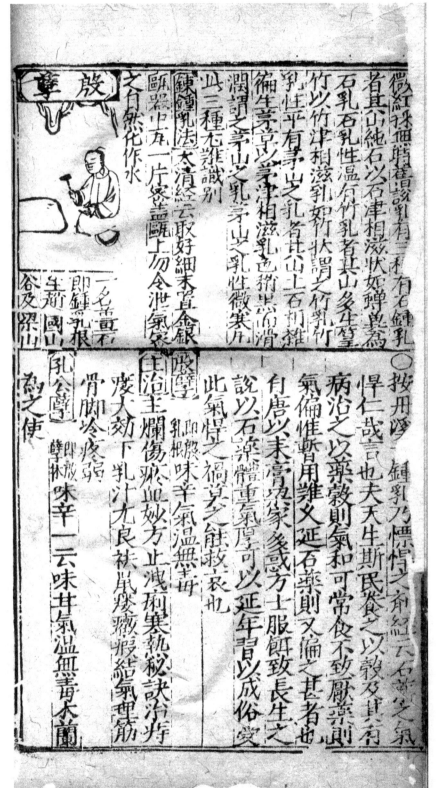

○按用鍾乳乃慓悍之劑經云石藥之氣
悍仁哉言也夫天生斯民養之以穀及其有
病治之以藥穀則氣和可常食不致厭藥則
氣偏惟暫用難久延石藥則又偏之甚者也
自唐以來膏粱之家多惑方士服餌致長生之
說以石藥體重氣厚可以延年習以成俗受
此氣悍之禍莫之能救哀也

【殷孽】即殷乳根 味辛氣溫無毒

【主治】主爛傷瘀血妙方止洩痢寒熱秘訣治痔
瘻大效下乳汁尤良袪鼠瘻癥瘕結氣理筋
骨脚冷疼弱

【孔公孽】即殷孽根 味辛一云味甘氣溫無毒木蘭
為之使

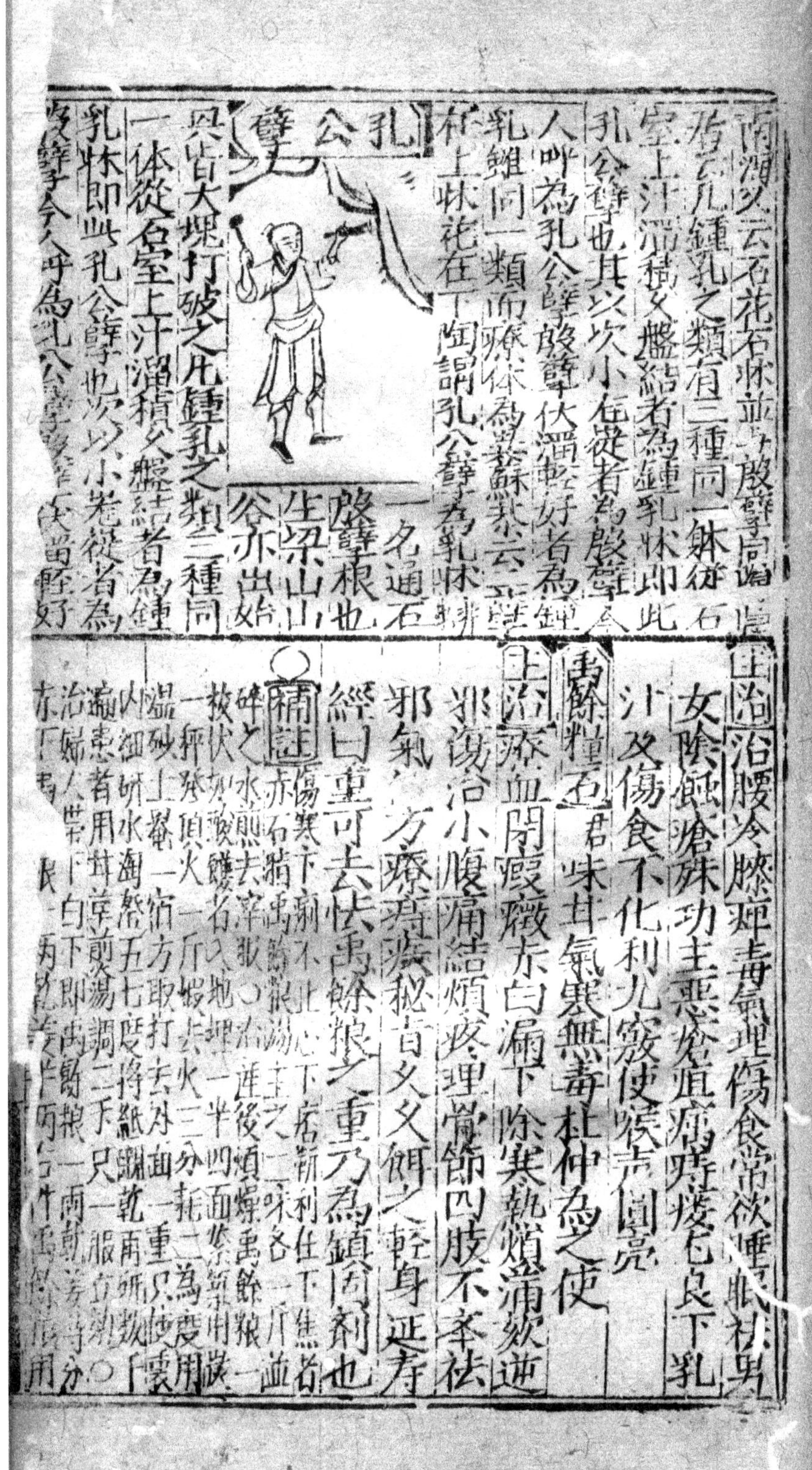

南湖义云石花石牀並与殷孽同處
石云凡鍾乳之類有三種同一躰從石
室上汁溜積久盤結者為鍾乳牀即此
孔公孽也其以次小巵從者為殷孽今
人呼為孔公孽殷孽伏溜輕好者為鍾
乳雖同一類而療体為異蘇恭云二孽
石上牀花在下陶謂孔公孽為乳牀非

孔公孽

一名通石
殷孽根也
生梁山山
谷亦出始
興皆大塊打破之凡鍾乳之類三種同
一体從石室上汁溜積久盤結者為鍾
乳牀即此孔公孽也次以小巻從者為
殷孽今人呼為孔公孽殷孽伏溜輕好

【主治】治腰冷膝痺毒氣逆傷食常欲唾眠補男
女陰蝕瘡痒功主惡瘡宜疳痔瘻□良下乳
汁及傷食不化利九竅使喉声圓亮

【禹餘粮石】君　味甘氣寒無毒杜仲為之使

【主治】療血閉癥瘕赤白漏下除寒熱煩滿欬逆
邪傷治小腹痛結煩疼理骨節四肢不孝祛
邪氣　方療痔瘻秘旨久久餌之輕身延壽
經曰重可去怯禹餘粮之重乃為鎮固劑也

○【補註】傷寒下痢不止心下痞鞕利在下焦者
赤石脂禹餘粮湯主之二味各一斤並
碎之水煎去滓服○治產後煩燥禹餘粮一
枚狀如酸餹者入地埋一半四面紫築用炭
一秤發頂火一斤煅去火三分耗二為度用
濕砂上罨一宿方取打去外面一重只使中
內細研水淘澄五七度將紙襯乾再研數千
遍患者用甘草煎湯調二下一只一服立効○
治婦人帶下白下即禹餘粮一兩乾姜等分
赤下□□□□一兩乾姜半兩合□□散每服用

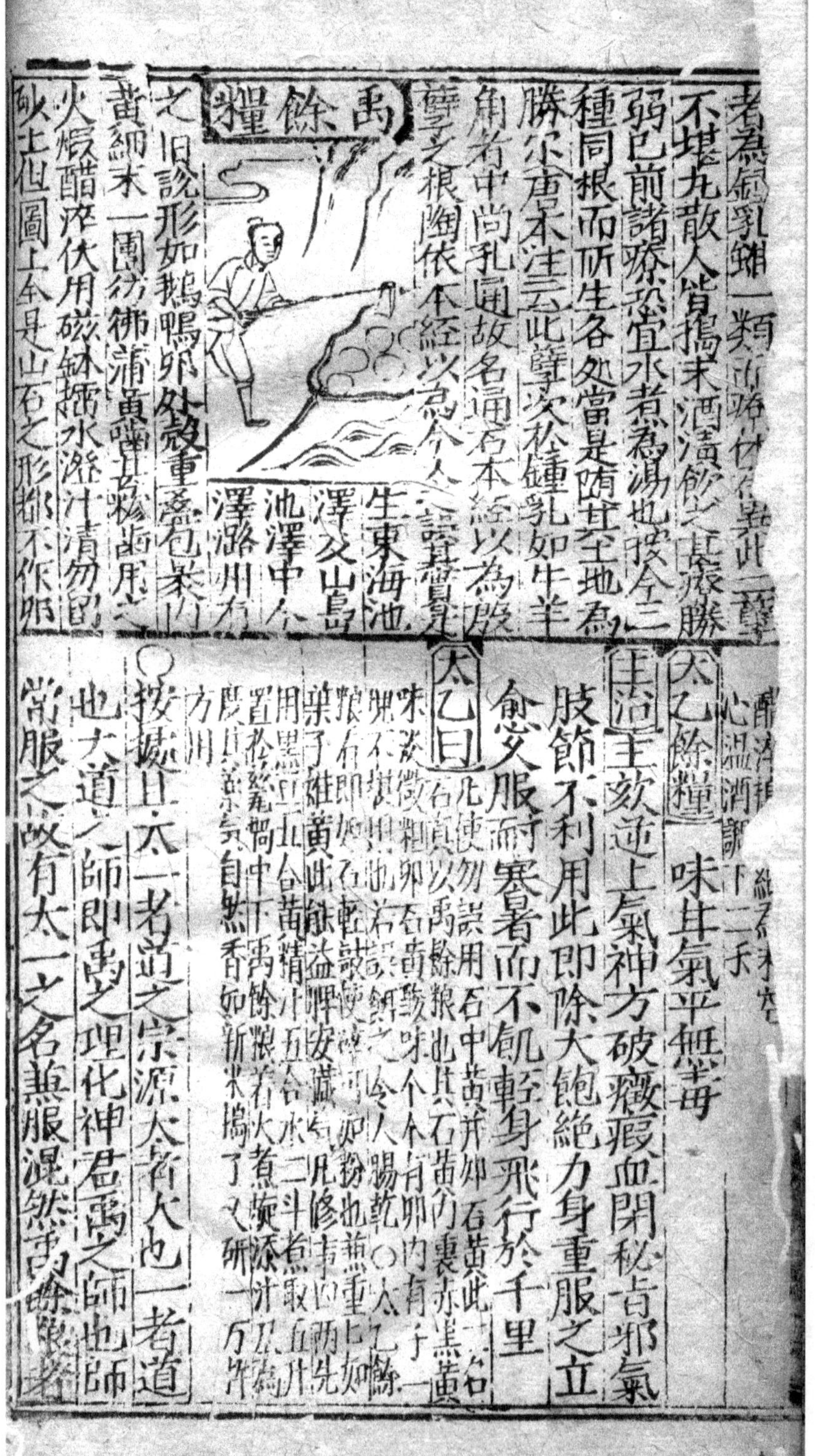

者為鍾乳蝟一類近[illegible]若此二孽不堪丸散人皆搗末酒漬飲之甚療勝弱已前諸療並宜水煮為湯也按今三種同根而所生各処當是随其土地為勝尔唐本注云此孽次於鍾乳如牛羊角者中尚孔通故名通石本經以為殷孽之根陶依本經以為今人之謂孽為是

禹餘糧

生東海池澤及山島池澤中今澤潞州有之舊說形如鵝鴨卵外殼重疊包裹内黄細末一團彷彿蒲黄嚼其粉齒間之火煆醋淬伏用磁鉢擂水澄汁清勿留砂土但圖上今是山石之形都不作卵

[illegible]心温酒調下二千

【太乙餘糧】味甘氣平無毒

【主治】主欬逆上氣神方破癥瘕血閉秘吉邪氣肢節不利用此即除大飽絕力身重服之立愈久服耐寒暑而不飢輕身飛行於千里

【太乙曰】凡使勿誤用石中黄并卵石黄此二名石真以禹餘粮也其石黄内裏赤黑黄味淡微粗卵石黄酸味个个有卵内有子一塊不堪用也若誤餌之令人腸乾○太乙餘粮有即如石輕敲便碎可如粉也兼重如葉子雌黄此餘益脾安臓氣凡修事四兩先用黒豆五合黄精汁五合水二斗煮取五升置於瓷鍋中下禹餘粮着火煮旋添汁盡為度其藥氣自然香如新米搗了又研一萬杵方用

○按據曰太一者道之宗源太者大也一者道也大道之師即禹之理化神君禹之師也師常服之故有太一之名兼服混然禹餘粮者

狀与舊說少異近年東陽山峯間茅山
甚有好者世如牛黃重疊中錯其佳處
乃紫色泯泯如麪嚙之无復磣今南
人又呼平澤中有一種藤葉如菝葜根
作塊有節似菝葜而色赤根形似薯蕷
謂之禹餘粮言昔禹行山乏食採此以
充粮而棄其餘此云白餘粮也

【太乙餘粮】

一名禹哀　一名石腦　生泰山山谷上有甲
甲中有白白中有黃如雞子黃色唐註
云太一餘粮及禹餘粮一物而以精粗
為名尔其殼若瓷方圓不定初在殼中
未凝結者猶是黃水名石中黃子久凝

禹王治水棄其所餘食於江中而為藥也傳
物誌云扶海洲上有草焉名曰蒒草其實食
之若大麥從七月稔熟民食至冬乃訖名曰
自然穀亦曰禹餘粮然則蒒草与此異物而
同名也七澤云今歙之東鄉藍田地名接王
亭有石如之外有殼如卵而厚半寸餘大小
不等但其末不甚黃微帶青黑紫色燒之畧
相硫黃氣

【石中黃子】乃餘粮未成猶在殼中搖則水响本
經註云水已凝者為餘粮水未凝者為不中
黃子也亦堪久服耐老輕身

【氣味】君味甘辛氣溫無毒

【主治】治欬逆胸膈久寒理消渴陰痿不足益氣

乃有數色或青或白或赤或黄各各多交
赤因赤漸紫色赤及紫色名太一其諸
色通謂餘粮今太山不見採得者會稽
王屋澤潞州諸山皆有之

石中黄子

張司空云
石中黄子
本經不載
所生州土

云出禹餘粮處有之今惟出河中府中
條山谷内舊説是餘粮殼中未成餘粮
黄濁水今云其石形如麪劑紫黒色石
皮内黄色者謂之中黄两説小異謹按
葛洪抱朴子云石子中黄所在有之近
水之山尤多在大石中其石常潤溼不
燥打石石有數十重見之赤黄溶溶如

除風痺下氣和大便小便療肺痿肺癰止吐
膿血補五臟通日月光久服能耐寒熱五
色石英取通亮者為上青者治肝赤者治心
黄者治脾白者治肺黒者治腎

○補註 治腹堅脹滿號石水方用白石英十兩杵如大豆大以瓷瓶盛用好酒二斗浸以泥重封瓶口將馬糞及糠火燒之長令酒小沸從卯至午即住火候次日煖一中盞飲日可三度如喫酒少隨性飲之其白石英可更一度燒之○治心藏不安驚悸善忘上鬲風熱化痰安神白石英一兩朱砂一兩同為散每服半錢食後夜卧煎金銀湯調下

○按衍義云白石英狀如紫石英但差大而六
稜白色如水精紫白二石英當攻疾可暫煮
汁用未聞久服之益張仲景之意只令㕮咀
不為細末者豈无意焉其久服更宜詳審

紫石英 君味甘辛氣温无毒長石為之使

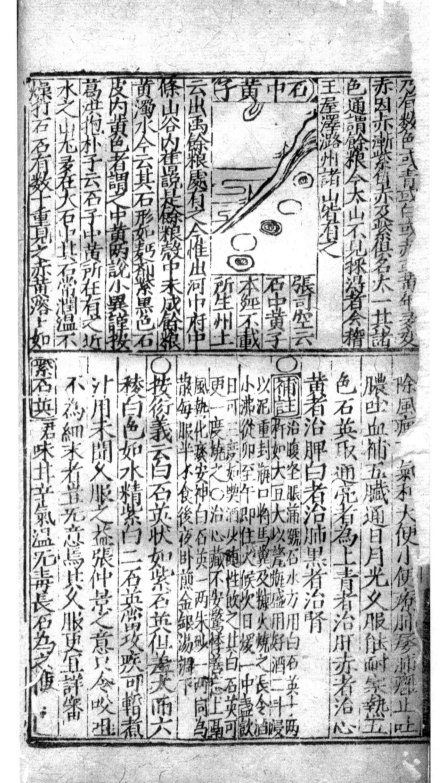

鷄子以石殼得者即當飲之不爾便堅凝成石不中服也破一石中多者有一升少者數合法當並及未堅時飲之即坚凝亦可以服也今醫家用石中乾者及細末者即便是若用出餘粮石即用其殼殼本條者一名石腦須火燒醋淬如此即是石中黄水為一等石中黄為一等太一餘粮為一等臨泥疑焉

白石英

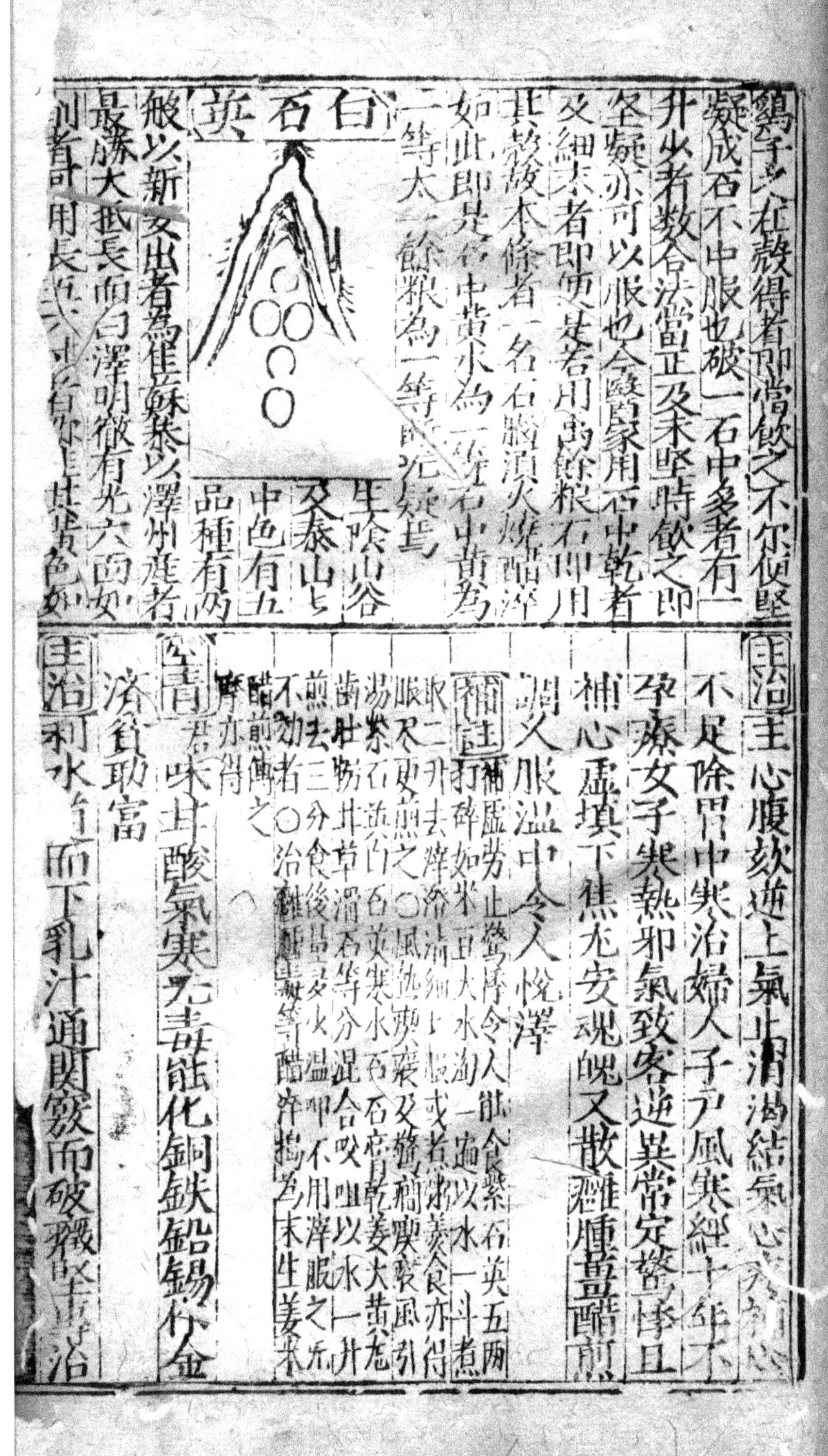

生陰山谷及泰山七中色有五品種有兩般以新安出者為佳蘇恭以澤州産者最勝大抵長而白澤明徹有光六面如削者可用長五六寸者益佳其黄色如

【主治】主心腹欬逆上氣止消渴結氣心[illegible]不足除胃中寒治婦人子户風寒絶十年不孕療女子寒熱邪氣致客逆異常定驚悸且補心虚填下焦充安魂魄又散癰腫盡醋煎潤久服溢中令人悦澤

【補注】補虚劳止驚悸令人能食紫石英五兩打碎如米豆大水淘一遍以水一斗煮取二升去滓澄清細細服或煮粥羹食亦得服不更煎之〇風熱瘈瘲及驚癎瘈瘲風引湯紫石英白石英寒水石石膏乾姜大黄龍齒牡蛎甘草滑石等分混合㕮咀以水一升煎去三分食後量多少温呷不用滓服之〇不効者〇治癰腫毒等醋淬搗為末生姜米醋煎傅之摩亦得

【合宜】君　味甘酸　氣寒　无毒　能化銅鐵鉛錫作金

济貧取富

【主治】利水道而下乳汁通関竅而破癥堅士治

金在端者名黄石英赤端白後者名赤石英青端赤後者名青石英黑澤而有光者名黑石英二月採亦云无時但青赤黄治療少用惟紫白者服餌須乳鉢擣成水撓飛过資長石為使入心肝肺經紫者入心肝二經白者入肺經畏附子扁青并黄連麥句生薑古人服食惟白石英為重紫石英但入五石欲其黄赤青黑四種本經雖有名而方家都不見用者故乳石論以鍾乳為乳以白石英為石是六英之貴者惟白石也又曰乳者陽中之陰石者陰中之陽故陽生十一月後甲子服乳陰生五月後甲子服石然而相反畏悪動則為害不淺故乳石之発方治雖多而罕有济者誠

青盲耳[illegible]餘瞖耳聾赤爛去暗回明大驗目上

目〔录〕為點眼仙方〔殼〕亦摩瞖要藥諺云不怕人間多眼瞎只愁世上無空青此可徵也益肝氣養子精利九竅通血脉

〇〔補註〕治眼朦朧不明以空青少許漬露一宿以水点之〇治口喎不正取空青一豆許含之即効〇卒中風手臂不仁口喎僻取空青末一豆許着口中漸入咽即愈

〔色青〕味酸氣小寒無毒

〔主治〕利關節而通九竅止煩渴而養肝膽破癥堅積聚除寒熱殺蟲療頭風腹中寒大效補不足盛陰氣何難可立制砂汞成銀餘皆除目痛止泪久服輕身延年不老

〇〔補註〕丹房寶藏論云曾青結汞成丹砂入金氣之所生若住火成者可立制汞成銀轉得八石青霞子云食之爽神氣

空青

雖得僧得之雖腹中空取無漿汁若將成

簡金錢埋地三五夜自然生出亦有大者如雞子小者如豆子三月中旬採亦無時古方雖稀用而今治眼瞖障為最要之物

曾青

陶隱居云與空青同山療体亦相似而色異亦無異今銅官更無曾青惟出始興

太乙曰　凡使勿用夾石及銅青若修事一兩要紫背天葵甘草青芝草三件乾濕各一鎰並細剉放於一瓷堝內將曾青於中以東流水二鎰并諸藥等緩緩煮之五晝夜勿令水火失時足取出以東流水浴過却入乳鉢中研如粉用

曾青　即綠石　味甘氣平又云微寒無毒

主治　主目痛明目瞖治折跌金瘡不瘳破積聚消癰腫利精神解毒氣殊功去寒熱風痺療百病益精補丈夫內絕能令人有子久服益氣不老輕身

白青　味酸鹹氣平無毒

主治　主明目而瞖瘡利九竅而治耳聾袪邪氣能令人吐殺諸毒而辟三蟲久服通神明輕身延年不老可消為銅劍辟五兵

綠青　味酸氣寒無毒

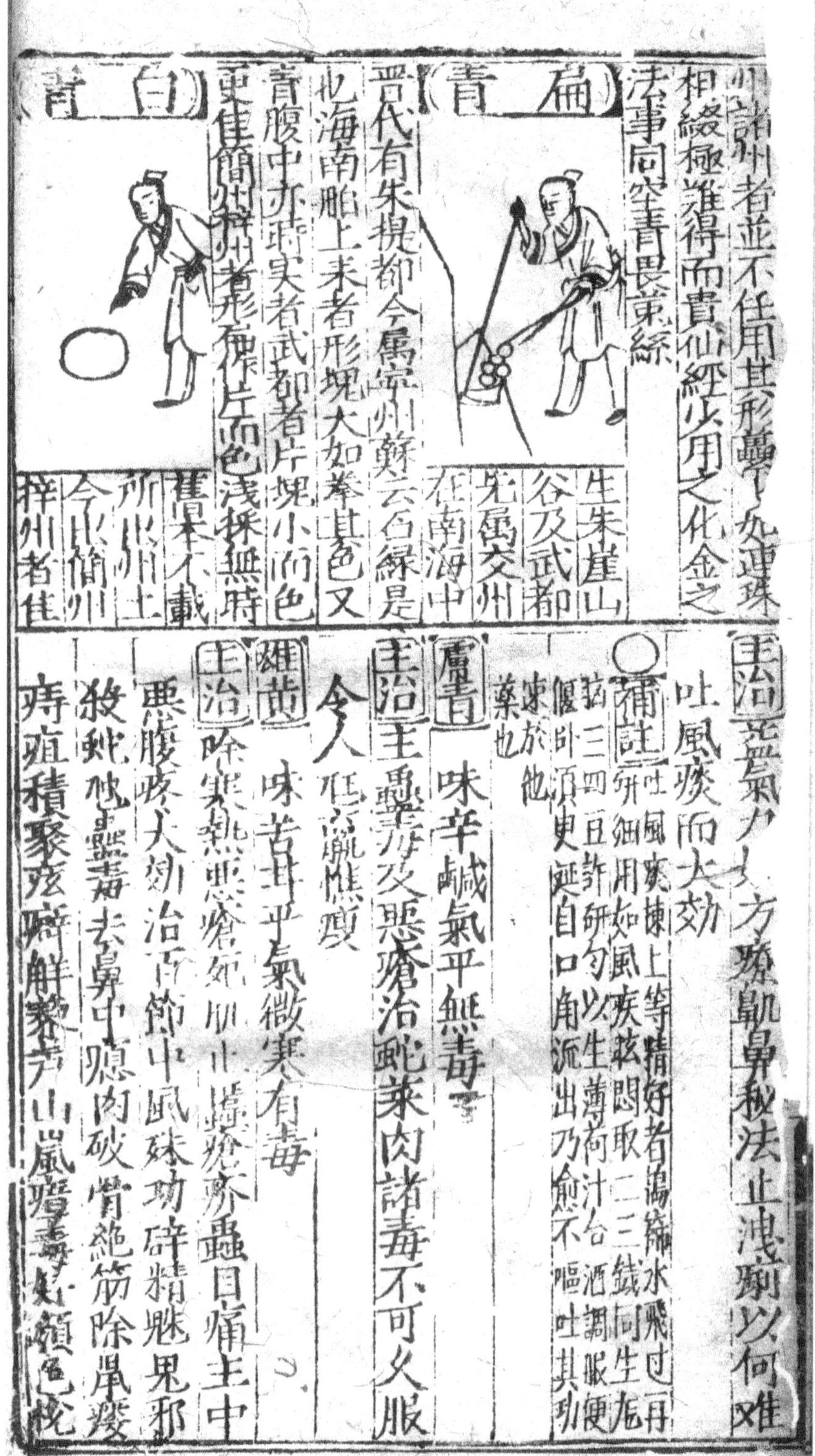

州諸州者並不任用其形[illegible]如連珠相綴極難得而貴仙經少用之化金之法事同空青畏菟絲

扁青

生朱崖山谷及武都先屬交州在南海中

晋代有朱提郡今屬寧州蘇云石綠是也海南船上來者形塊大如拳其色又青腹中亦時有空者武都者片塊小而色更佳簡州梓州者形扁作片而色淺採無時

白青

舊本不載所出州土今出簡州梓州者佳

【主治】益氣力丈夫方療鼽鼻秘法止洩痢以何難

吐風痰而大効

○【補註】吐風痰揀上等精好者鍋內水飛過再研細用如風痰眩悶取二三錢同生龍腦三四豆許研勻以生薄荷汁合酒調服便偃卧須臾涎自口角流出乃愈不嘔吐其功速於他藥也

【膚青】味辛鹹氣平無毒

【主治】主蠱毒及惡瘡治蛇菜肉諸毒不可久服令人[illegible]

【雄黄】味苦甘平氣微寒有毒

【主治】除寒熱惡瘡疽肌瘻瘡疥蟲目痛主中惡腹疼大効治百節中風殊功辟精魅鬼邪殺蛇虺蠱毒去鼻中瘜肉破骨絕筋除鼠瘻痔疽積聚痃癖解藜蘆山嵐瘴毒好顏色殺

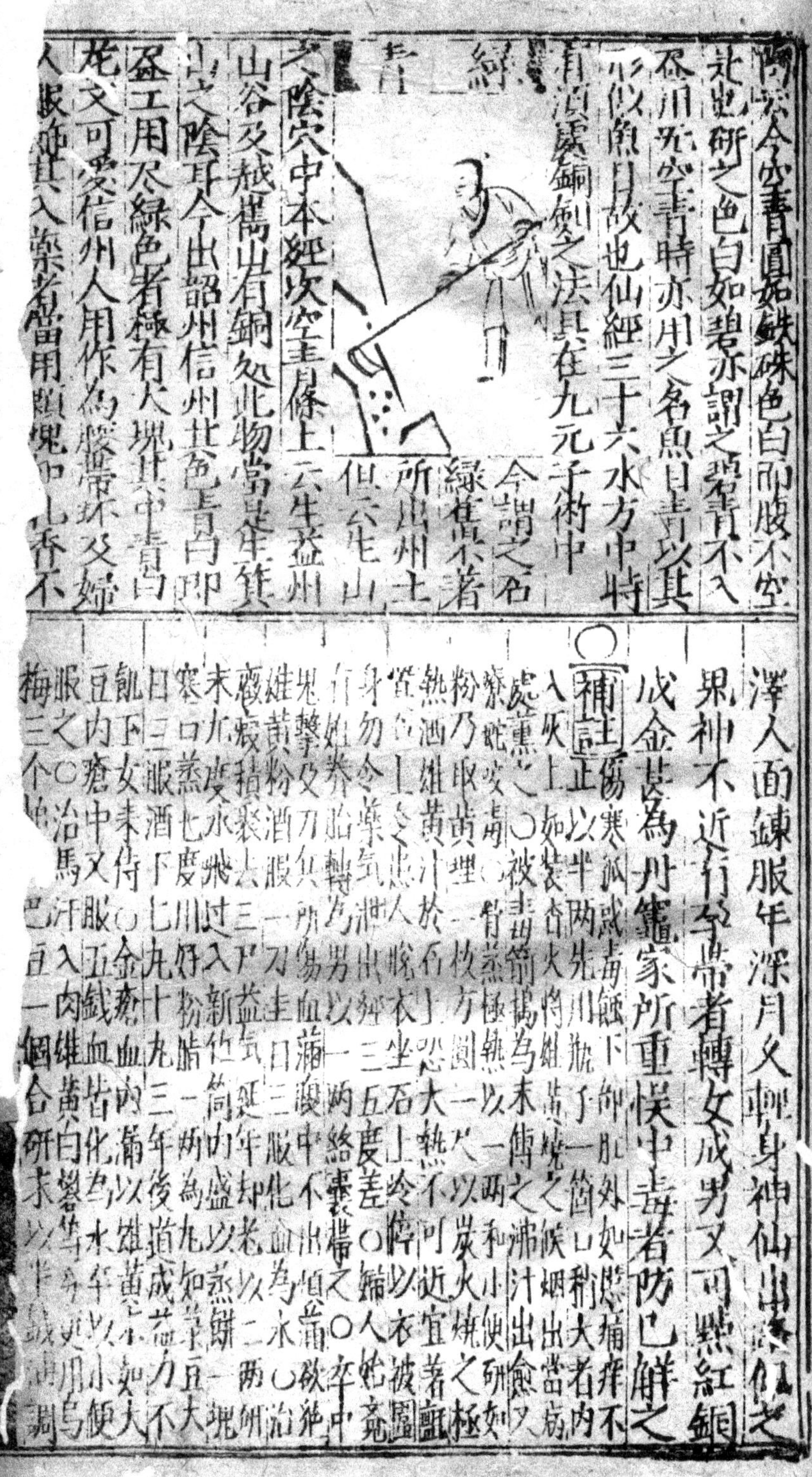

陶云今空青圓如鐵珠色白而腹不空土也研之色白如碧亦謂之碧青不入畫用空青時亦用之名魚目青以其形似魚目故也仙經三十六水方中時有[illegible]銅劍之法具在九元子術中

綠青

今謂之石綠舊不著所出州土但云生山之陰穴中本經次空青條上云生益州山谷及越嶲山有銅處此物當是生其山之陰耳今出韶州信州其色青白即畫工用畫綠色者極有大塊其中青白花文可愛信州人用作為腰帶环及婦人服飾其入藥者當用顆塊如乙香不

澤人面鍊服年深月久輕身神仙出[illegible]仙之果神不近行年帶者轉女成男又可點紅銅成金甚為丹竈家所重悞中毒者防已解之

○補註　傷寒狐惑毒蝕下部肛外如𧏙痛痒不止以半兩先用瓶子一箇口稍大者內入灰上如裝香火將雄黃燒之候烟出當病處熏之○被毒箭搗為末傅之沸汁出愈又療蛇咬毒○背蒸極熱以一兩和小便研如粉乃取黃埋一枚方圓一尺以炭火燒之極熱酒雄黃汁於石上恐大熱不可近宜著甑當合上之患人脫衣坐石上冷停以衣被圍身勿令藥氣泄出辨三五度差○婦人始覺有姙養胎轉為男以一兩絳裹帶之○卒中鬼擊及刀兵所傷血瀝腹中不出煩滿欲絕雄黃粉酒服一刀圭日三服化血為水○治癥瘕積聚去三尸益氣延年却老以二兩研末九度水飛過入新竹筒內盛以蒸餅一塊塞口蒸七度用好粉脂一兩為丸如菉豆大日三服酒下七丸十丸三年後道成益力不飢下女未侍○金瘡血內漏以雄黃[illegible]如大豆內瘡中又服五錢血皆化為水卒以小便服之○治馬汗入肉雄黃白礬等分更用烏梅三个[illegible]巴豆一個合研末以半錢[illegible]調

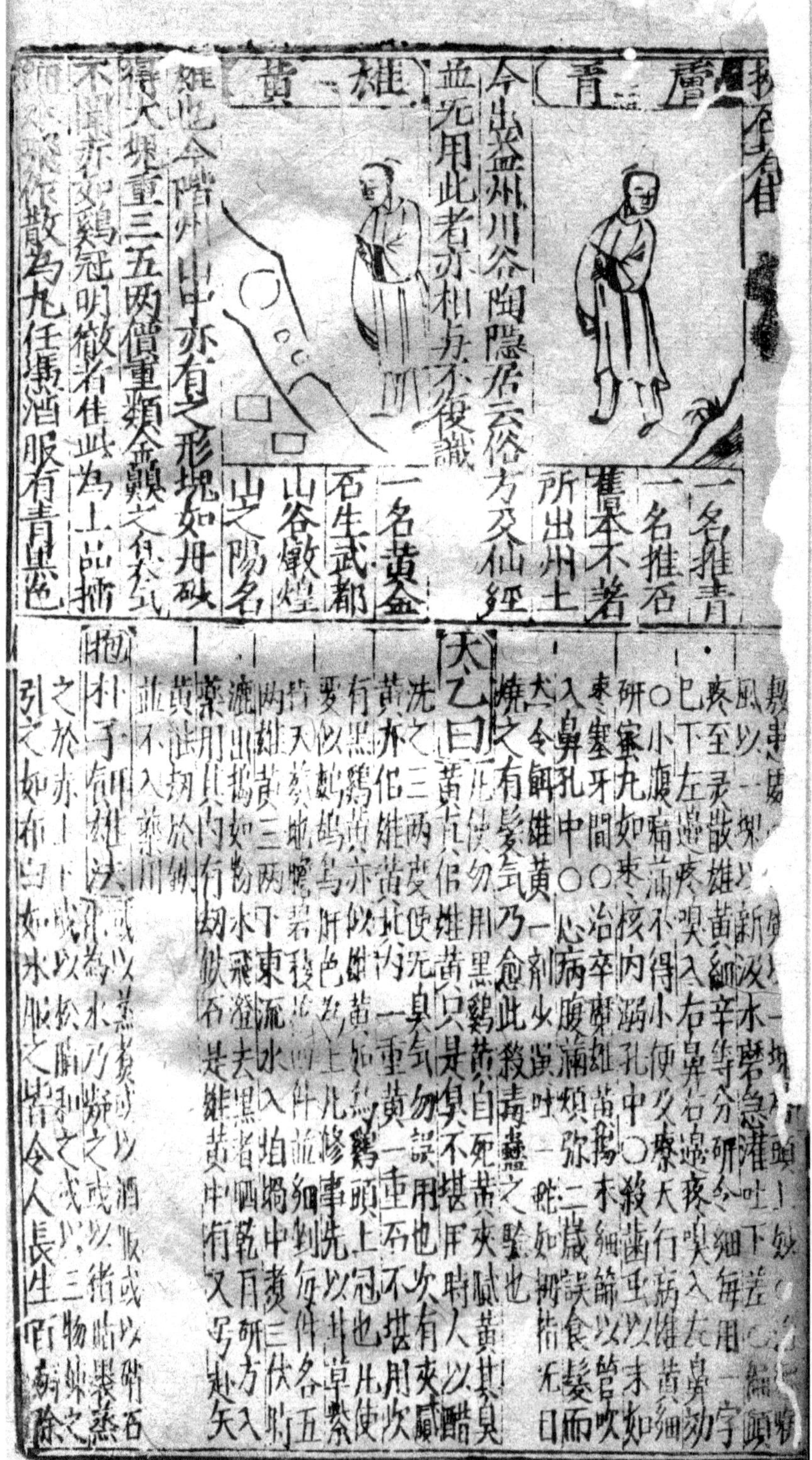

〔扁青〕

一名推青
一名推石
舊本不著
所出州土

今出益州川谷陶隱居云俗方及仙經
並无用此者亦相去不復識

〔雄黃〕

一名黃金
石生武都
山谷燉煌
山之陽名

雄也今階州山中亦有之形塊如丹砂
得大塊重三五兩價重類金顆之者爲[illegible]
不臭赤如鷄冠明徹者佳此爲上品擣
細以水飛作散爲丸任隨酒服有青黑色

數患[illegible]
風以一[illegible]以新汲水磨急灌吐下差[illegible]
疼至灵散雄黃細辛等分研令細每用一字
已下左邊疼嗅入右鼻右邊疼嗅入左鼻効
○小腹痛滿不得小便多療天行病雄黃細
研蜜丸如棗核內溺孔中○殺齒虫以末如
棗塞牙間○治卒中惡雄黃搗末細篩以管吹
入鼻孔中○心病腹滿煩弥二歲誤食髮而
成瘕令餌雄黃一劑少頃吐一蛇如拇指无目
燒之有髮氣乃愈此殺毒蠱之驗也

〔太乙曰〕凡使勿用黑鷄黃自死黃夾膩黃其臭
黃並佀雄黃只是臭不堪用時人以醋
洗之三兩度便洗去臭氣勿誤用也次有夾膩
黃亦佀雄黃其內一重黃一重石不堪用次
有黑鷄黃亦似雄黃如烏鷄頭上冠也凡使
要似鷄冠色者上凡修事先以甘草紫
背天葵地膽碧稜花四件並細剉每件各五
兩雄黃三兩下東流水入瓷鍋中煮三伏時
漉出搗如粉水飛澄去黑者晒乾再研方入
藥用其內有劫鐵石是雄黃中有[illegible]矣
黃謂劫於鐵
並不入藥用

〔抱朴子〕[illegible]法或以蒸煮或以酒服或以硝石
化爲水乃凝之或以猪[illegible]裹蒸
之於赤土下或以松脂和之或以三物煉之
引之如布白如冰服之皆令人長生百病除

而堅者名舌焉音訓黄有形色似真而氣臭者名臭黄並不入服食只可療瘡疥耳其臭以醋洗之便可斷氣足以亂真用之尤宜細辨又階州接西戎界出一種水窟雄黄生於山岩中有水泉流処其石名青烟石白鮮石雄黄出其中其塊大者如胡桃小者如粟豆上有孔竅其色深紅而微紫体極輕虛而功用勝於常雄黄丹竈家尤所貴重或云雄黄金之苗也故南方近金坑冶処時或有之但不及西來者真好耳謹按雄黄治瘡瘍尚矣周礼瘍医凡療瘍以五毒攻之鄭康成注云今医方有五毒之藥作之合黄堥音武置石膽丹砂雄黄礬石慈石其中燒之三日三夜其烟上著

三尸下殺痕蟲白髮黑墮齒生千日玉女來侍可使鬼神又云玉女常以黄土為誌大如黍米在鼻上是真玉女先此誌者鬼試人也帶雄黄入山林即不畏蛇若蛇中人以少許末傅之登時愈蛇鏈多種惟虺蛓及青金蛇中人為至急不治一日則死人不持治之方術者為一蛇中人則以刀急割瘡肉投地其肉沸如火炙須叟盡燋而人消活也此蛇七月八月毒盛之時不得齧人其毒不泄乃以牙刺大竹木即亦燋枯小丹法用雄黄柏子以枸兗制蛻方栢子細篩去滓松脂十斤以和栢子雄黄各二斤包如赤李合藥匕中後膓如蒸藥一日如餌正坐北向平旦暗服五丸百日之後与神人交見

【宋藏論】雄黄若以草藥伏住者熟煉成汁胎色不移若將制諸藥成汁并添得者上可服食中可点銅成金下可變銀成金丹房鏡源云雄黄千年化為黄金

【雄黄】君　味辛甘氣平寒有毒

【主治】治頭禿疥痂去鼻中息肉除身面白駁一切惡瘡散皮膚死肌諸般蟲毒辟邪去惡並與雌同是帶佩身轉男成女鍊服增年不老

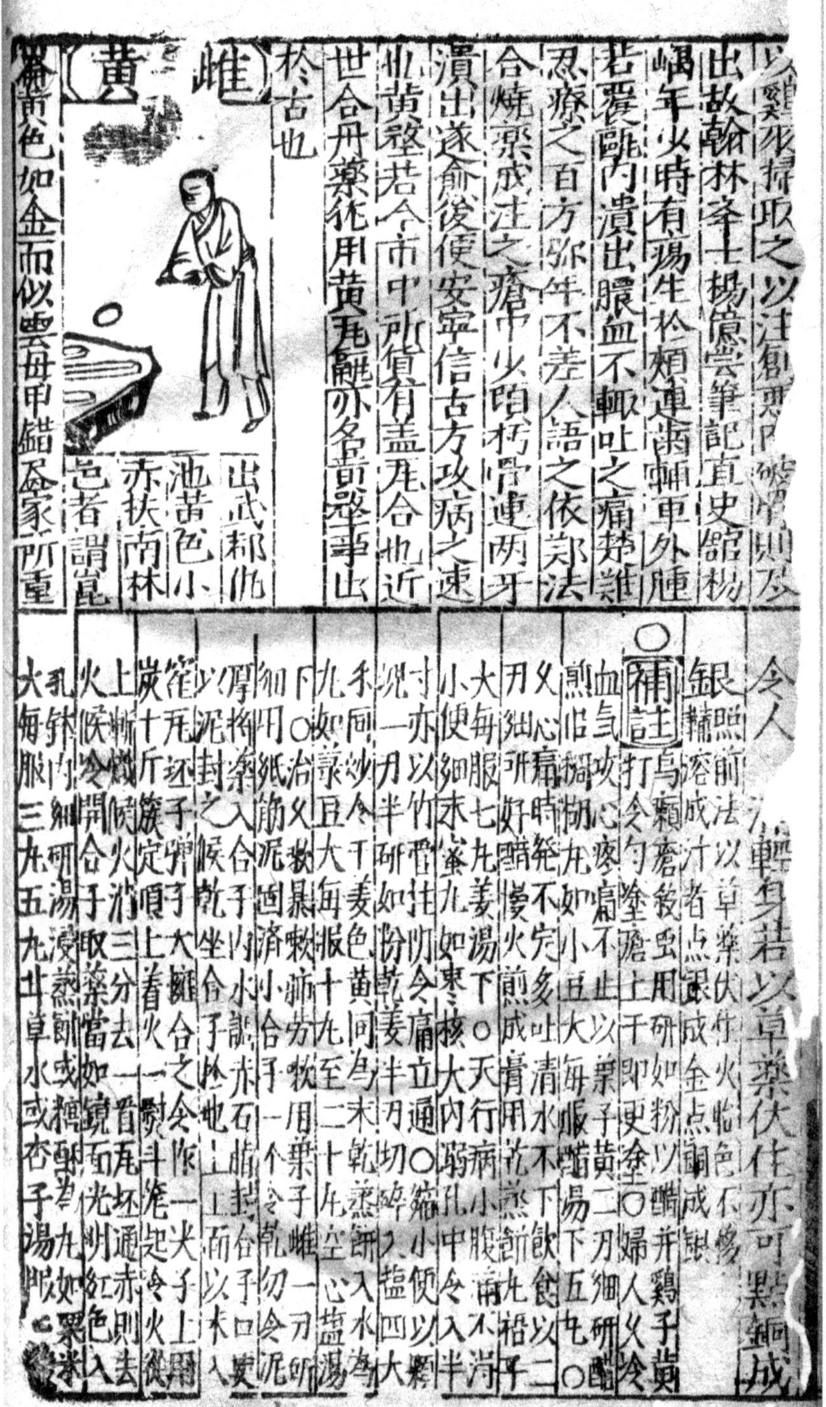

以雞子殼取之以注瘡惡肉破潰則及出故翰林承旨楊億嘗筆記直史館楊嵎年少時有瘍生於頰連齒輔車外腫若覆甌內潰出膿血不輒吐之痛楚難忍療之百方彌年不差人語之依鄭法合燒藥成注之瘡中少頃朽骨連兩牙潰出遂愈後便安寧信古方攻病之速也黄礬若今市中所貨有蓋尾合也近世合丹藥猶用黄礬亦名黄礬蓋出於古也

雌黄 出武都仇池黄色小赤扶南林邑者謂崑崙黄色如金而似雲母甲錯畫家所重

令人[illegible]輕身若以草藥伏住亦可點銅成銀照前法以草藥伏住火煅色不移鎔成汁者點銀成金點銅成銀

○補註 烏癩瘡殺蟲用研如粉以醋并雞子黄打令勻塗瘡上干即更塗○婦人久冷血氣攻心疼痛不止以藥子黄二兩細研醋煎出稠糊丸如小豆大每服醋湯下五丸○久心痛時發不定多吐清水不下飲食以二兩細研好醋慢火煎成膏用蒸餅丸梧子大每服七丸薑湯下○天行病小腹滿不消小便細末蜜丸如棗核大內溺孔中令入半寸亦以竹管挂內令扁立通○縮小便以泥一兩半研如粉乾薑半兩切碎入鹽四大禾同炒令干姜色黄同為末乾蒸餅入水為丸如菉豆大每服十九丸至二十丸空心鹽湯下○治久嗽暴嗽痨嗽用藥子雌一兩研細用紙筋泥固濟小合子一个令乾勿令泥厚將藥入合子內水調赤石脂封合子口更以泥封之候乾坐合子於地上上面以末入笙瓦坯子簇子大灘合之令作一尖子上用炭十斤簇定頂上着火一熨斗籠起令火從上漸熾候火消三分去一留瓦坯通赤則去火候冷開合子取藥當如鏡面光明紅色入乳鉢內細研湯浸蒸餅或糯粥為丸如粟米大每服三丸五丸甘草水或杏子湯服之

餘此二說有雌雄之名又同山之陰陽其陰山有金金精熏則生雌黃今此階州以其色如金又如雲母甲錯可析者為佳其夾石及黑如鐵色者不可用圖云一塊重四兩者折之可得千重此左奇好也採石時凡修製注療忌雞犬婦人僧說觸之則與黃皮鐵研成塵末治外多功入藥最稀服者宜審於合藥便當以武都為勝用之既稀又賤於雄黃者仙經石草服法雖以合丹砂雄黃共服鍊為丹不金精是雌黃銅精是空青而服之青復勝於雌黃即義難了

雕良又妙

〔太乙曰〕凡使勿誤用夾石黃黑黃與熟者峭貞一塊重四兩故將亭部云指開折得千重軟如爛金者上凡修事勿令婦人雞犬新犯淫人有患人不男人非形人曾是刑獄地臭穢已上並忌若犯觸者雌黃黑如鐵色不堪用也及損人壽凡修事四兩用天碧枝和草果遂子草名五加一件乾皂加一倍用甆鍋子中煮三伏時了其色如金汁一垛在鍋底下用東流水猛投於中如此淘三度了去水取出拭乾細於臼中搗篩過研如塵可用

〔石黃〕味苦氣平寒有小毒

〔主治〕主惡瘡而殺三蟲熏疥瘡与蟣虱和諸毒燻毒奇功养丹砂制汞見寶

〔石礦黃〕君又云臣味酸氣温大熱有毒乃礬石液曾青石亭脂為使休係至阳之精能化五金奇物

〔主治〕壯陽助道若下焦虛冷元虛將絕者踈功

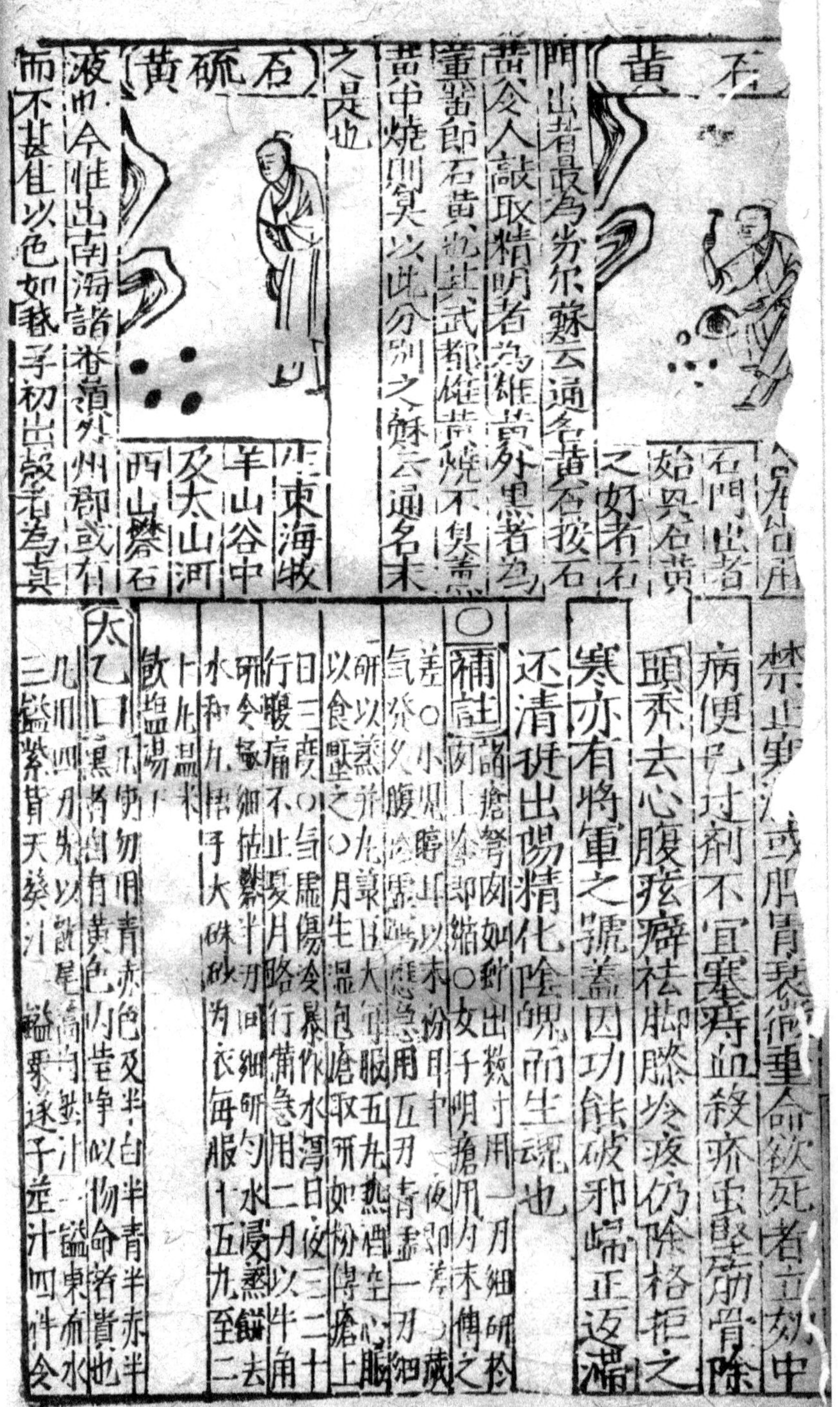

石黄

石門出者 始興石黄 之好者石門出者最為劣尒蘇恭云通名黄石彼石黄者令人䛑取精明者為雄黄外黒者為薰黄即石黄也其武都雄黄燒不臰薰黄中燒則臰以此分別之蘇恭云通名未之是也

石硫黄

生東海牧 羊山谷中 及太山河 西山礬石 液也今惟出南海諸番嶺外州郡或有而不甚佳以色如鵝子初出殼者為真

禁止洩或服胃氣衝重命欲死者立刻中病便只過劑不宜寒痔血殺疥蟲堅筋骨除頭禿去心腹痃癖祛脚膝冷疼仍除格拒之寒亦有將軍之號蓋因功能破邪歸正返滯還清挺出陽精化陰魄而生魂也

〇補註 謂瘡弩肉如對出粹寸用一兩細研掺肉上即縮〇女子陰瘡用內末傳之差〇小兒腎腫以末紛耳中一夜即差〇藏氣發久腹冷脹悶能急用五兩青鹽一兩細研以蒸餅丸桐子大每服五丸熱酒空心以食壓之〇月生濕包瘡取研如粉傳瘡上日三度〇氣虛傷冷暴作水瀉日夜三二十行腹痛不止夏月路行備急用二兩以牛角研令極細枯礬半兩同細研勻水浸蒸餅去水和丸梧子大硃砂為衣每服十五丸至二十丸溫米飲鹽湯下

太乙 □□凡使勿用青赤色及半白半青半赤半黑者自有黄色內瑩淨似物命者貴也凡用四兩先以龍尾蒿自然汁一鎰東流水三鎰紫背天葵汁一鎰粟遂子莖汁四件合

謂之崑崙黃其赤色者名石亭脂青色者號冬結石半白半黑名神驚石並不堪入藥又有一種土硫黃出廣南及榮州溪澗水中流出其味辛性熱腥臭主治疥癬殺蟲毒又可煎鍊成汁以模瀉作器亦如鵝子黃色謹按古方書未有服餌硫黃者本經所說功用止於治瘡蝕攻積聚冷氣脚弱等仙經頗用之所化奇物並是黃白術及合丹法此云鑿石液令南方則無鑿石恐不必尔故服之其効雖緩而其患更速可不戒之

○按硫黃性熱每用治其格拒之寒倘或此証兼有伏陽在內須加陰藥為佐總效也古方太白丹來復丹多有硝石之類是皆至陽佐以至陰合宜尔若

之覆令勿泊將用大一泥固濟底下將硫黃碎之入於鍋內以前件藥汁旋旋添入火煮之汁盡為度再以百部末十兩柳蚛末二斤一蘸直二斤細剉以東流水并藥等同煮二伏時蒲去諸藥取出用熟甘草湯洗了入鉢中研二万匝方用

黑龍丹 治陰陽二毒傷寒舶上黃一兩以柳木搥研二兩川巴豆一兩和殼記个數用二升鐺子一口先將硫黃鋪鐺底次用巴豆安硫黃上以釅米醋半升澆之蓋盞合令緊密更以醋紙周回固濟勿令透氣紙乾以醋濕之文武火熬常著人守之候裹面豆作声約可一半為度急將鐺子離火便入臼出急搗令細再以醋兩茶脚洗鐺中藥入臼旋入去皮蒸餅搗丸鷄頭實大若是陰毒用椒四十九粒葱白二莖水一盞煎六分熱吞下一丸陽毒用豆豉四十九粒葱白二莖水一盞同煎吞下不得嚼破患經五六日方可食前飲度其病勢可下即与病先在藏亦不可拘制矣有孕婦人亦許服或吐或瀉為候不可喫熱食或覺心頭空溫白粥或服調氣湯散補之合時忌婦人貓犬見

王方平通靈玉粉散 治腰膝痿水臟益顏色其功不可具載硫黃半斤桑柴灰五斗淋取汁煮三伏時以鐵匙抄於火上試之候伏即止候乾以大火煅之[illegible]

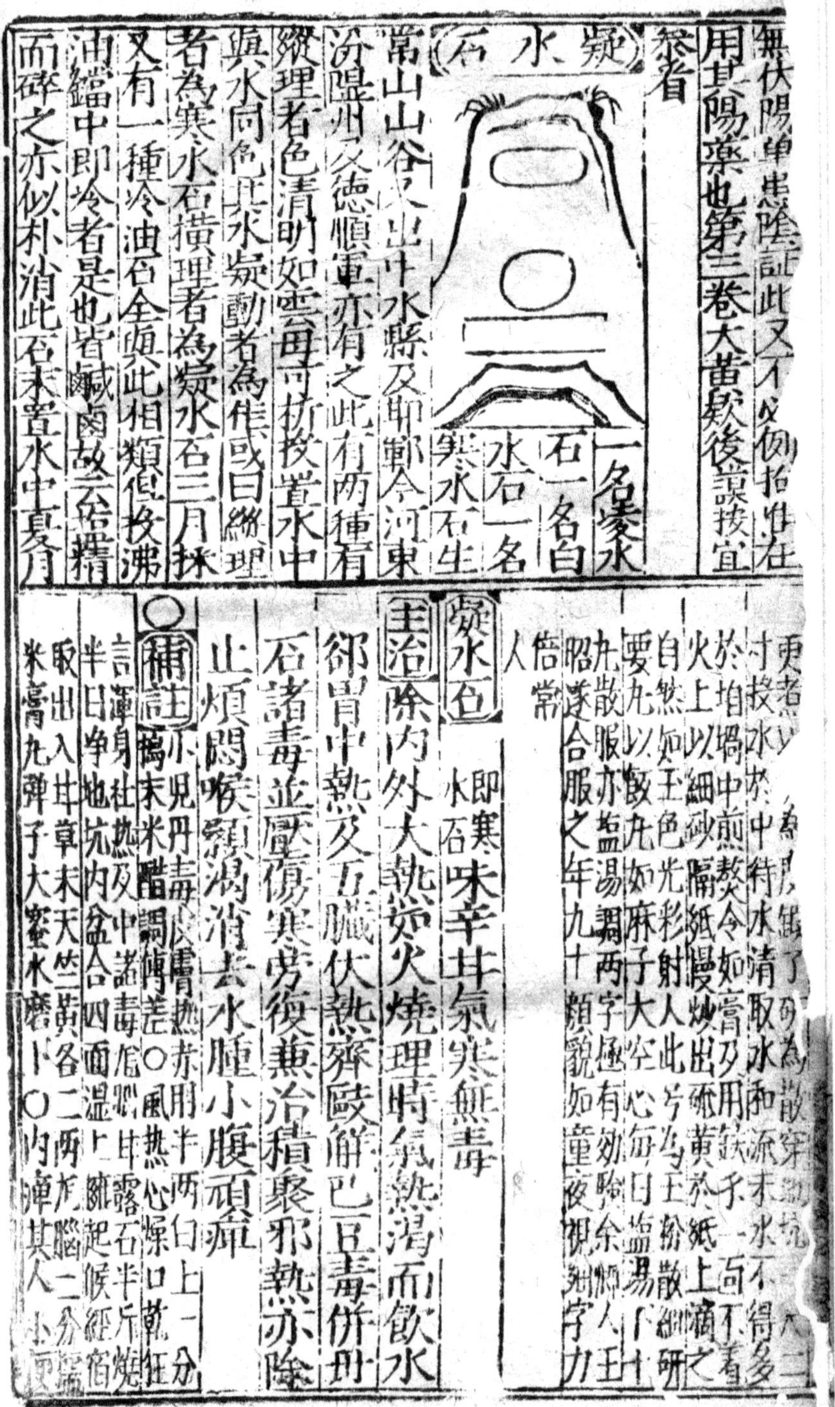

無伏陽，单患陰証，此又不必例拘，惟在用其陽藥也。第三卷大黄欵後誤按宜參看。

凝水石

生常山山谷，又出中水縣及邯鄲，今河東汾隰州及德順軍亦有之。此有兩種：有縱理者，色清明如雲母，可析，投置水中與水同色，其水凝動者為佳。或曰縱理者為寒水石，橫理者為凝水石。三月採。又有一種冷油石，全與此相類，但投沸油鐺中即冷者是也。皆鹹鹵故云鹵精。而碎之亦似朴消。此石末置水中，夏月

更煮以[illegible]為度，鎚了研為散，穿地坑[illegible]寸，投水於中，待水清，取水和流末，水不得多，於柏堝中煎熬令如膏，乃用鐵匕一面不著火上，以細砂隔紙慢炒，出硫黄於紙上滴之，自然如玉色，光彩射人，此号為玉粉散。細研，要丸以飯丸如麻子大，空心每日塩湯下十丸；散服亦塩湯調兩字，極有効驗。余嫏人王昭遂合服之，年九十，顏貌如童，夜視細字，力倍常人。

凝水石 即寒水石。味辛甘，氣寒，無毒。

主治 除內外大熱，如火燒，理時氣熱渴而飲水，卻胃中熱及五臟伏熱，解砒霜、巴豆毒，併丹石諸毒，並壓傷寒勞復，兼治積聚邪熱，亦除止煩悶、喉痺、消渴，去水腫、小腹頑痺。

○**補註** 小兒丹毒，皮膚熱赤，用半兩，白土一分，搗末，米醋調傅差。○風熱心燥，口乾狂言，渾身壯熱，及中諸毒：凝水石半斤燒半日，淨地坑內盆合，四面濕土擁起，候經宿取出，入甘草末、天竺黄各二兩，龍腦二分，糯米膏丸彈子大，蜜水磨下。○內障其人小便

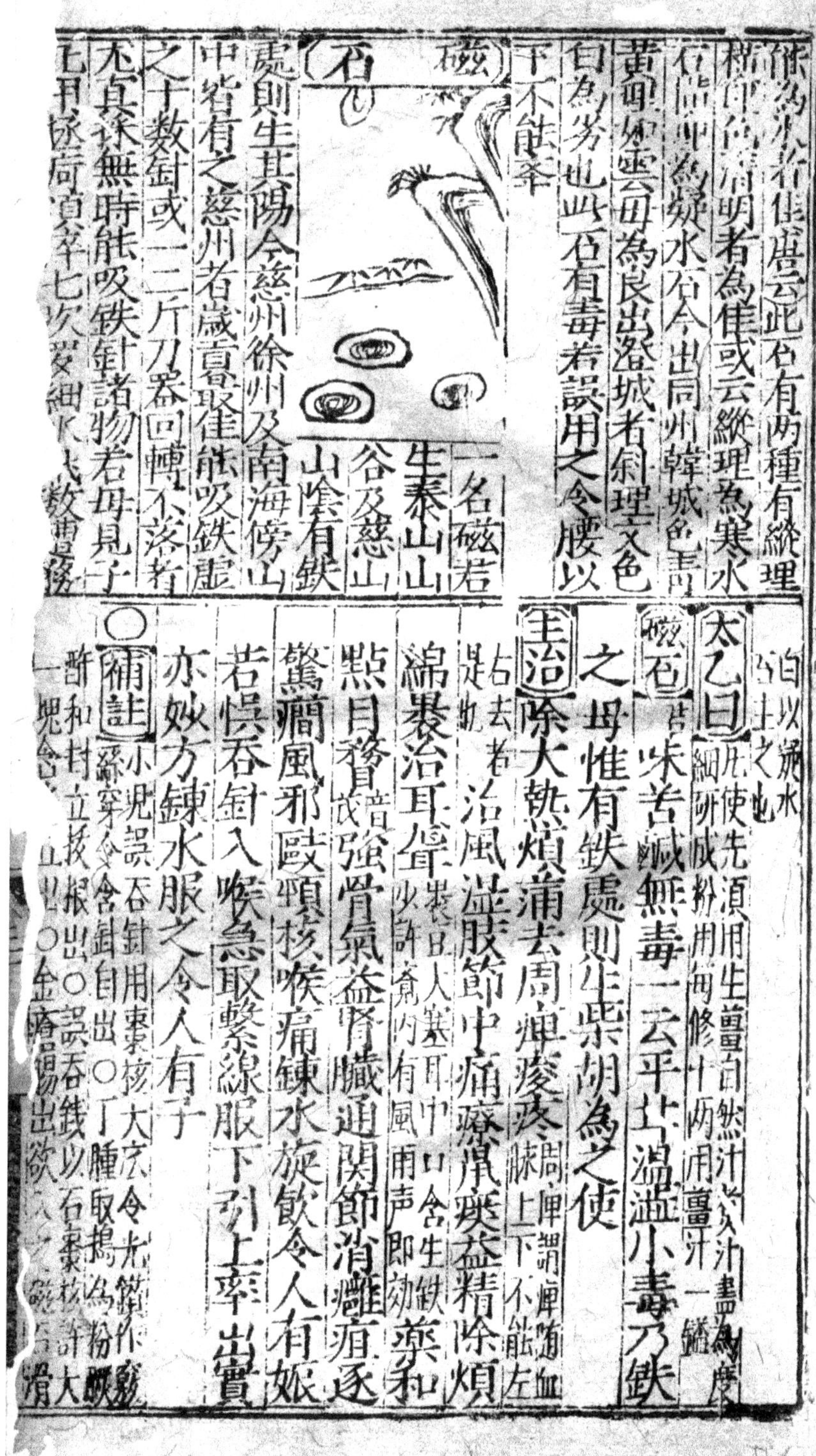
性為水若佳唐云此石有兩種有縱理横理色青明者為佳或云縱理為寒水石横理為凝水石今出同州韓城色青黄理如雲母為良出澄城者斜理文色白為劣也此石有毒若誤用之令腰以下不能舉

磁石

一名磁君　生泰山山谷及慈山山陰有鐵處則生其陽今慈州徐州及南海傍山中皆有之慈州者歲貢最佳能吸鐵虛連十數鍼或一二斤刀器回轉不落者尤真採無時能吸鐵鍼諸物若母見子

七日漉向滇辛七次研細水飛數遍

白以流水石上之也

太乙曰　凡使先須用生薑自然汁浸汁盡為度細研成粉用每修十兩用薑汁一鎰

磁石　味苦鹹無毒一云平甘溫澁小毒乃鐵之母惟有鐵處則生柴胡為之使

主治　除大熱煩滿去周痺痠疼周痺謂痺隨血脉上下不能左右去者是也治風濕股節中痛療虛乏益精除煩綿裹治耳聾綿裹豆大塞耳中口含生鐵少許煎內有風雨声即効藥和點目翳音哉強骨氣益腎臟通關節消癰疽逐驚癇風邪頸核喉痛鍊水旋飲令人有娠若悮吞鍼入喉急取繫線服下引上率出實亦妙方鍊水服之令人有子

○**補註**　小兒誤吞針用棗核大次令光鑽作竅穿令含鍼自出○丁腫取搗為粉醋和封立拔根出○誤吞錢以石棗核許大一塊含[illegible]立出○金瘡腸出欲入[illegible]磁石滑

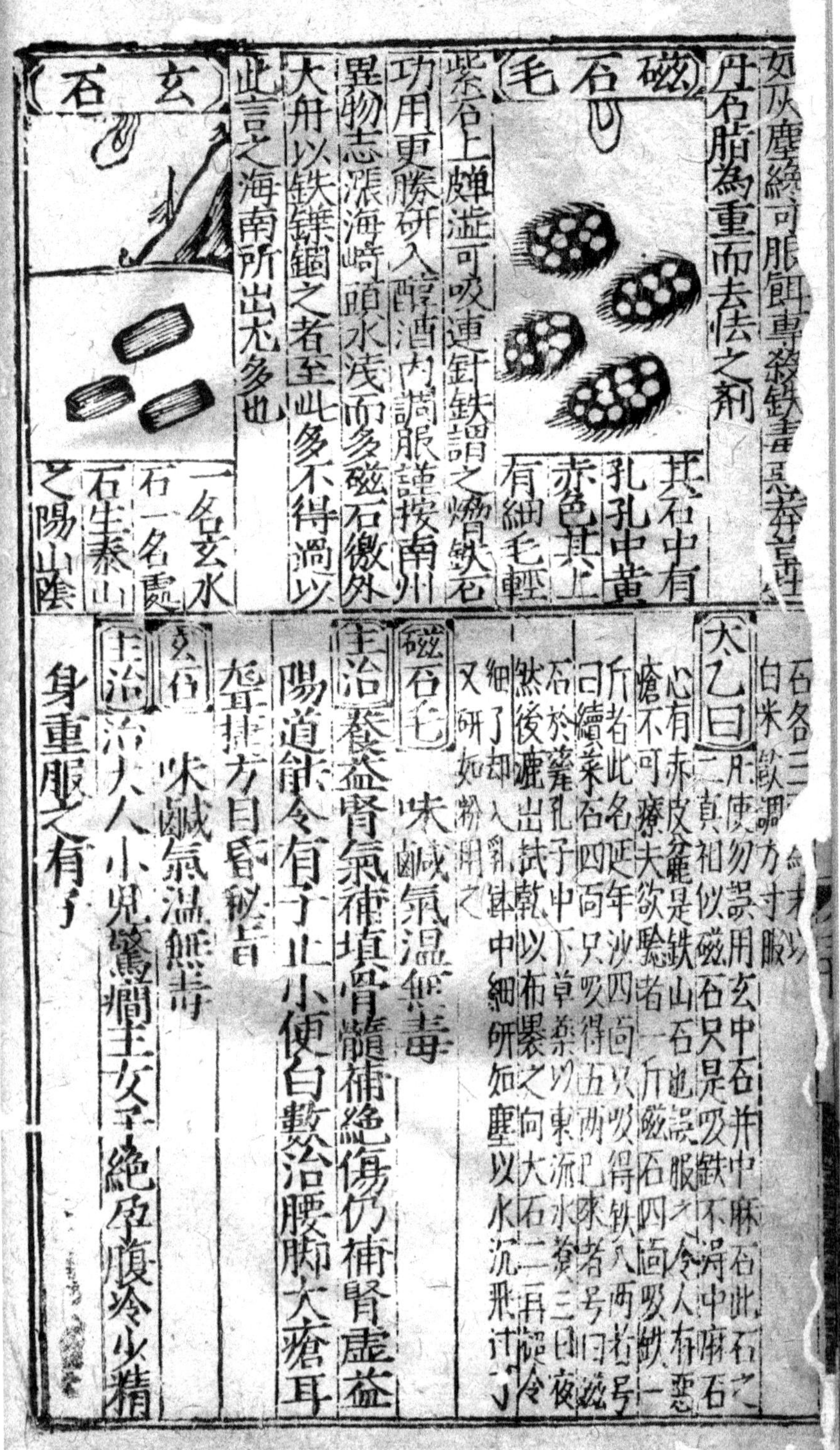

如灰塵總可服餌専殺鐵毒兵瘡[illegible]

丹石脂為重而去怯之劑

磁石毛

其石中有孔孔中黄赤色其上有細毛輕

紫石上皸澁可吸連針鉄謂之熁鐵石功用更勝研入醇酒内調服謹按南州異物志漲海崎頭水淺而多磁石徼外大舟以鉄鍱錮之者至此多不得過以此言之海南所出尤多也

玄石

一名玄水石一名處石生泰山之陽山陰

石各三[illegible]末以白米飲調方寸服

〔太乙曰〕凡使勿誤用玄中石并中麻石此石之二真相似磁石只是吸鐵不滑中麻石心有赤皮麁是鐵山石也誤服之令人有惡瘡不可療夫欲驗者一斤磁石四面吸鐵一斤者此名延年沙四面只吸得鐵八兩者號曰續采石四面只吸得五兩已來者號曰磁石於甕孔子中下草藥以東流水煑三日夜然後漉出拭乾以布裹之向大石上再搥令細了却入乳鉢中細研如塵以水沉飛过了又研如粉用之

〔磁石毛〕味鹹氣温無毒

〔主治〕養益腎氣補填骨髓補絶傷仍補腎虛益陽道能令有子止小便白數治腰脚去瘡耳聾排方目昏秘旨

〔玄石〕味鹹氣温無毒

〔主治〕治大人小兒驚癎女子絶孕腹冷少精身重服之有子

有銅[illegible]鐵者性主療頗相近而寒濕鍼鐵[illegible]乃別蘇恭以為鐵液也是磁石中無孔光澤純黑者其功劣於磁石以不能懸針今北番以磁石作禮物其塊多光澤又吸針無力疑是此石醫方罕用

○按衍義云指南針用磁石磨針鋒則能指南然常偏東不全南也其法取新纊中獨縷以半芥子許蠟綴於針腰無風處垂之則針常指南然常偏丙位蓋丙為大火庚辛金受其制故如是物理相感爾

礬石　味酸氣寒無毒　一云小毒　種有青黃赤白黑皂　甘草為之使

主治　白礬治病證多能生煅隨重輕應亦並研細末任作散丸去惡肉鼻齆中除痼熱骨髓內刼喉痺止目痛禁便瀉寒痰洗脫肛溢腸敷膿瘡收水稀涎散同皂莢研服吐風痰通竅神效蠟礬丸和蜜蠟丸吞平癰疽護膜要劑久服損心肺傷骨為醫亦不可不防

○**補註**　蜈蚣咬蝎螫燒刀頭令赤置礬其上着成汁熱滴咬處立差○治小兒臍中汁出不止并赤腫用礬燒灰細研傅之○胃中多痰癖頭痛不欲食礬石一兩以水二升煮取一升內蜜半合頓服須臾未吐當飲少熱湯○目翳及努肉用礬石最白者內一黍米大於翳上及努肉上即令淚出綿乾令惡汁盡其疾日日減翳自消薄便差礬石須真白好者方可使用○小兒舌上瘡飲乳不得以白礬和雞子置醋中塗兒足底二七即愈○

礬石

白礬一名羽碮一名羽澤生河西山谷

及隴西武都石門今白礬出晉州慈州無為軍初生皆石也採得碎之煎鍊又益州北部出者采色青白生者名馬齒礬已鍊成絕白蜀人以當硝石名白礬唐本云礬石五種青礬白礬黃礬黑礬絳礬生白礬多入藥青黑二礬療疳及諸瘡黃礬亦療瘡生肉兼染皮用之刘禹錫治氣痢巴石丸取白礬一大斤以炭火淨地燒令汁盡則色如雪謂之巴石取一大兩細研冷以熟豬肝作丸空腹飲下丸數隨氣力加減水牛肝更佳

治鼻中[illegible]肉燒礬石末豬脂和綿裹塞鼻中數日息肉自隨藥出○治齒斷間津液血出不止以礬石一兩燒水三升煮取一升先拭齒乃含之○治陰痒脫方燒礬石一味研為末每日空心酒調方寸服日三○治腳氣沖心白礬三兩以水一斗五升煎三五沸浸洗腳良○救卒死而壯熱者礬石半斤水一斗半煮消以浸腳及踝即得甦也○目中風腫赤眼方礬石二錢熬和棗丸如彈丸以揩上下食頃止日三度○治大指角忽為棘所入肉便刺作瘡不可着履靴用燒汁盡取末着瘡中食惡肉生好肉細細割去甲角旬日即差此方神効○治犬咬人瘡礬石末內瘡中裹之止痛其瘡速愈○耳卒腫出膿水用燒末以筆管吹耳內日三四度或以綿裹塞耳中立差○療人陰生瘡膿出作臼取高昌白礬麻仁等分研作末用豬脂和成膏槐白皮作湯洗瘡拭乾即塗膏然後以楸葉貼其上不過三度差○患歷齒積久碎壞欲盡常以綿裹含嚼之吐汁也○治大小便不通用細研末令患人仰臥置末於臍中滿以新汲水滴之候患人旡冷透腹內即自然通如為曾灸無臍孔即於元灸盤上用紙作鐶子籠灸盤高一脂半已來著礬末在內仍依前法用水滴之○主蝎螫以一兩醋半升煎之投礬末於醋中浸螫處○治折傷先用止痛湯

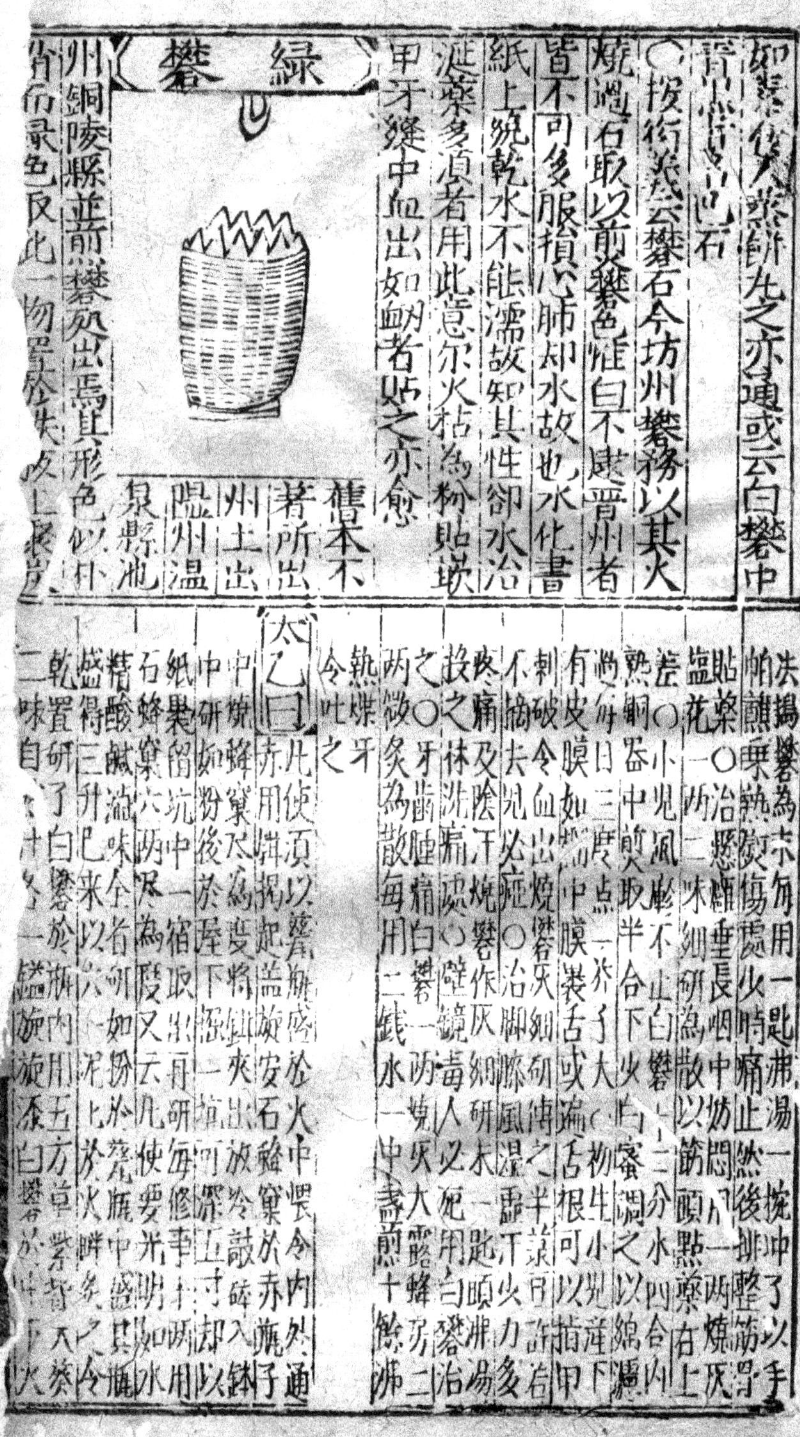

如[illegible]傷人熬餅丸之亦通或云白礬中晉[illegible]石○按衍義云礬石今坊州礬務以其火燒過石取以煎礬色惟白不逮晉州者皆不可多服損心肺却水故也水化書紙上纔乾水不能濡故知其性却水治涎藥多須者用此意尔火枯為粉貼嵌甲牙縫中血出如衂者貼之亦愈

綠礬

舊本不著所出州土出隰州溫泉縣池州銅陵縣並煎礬處出焉其形色似朴硝而綠色及此一物置於火上[illegible]

先搗礬為末每用一匙沸湯一盞冲了以手帕蘸乘熱熨傷處少時痛止然後排整筋骨貼藥○治懸癰垂長咽中妨悶白礬一兩燒灰鹽花一兩二味細研為散以筯頭點藥在上差○小兒風疹不止白礬十二分水四合內熟銅器中煎取半合下少白蜜調之以綿濾過每日三度点一芥子大○初生小兒產下有皮膜如榴中膜裹舌或遍舌根可以指甲刺破令血出燒礬灰細研傅之半菉豆許若不摘去兒必瘂○治脚膝風濕虛汗少力多疼痛及陰汗燒礬作灰細研末一匙頭沸湯投之淋洗痛處○壁鏡毒人必死用白礬治之○牙齒腫痛白礬一兩燒灰大露蜂房二兩微炙為散每用二錢水一中盞煎十餘沸熱煠牙令吐之

太乙曰　凡使須以瓷瓶盛於火中煨令內外通赤用鉗揭起蓋旋安石蜂窠於赤瓶子中燒蜂窠盡為度將鉗夾出放冷敲碎入鉢中研如粉後於屋下掘一坑可深五寸却以紙裹留坑中一宿取出再研每修事十兩用石蜂窠六兩盡為度又云凡使要光明如水精酸鹹澀味全者研如粉於瓷瓶中盛其瓶盛得三升已來以六一泥泥於火畔炙之令乾置研了白礬於瓶內用五方草紫背天葵二味自然汁各一鎰旋旋添白礬於中下火

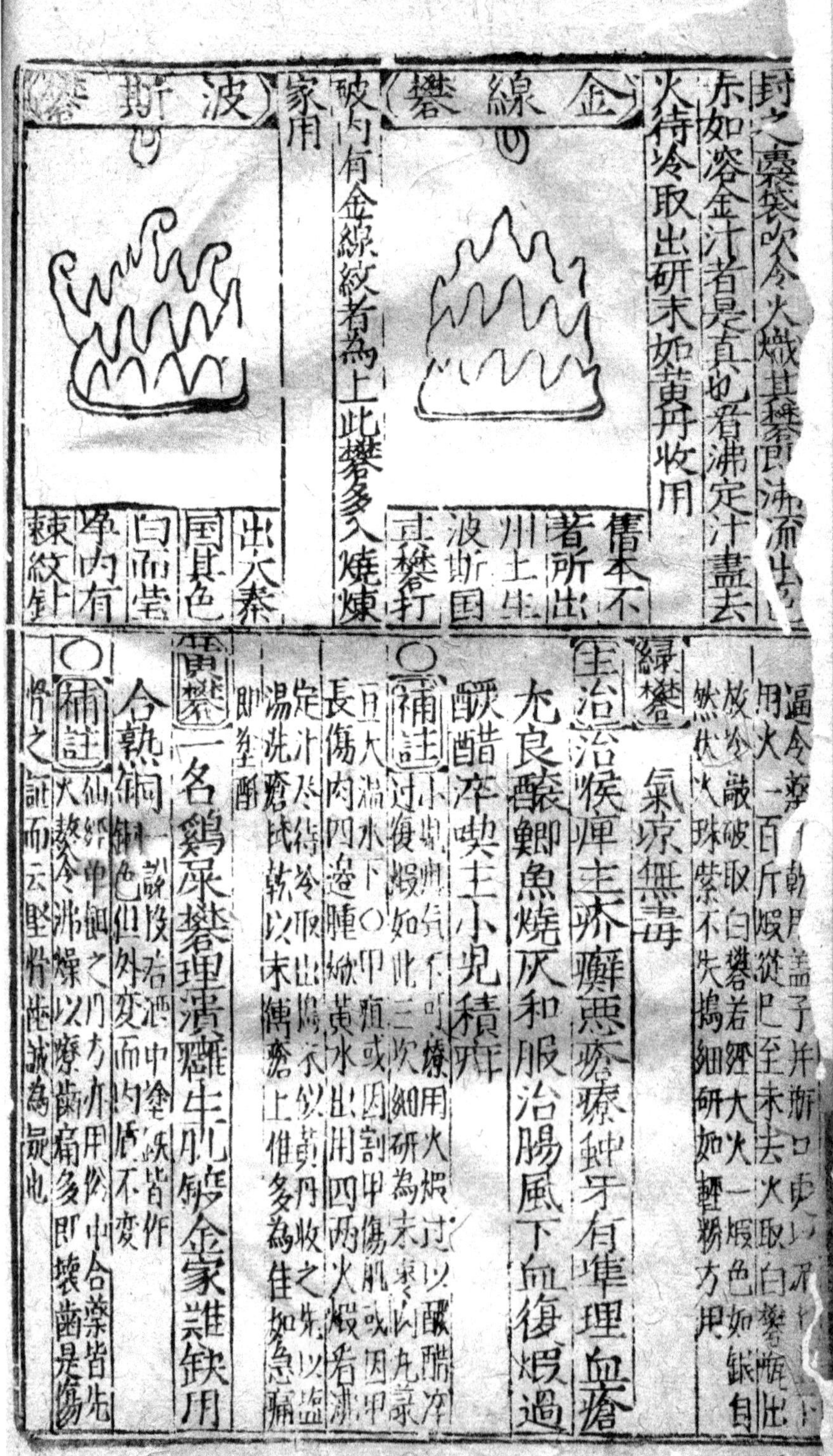

封之，囊袋吹令火熾，其礬自沸而出，色赤如溶金汁者，是真也。看沸定汁盡去火，待冷取出，研末如黄丹，收用。

金線礬 舊本不著所出，州土生波斯国，其礬打破，内有金線紋者為上，此礬多入燒煉家用。

波斯礬 出大秦国，其色白而瑩净，内有棘紋針

逼令藥乾，用盖子并瓶口，更以泥泥上下，用火一百斤煅，從巳至未，去火，取白礬瓶出，放冷，敲破，取白礬，若經大火一煅，色如銀，自然伏火，銖累不失，搗細研如輕粉，方用。

綠礬 氣涼，無毒。

主治 治喉痺，主𧏾齲惡瘡疥癬，釀（?）牙有蟲，理血瘡尤良。釀鯽魚燒灰和服，治腸風下血。復煅過醋淬，主小兒積疳。

○補註 小兒疳氣不可療，用火煅過，以醋淬過，復煅如此三次，細研為末，棗肉丸，菉豆大，温水下。○甲疽或因割甲傷肌，或因甲長傷肉，四邊腫爛，黄水出，用四兩火煅，看沸定汁盡，待冷取出，研末以黄丹收之，先以鹽湯洗瘡，拭乾，以末傅瘡上，惟多為佳，如急痛即塗酥。

黄礬 一名鷄屎礬，理瘡，雖生肌，鍍金家雖鉄用合熟銅，一說投苦酒中塗鉄，皆作銅色，但外變而内質不變。

○補註 仙經中細之門方亦用，俗中合藥皆先火熬令沸燥，以療齒痛多即壞齒，是傷骨之證，而云堅骨齒，誠為謬也。

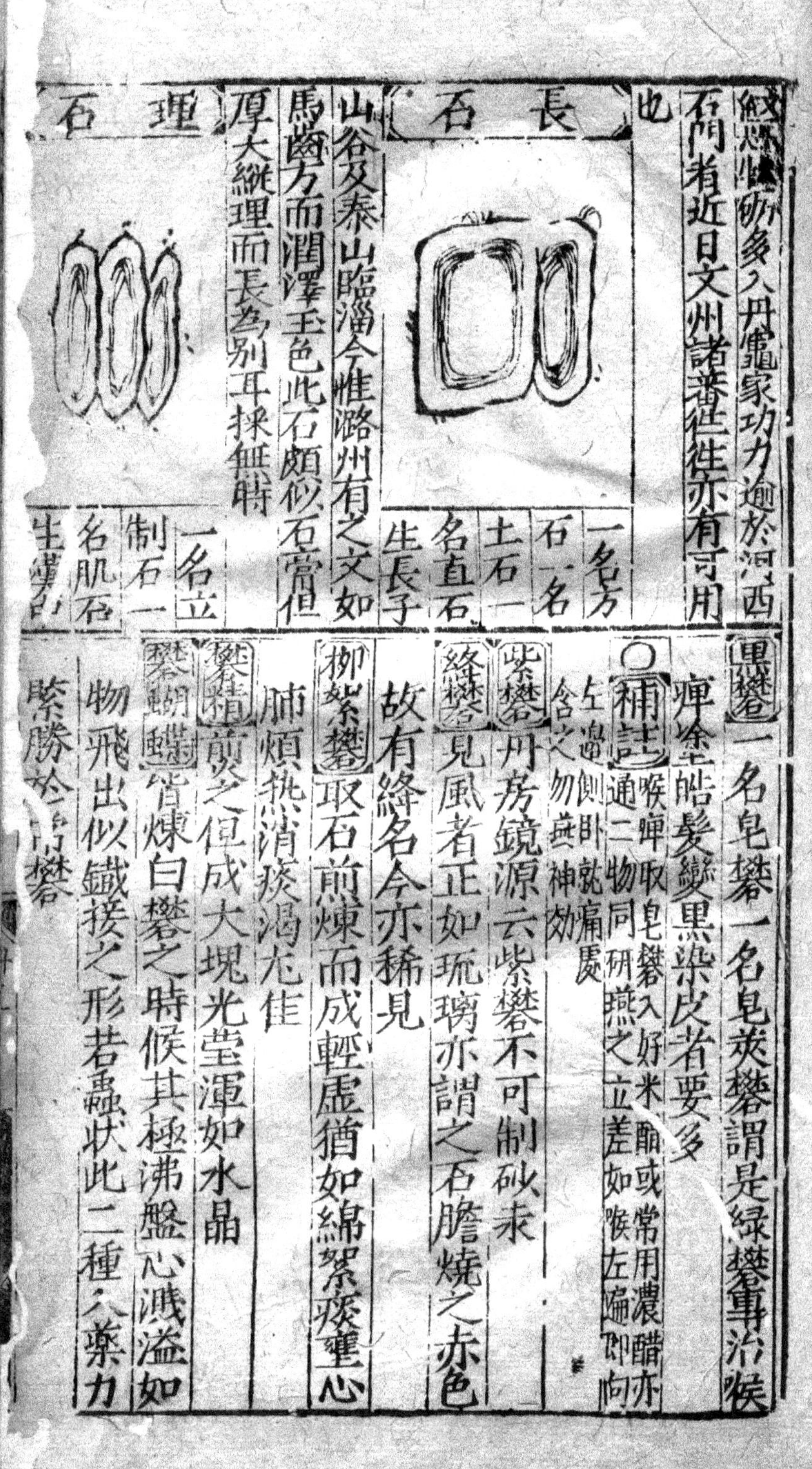

紋[illegible]礪多入丹竈家功力逾於河西石間者近日文州諸番往往亦有可用也

長石

山谷及泰山臨淄今惟潞州有之文如馬齒方而潤澤玉色此石頗似石膏但厚大縱理而長為別耳採無時

一名方石一名土石一名直石生長子

理石

一名立制石一名肌石生漢[illegible]

【黑礬】一名皂礬一名皂莢礬謂是绿礬專治喉痺塗髭髮變黑染皮者要多

○【補註】喉痺取皂礬入好米醋或常用濃醋亦通二物同研爇之立差如喉左邊仰向左邊側卧就漏處含之勿嚥神効

【紫礬】丹房鏡源云紫礬不可制砂汞

【絳礬】見風者正如琉璃亦謂之石膽燒之赤色故有絳名今亦稀見

【柳絮礬】取石煎煉而成輕虛猶如綿絮痰壅心肺煩熱消痰渴尤佳

【礬精】煎之但成大塊光瑩渾如水晶

【礬蝴蝶】皆煉白礬之時候其極沸盤心濺溢如物飛出似鐵接之形若蟲狀此二種入藥力緊勝於常礬

者及梁山廬山此石夾兩石間如石脂
打用之或在土中重疊而生皮黄赤肉
白作斜理不似石膏市人制去皮以代
寒水石并當礬石令靈瑩丹用長理石
為一物醫家相承用者乃似石膏與今
潞州所出長石無異而諸郡無復出理
石醫人亦不見單用往往呼長石為長
理石又市中所貨寒水石亦有帶黄不
皮者不知果是理石否

代赭石

一名血師一名須丸生齊国山
谷今河東京東山中亦有之以赤紅青
色如鷄冠有澤染爪甲不渝者良古方

金線礬 味鹹酸澁有毒

主治 主野鷄瘘痔仙方治疥癬悪瘡甚捷

波斯礬 味酸澁氣温無毒

主治 主赤白漏下去目赤暴腫療陰蝕泄痢瘡疥癬一切蟲蛇等毒君醫齒痛火煉之良

長石 味辛苦氣寒無毒

主治 主身熱胃中氣結除脇肋肺間寒邪止消渴下氣治四肢寒厥殺蠱毒而下三蟲利小便而通血脉明目良方除翳秘訣久久服之不饑耐老

理石 味辛甘寒氣大寒無毒滑石為之使

主治 主身熱利胃解煩除營衛去來大熱益精明目破積去蟲治中風痿痺止消渴結熱

紫礦治小兒用代赭云無眞者以左牡蠣代使乃知眞者難得今醫家所用多擇取大塊其上文頭有如浮漚丁者為勝謂之丁頭代赭火煅醋淬七次方用研極細末水飛過作散調勿煎湯服畏天雄附子

井泉石

生深州城西二十里劉家村地泉內出饒陽郡者為勝近道處處俱生田野地內總有穿地丈許方可得之形似土黃大圓長短大小不等內則散黃外却作層重疊相交收採無時須研絕細倘或不斷入人病淋又有一種如薑石無人多

代赭石　味苦甘氣寒一云味甘氣平無毒乾薑為使入少陽三焦及厥陰肝臟

主治　治女人赤沃崩漏帶下暨難產胎衣不來療小兒疳疾瀉痢驚癇并尿血遺溺不禁卻賊風蠱毒殺鬼疰魅精陰痿不起能扶驚氣入腹可愈聖濟經曰怯者驚也怯則氣浮重劑以鎮之代赭之重以鎮虛逆也孕婦忌服恐墮胎元

○**補註**　腸風用一兩米醋一升以火燒血師通赤淬入醋中以淬竭為度搗羅如麪用湯調下一大錢即差如神矣血師即代赭也

○風瘙疼痒不可忍不計多少研碎空心溫酒調下二錢

太乙曰　凡使勿計多少用臘水細研盡重重飛過水面上有赤色如薄雲者去之然後用細茶脚湯煮之一伏時了取出又研一万匝方入用淨鐵鐺一口著火得鐺熱底赤即下白蠟一兩於鐺底逡巡間便投新汲水衝

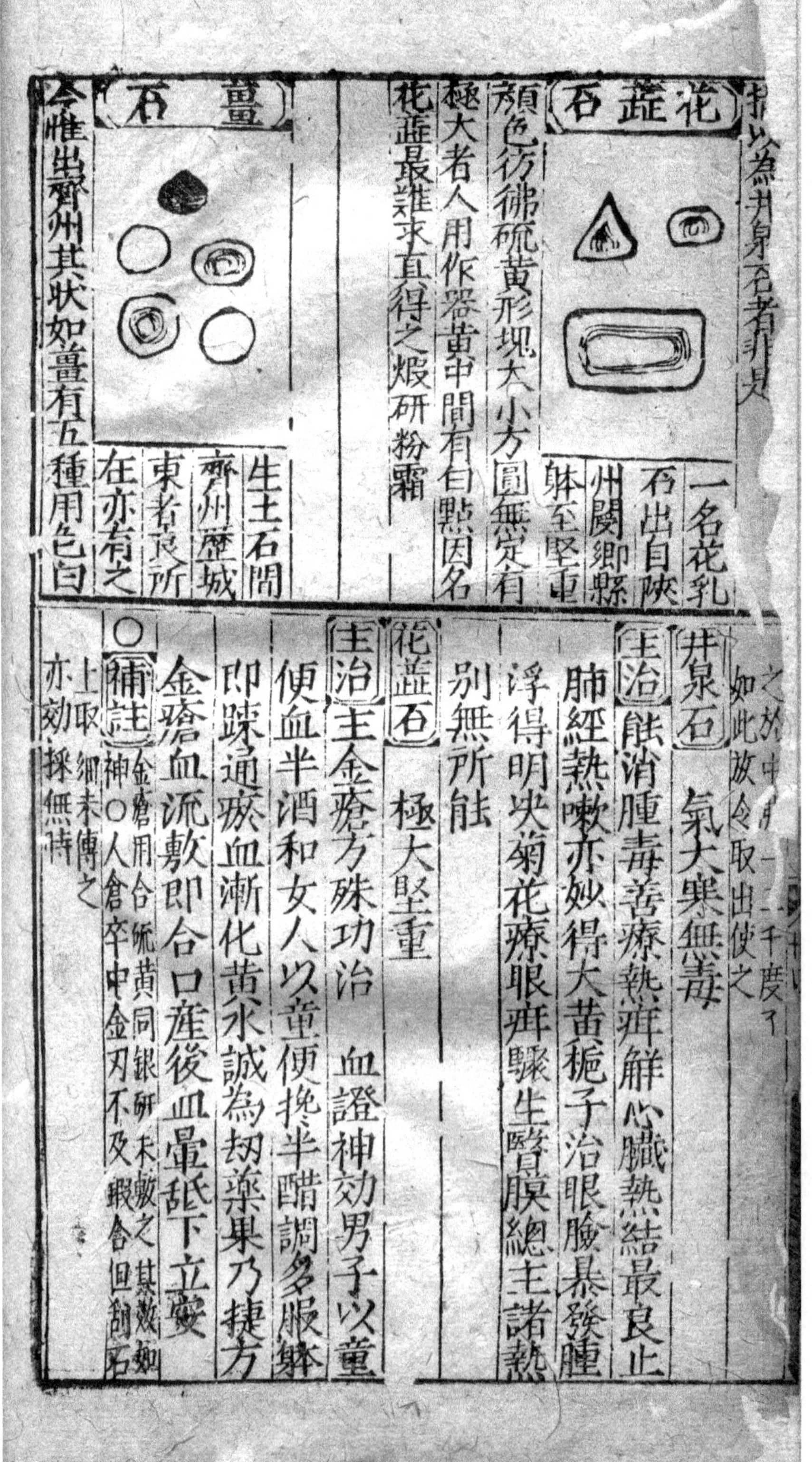

指以為井泉石者非是

花蕋石

一名花乳石出自陝州閿鄉縣躰至堅重

顏色彷彿硫黃形塊大小方圓無定有極大者人用作器黃中間有白點因名花蕋最難求真得之煆研粉霜

薑石

生土石間齊州歷城東者良所在亦有之

今惟出齊州其狀如薑有五種用色白

之於中□一二千度了如此放冷取出使之

井泉石 氣大寒無毒

主治 能消腫毒善療熱痱解心臟熱結最良止肺經熱嗽亦妙得大黃梔子治眼瞼暴發腫浮得明決菊花療眼翳驟生瞖膜總主諸熱別無所能

花蕋石 極大堅重

主治 主金瘡方殊功治 血證神効男子以童便血半酒和女人以童便換半醋調多服躰即躁通瘀血漸化黃水誠為切藥果乃捷方金瘡血流敷即合口產後血暈舐下立安

○補註 金瘡用合硫黃同銀研末敷之其效如神○人倉卒中金刃不及暇舍但刮石上取細末傅之亦効採無時

者以火燒而不發者好採無時大凡石類多主癰疽劉禹錫鍊石法用之傅瘡腫無不愈者世人又傅麥飯石亦治發背瘡麥飯石者粗黃白類麥飯会作磨磑者尤佳中岳山人呂子華取此石碎如棊子炭火燒赤投米醋中浸之良久又燒如此十徧鹿角一具連腦骨者二三寸截之炭火燒令烟出即止白斂末與石末等分鹿角倍之三物同研篩令精細取三年米醋於鐺中煎如魚眼沸即下前藥調和令如寒食餳以篦傅於腫上惟留腫頭如指面勿令有藥使熱氣得洩如未有膿腫即當內消若已作頭即撮令小其病久得此膏直至肌肉爛落出筋骨者即於細布上塗之貼於瘡

【薑石】味鹹氣寒無毒

【主治】主熱豌豆瘡秘旨治疔瘡腫毒效方散乳癰大効袪背瘡如神

○【補註】救急治乳癰腫如大碗痛甚取搗末一二升用鷄子白和如餳傅腫上乾易之○丁腫单用為末和雞子清傅之丁自出乳癰塗之亦善○背瘡取麄理黃石如鵝子大猛烈火燒令赤內釅醋中有屑落醋裡頻淬石至盡取屑爆乾搗篩和醋塗之立差

【硝石】君　味苦辛鹹氣大寒無毒大黃為之使

【主治】辛能潤燥主五臟積熱滌去蓄結鹹能破堅除胃脹却邪氣推陳致新苦瀉實療十二經絡百二十疾治煩渴而止消渴利小便及瘻蝕瘡煉之如膏久服輕身乃天地至神之物能化成十二種石

○【補註】主眼赤痛用研極細末每夜臨卧以銅筋取如黍米大點目眥頭至明旦以鹽漿

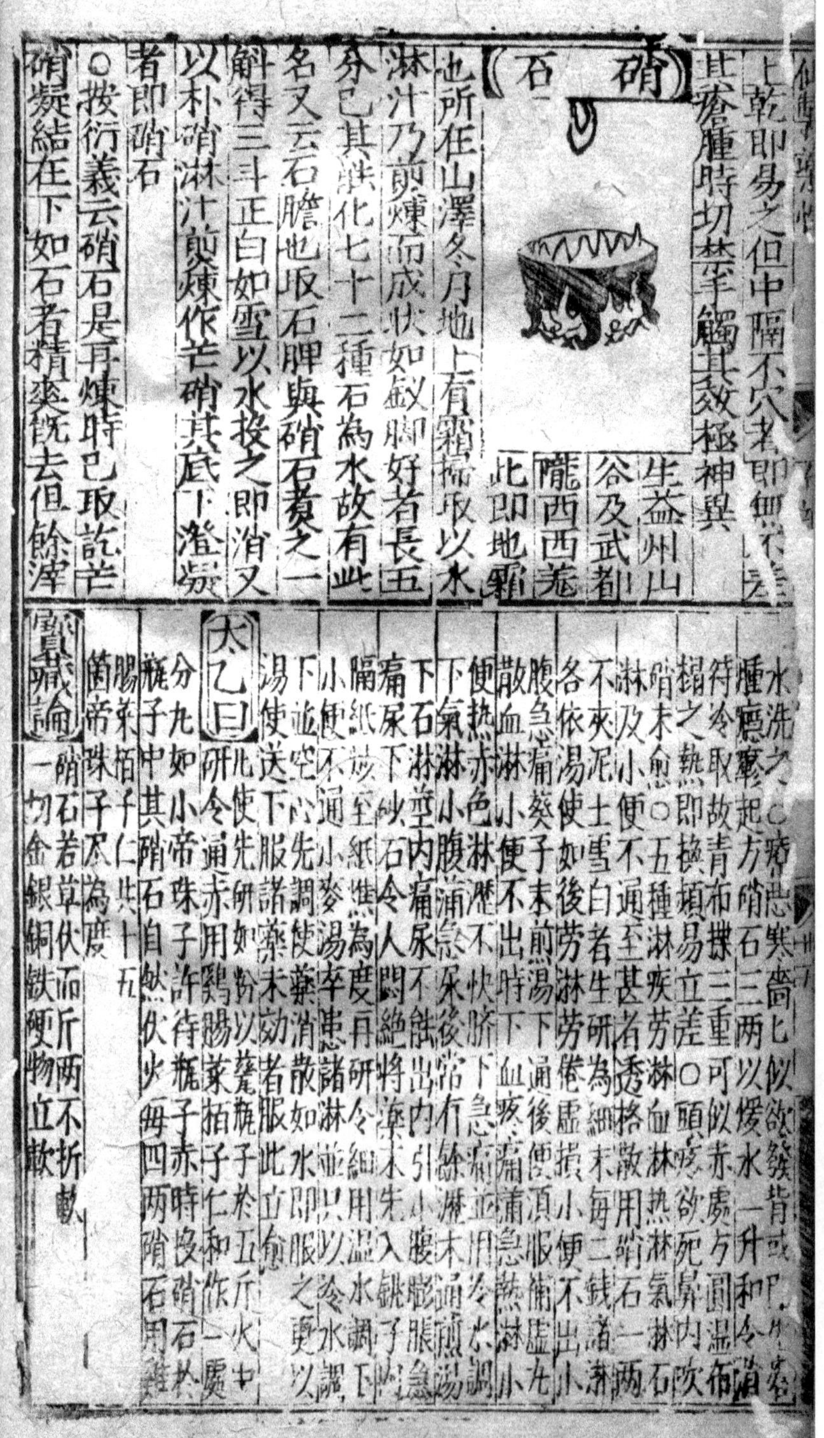

上乾即易之但中隔不穴者即無不差其瘡腫時切禁羊鰡其效極神與

硝石

生益州山谷及武都隴西西羌此即地霜也所在山澤冬月地上有霜掃取以水淋汁乃煎煉而成狀如釵脚好者長五分已其洪化七十二種石為水故有此名又云石膽也取石脾與硝石煮之一斛得三斗正白如雪以水投之即消又以朴硝淋汁煎煉作芒硝其底下澄凝者即硝石

○按衍義云硝石是再煉時已取訖芒硝凝結在下如石者精英既去但餘滓

水洗之○療患寒齒匕似欲發背或下生瘡腫癮疹起方硝石二兩以煖水一升和令消待冷取故青布摺三重可似赤處方圓濕布搨之熱即換頻易立差○頭痛欲死鼻內吹硝末愈○五種淋疾勞淋血淋熱淋氣淋石淋及小便不通至甚者透格散用硝石一兩不夾泥土雪白者生研為細末每二錢諸淋各依湯使如後勞淋勞倦虛損小便不出小腹急痛葵子末煎湯下通後便須服補虛丸散血淋小便不出時下血疼痛滿急熱淋小便熱赤色淋瀝不快臍下急痛並用冷水調下氣淋小腹滿急尿後常有餘瀝木通煎湯下石淋莖內痛尿不能出內引小腹膨脹急痛尿下砂石令人悶絕將藥末先入銚子內隔紙炒至紙焦為度再研令細用溫水調下小便不通小麥湯下卒患諸淋並只以冷水調下並空心先調使藥消散如水即服之更以湯使送下服諸藥未效者服此立愈

太乙曰　凡使先研如粉以甕瓶子於五斤火中研令通赤用雞腸菜柏子仁和作一處分九如小帝珠子許待瓶子赤時投硝石於瓶子中其硝石自然伏火每四兩硝石用雞腸菜柏子仁共十五箇帝珠子盡為度

寶藏論　硝石若草伏而斤兩不折一切金銀銅鐵硬物立軟

而已故功力亦緩惟能發烟火真者火上伏法用柳枝湯煮二三周時即伏湯減耗入添柳枝湯即大熱者伏火即止也宜用仁安錫硝石法云乃取芒硝與石脾合煮成為真硝石然石脾無復識

芒硝

經云生於朴硝是以朴硝作芒硝者但以煖湯淋之取汁清澄煮之減半出時木盤中經宿遂結芒有角稜狀如白石英皆六道也作之呂雜人臨視唐本云晋宋古方多用硝石少用芒硝近代諸醫但用芒硝故言硝石當古昧於芒硝也本經云生於朴硝朴消一名硝石朴[illegible]

芒硝 使　味辛苦氣大寒㐫云味鹹有小毒石葦為之使

主治 甚消痰癖更通月經延蒸漆瘡可敷難產子胞可下洗心肝明目滌腸胃止疼經云熱淫於內治以鹹寒佐以苦寒古方因之每用大黄芒硝相使而為使也

○**補註** 伐指用煎湯漬之○漆瘡用湯漬芒硝令濃塗之乾即易之○火丹毒水調塗之○傷寒發豌豆瘡未成膿研細用豬膽和塗瘡上立効○小兒赤游行於身上下至心即死以入湯中取濃汁以拭丹上○療關隔大小便不通脹滿欲死兩三日則殺人用三兩紙裹三四重炭火燒之令內一升湯中盡服當先飲湯一升已吐出乃服之○服有暫取一大兩置銅器中急火上煉之放冷後以生絹細羅點眼角中每夜欲卧時一度點妙

太乙曰 凡使先以水飛過用五重紙滴過去脚於鐺中乾之方入乳缽研如粉任用芒

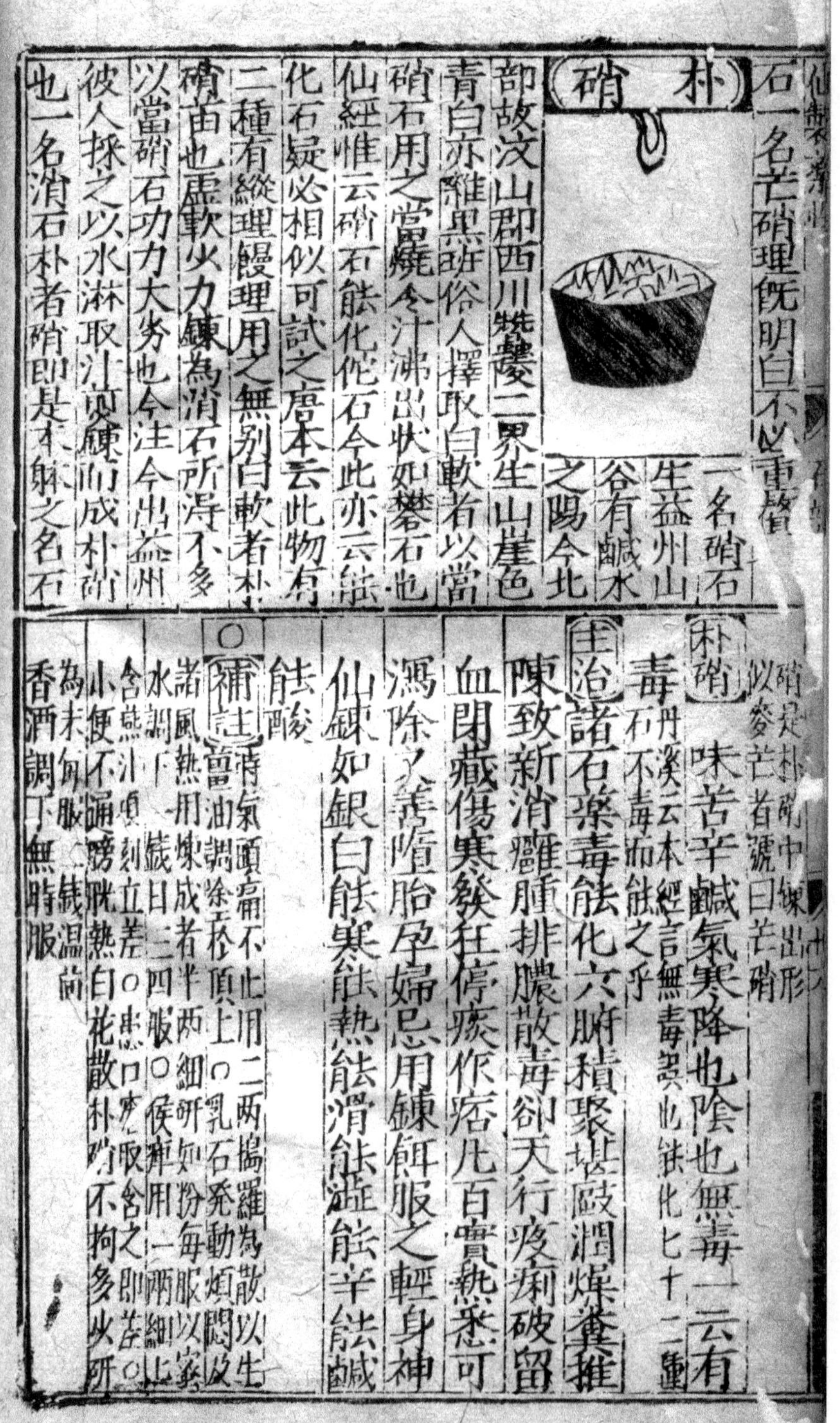

石一名芒硝理既明白不必重贅

朴硝

一名硝石生益州山谷有鹹水之陽今北部故汶山郡西川蠶陵二界生山崖邑青白亦雜黑斑俗人擇取白軟者以當硝石用之當燒令汁沸出狀如礬石也仙經惟云硝石能化他石今此亦云能化石疑必相似可試之唐本云此物有二種有縱理縵理用之無別白軟者朴硝苗也虛軟火力鍊為消石所得不多以當硝石功力大劣也今注今出益州彼人採之以水淋取汁煎鍊而成朴硝也一名消石朴者硝即是本體之名石硝是朴硝中煉出形似麥芒者號曰芒硝

【朴硝】味苦辛鹹氣寒降也陰也無毒一云有毒丹溪云本經言無毒誤也能化七十二種石不毒而能之乎

【主治】諸石藥毒能化六腑積聚堅癥潤燥糞推陳致新消癰腫排膿散毒卻天行疫痢破留血閉藏傷寒發狂停痰作痞凡百實熱悉可瀉除又墮胎孕婦忌用鍊餌服之輕身神仙鍊如銀白能寒能熱能滑能澀能辛能鹹能酸

○【補註】時氣頭痛不止用二兩搗羅為散以生薑油調塗於頂上○乳石發動煩悶及諸風熱用煉成者半兩細研如粉每服以蜜水調下一錢日三四服○喉痺用一兩細研含嚥汁頃刻立差○患口瘡取含之即差○小便不通膀胱熱白花散朴硝不拘多少研為末每服二錢溫茴香酒調下無時服

者乃堅白之號朴者即未化之義也而以西川者為佳舊說三物同種初採得其苗以水淋取汁煎鍊而成乃朴硝也一名硝石朴以硝石出於其中又鍊朴硝或地霜而成堅白如石者乃硝石也一名芒硝又取朴硝以煖水淋汁鍊之減半投於盆中經宿而有細芒生乃芒硝也雖一物異名而修煉之法既殊則主治之功别矣然本經各載所出疑是二種而今醫家所用亦不復詳究其所來但以未鍊成塊微青色者為朴硝鍊成盆中上有芒者為芒硝亦謂之盆硝其芒消底澄凝者為硝石朴硝力緊芒消次之消石更緩未知孰為真者凡入飲藥先安於盞內候熱藥澆服要炙

【甘露飯】療熱壅涼膈上嘔憤滿蜀朴消成末研一大斤用蜜冬用十三兩春夏秋用十二兩先搗篩朴消成末後以白蜜和令勻便入新青竹筒隨小大者一節着藥得半筒已上即止不得令滿卻入甑中令有藥處在飯內其蓋處出其上不妨甑畢即得候飯熟取出承熱綿濾入一瓷缽內竹篦攪勿停手令至凝即藥成收入合中如熱月即於冷水中浸缽然後攪每食後或欲卧時含一匙半匙漸漸咽之如要通轉亦得

【馬牙硝】味甘氣大寒無毒

【主治】除五臟積熱治過飽痞膈伏氣末篩點眼極靈去赤腫瞖障除淚澁淚痛

○【補註】食物過飽不消遂成痞膈用一兩碎之吳茱萸半升陳者煎取濃汁投消乘熱服良久未轉更進一服宜食前若眼瞖明目障散馬牙消光淨者一用厚紙裹令按實安在懷內着肉處養一百二十日取出研粉入少龍腦同研細不計年歲深遠眼生瞖膜漸漸昏暗遠視不明但瞳人不破散並醫得每點用藥末兩米許點目中○小兒鵝口細研於舌上摻之日三五度

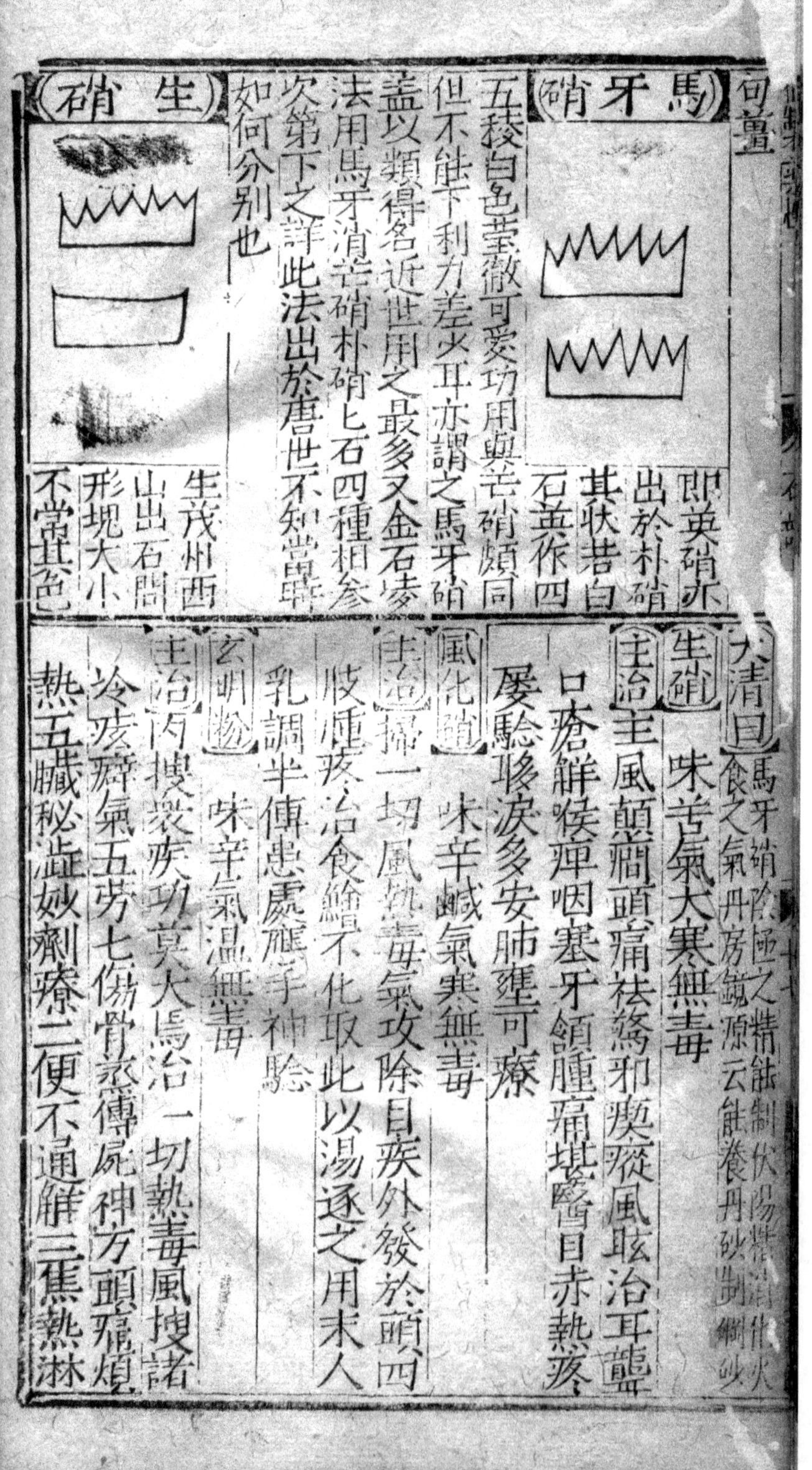

馬牙硝

即英硝亦出於朴硝其狀若白石英作四五稜白色瑩徹可愛功用與芒硝頗同但不能下利力差爾耳亦謂之馬牙硝蓋以類得名近世用之最多又金石凌法用馬牙消芒硝朴硝七石四種相參次第下之詳此法出於唐世不知當時如何分別也

生硝

生茂州西山岩石間形塊大小不常其色

大清曰 馬牙硝陰極之精能制伏陽精消化火食之氣丹房鏡源云能養丹砂制硇砂

生硝 味苦氣大寒無毒

主治 主風熱癇頭痛袪驚邪瘈瘲風眩治耳聾口瘡解喉痺咽塞牙頷腫痛甚者目赤熱疼屢驗眵淚多安肺壅可療

風化硝 味辛鹹氣寒無毒

主治 掃一切風熱毒氣攻除目疾外發於頭四肢腫疼治食鱠不化取此以湯逐之用末人乳調半傅患處應手神驗

玄明粉 味辛氣溫無毒

主治 治內搜痰疾功莫大焉治一切熱毒風搜諸冷痰痃氣五勞七傷骨蒸傳尸神方頭痛煩熱五臟秘澁妙劑療二便不通解三焦熱淋

青白鮮見者今醫家又用一種絆硝彌更精好或疑是此乃云出於蕃硝鍊治之法未聞

風化硝

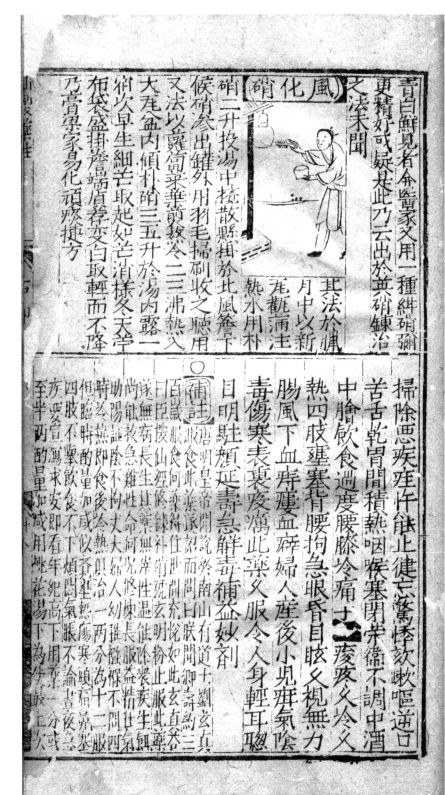

其法於臘月中以新瓶罐滿注熱水用朴硝二升投湯中攪散懸掛於北風簷下候硝滲出罐外用羽毛掃刷收之聽用又法以蘿蔔菜菓煎熬令二三沸熱入大瓦盆內傾朴硝三五升於湯內露一宿次早生細芒取起如芒消様冬天等布袋盛掛簷端候春変白取輕而不降乃當梁家易化頑痰捷方

掃除惡痰痃怔忡止健忘驚悸欬嗽嘔逆口苦舌乾胃間積熱咽喉塞閉榮衛不調中酒中膽飲食過度腰膝冷痛十二痠疼冷久熱四肢壅塞背腰拘急眼昏目眩久視無力腸風下血痔瘻血癖婦人産後小兒癍氣陰毒傷寒表裏疫癘此藥久服令人身輕耳聰目明駐顏延壽急解毒補益妙劑

○補註唐明皇帝開說終南山有道士劉玄真服食此藥遂詔而問曰朕聞卿壽約三百歲服食何藥得住世間充悅如此玄真答曰臣按仙經修錬補硝號玄明粉止服此藥遂無病長生其藥無寒性温能除衆疾生餌尚能救急難性命何况修煉長服益精壯氣助陽證陰不拘丈夫婦人幼稚襁褓不問四時冷熱即食後冷熱俱治一兩分為十二服但臨時酌量加減似骨蒸熱傷寒頭痛鼻塞四肢不舉飲食不下煩悶氣脹不論晝夜急疾要宣瀉求安即看年紀高下用藥一分或至半兩酌量加減用桃花湯下為使最亡次

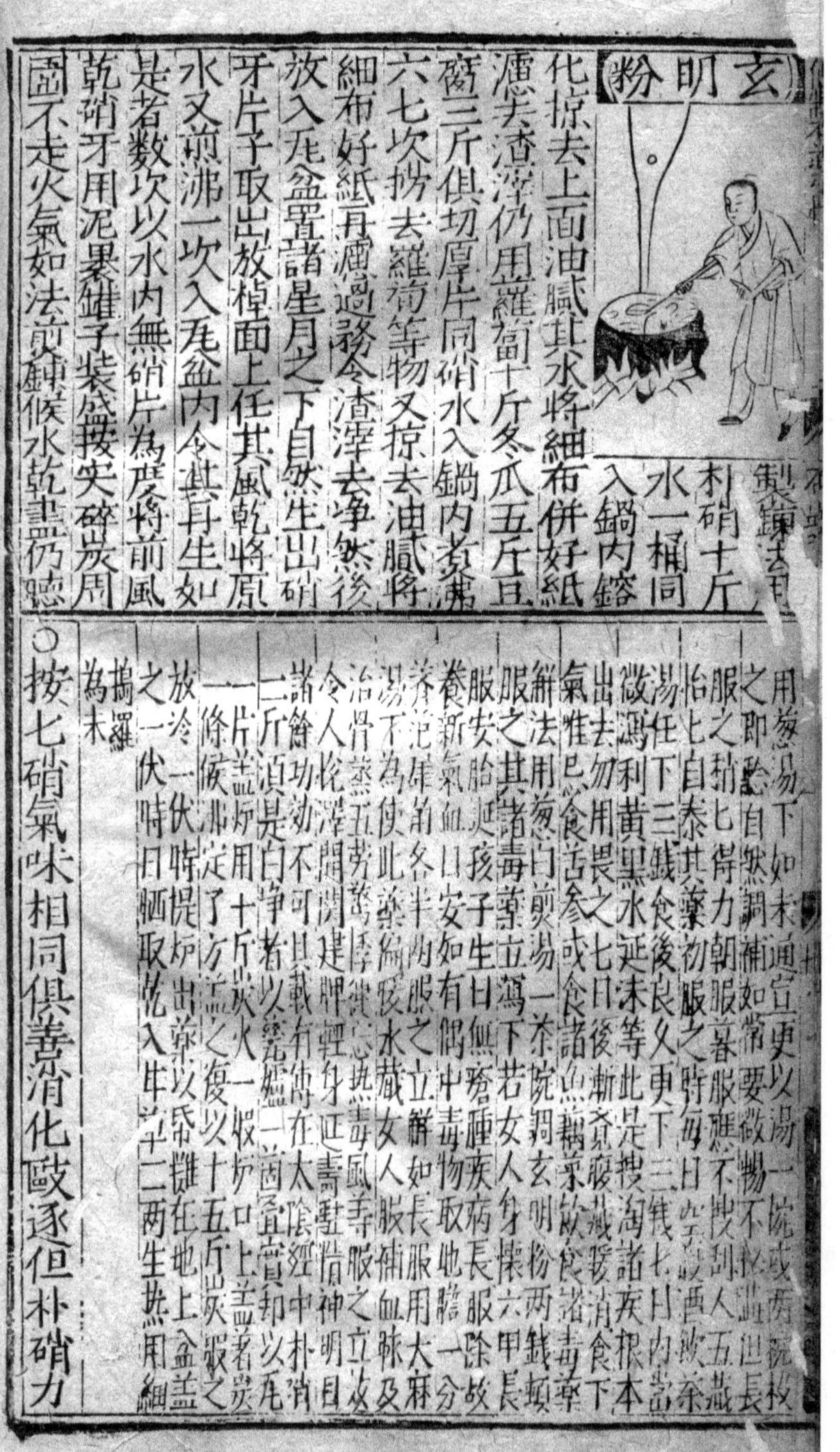

玄明粉

製鍊法

朴硝十斤水一桶同入鍋內鎔化掠去上面油膩其水將細布併好紙濾去渣滓仍用蘿蔔十斤冬瓜五斤豆腐三斤俱切厚片同硝水入鍋內煮滚六七次撈去蘿蔔等物又掠去油膩將細布好紙再濾過務令渣滓去淨然後放入瓦盆置諸星月之下自然生出硝牙片子取出放棹面上任其風乾將原水又煎沸一次入瓦盆內令其再生如是者數次以水內無硝片為度將前風乾硝牙用泥罨罐子裝盛按實磚炭周圍不走火氣如法煎鍊候水乾盡仍聽

用葱湯下如未通宜更以湯一碗或再碗投之即愈自然調補如常要微暢不必避但長服之補七得力朝服暮服無不快到人五臟怡七自泰其藥初服之時每日空心或酒或茶湯任下三錢食後良久更下三錢七日內當微瀉利黃黑水涎沫等此是搜淘諸疾根本出去勿用畏之七日後漸覺饑發消食下氣惟忌苦參或食諸魚藕菜飲食諸毒藥解法用葱白煎湯一茶碗調玄明粉兩錢頓服之其諸毒藥立瀉下若女人身懷六甲長服安胎延孩子生日無瘡腫疾病長服除故養新氣血日安如有偶中毒物取地膽一分齊泥雄弟各半內服之立解如長服用大麻湯下為使此藥偏暖水藏女人服補血脉及治骨蒸五勞驚悸健忘熱毒風壽服之立效令人悅澤聰明建脾輕身延壽聖惜神明目諸篇功效不可具載有傳在太陰經中朴消一斤須是白淨者以甕罐一箇盛實卻以瓦一片蓋炉用十斤炭火一煆炉口上蓋着炭一條候沸定了方蓋之復以十五斤炭煆之放冷一伏時提炉出藥以紙攤在地上盆蓋之一伏時日晒取乾入甘草二兩生熟用細搗羅為末

○按七硝氣味相同俱善消化毆逐但朴硝力

罐內用汁不响後如法固封罐口再加猛頂火煅煉一晝夜玄明粉成矣待冷取出著淨地上以新瓦盆一個覆之以去火毒後研為末每斤加生熟甘草各一两和匀初服一錢稍加三錢四時服食各有飲引春養肝川芎黄芩芍藥湯下夏養心茯苓湯下四季養脾人參白术湯下秋養肺茯苓桔梗湯下冬養腎肉從蓉烏頭湯下朴硝鹹物也羅首性温與冬瓜豆腐俱能奪鹹味用之修製使去其鹹故曰陰中有陽之藥也

食塩

舊不著所出州郡五味之中惟此不可缺

緊芒硝英硝馬牙硝力緩硝石風化硝玄明粉緩而又緩也以之治病致用病退即已本經載能煉服補益豈理也耶若孕婦有可下證用之必兼大黄引導使之直入大腸潤燥瀉熱子母均安經曰有故無殞亦無殞也此之謂歟

食塩　味鹹氣寒無毒

上治　煖火臟及霍亂金瘡明眼目止風淚邪氣調和臟腑消食助脚堪洗下部䘌瘡能吐中焦痰癖滋五味長肉去皮膚風治小兒疝氣并內腎氣除風邪吐下惡物消宿物令壯健甦心腹卒痛塞齒縫來紅皷蚯蚓毒傷殺鬼蠱邪疰少用接藥入腎凡服補陰丸宜塩湯送下過多責

有東海北海鹽及河東鹽池梁益鹽井
交廣有南海鹽西羌有山鹽胡中有樹
鹽而色類不同以河東者為勝河東鹽
今解州安邑兩池所種鹽最為精好是
也又有并州兩監末鹽乃刮鹹煎鍊不
甚佳其鹹蓋下品所著鹵鹹生河東鹽池
者謂此也解人取鹽於池傍耕地沃以
池水每臨南風急則宿昔成鹽滿畦彼
人謂之種鹽東海北海南海鹽者今滄
密楚秀溫台明泉福廣瓊化諸州官場
煑海水作之以給民食者又謂之澤鹽
醫方所謂海鹽是也其煑鹽之器漢謂
之牢盆今或鼓鐵為之或編竹為之上
下周以蜃灰廣丈深尺平底置於竈背
謂之鹽盤南越志所謂織篾為鼎和以

欬傷金走血損筋黑膚失色司庖厨者務用
適宜水腫咳嗽病人須全禁忌勿食秋石可代
○【補註】殺一切毒氣鬼疰氣心痛中惡或連腰
臍者鹽如雞子大青布裹燒赤投酒中
頓服當吐惡物○小兒卒不尿安鹽於臍中灸
之○面上五色瘡鹽湯綿浸搨瘡上五六
度易差又和槐白皮切蒸治腳氣又空心
齒以時吐水中洗眼夜見小字良○婦人隱
處疼痛者鹽青布裹熨之○鬼疰尸疰下部
蝕瘡炒鹽布裹坐熨之燕主火灼瘡○通大
小便小兒疝氣并內腎氣以葛袋盛於戶口
懸之父母用手撚料盡即愈○小兒臍風
以二兩豉二合相和爛搗捏作餅子如錢大
安新瓦上灸令熱熨臍差亦用黃蘗末傅之
○目中淚出不得開刺痛以鹽如大豆許內
目中眥上去鹽以冷水數洗目差○肝藏氣
虛風冷傳於筋偏躰轉筋入腹不可忍熱湯
三斗入鹽半斤稍熱漬之効○胸中痰飲傷
寒熱病瘴癘須吐者以鹽末一匙以水或煖
湯送下須臾吐下明旦更服甚良○妊娠心
腹痛不可忍以鹽燒令赤以三指取一撮酒
服差○天行後兩脇脹滿熬鹽熨之如小便
澁亦用熨臍下○風身躰如虫行鹽一斗水
一石煎減半澄清温洗三四度○治齒斷宣

牡礪是也。梁益鹽井者，今歸州及四川諸郡皆有鹽井，汲其水以煎作鹽，如煑海法，但以食彼方之民耳。

唐柳州纂救三死治霍乱鹽湯方云：元和十一年十月得乾霍亂，上不可吐，下不可利，出冷汗三大斗許，氣即絕。河南房偉傳此湯，入口即吐，絕氣復通。其法用鹽一大匙，熬令黃，童子小便一升，二物溫和服之，少頃吐下即愈。食療云：蠼螋尿瘡，鹽三升，水一斗，煮取六升，以綿浸湯淹瘡上。又治一切氣及腳氣，取鹽三升，蒸候熱，分裹，近壁腳踏之，令腳心熱。又和槐白皮蒸用，亦治腳氣，夜夜與之良。又以皂莢兩梃，鹽半兩，同燒令通赤，細研，夜夜用揩齒，一月後有動者皆

露每旦撚鹽入口中，以熱水含漱齒，百徧即牢密。○逆生，以鹽塗兒足底，又可急爪搔之，并鹽摩產婦腹上。○毒箭，以鹽滿瘡上，灸三十壯，差。○凡蠱毒物，生或始痛痒，嚼鹽塗之妙。○中風，心腹切痛，以鹽半斤，熬令水盡，著口中，飲熱湯二升，吐愈。○齒痛，其間出血極點，以鹽末每夜厚封齦斷上，有汁瀝盡乃臥，仍叩齒，勿住，更久尤佳。忌豬魚油菜等。○卒中尸遁，其狀腹脹，氣急沖心，或塊起，或牽腰脊者，是。服鹽湯取吐。○得風耆耳中恍七者急，取鹽五升甑蒸使熱，以耳枕之，冷復易。○氣淋，臍下切痛，以鹽和醋調下。○耳卒疼痛，以鹽蒸熨之。○手足忽生疣目，以鹽傅疣上，令舌舐之。○卒候中惡肉，以綿裹筋頭拄生上，鹽揩六七次易。○金瘡中風，煎鹽令熱，以匙抄瀝却水，熱瀉瘡上，冷更著，一日許勿住，取差。大効。○治赤白久下，穀道疼痛不可忍，宜服溫湯。熬鹽熨之，又炙枳殼熨之，妙。○蚯蚓咬，濃作鹽湯浸身數遍，差。浙西軍將張韶為此蟲所咬，其形似大風，眉鬚皆落，每夕蚯蚓鳴於體。有僧教以此方，愈。○轉筋，以作湯洗漬之。○心腹脹堅痛悶不安，雖未吐下，欲死，以鹽煎令消，頓服，自吐下。○金中經脈，傷皮及諸大脈血出多，恐血冷則殺人，宜炒鹽三撮，酒調服。○蜈蚣咬人痛不止，嚼鹽沃上及以鹽湯浸瘡，極妙。其蜈蚣有赤足者，螫人黃

及血暈齒並差其齒犀良

戎鹽

一名胡鹽
一名青鹽
生胡鹽山
及西羌北

地酒泉福祿城東南角北海青南海赤是也然羌胡之鹽種類自多陶注又云虜中鹽有九白鹽食鹽常食者黑鹽療鹽赤鹽駁鹽臭鹽馬齒鹽之類今人不能徧識醫家治服及補下藥多用青鹽疑此即戎鹽而本經云北海青南海赤青鹽從西羌來者形塊方稜明瑩而青黑色最奇北胡來者作大塊而不光瑩又多孔竅若蜂窠狀色亦淺於西鹽彼人之鹽擣入藥差劣北胡又有一種

足者痛甚○熱病下部有䘌蟲生瘡炒鹽綿裹熨之不過三度差

崔中丞練鹽黑丸方 鹽一升搗末內甕瓶中實築泥頭訖初以塘火燒漸七加炭火勿令瓶破候赤徹鹽如水汁即去火其鹽冷即凝破瓶取之豉一升熬焦桃仁一大兩和麩熬令瓶巴豆二大兩去心膜紙中熬令油出須生熟得所熟即以力生又搗人四物各用研搗成熟藥秤量蜜和丸如梧子大每服三丸皆平旦時服天行時氣豉汁及茶下並得服後多喫茶汁行藥力心痛酒下入口便止血痢飲下初變水痢後便止鬼疰茶飲下骨熱白蜜湯下忘發漿水合藥久則丸稍加令大丸服藥後吐痢勿怪服藥一日忌口二日吐痢若多即煎黃連汁服止之平旦服藥至小食時已來下吐痢者或過殺藥人即吐服一兩丸投之其藥冬中合臘月尤佳瓷合子中盛貯以臘紙封之勿令洩氣清河崔能云合得此劑可救百人天行時氣辛急吞諸藥不得又恐過時或在道途或在村落無諸藥可求但將此藥一刀圭即敵大黃朴硝數兩皆試有効宜行於門里闢汲所疾苦者亦思女子不可服多被撓作用

戎鹽 即青鹽 味鹹氣寒無毒

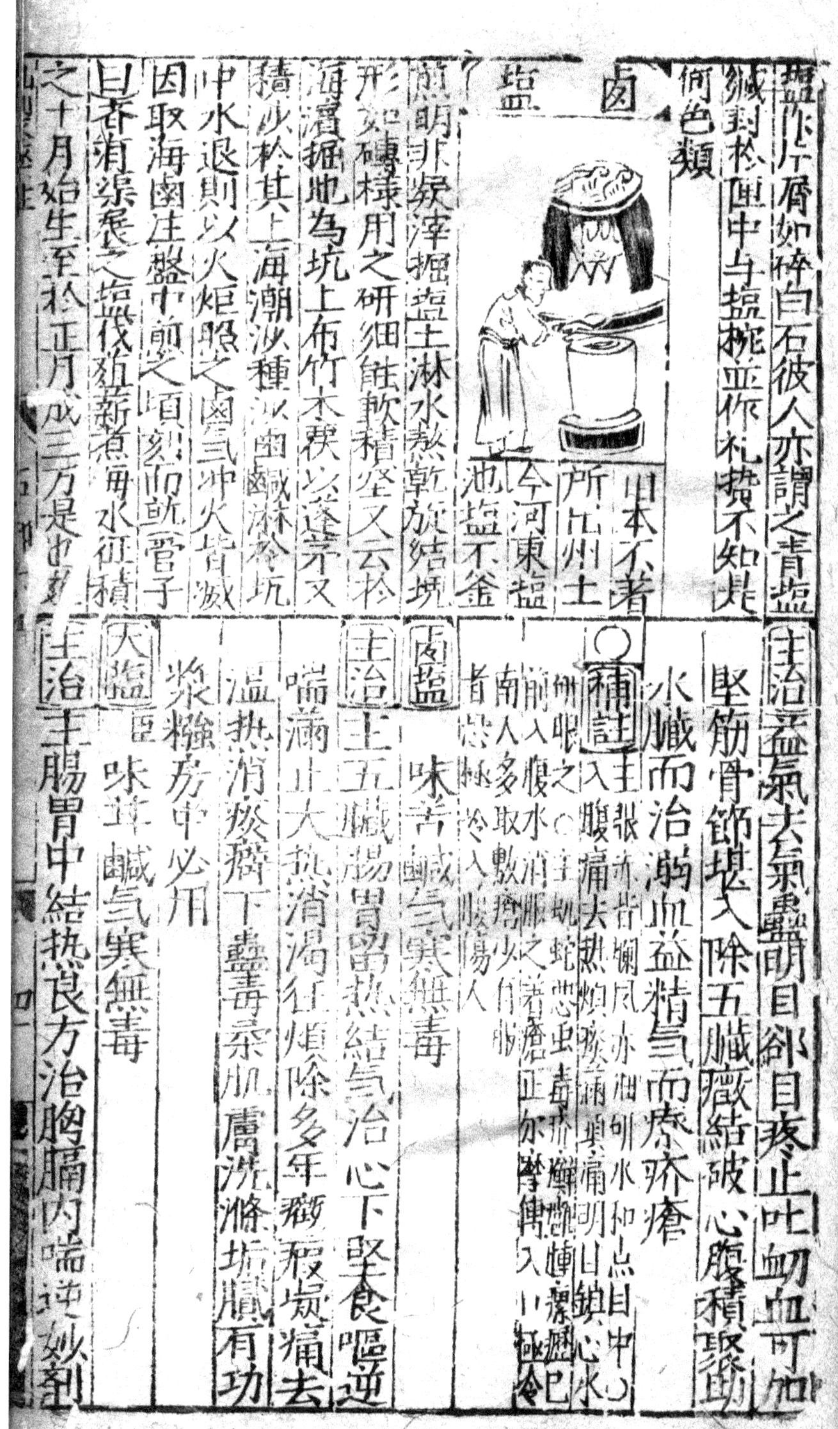

塩作片屑如碎白石彼人亦謂之青塩鹹刻於匣中与塩梳並作礼貲不知是何色類

鹵塩

旧本不著所出州土今河東塩池塩不釜

煎明非烋滓掘塩土淋水熬乾旋結塊形如磚様用之研細能軟積堅又云於海濱掘地為坑上布竹木覆以蓬茅又積沙於其上海潮沙種以鹵鹹淋於坑中水退則以火炬照之鹵氣冲火皆滅因取海鹵注盤中煎之頃刻而就管子曰齊有渠展之塩伐菹薪煮海水征積之十月始生至於正月成三万是也

主治　益氣去氣蠱明目卻目疼止吐衄血可加堅筋骨節堪久除五臟癥結破心腹積聚功水臟而治溺血益精氣而療疥瘡

補註　主張赤眥爛風赤爛明水和点目中○入腹痛去熱煩痰滿頭痛明目鎮心水臟之○主蚘蛇虫毒疥癬蠷螋瘰癧已前入腹水消脹之者瘡正尔孶角入口極冷南人多取敷瘡少有服者嶺極冷入腹傷人

鹵塩　味苦鹹气寒無毒

主治　主五臟腸胃留热結气治心下堅食嘔逆喘滿止大热消渴狂煩除多年癥瘕崩痛去温热消痰癖下蠱毒柔肌膚洗滌垢膩有功漿纈方中必用

大塩　臣　味甘鹹气寒無毒

主治　主腸胃中結热良方治胸膈內喘逆妙劑

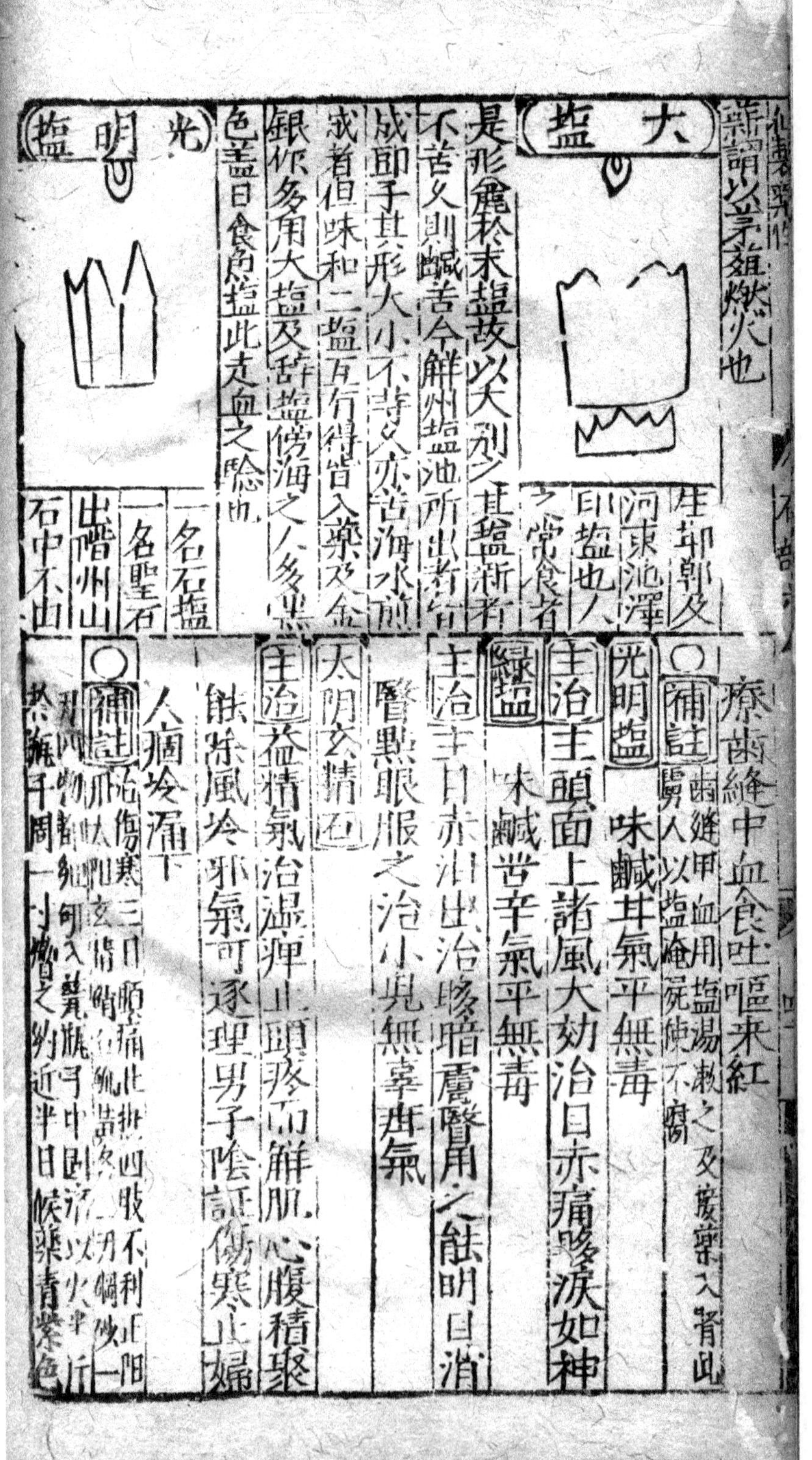

新謂以掌蒩燃火也

大塩

是形麄於末塩故以大別之其塩新者不苦久則鹹苦今解州塩池所出者皆成顆子其形大小不等又亦有海水煎成者但味和二塩互有得皆入藥及金銀作多用大塩及舒塩傍海之人多黑色盖日食鹹塩此走血之驗也

生邯鄲及河東池澤印塩也人之常食者

光明塩

一名石塩 一名聖石 出階州山石中不出

療齒縫中血食吐嘔来紅

○補註 齒縫甲血用塩湯漱之又痰藥入胃吐 男人以塩淹冠使不腐

光明塩 味鹹甘氣平無毒

主治 主頭面上諸風大効治目赤痛多淚如神

綠塩 味鹹苦辛氣平無毒

主治 主目赤淚出治𦘕暗翳瞖用之能明目消 醫點眼服之治小兒無辜疳氣

太陰玄精石

主治 益精氣治濕痺止頭疼而解肌心腹積聚 能除風冷邪氣可逐理男子陰証傷寒止婦人痼冷漏下

○補註 治傷寒三日頭痛壯熱四肢不利正陽 丹太陽玄精硝石硫黃各二兩硝砂一 兩四物都細研入瓷瓶子中固濟以火半斤 於瓶子周一寸熁之約近半日候藥青紫色

[illegible]劉自然成鹽也色甚明瑩彼人甚貴之陝西亦不用於不能分別也又通泰滄州並有停户刮鹹煎鹽輸官如并州末鹽之類以供給江湖極為饒衍其味乃優於并州末鹽也濱州亦有人户煎鍊草土鹽其色最麄黑不堪入藥但可噉焉耳

緑盐

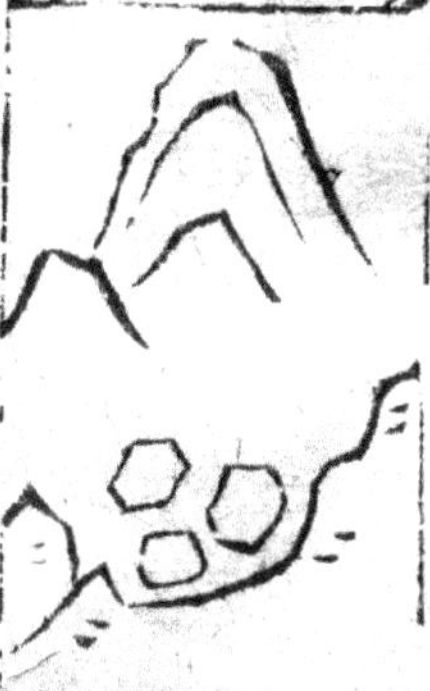

出波斯国在石上生者味鹹澁以光明盐硇砂赤銅屑醋之為塊緑色真者出焉耆國水中石下取之狀若扁青空青為眼藥之要今不聞識此者陕京亦見偽

〇按舶上將來為之石緑裝色久而、

牡火肖冷取出用臘月雪水拌令勻溫入蓋罐子中埋後此阴下阴乾又入地埋二七日取出細研以麪糊和為丸如鷄頭實大先用熱水浴後以艾湯研下一丸以衣蓋汗出差

〇按衍義云太陰玄精石合他藥塗大風疾別有法陰證傷寒指甲面色青黑六脉沉細而疾心下脹滿結硬煩渴虛汗不止或時狂言四肢逆冷咽喉不利腹痛亦須佐他藥兼之

【石膏】臣 味辛甘氣微寒氣味俱薄体重而沉降也陰中陽也無毒鷄子為之使入肺胃三焦三經

【主治】辛能出汗解肌上行而理頭痛甘則緩脾益氣生津以止消渴故風邪傷陽寒邪傷陰總解肌表可愈任胃熱多食胃熱不食惟瀉胃火能痊仲景加白虎名身以前胃之絡留者肺之室邪在阳

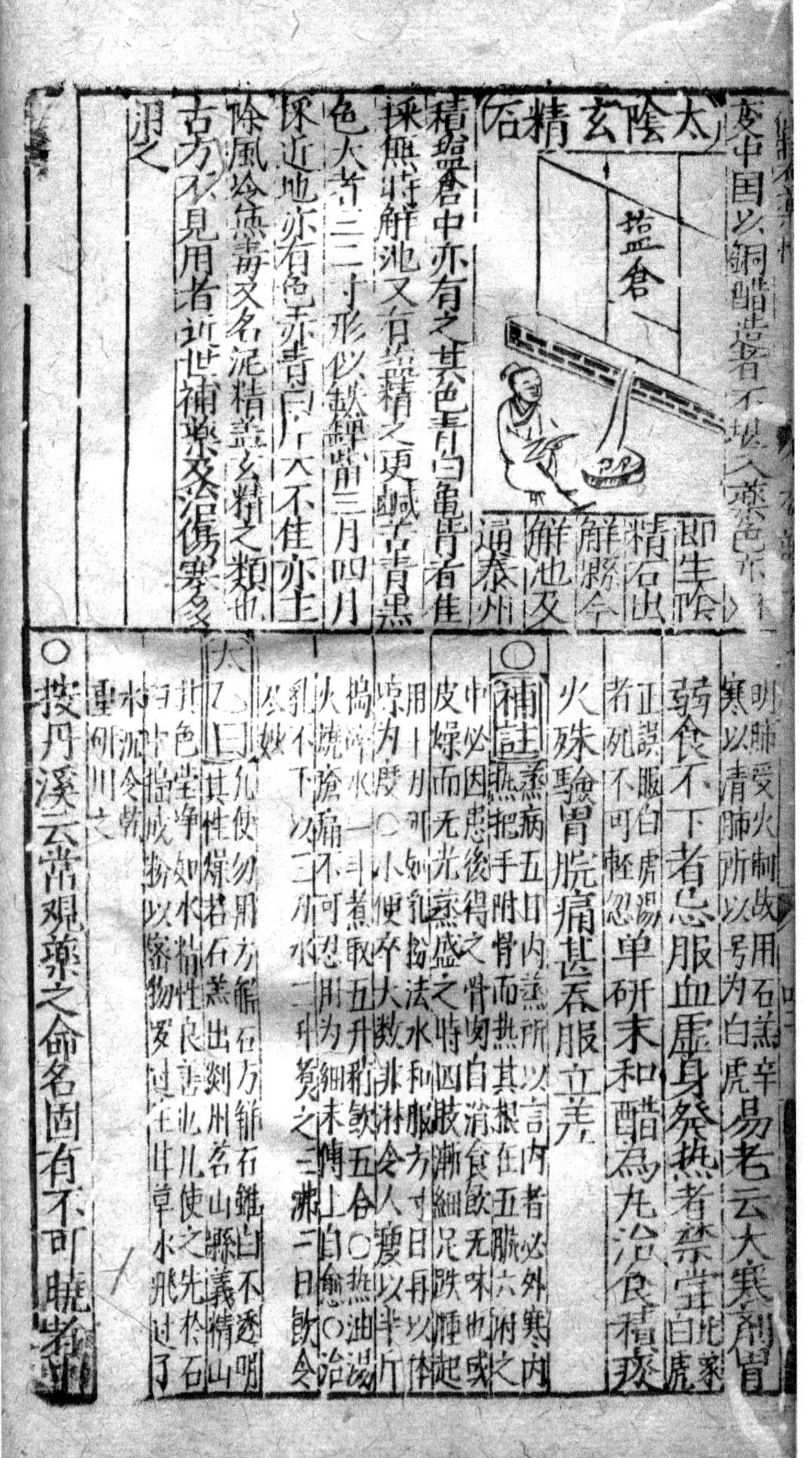

度中国以銅醋造者不堪入藥色亦不

太陰玄精石

即生陰精石出解縣今解池及通泰州積鹽倉中亦有之其色青白龜背者佳採無時解池又有鹽精之更鹹苦青黑色大者三二寸形似鐵鍔當三月四月採近地亦有色赤青片大不佳亦主除風冷熱毒又名泥精鹽玄精之類也古方不見用者近世補藥及治傷寒多用之

明肺受火制故用石羔辛寒以清肺所以号为白虎易老云大寒劑胃弱食不下者忌服血虛身發熱者禁堂白虎此家正誤服白虎湯者死不可輕忽单研末和醋為丸治食積痰火殊驗胃脘痛甚者服立差

○補註 蒸病五日內蒸所以言內者必外寒內熱把手附骨而熱其根在五臟六腑之中必因患後得之骨肉自消食飲无味或皮燥而无光蒸盛之時四肢漸細足趺腫起用石羔十兩研如乳粉法水和服方寸匕日再以體涼為度 ○小便赤大數非淋令人瘦以石羔半斤搗碎水一斗煮取五升稍飲五合 ○熱油湯火燒瘡痛不可忍用石羔為細末傅上自愈 ○治乳不下以石羔三兩水二升煮之三沸三日飲令公妙

太乙曰 凡使勿用方解石方解石雖白不透明其性燥若石羔出剡州茗山縣義情山其色瑩淨如水精性良善也凡使之先於石臼中搗成粉以密物羅過生甘草水飛過了水瀝令乾重研用之

○按丹溪云常觀藥之命名固有不可曉者

石膏

一名細理

生齊山山谷及齊廬山魯蒙山

今汾孟號耀州興元府亦有之生於山石上色至瑩白細理白澤者良黃者使人淋陶隱居云三郡之山即青州徐州也今出錢塘縣皆在地中雨後時時自出取出如棊子白徹最佳彭城者亦好近道多有而大塊用之不及彼採無時惡莽草馬目毒公巴豆畏鐵猛火煅軟方灵絕細研成湯液此石与方解石絕相類今難得真者用時惟取未破者以別之其方觧石不附石而生端然獨處外皮有土及水苔色破之皆作方棱又

間亦多意義斈者不可不察焉如以色而名者大黃紅花白前青黛烏梅之類是也以氣而名者木香沉香檀香茴香麝香之類是也以質而名者厚朴乾姜茯苓生熟地黃之類是也以形而名者人參狗脊烏喙貝母金鈴子之類是也以味而名者甘草苦參龍膽草淡竹葉苦酒之類是也以能而名者百合當歸升麻防風硝石之類是也以時而名者半夏茵陳冬葵寅雞夏枯草之類是也石膏火煅研細醋調封丹炉其固密甚於石脂苟非石膏焉能為用此兼質與能而得名正與石脂同意閻孝忠妄以方觧石為石膏況石膏味甘辛本陽明經藥陽明主肌肉其甘也能

膏自然明瑩如玉此為異也採無時者

解石用出下品本經云生方山陶隱居

以為長石一名方石療体相似疑是一

物蘇恭云療熱不减石膏若然似可通

用但主頭風不及石膏也

滑石

一名液石

一名共石

一名脫石

一名番石

今謂之畫石生赭陽山谷及太山之陰

或掖北白山或卷山今道永萊濠州皆

有之此有二種道永州出者白滑如凝

脂南越志云膋城縣出膋石膋石即滑

石也土人以為燒器用以烹魚是也萊

濠州出者理粗質青有白黑點亦謂之

緩脾益氣止渴去火其辛也能解肌出汗上

行至頭又入太陰入手少陽彼方解石只体

重質堅性寒而已求其所謂如膏可為三經

之主者安有

滑石 臣 味甘氣大寒性沉重降也陰也無毒入

陽明胃經石韋為之使

主治 主身熱洩澼治乳難癃閉利九竅津液頻

生行六腑積滯不阻逐凝血而解煩渴分水

道以實大腸消食毒補脾泄上氣降火益精

氣祛寒熱補胃助脾因此滑利故加滑名連

胎如神姙娠忌服久服輕身耐老延年

○補註 難產用末与丹參蜜猪脂為丸熬半具空心酒下如彈丸大臨產渡服令滑胎易

生○利小便治淋澁用与石韋同擣末飲服

刀圭更驗○石淋發須悶取十二分研粉

亦有一種皆可作器用甚精好初出軟爛如泥久漸堅強彼人皆就穴中乘其軟時制作用力殊少不然堅強費功本經所載土地皆是北方而今医家所用多是色白者乃自南方來又按雷斅炮炙方滑石有五色當用白色如方解石者其綠色者性寒有毒不入藥又云凡滑石似米白青色畫石上有白膩文者為真如此說則今南中來者又皆相類用之無疑今或云沂州出一種白滑石其性與本經所云太山之陰相合然彼土不取為藥故医人亦鮮知用之唐本注云此石所在皆有嶺南始安出者白如凝脂極軟滑其出掖縣者理粗質青白黑點惟可為器不堪入藥又沂州出

丹服以水和攪令散頓服頓熱定乃停後服冬○暴得吐逆不下食以生細末二錢温水服乃急以熱熱一錢押定○治乳石發動熱煩渴不止滑石半兩細研如粉以水一中盞攪如白飲頓服未差再服○婦人過忍小便致胞轉滑石末葱湯調下二錢○治膈上煩熱多渴通利九竅滑石二兩擣碎以水三大盞煎服二盞去滓下粳米二合煮粥温七食之最効○療妊娠不得小便滑石末水和泥臍下二寸○氣壅關格不通小便淋結下焦閉悶熏稿以滑石八分研如麵以水五合和頓服○小便不通滑石末一升以車前汁和塗臍四畔方四寸熱即易之冬月水和亦得

太乙曰　凡使有多般勿誤使之有白滑石綠滑石烏滑石冷滑石黃滑石其白滑石如方解石色白於石上畫有白膩文方使得綠滑石綠者性寒有毒不入藥中用烏滑石似鷖色畫石上有青白膩文入用妙黃滑石色似金顆顆畫石上有青黑色者勿用殺人冷滑石青蒼色畫石上作白膩文亦勿用若滑石色似冰白青色畫石上作白膩者真也凡使先以刀刮研如粉以牡丹皮同煮一伏時出去牡丹皮取滑石却用東流水淘過於日中晒乾方用

山中通寺南谷亦大有之青白不生□於滑膩猶勝掖縣者又有欝林州亦出縣有也其毒殺人有冷石可以解之石色赤黑味苦脩之者瘡中并以切齒立蘇一名切齒石今人多用冷石作粉治痱瘡或云即滑石也但味之甘苦不同耳細研以水飛淨服下方得滑瀾異會

貢宜甘草石韋為之使

無名異

出大食國
生於石上
狀如黑石
蕃人以油

鍊如鱉石嚼之如餳今廣州山石中及宜州南八里龍濟山中亦有之黑褐色大者如彈丸小者如黑石子採無時

○按滑石治渴非其能止渴也資其利竅滲去濕熱則脾氣中和而渴自止爾假如天令濕淫太過人患小便不利而渴正宜用此以滲泄之渴不生若或無濕小便自利而渴者則知內有燥熱燥宜滋潤苟誤用服是愈亡其津液而渴反盛矣寧不為犯禁乎

無名異 味甘氣平無毒

主治 主金瘡折傷內損神方又止痛生肌長肉妙劑消腫毒殊功治癰疽奇効

○按海藥人云有石無名異絕難得有草無名異彼人不甚貴重皆本經說者為石今所有者為草乎用時以醋摩塗傅所患处

婆娑石

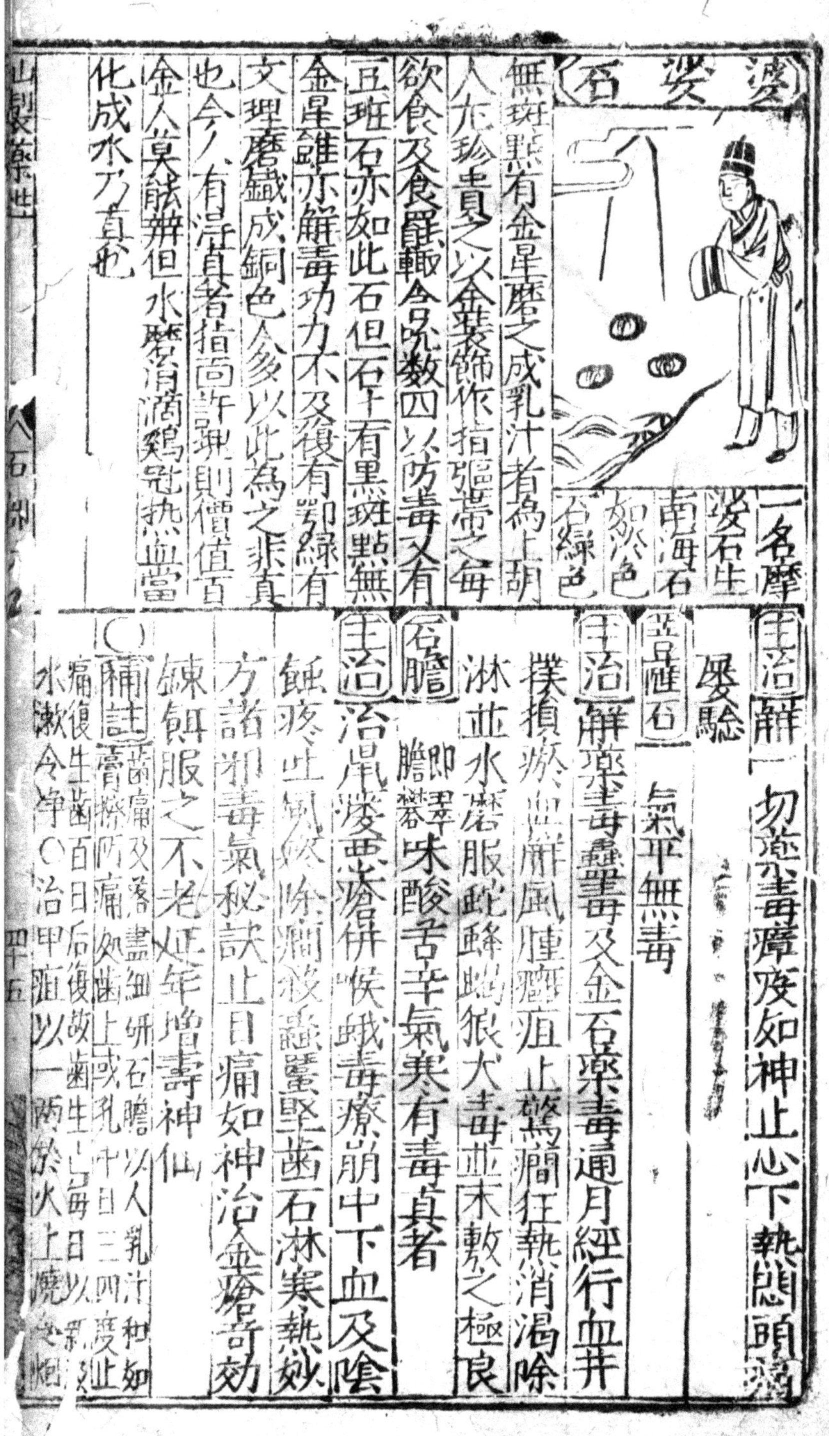

婆娑石

一名摩娑石生南海石如淡色石綠色

無斑點有金星磨之成乳汁者為上胡人尤珍貴之以金裝飾作指彄帶之每欲食及食罷輙含吮數四以防毒又有豆斑石亦如此石但石上有黑斑點無金星雖亦解毒功力不及復有鄧綠有文理磨鐵成銅色人多以此為之非真也今人有得真者指面許則價值百金人莫能辨但水磨滴鷄冠熱血當化成水乃真也

主治 解一切藥毒瘴疫如神止心下熱悶頭痛屢驗

菩薩石 氣平無毒

主治 解藥毒蠱毒及金石藥毒通月經行血并撲損瘀血解風腫癰疽止驚癎狂熱消渴除淋並水磨服蛇蜂蝎狼犬毒並末敷之極良

石膽 即翠膽礬 味酸苦辛氣寒有毒真者

主治 治鼠瘻惡瘡併喉蛾毒瘰崩中下血及陰蝕瘡疼止氣疼除癎殺蟲蠶堅齒石淋寒熱效方諸邪毒氣秘訣止目痛如神治金瘡奇効鍊餌服之不老延年增壽神仙

〇補註 齒痛及落盡細研石膽以人乳汁和如膏擦所痛処齒上或孔中日三四度止痛復生齒百日后復故齒生亡每日以新汲水漱令淨〇治甲疽以一兩於火上燒令烟

仙製藥性　石部　四十五

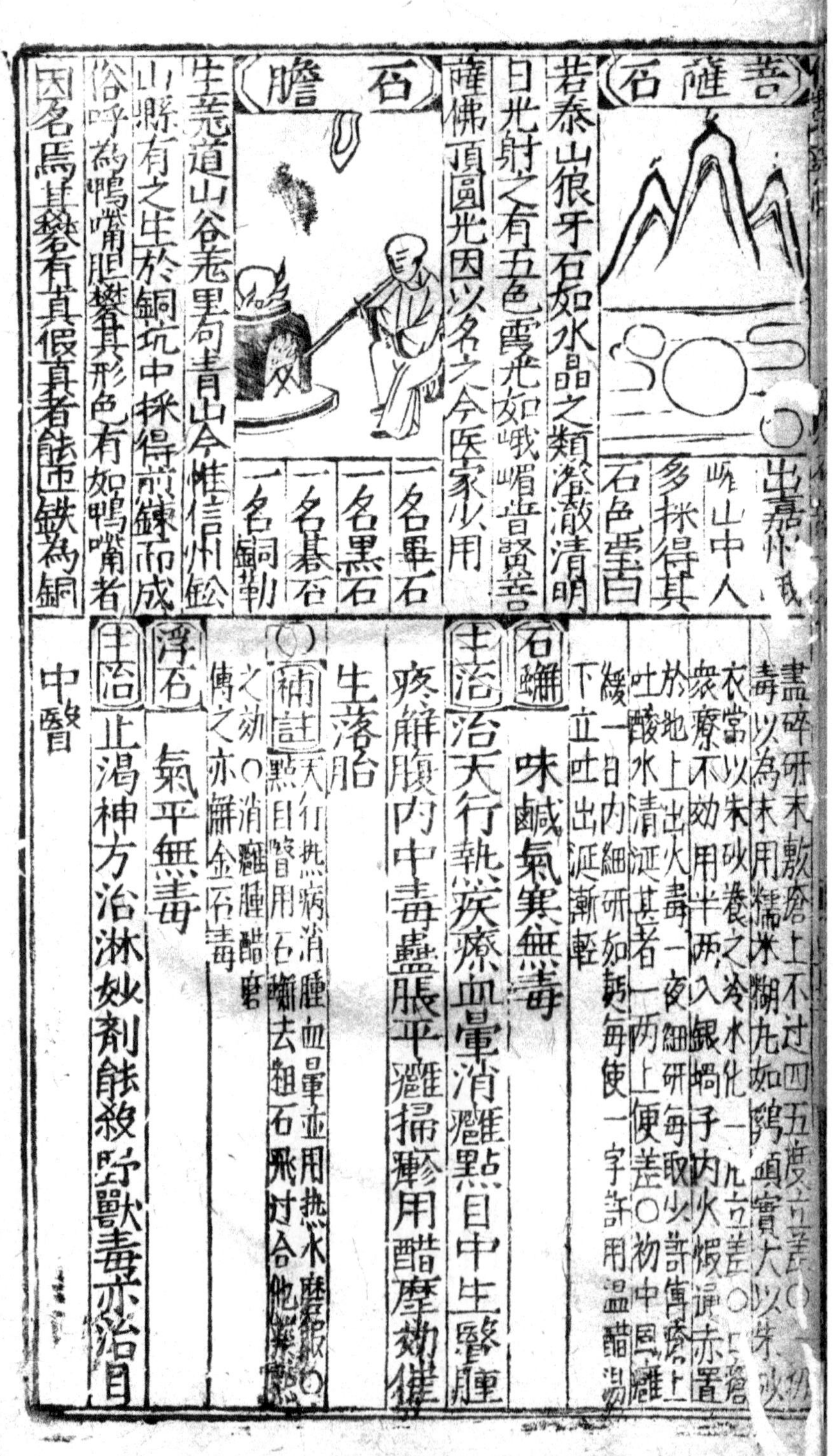

菩薩石

出嘉州峨嵋山中人多採得其石色瑩白若泰山狼牙石如水晶之類瑩澈清明日光射之有五色霞光如峨嵋普賢菩薩佛頂圓光因以名之今医家少用

石膽

一名畢石 一名黑石 一名棊石 一名銅勒

生羌道山谷羌里句青山今惟信州鉛山縣有之生於銅坑中採得煎鍊而成俗呼為鴨嘴膽礬其形色有如鴨嘴者因名焉其礬有真假真者能化鐵為銅

盡碎研末敷瘡上不过四五度立差○一切毒以為末用糯米糊丸如鷄頭實大以朱砂衣當以朱砂養之冷水化一丸立差○凡瘡衆療不効用半兩入銀鍋子內火煆通赤置於地上出火毒一夜細研每取少許傳瘡上吐酸水清涎甚者一兩上便差○初中風癱緩一日內細研如麪每使一字許用温醋湯下立吐出涎漸輕

【石蠏】味鹹氣寒無毒

【主治】治天行熱疾療血暈消癰腫點目中生翳膧疼解腹內中毒蠱脹平癰擣瘮用醋摩敷催生落胎

【補註】天行熱病消腫血暈並用熱水磨服○點目瞖用石蠏去翳石飛过合他藥點之効○消癰腫醋磨傳之亦解金石毒

【浮石】氣平無毒

【主治】止渴神方治淋妙劑能殺野獸毒亦治目

中醫

【陶】云：色似琉璃。此乃降礬。比來亦用絳礬為石膽，又以醋揉青礬為之，並偽矣。【圖經】亦以此為是石膽者，非也。又有自然生者，尤為珍貴，並深碧色，入吐風痰藥用最快。二月庚子辛丑日採。蘇恭云：真者出蒲州虞鄉縣東亭谷窟及薛集窟中，有塊如雞卵者為真。今南方醫人多使之。又著其說云：石膽最上出蒲州，大者如拳，小者如桃栗，擊之縱橫解皆成疊文，色青，見風久則綠，打破其中亦青。其次出上饒曲江銅坑間者，粒細有廉稜，如釵股米粒。《金匱》云：石膽生大石中，石子內大小不等，殼如餘粮，石汁如鷄子黃，其色略淡帶黑。舊註以石膽即空青，誤也。蓋石膽亦青，與[illegible]異，不一而空

○【補註】水飛點自督用磨皮上垢大效

【石蚘】味鹹，性平，無毒。

【主治】功用與石蠏同，尤能解金石毒。

【石鷰】氣良，無毒。

【主治】主久患腸風痔瘻，大効。治傷寒小腹脹滿，殊功。下淋瀝，神驗。利小便不通。婦人產難，兩手各把一枚，立驗。病者消渴，同水牛鼻煑飲即差。

○【補註】治傷寒小腹脹滿小便不通，用石鷰羅為末，不計時候，葱白湯調半錢，得通為度。○治淋疾，用七枚，搗如黍米粒大，新桑根白皮三兩，剉如豆粒，同拌令均，分作七貼，用水一盞，煎一貼，取七分，去滓，每服空心午前各一服。○久患腸風痔瘻一十二年不差，面色虛黃，飲食無味，及患臟腑傷損，多患泄瀉，暑月常瀉不止，及諸般淋瀝，久患消渴，婦人月候湛濁，赤白帶下，多年不孕，應是[illegible]諸疾，皆主之。用石鷰淨洗，刷去泥土，取之故

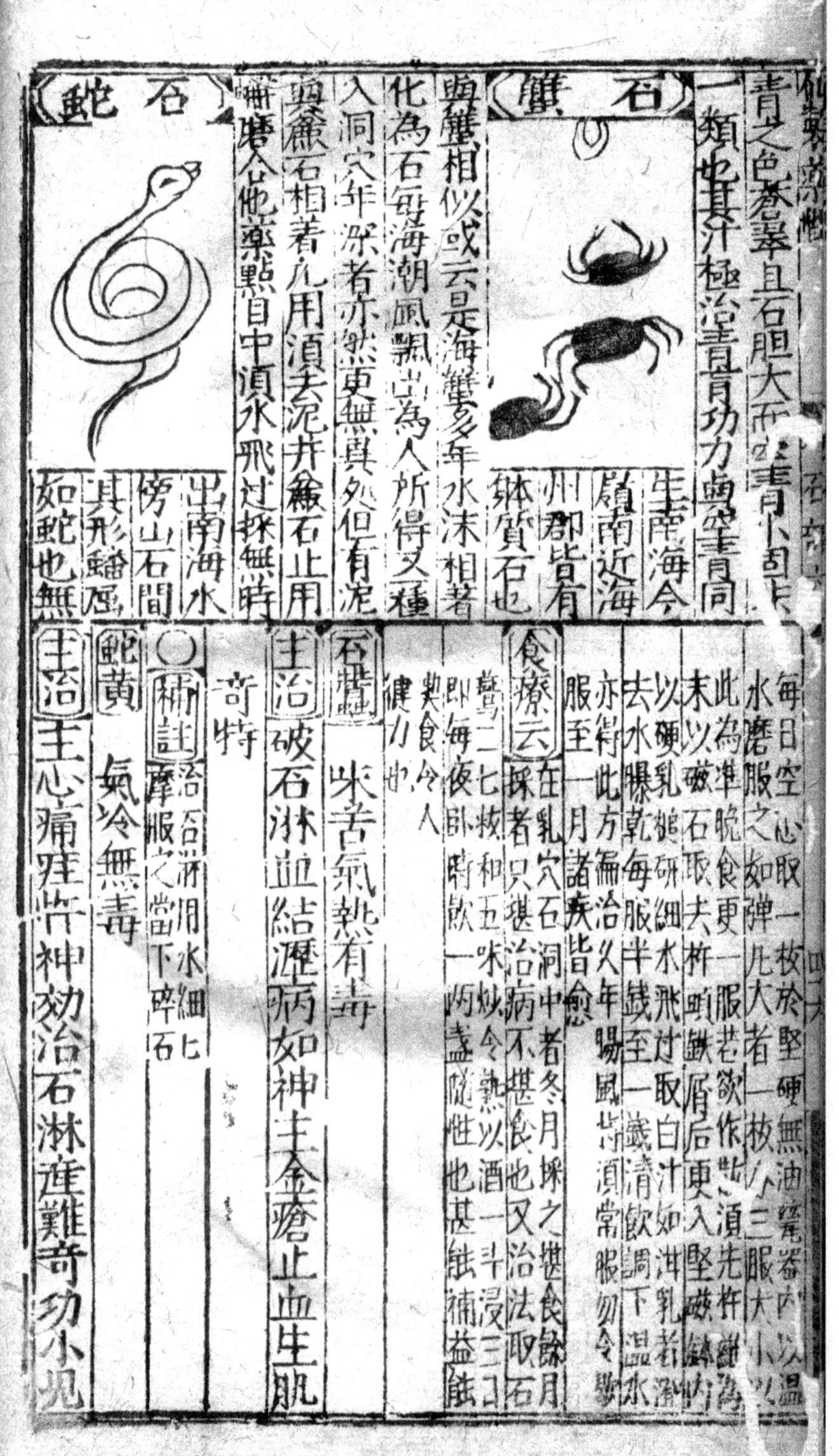

青之色蒼翠且石胆大而空青小曾長

一類也其汁極治盲青功力與空青同

石蟹

生南海今嶺南近海州郡皆有体質石也

與蟹相似或云是海蟹多年水沫相著化為石每海潮風飄出為人所得又一種入洞穴年深者亦然更無異处但有泥與鹹石相着凡用須去泥并鹹石止用蟹磨合他藥點目中須水飛过採無時

石蛇

出南海水傍山石間其形盤屈如蛇也無

每日空心服一枚於堅硬無油瓷器內以温水磨服之如彈丸大者一枚分三服大小以此為準晚食更一服若欲作散須先杵碎為末以磁石取去杵頭鐵屑后更入堅磁鉢內以硬乳槌研細水飛过取白汁如淋乳者澄去水曝乾每服半錢至一錢清飲調下温水亦得此方偏治久年腸風若須常服勿令斷服至一月諸疾皆愈

食療云 在乳穴石洞中者冬月採之堪食餘月採者只堪治病不堪食也又治法取石鶯二七枚和五味炒令熟以酒一斗浸三日即每夜卧時飲一兩盞隨性也甚能補益能與食令人健力也

石髓 味苦氣熱有毒

主治 破石淋血結瀝病如神主金瘡止血生肌奇特

○補註 治石淋用水細匕摩服之當下碎石

蛇黄 氣冷無毒

主治 主心痛疰忤神效治石淋產難奇功小兒

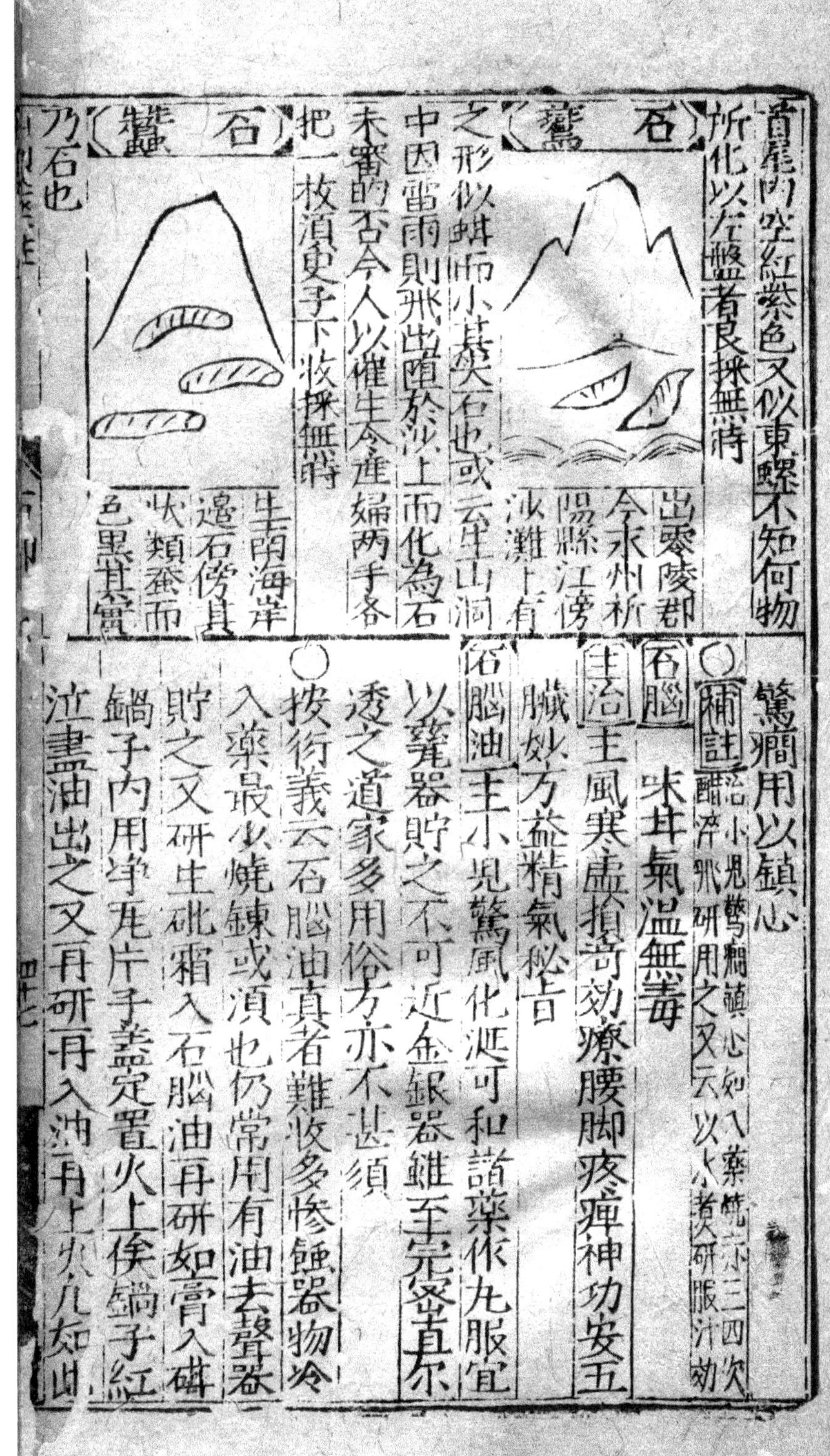

首尾內空紅紫色又似東螺不知何物
所化以左盤者良採無時

【石蠶】

出零陵郡今永州祈陽縣江傍泺灘上有之形似蚕而小其實石也或云生山洞中因雷雨則飛出墮於沙上而化為石未審的否今人以催生令產婦兩手各把一枚須臾子下收採無時

【石蠹】

生南海岸邊石傍其狀類蚕而色黑其實乃石也

驚癇用以鎮心

○補註 治小兒驚癇鎮心如入藥燒赤三四次醋淬飛研用之又云以小者火研服汁効

石腦 味甘氣溫無毒

主治 主風寒虛損奇効療腰脚疼痺神功安五臟耐火方益精氣秘旨

石腦油 主小兒驚風化涎可和諸藥作丸服宜以瓷器貯之不可近金銀器雖至完密直尔透之道家多用俗方亦不甚須

○按衍義云石腦油真者難收多慘鉼器物冷入藥最少燒鍊或須也仍常用有油去聲器貯之又研生砒霜入石腦油再研如膏入磚鍋子內用淨瓦片子蓋定置火上候鍋子紅泣盡油出之又再研再入油再上火凡如此

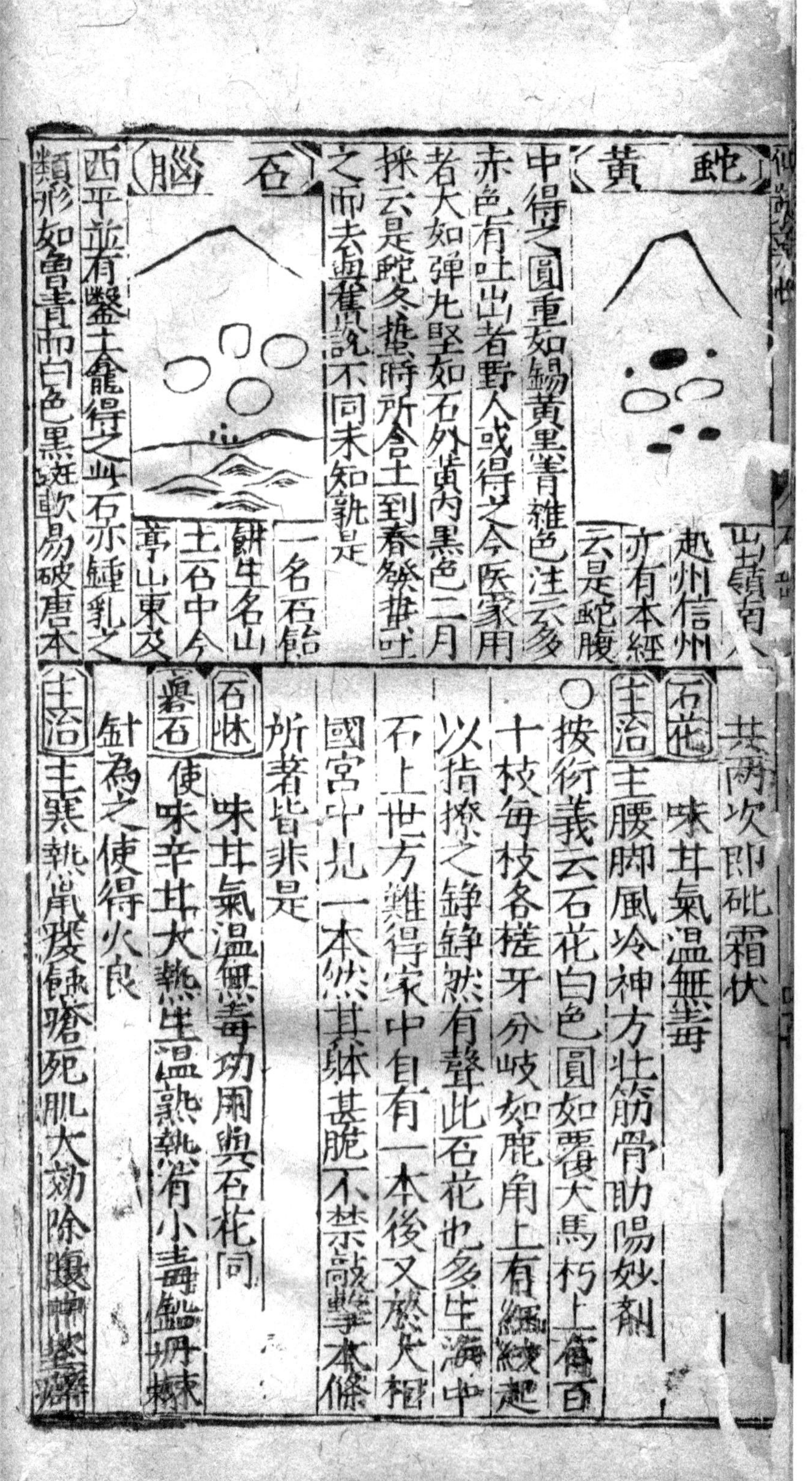

【蛇黃】

出嶺南人
越州信州
亦有本經
云是蛇腹

中得之圓重如錫黃黑青雜色注云多赤色有吐出者野人或得之今医家用者大如彈丸堅如石外黃內黑色二月採云是蛇冬蟄時所含土到春發蟄吐之而去與舊說不同未知孰是

【石腦】

一名石飴
餅生名山
土石中今
茅山東及

西平並有鑿土龕得之此石亦鍾乳之類形如曾青而白色黑斑軟易破唐本

共兩次即砒霜狀

【石花】味甘氣溫無毒

【主治】主腰脚風冷神方壯筋骨助陽妙劑

○按衍義云石花白色圓如覆大馬杓上有百十枝每枝各槎牙分岐如鹿角上有細紋起以指撩之錚錚然有聲此石花也多生海中石上世方難得家中自有一本後又於大相國宮中見一本然其體甚脆不禁敲擊本條所著皆非是

【石床】味甘氣溫無毒功用與石花同

【礜石】使味辛甘大熱生溫熟熱有小毒鉛丹棘鍼為之使得火良

【主治】主寒熱鼠瘻蝕瘡死肌大效除腹中堅癖

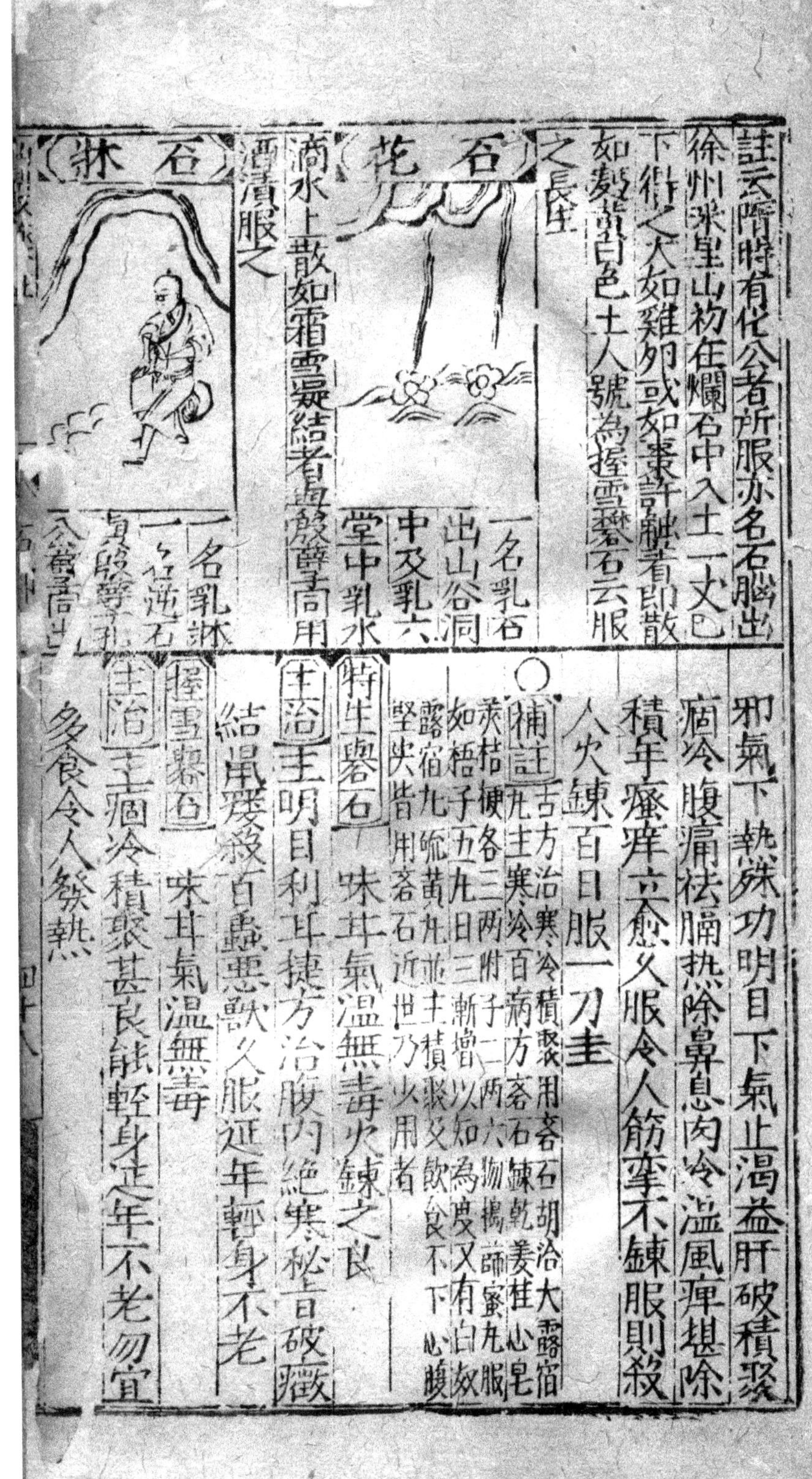

註云隋時有化公者所服亦名石腦出徐州宋里山初在爛石中入土一丈已下得之大如雞卵或如棗許觸着即散如麪黃白色土人號為握雪礜石云服之長生

石花

一名乳石出山谷洞中及乳穴堂中乳水滴水上散如霜雪凝結者與殷孽同用酒漬服之

石牀

一名乳牀一名逆石與殷孽孔公孽同出

邪氣下熱癖功明目下氣止渴益肝破積聚痼冷腹痛祛腸熱除鼻息肉冷溢風痺堪除積年癡痺立愈久服令人筋攣不鍊服則殺人火鍊百日服一刀圭

○補註古方治寒冷積聚用礜石胡洽大露宿丸主寒冷百病方礜石鍊乾姜桂心皂莢桔梗各三兩附子二兩六物搗篩蜜丸服如梧子五丸日三漸增以知為度又有白斂露宿丸蜿黃丸並主積聚及飲食不下心腹堅洪皆用礜石近世乃少用者

特生礜石　味甘氣溫無毒火鍊之良

主治　主明目利耳捷方治腹內絕寒秘旨破癥結鼠瘻殺百蟲惡獸久服延年輕身不老

握雪礜石　味甘氣溫無毒

主治　主痼冷積聚甚良能輕身延年不老勿宜多食令人發熱

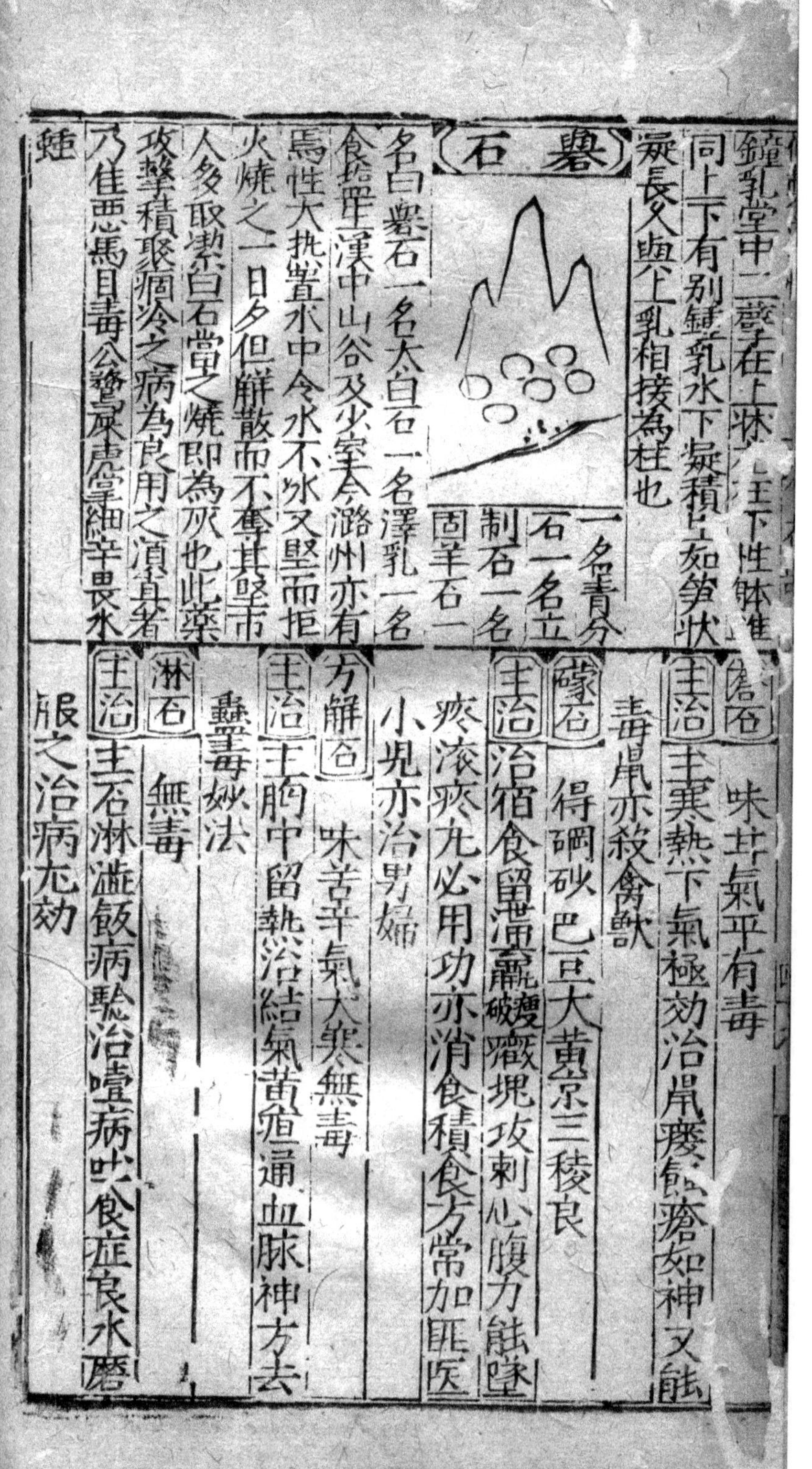

鐘乳堂中二孽在上[illegible]主下性鉢堆
同上下有別鍾乳水下凝積生如笋狀
凝長久與上乳相接為柱也

礬石

一名青分石一名立制石一名固羊石一名白礬石一名太白石一名澤乳一名食鹽生漢中山谷及少室今潞州亦有焉性大熱置水中令水不氷又堅而拒火燒之一日夕但解散而不奪其堅市人多取潔白石當之燒即為灰也此藥攻擊積聚痼冷之病為良用之須真者乃佳惡馬目毒公鶩屎虎掌細辛畏水

鍾

[illegible]石　味甘氣平有毒

主治　主寒熱下氣極効治鼠瘻蝕瘡如神又能毒鼠亦殺禽獸

礞石　得硇砂巴豆大黃京三稜良

主治　治宿食留滯羸瘦破癥瘕塊攻刺心腹力能墜痰滾痰丸必用功亦消食積食方常加匪医小兒亦治男婦

方解石　味苦辛氣大寒無毒

主治　主胸中留熱結氣黃疸通血脈神方去蠱毒妙法

淋石　無毒

主治　主石淋澁飯病驗治噎病吐食症良水磨服之治病尤効

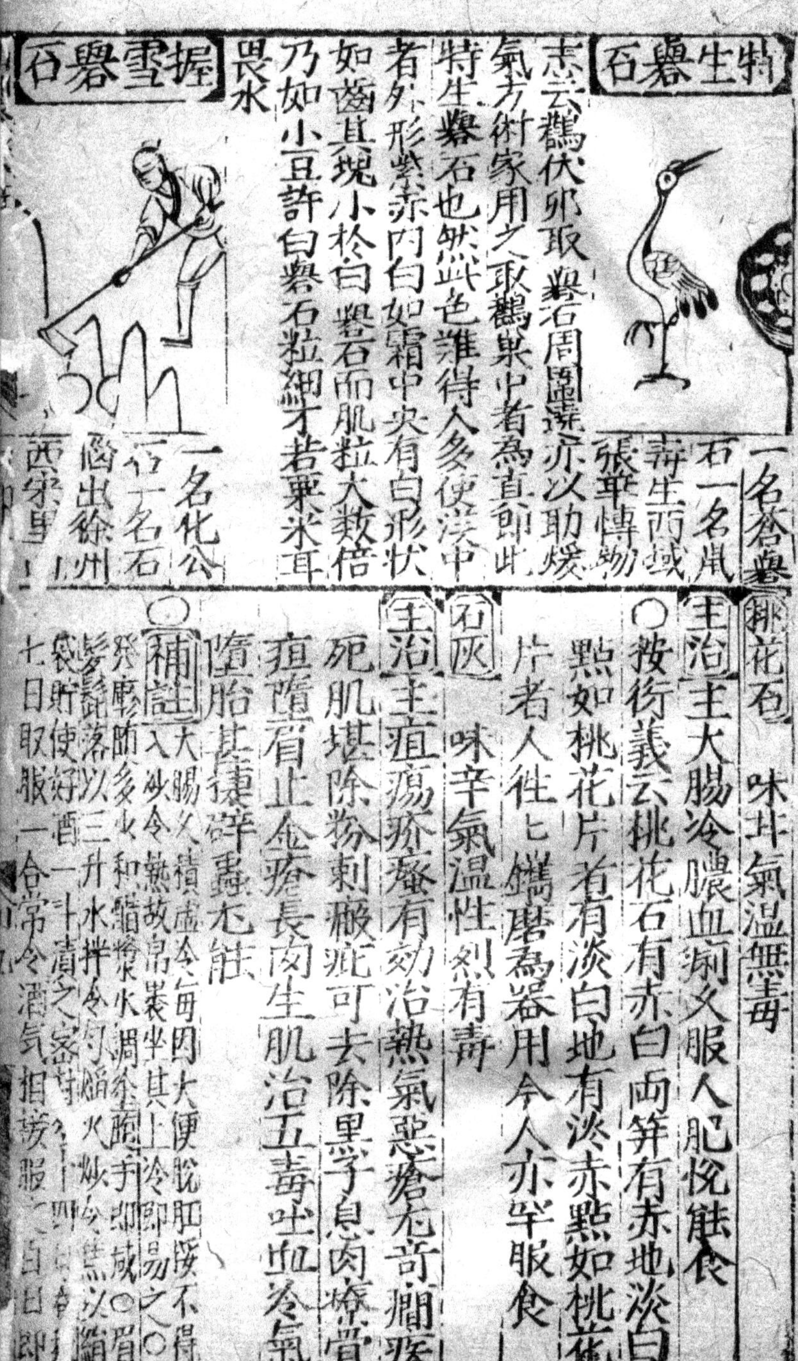

特生礜石

志云鸛伏卵取礜石周圍繞亦以助煖氣方術家用之取鸛巢中者為真即此特生礜石也然此色雖得入多使淡中者外形紫赤內白如霜中央有白形狀如齒其塊小於白礜石而肌粒大數倍乃如小豆許白礜石粒細不若粟米耳畏水

一名蒼礜石一名鼠毒生西域張華博物

握雪礜石

一名化公石一名石𥗐出徐州西宋里

桃花石　味甘氣溫無毒

主治　主大腸冷膿血痢久服人肥悅能食

○按衍義云桃花石有赤白兩并有赤地淡白點如桃花片者有淡白地有淡赤點如桃花片者人往往鐫磨為器用今人亦罕服食

石灰　味辛氣溫性烈有毒

主治　主疽瘍疥瘙有効治熱氣惡瘡癩疾死肌墮眉除粉刺瘢疵可去除黑子息肉療骨疽墮眉止金瘡長肉生肌治五毒吐血冷氣墮胎甚捷碎蠱毛能

○補註　大腸久積虛冷每因大便脫肛腸不得入炒令熱故帛裹坐其上冷即易之○發癮疹防多水和稍稍水調塗之即成○眉鬚髮落以三升水拌令勻焰火炒令焦以綿袋貯使好酒一斗漬之密封冬十四日春秋七日取服一合常令酒氣相接服之白即

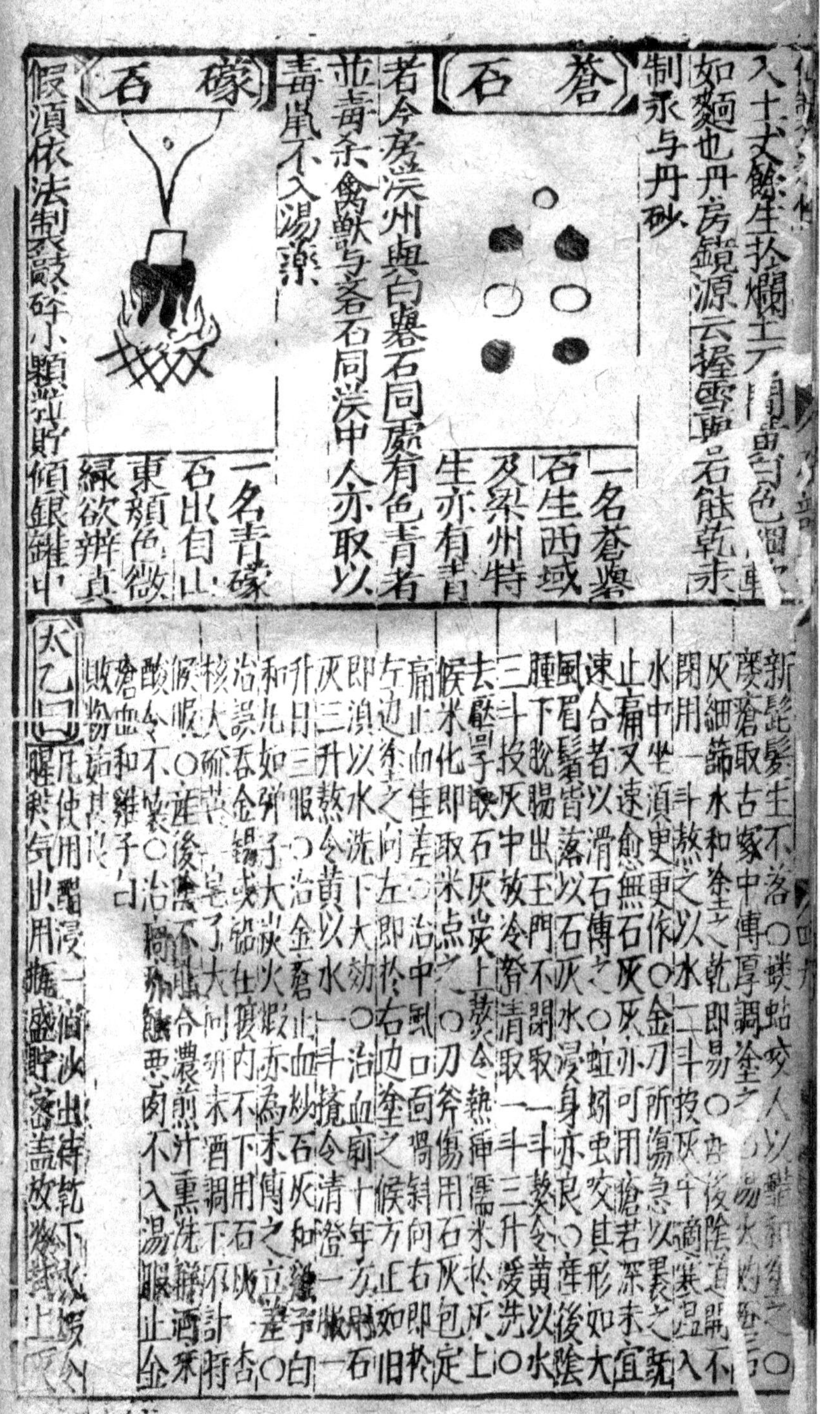

入十丈餘生於爛土石間黄白色溜中
如麪也丹房鏡源云握雪礜石能乾汞
制汞与丹砂

蒼石

一名蒼礜石生西域及梁州特生亦有青者今處濮州與白礜石同處有色青者並毒殺禽獸与礜石同浚中人亦取以毒鼠不入湯藥

礞石

一名青礞石出自山東顏色微緑欲辨真假須依法制煅碎小顆器貯傾銀罐中

新髭髮生不落○蠷螋咬人以醋和塗之○瘻瘡取古冢中傳厚調塗之○湯火灼瘡石灰細篩水和塗之乾即易○產後陰道開不閉用一斗熬之以水二斗投灰中適寒溫入水中坐須臾更作○金刀所傷急以裹之既止痛又速愈無石灰灰亦可用瘡若深未宜速合者以滑石傅之○蚯蚓虫咬其形如大風眉鬚皆落以石灰水浸身亦良○產後陰腫下脫腸出玉門不閉取一斗熬令黄以水三斗投灰中放冷澄清取一斗三升暖洗○去黶子取石灰炭上熬令熱挿糯米於灰上候米化即取米点之○刀斧傷用石灰包定扁止血佳差○治中風口面喎斜向右即於左边塗之向左即於右边塗之候方正如旧即須以水洗下大効○治血痢十年方石灰三升熬令黄以水一斗攪令清澄一服一升日三服○治金瘡止血炒石灰和雞子白和丸如彈子大炭火煅赤為末傅之立差○治誤吞金銀或錢在腹內不下用石灰杏核大研黄一皂子大同研末酒調下不計時假服○產後陰不收合濃煎汁熏洗酒來酸令不裂○治瘑瘡蝕惡肉不入湯服止金瘡血和雞子白敗粉葯其良

太乙曰凡使用醋浸一宿漉出待乾下火煅令腥臭氣出用甆盛貯密蓋放冷處上

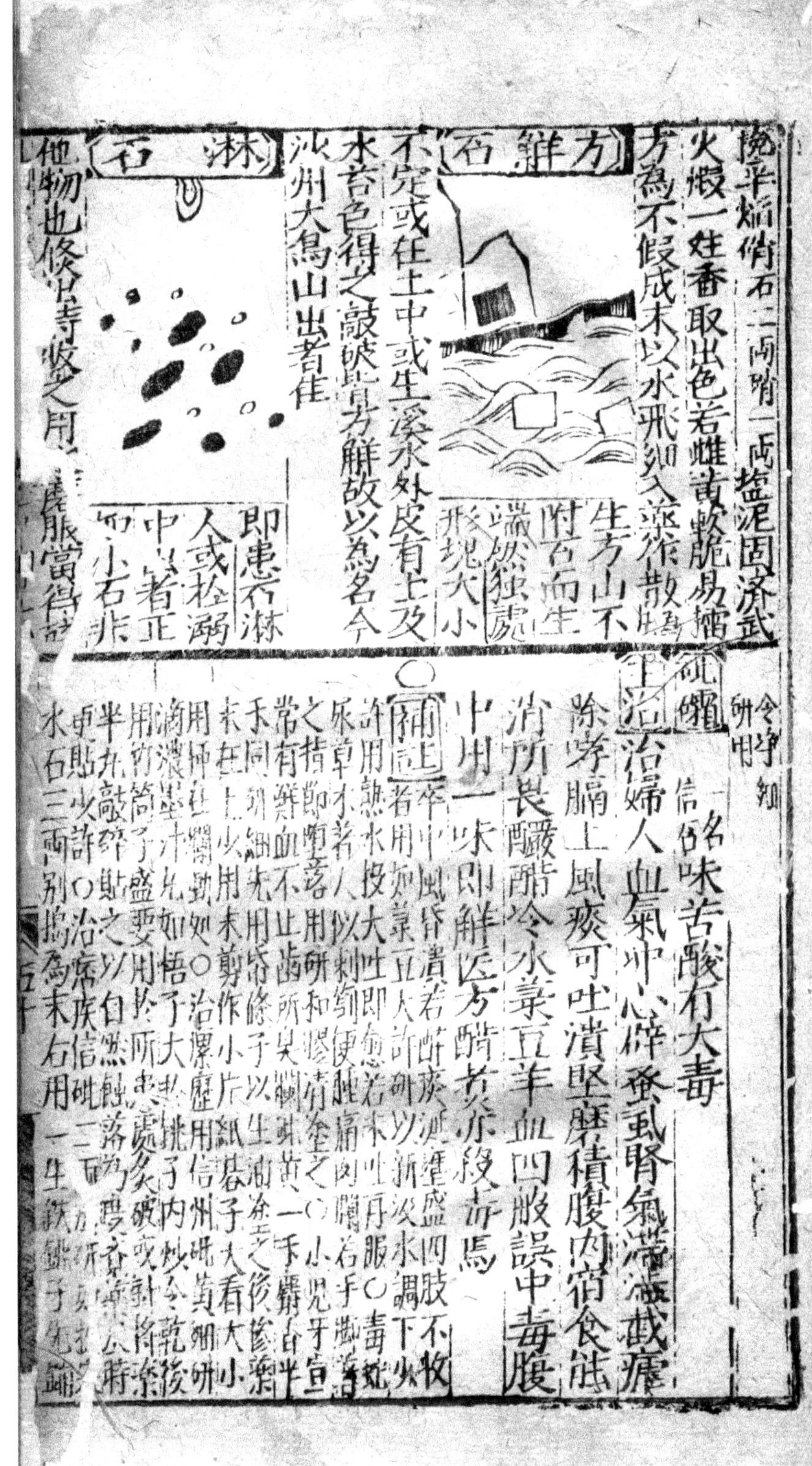

搗平焇倘石二両硝一両鹽泥固濟武
火煅一炷香取出色若雌黃鬆脆易擂
方爲不假成末以水飛細入藥作散[illegible]

方觧石

不定或在土中或生溪水外皮有土及
水苔色得之敲破皆方觧故以為名今
沁州大鳥山出者佳

淋石

他物也倏出時收之用
[illegible]處脈當得詳

令淨如
研用

〔砒礵〕一名信石　味苦酸有大毒

〔主治〕治婦人血氣冲心痞蛩蝨腎氣滯漲截瘧
除哮喘上風痰可吐潰堅磨積腹內宿食能
消所畏醶醋冷水菉豆羊血四般誤中毒服
中用一味即解匠方醋煮亦殺毒焉

〇〔補遺〕卒中風昏潰若齒痰涎壅盛四肢不收
若用如菉豆大許研以新汲水調下少
許用熱水投大吐即愈若未吐再服〇毒[illegible]
尿草木著人似刺痛便腫痛肉爛若手脚者
之指節即墮落人用研和膠清塗之一〇小兒牙宣
常有鮮血不止齒所臭爛者黃一手齶白半
手同研細先用紙條子以生油塗之後糝藥
末在上少用末剪作小片紙碁子大看大小
用插在爛處如〇治瘰癧用信州砒黃細研
滴濃墨汁丸如梧子大排子內炒令乾後
用竹筒盛要用於所患處灸破或針將藥
半丸敲碎貼之以白紙餘落要齊[illegible]時
更貼少許〇治痔疾信砒一二兩[illegible]
水石三兩別擣為末右用砒一生鉄銚子先鎔[illegible]

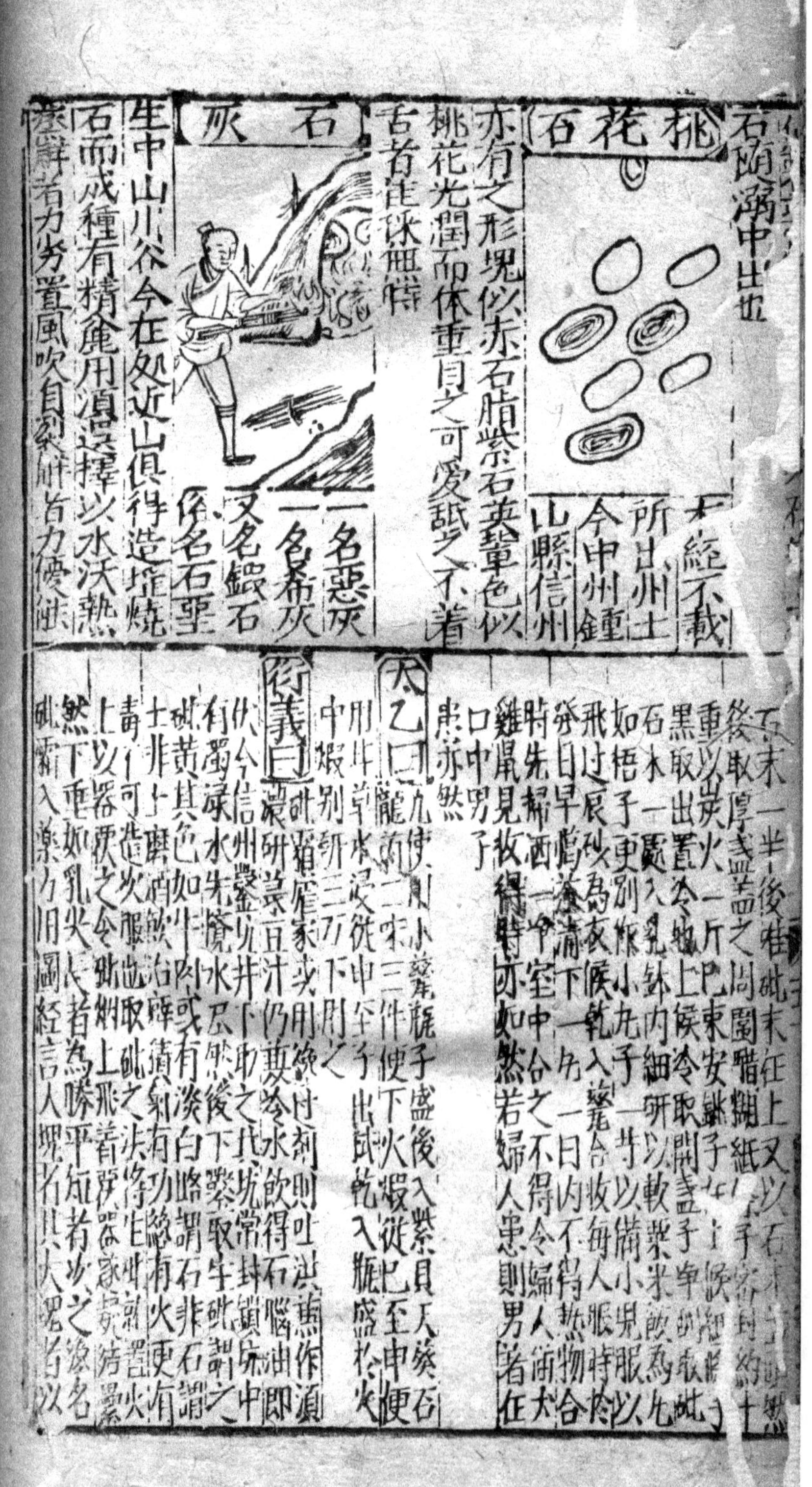

石頭滴中出也

桃花石

本經不載

所出州土

今中州鍾山縣信州

亦有之形塊似赤石脂紫石英輩色似桃花光潤而体重目之可愛舐之不着舌者佳採無時

石灰

一名惡灰

一名希灰

又名鍛石

俗名石堊

生中山川谷今在處近山俱得造堆燒石而成種有精麄用須選擇以水沃熱蒸解者力劣置風吹自裂解者力優能

石末一半後者砒末在上又以石末[illegible]然後取厚瓷盞之周圍糟糊紙[illegible]密封約十重以炭火一斤已來安鍋子上候[illegible]黑取出置冷地上候冷取開盞子[illegible]石末一匙入乳鉢內細研以軟粟米飯為丸如梧桐子更別作小丸子一等以備小兒服飛過辰砂為衣候乾入瓷合收每人服時於發日早晨溫茶清下一丸一日內不得熱物合時先掃洒一淨室中令之不得令婦人雞犬雞鼠見收得時亦如然若婦人患則男者在口中男子患亦然

太乙曰凡使用小瓷罐子盛後入紫貝天葵石龍芮二味三件使下火煅從巳至申便用甘草水浸從申至子出日乾入瓶盛於火中煅別研三万下用之

衍義曰砒霜瘧家或用燒付劑則可洪蒸作須濃研菉豆汁仍兼冷水飲得石腦油即伏今信州鑿山井下取之其坑常封鎖坑中有蜀綠水朱礦水及然後下蔡取生砒謂之砒黃其色如牛肉或有淡白路謂石非石謂土非土磨酒飲治癖積氣有功總宥火更有毒不可造次服也取砒之法將生砒就置火上以器覆之令砒煙上飛着覆器遂凝結纍然下垂如乳尖長者為勝平短者次之綠名砒霜入藥分用圖經言人塊石其大塊者以

伏碗黄填去錫鼻孔使醋浸一宿漉出待乾研成納牛黄膽陰乾敷刀斧傷止血和白糯米蒸透石灰洗瘡子去根同諸灰淋汁熬膏與癰疽破頭開口產婦陰不合煎水洗即收造酒味帶酸投少許便解五月五日採蘩蔞葛葉鹿活草槲葉芍藥地黄葉蒼耳葉青蒿葉合石灰搗為團如雞卵曝乾末以療瘡生肌大効名百草團末或用臘月黄牛膽取汁搜和納膽中掛之當風百日研之大勝草藥者又敗船茹灰刮取用亦同今多以構塚用得水而辟蟲故古塚中水洗諸瘡効又取新礦石灰一合以雞子白調如泥於患偏風牽口喎斜人左唇上不患處一边塗之立便牽

是下特也

【蓬砂】一名朋砂味苦辛氣溫無毒

【主治】消痰止嗽破癥瘕堅治喉中腫痛芥藥去膈上痰熱捷方含化嚥津緩以取効又為銲藥可銲金銀

〇【補註】喉痺腫痛膈上痰熱初覺含之用白砂含化嚥津即効

【硇砂】味酸苦辛氣溫無毒

【主治】下積聚而破結血療咳嗽而消痰涎治腸鳴飲食不消下結氣反胃吐水枯癖爛胎止痛下氣腫毒潰破口去血漬攤伏剔腐生肌理女人血氣心疼羸瘦肌常調丈夫腰膝疼重四肢不收除瞖膜明目睛柔金銀為銲藥本經又云生食之化人心為血倘悞中毒者

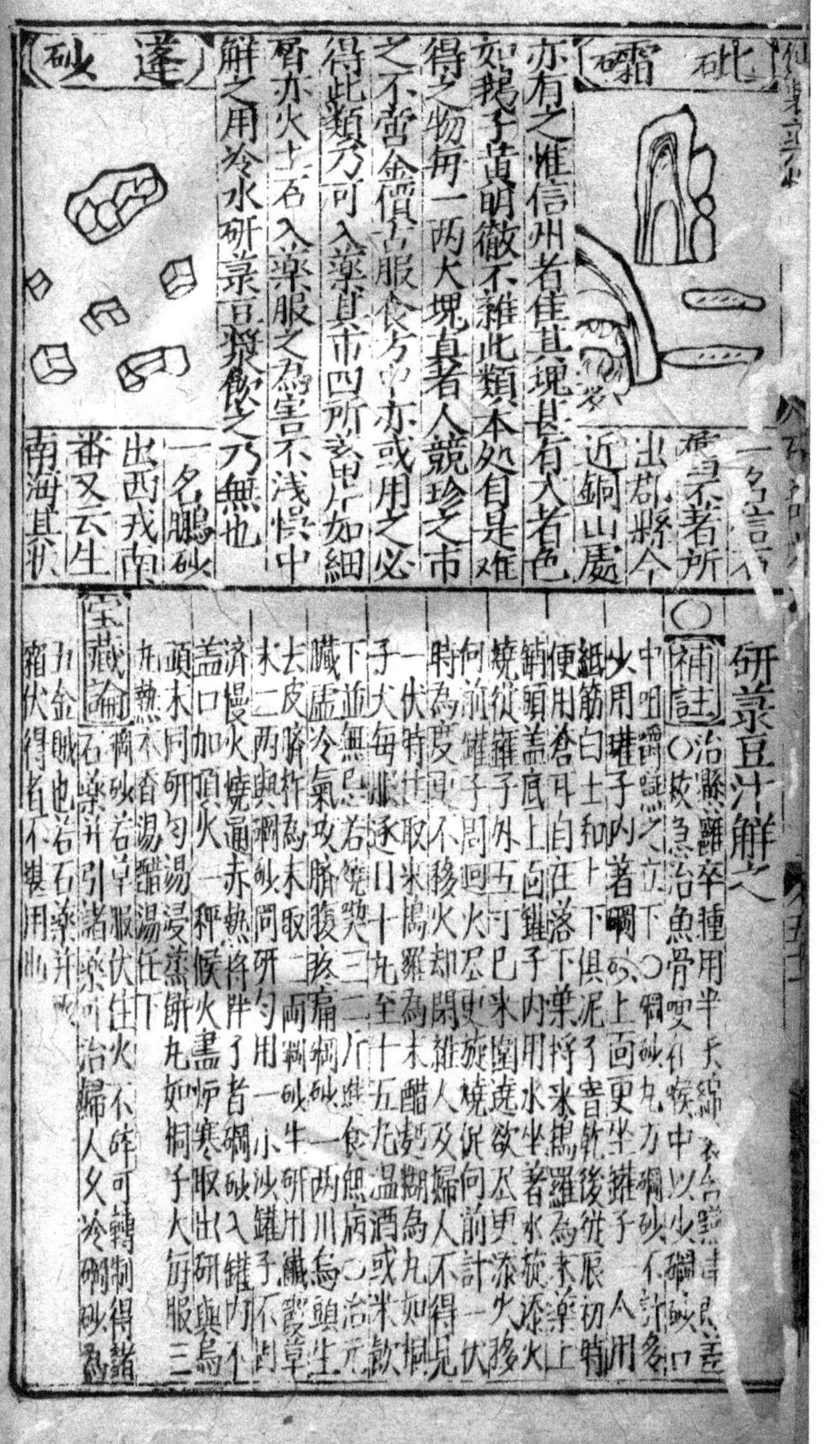

砒霜

亦有之惟信州者佳其塊甚有大者色如鵝子黃明徹不雜此類本處自是难得之物每一兩大塊真者人競珍之市之不啻金價古服食方中亦或用之必得此類乃可入藥其市四所貨與片如細骨亦火上石入藥服之為害不淺慎中解之用冷水研菉豆漿飲之乃無也

一名信石　舊不著所出郡縣今近銅山處

蓬砂

一名鵬砂　出西戎南番又云生南海其狀

研菉豆汁解之

【補註】○治懸癰卒腫用半夫綿裹含嚥良善○咬急治魚骨哽在喉中以少硼砂口中細嚼嚥之立下○制砒丸方硼砂一不計多少用罐子內著嚼砂上面更坐罐子一个用紙筋白土和上下俱泥了晉乾後從底切便用倉耳自在落下葉搗米搗羅為末藥上鋪頭蓋底上面罐子內用水坐著水旋添火燒從罐子外五寸已來圍遶欲不更添一少移向前罐子周迴火不更旋燒從向前計一伏時為度日不移火却閉罐人及婦人不得見一伏特取出搗羅為末醋麪糊為丸如桐子大每服逐日十丸至十五丸温酒或米飲下並無忌若患裝三二斤無一食無病○治元臟虛冷氣攻臍腹疼痛硼砂一兩川烏頭生去皮臍杵為末取二兩硼砂半研用纖草末二兩與硼砂同研勻用一小沙罐子不固濟慢火燒通赤熱將拌了者硼砂入罐內不蓋口加頂火一秤候火盡停寒取出研與烏頭末同研勻湯浸蒸餅丸如桐子大每服三丸熱不香湯醋湯任下

【寶藏論】硼砂若草服伏住火不碎可轉制得諸石藥并引諸藥可治婦人久冷硼砂為五金賊也治石藥并砂縮伏得者不畏用出

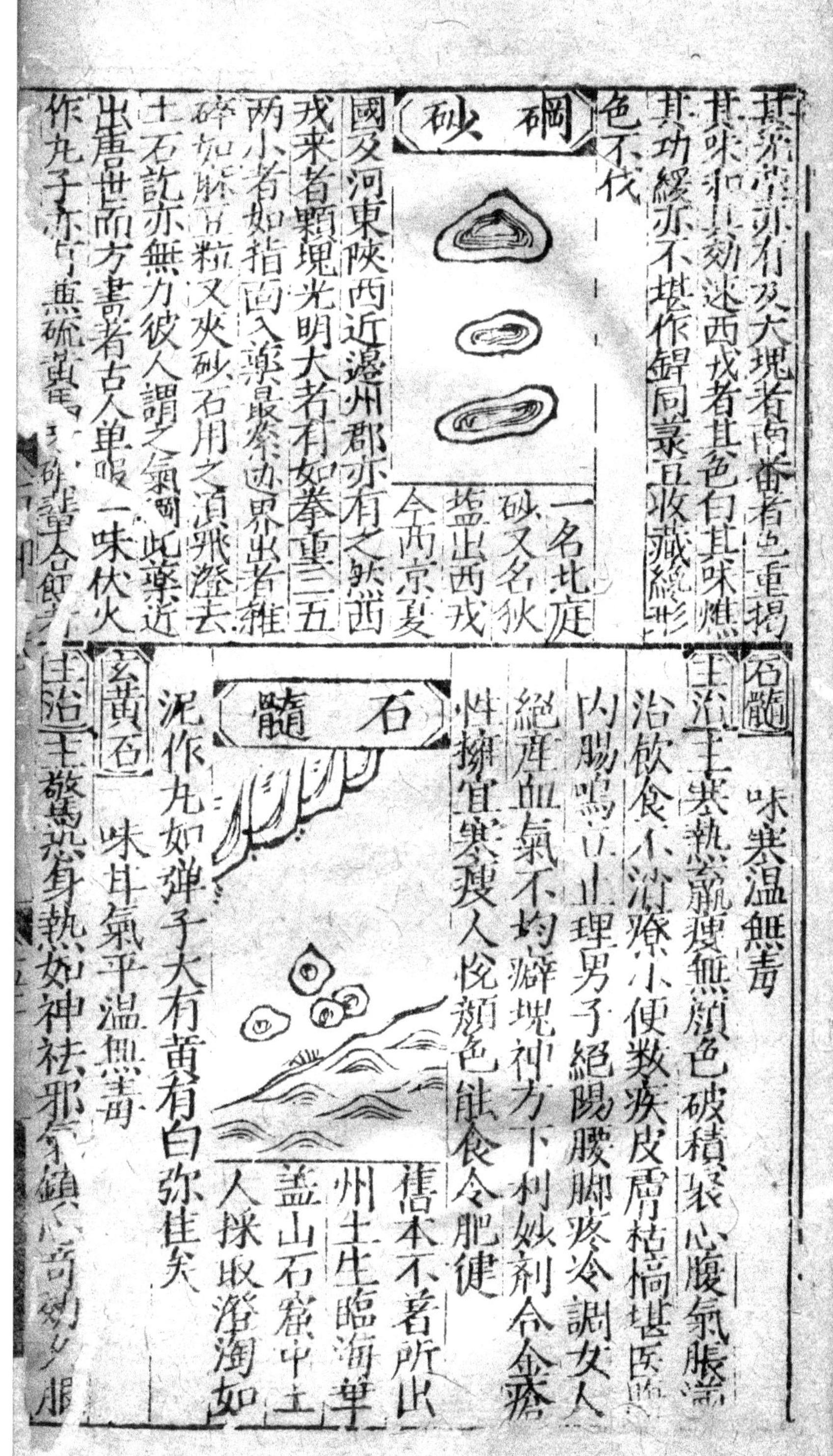

其形亦有及大塊者西番者亦重揭
其味和其劾迷西戎者其色白其味燋
其功緩亦不堪作銲同蒙豆收藏繞形
色不伐

硇砂

一名北庭砂又名狄盐出西戎今西京夏國及河東陝西近邊州郡亦有之然西戎来者顆塊光明大者有如拳重三五兩小者如指面入藥最緊边界出者雜碎如麻豆粒又夾砂石用之須飛澄去土石訖亦無力彼人謂之氣砂此藥近出唐世而方書著古人单服一味伏火作丸子亦有燕硇萬[illegible]又研[illegible]大合餌[illegible]

石髓　味寒温無毒

主治　寒熱羸瘦無顏色破積聚心腹氣脹冷治飲食不消瘵小便数疾皮膚枯槁甚[illegible]内腸鳴下止理男子絶陽腰脚疼冷調女人絶產血氣不均癖塊神方下利如剤合金瘡性擇宜寒瘦人悅顏色能食令肥健

石髓

舊本不著所出州土生臨海華蓋山石窟中土人採取澄淘如泥作丸如彈子大有黄有白弥佳矣

玄黄石　味甘氣平温無毒

主治　驚恐身熱如神祛邪氣鎮心奇効女服

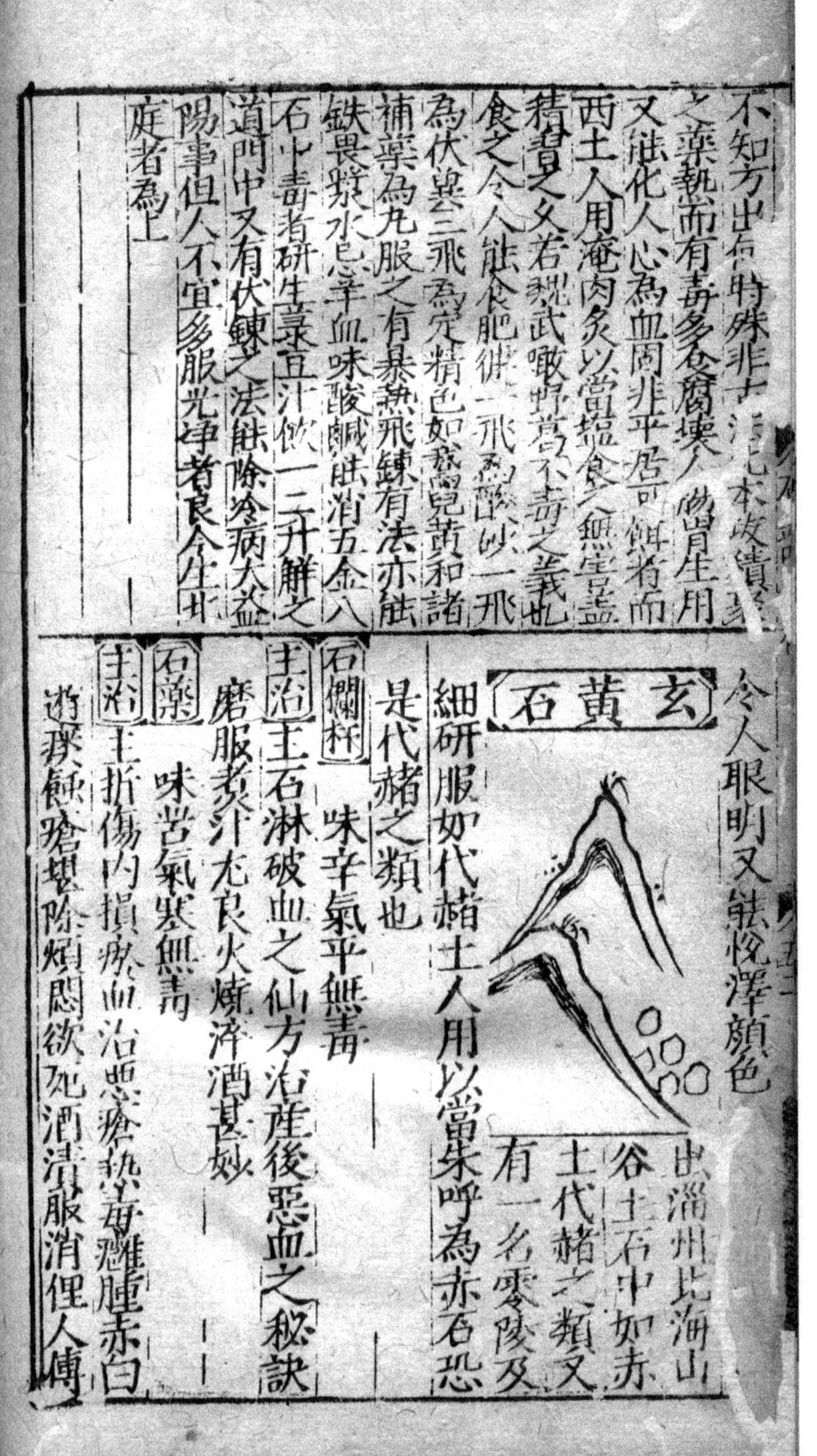

不知方出何時殊非古法已本故遺其
之藥熱而有毒多食腐壞人腸胃生用
又能化人心為血固非平居可餌者而
西土人用淹肉炙以當鹽食之無害蓋
積習之久若魏武噉野葛不毒之義也
食之令人能食肥健一飛為酸砂一飛
為伏翼三飛為定精色如鵝兒黃和諸
補藥為丸服之有暴熱飛鍊有法亦能
鉄畏漿水忌羊血味酸鹹能消五金八
石中毒者研生蘿蔔汁飲一二升解之
道門中又有伏鍊之法能除冷病大益
陽事但人不宜多服光淨者良今生北
庭者為上

令人眼明又能悅澤顏色

玄黃石

出淄州北海山谷土石中如赤土代赭之類又有一名零陵及

細研服如代赭土人用以當朱呼為赤石恐是代赭之類也

【石攔杆】味辛氣平無毒

【主治】主石淋破血之仙方治產後惡血之秘訣磨服煮汁尤良火燒淬酒甚妙

【石藥】味苦氣寒無毒

【主治】主折傷內損瘀血治惡瘡熱毒癰腫赤白遊瘮蝕瘡墮胎煩悶欲死酒漬服消浬人傅

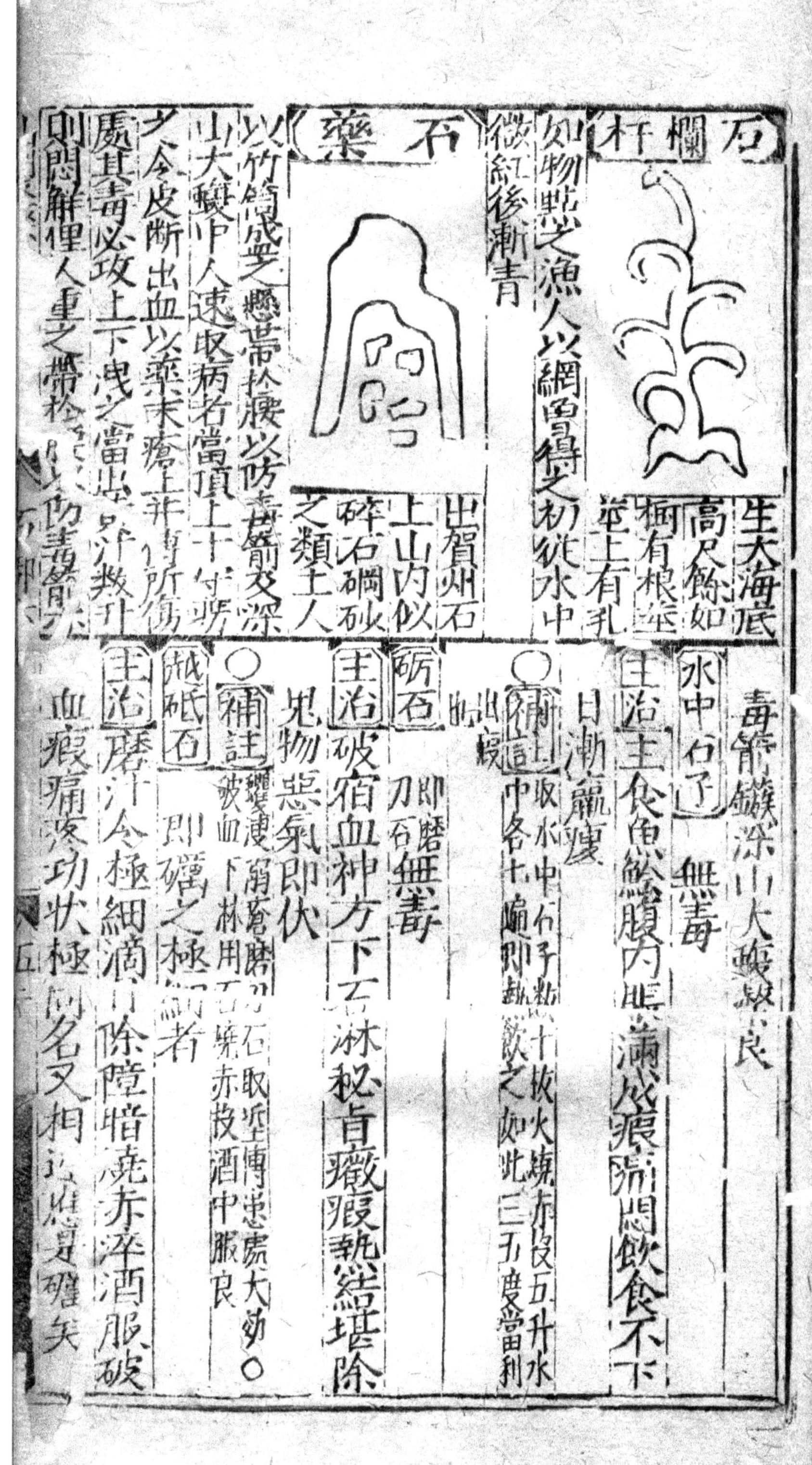

石欄杆

生大海底高尺餘如樹有根莖莖上有孔如物點之漁人以網罾得之初從水中微紅後漸青

石藥

出賀州石上山內似碎石硇砂之類土人以竹筒盛之懸帶於腰以防毒箭及深山大蟲中人速取病者當頂上十字劈之令皮斷出血以藥末瘡上并傷所傷處其毒必攻上下洩之當出黃汁數升則悶解俚人重之帶於[illegible]以防毒箭

毒箭鑛深山大蟲獸良

水中石子　無毒

主治　主食魚鱠腹內脹滿成瘕痛悶飲食不下日漸羸瘦

○補註　取水中石子數十枚火燒赤投五升水中各七遍即熱飲之如此三五度當利出瘕

砺石　即磨刀石　無毒

主治　破宿血神方下石淋秘旨癥瘕熱結堪除鬼物惡氣即伏

○補註　礪是磨刀石取垢傅疵瘡大效○破血下淋用石燒赤投酒中服良

越砥石　即磨之極細者

主治　磨汁令極細滴目除障瞖燒赤淬酒服破血瘕痛疼功狀極同名又相近然當是礪矣

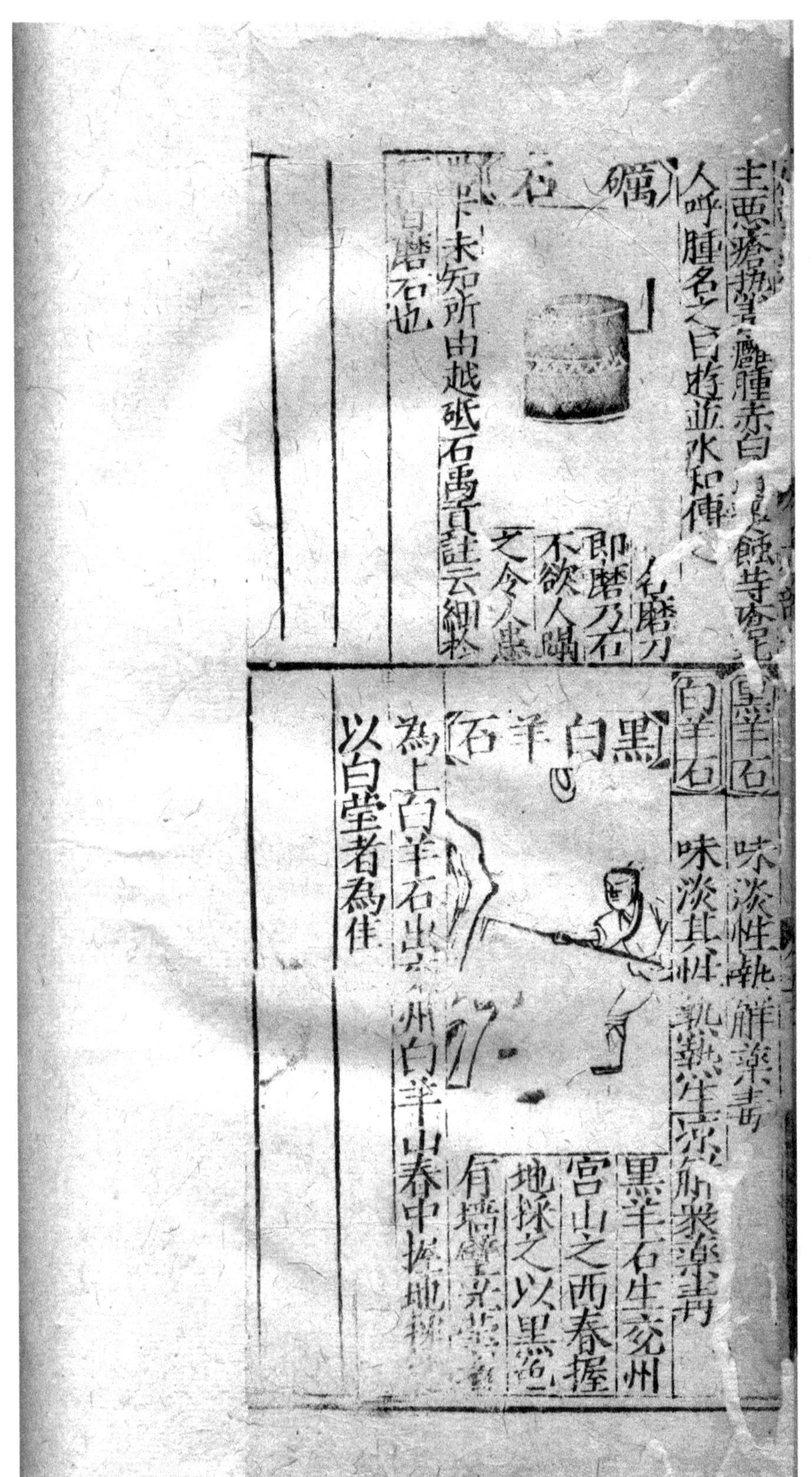

主惡瘡熱毒癰腫赤白[illegible]餘等瘡[illegible]人呼腫名之曰遊並水和傅之

礪石

名磨刀即磨刀石不欲人蹋之令人患

[illegible]下未知所由越砥石禹貢註云細於[illegible]磨石也

黑羊石

味淡性熱解藥毒

白羊石

味淡其性熱熱生涼解衆藥毒

黑羊石生交州宮山之西春握地採之以黑色有墻壁光瑩者為上白羊石出交州白羊山春中握地採以白瑩者為佳

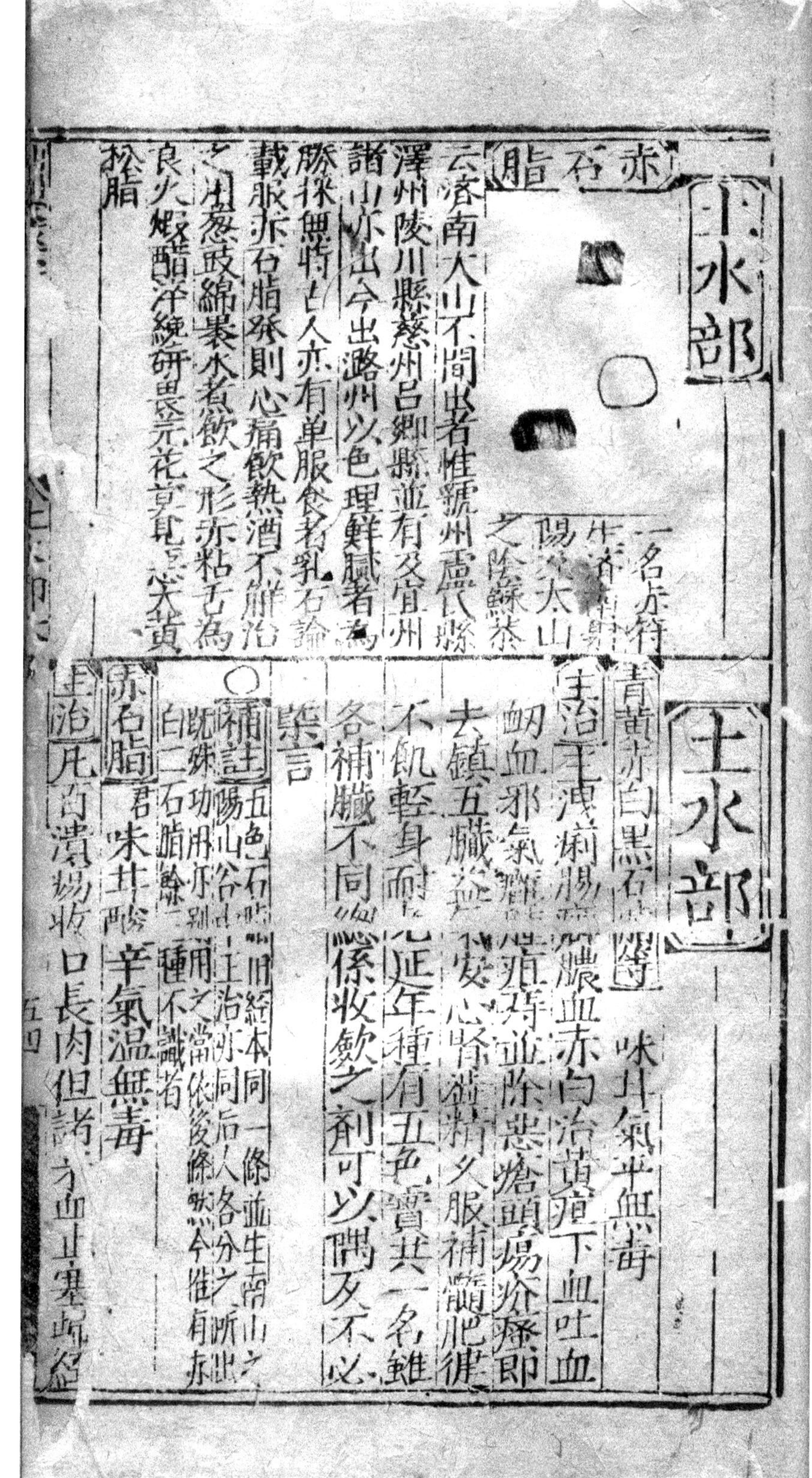

土水部

赤石脂

一名赤符　生濟南射陽及太山之陰餘茶

云濟南大山不聞出者惟虢州盧氏縣澤州陵川縣慈州呂鄉縣並有及宜州諸山亦出今出潞州以色理鮮膩者為勝採無時古人亦有单服食者乳石論載服赤石脂發則心痛飲熱酒不解治之用葱豉綿裹水煮飲之形赤粘舌為良火煅醋淬綫研畏芫花惡大黃松脂

土水部

青黃赤白黑石脂　味甘氣平無毒

主治　主洩痢腸澼膿血赤白治黃疸下血吐血衄血邪氣癰腫疽痔並除惡瘡頭瘍疥瘙即去鎮五臟益氣安心骨髓精久服補髓肥健不飢輕身耐老延年種有五色實共一名雖各補臟不同性係收斂之劑可以隅反不必繁言

○補註　五色石脂本經本同一條並生南山之陽山谷中主治亦同后人各分之所以既殊功用亦別用之當依後條然今惟有赤白二石脂餘二種不識若

赤石脂　君　味甘酸辛氣溫無毒

主治　凡尚潰瘍收口長肉但諸方血止塞崩

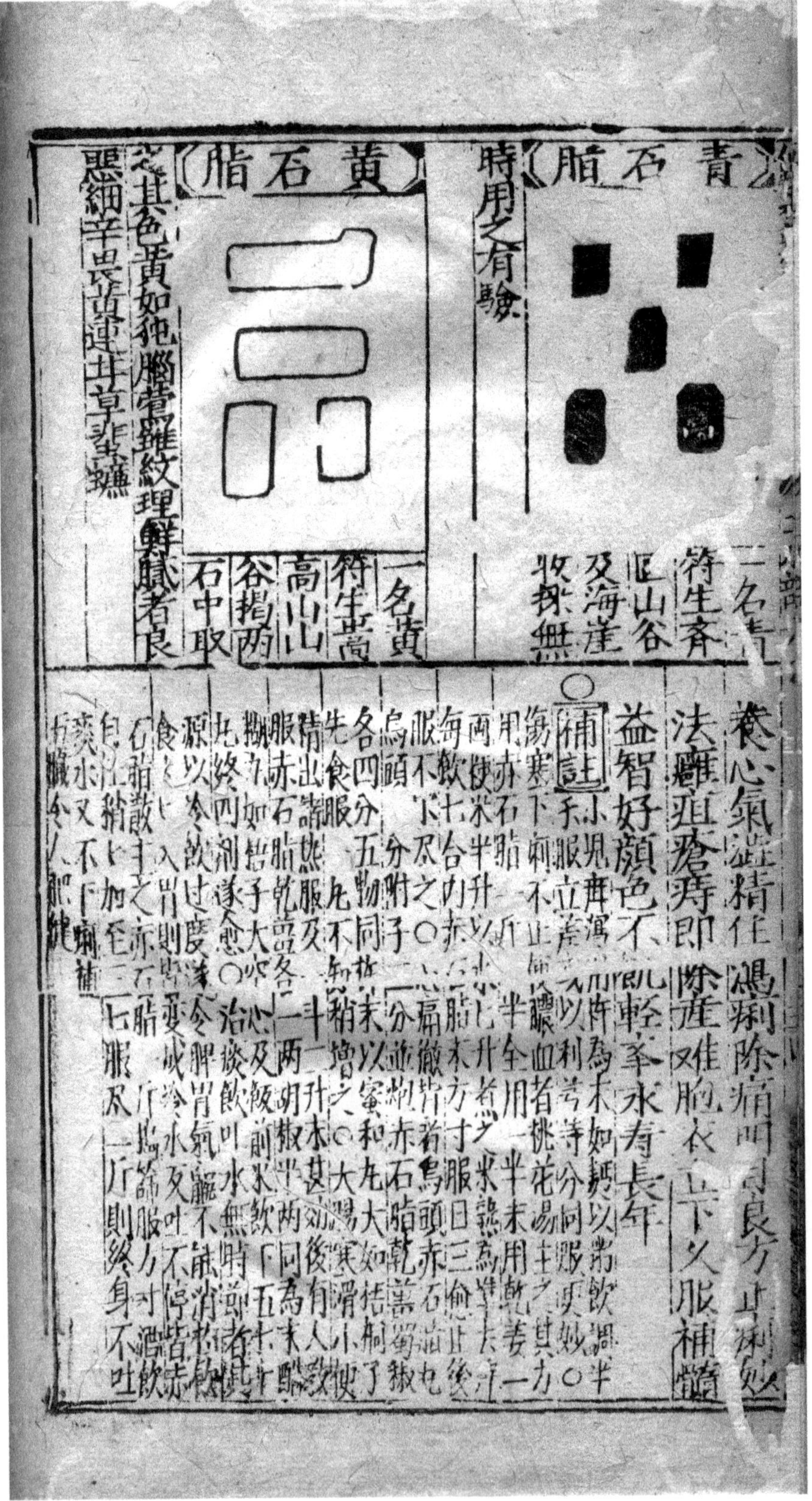

青石脂

一名青符生齊區山谷及海崖採無時用之有驗

黃石脂

一名黃符生嵩高山山谷揭西石中取

其色黃如純腦鶯雛紋理鮮膩者良

惡細辛畏黃連甘草蜚蠊

養心氣澁精住泄痢除痛[illegible]良方止痢[illegible]

法癰疽瘡痔即除產難胞衣不下久服補髓

益智好顏色不飢輕身永壽長年

○補註 小兒冉瀉[illegible]用[illegible]為末如[illegible]以米飲調半手服立差[illegible]以利為[illegible]等分同服更妙○傷寒下痢不止[illegible]膿血者桃花湯主之其方一用赤石脂一斤半全用一半末用乾姜一兩粳米半升以水七升煮米熟為[illegible]去滓每飲七合內赤石脂末方寸服日三愈止後服不下[illegible]不[illegible]之[illegible]分附子[illegible]一分並[illegible]烏頭[illegible]赤石脂乾姜蜀椒各四分五物同搗末以蜜和丸大如梧子先食服一丸不知稍增之○[illegible]精[illegible]諸[illegible]服及[illegible]服赤石脂乾姜各一兩胡椒半兩同[illegible]為末[illegible]糊丸如梧子大每服五十丸[illegible]終四劑遂愈○治[illegible]及[illegible]水無時[illegible]痰飲[illegible]源以[illegible]飲過度[illegible]令脾胃氣[illegible]不能消[illegible]食[illegible]入胃則[illegible]要成[illegible]水及[illegible]不停[illegible]石脂散[illegible]之亦[illegible]石脂[illegible]搗篩服方寸酒飲自[illegible]稍加至[illegible]石服盡一斤則終身不吐痰水又不下痢補五臟令人肥健

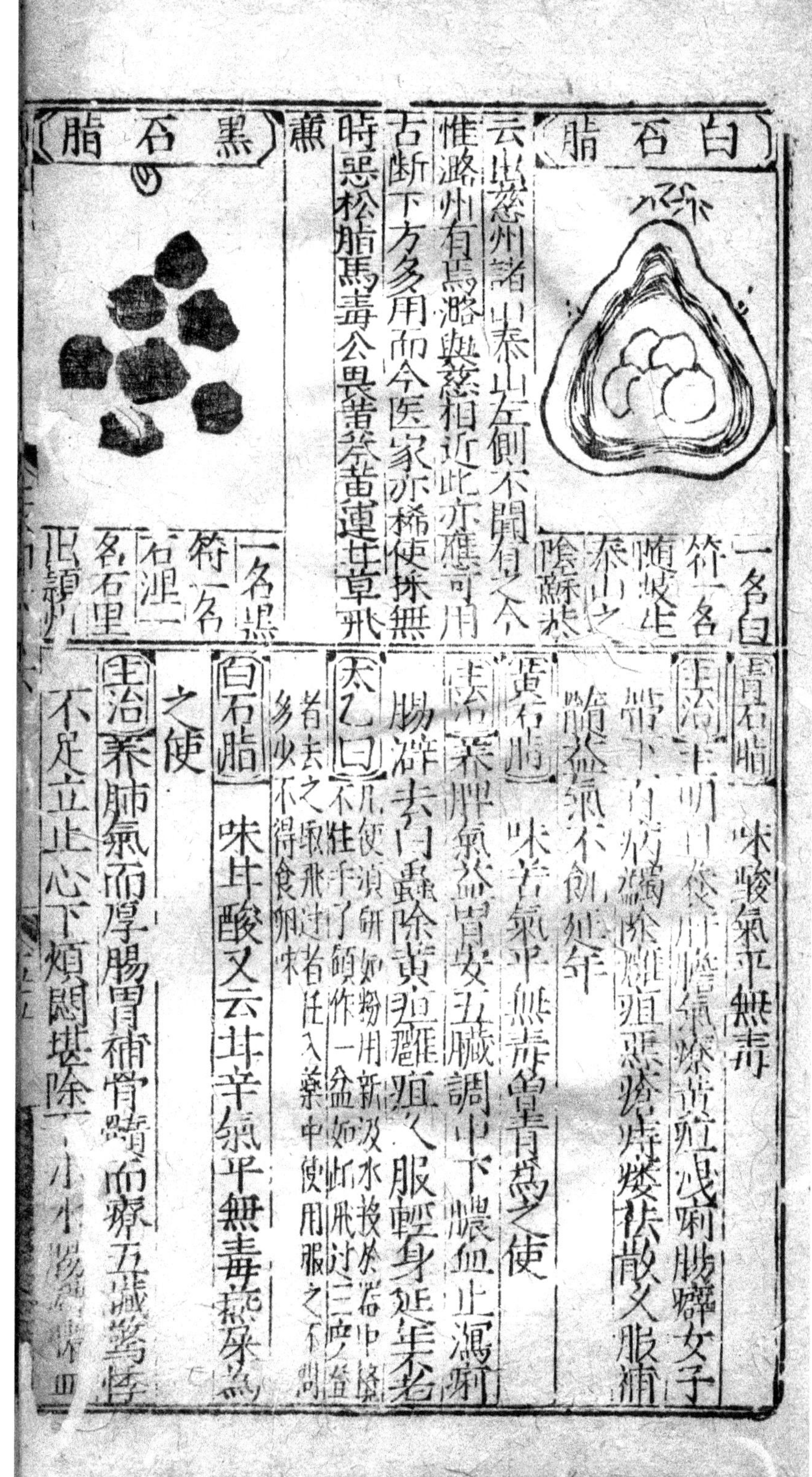

白石脂

一名白符一名隨婆生泰山之陰蘇恭云出慈州諸山泰山左側不聞有之今惟潞州有焉潞與慈相近此亦應可用古斷下方多用而今医家亦稀使採無時惡松脂馬毒公畏黃芩黃連甘草飛廉

黑石脂

一名黑符一名石涅一名石墨出頴川

青石脂　味酸氣平無毒

主治　主明目益精療黃疸泄痢腸澼女子帶下百病疽痔惡瘡頭瘍疥搔久服補髓益氣不飢延年

黃石脂　味苦氣平無毒曾青爲之使

主治　養脾氣益胃安五臓調中下膿血止瀉痢腸澼去白蟲除黃疸癰疽久服輕身延年老

太乙曰　凡使須研如粉用新汲水投於器中攪不住手了傾作一盆如此飛過三度澄者去之取飛過者任入藥中使用服之不問多少不得食卵味

白石脂　味甘酸又云甘辛氣平無毒燕屎爲之使

主治　養肺氣而厚腸胃補骨髓而療五臓驚悸不足立止心下煩悶堪除小水腸[illegible]

陽城生洛西山空地其[illegible]如熊乃可作瓮家用尔○按唐注云出蘇州餘杭山今不採而蘇州今乃見貢赤白二種然入藥不甚佳唯延州山中所出最良揭兩石中取之延州每以蕃寇圍城若無水迺攦地深廣三五丈以石脂塗因貯水得經時又不滲漏宜以此為[illegible]

伏龍肝

十年巳上釆竈額內火氣積久自結如赤色石中黃其形貌八稜者是也陶隱居云此是竈中對釜月下黃土也取搗篩

熱濇女子赤白濁下崩中[illegible]宜[illegible]瘡[illegible]排膿長肉

○補註 小兒水痢形羸不勝大湯藥白石脂半大兩研如粉和白粥空腹與食○小兒臍中汁出不止兼赤腫以白石脂細末熬溫撲臍中日三良○治瀉痢用白石脂龍骨等物停搗以百沸湯和麪為稀糊搜為丸如梧子大暴乾飲下三十丸久痢不定更加三十丸霍乱煎漿水為使○小兒初生去[illegible]月多啼叫致臍中血出以白石脂細末貼之即愈未愈微炒過放冷再貼仍不得剝揭斬斬自愈

黑石脂 味鹹氣平無毒

主治 益腎氣強陰止腸澼泄痢陰蝕瘡瘍即愈口瘡咽痛並除久服悅色不飢延年

伏龍肝 味辛又云味鹹氣溫無毒

主治 醋調或綿搗泥塗消癰腫毒氣和水救臍勸換辟除時疫安胎療中風不語心煩止衄

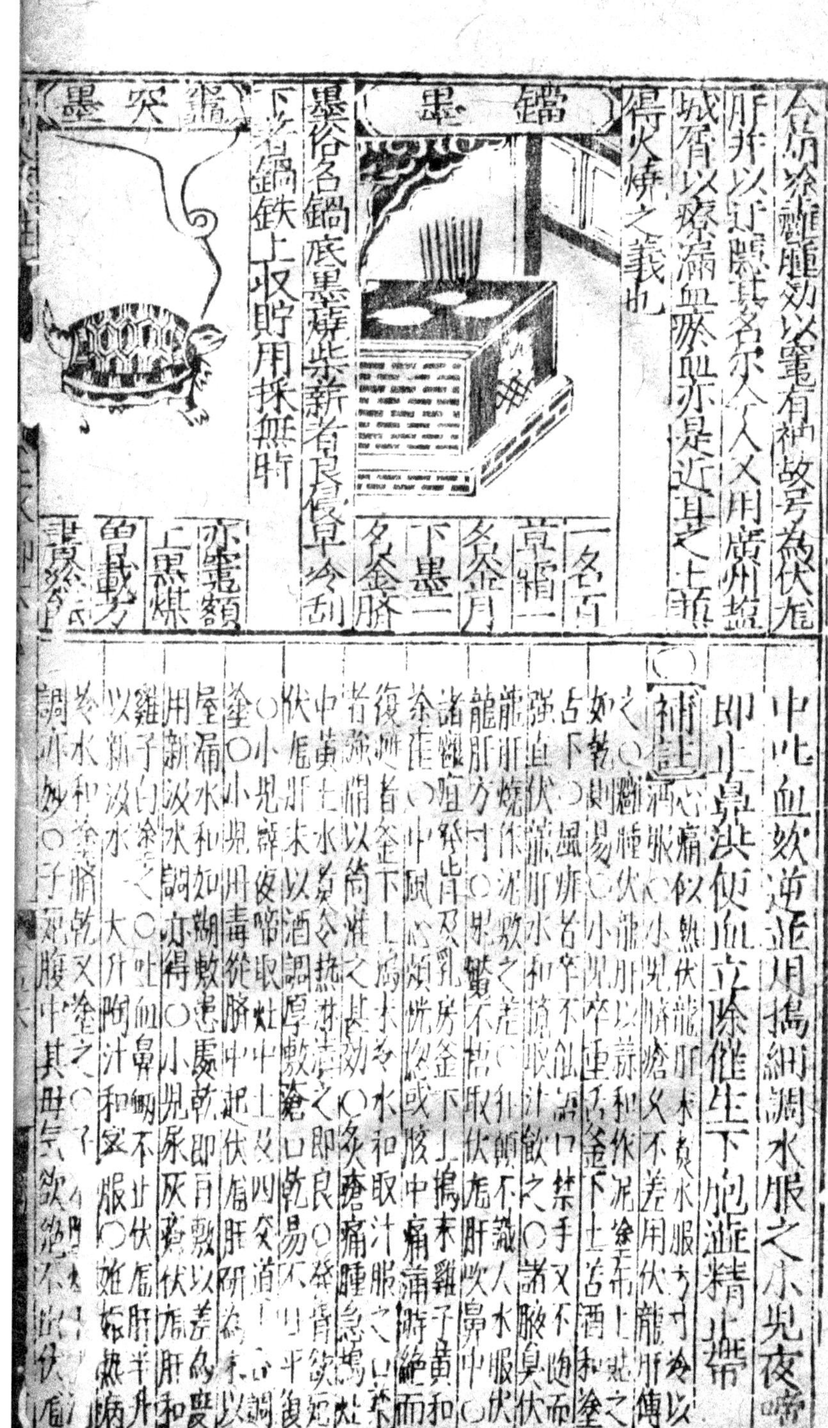

今竈額以竈有神故号為伏龍肝并以迂隱其名求之又用廣州鹽城屑以療漏血瘀血亦是近其之土頗得火燒之義也

一名百草霜一名釜月下墨一名釜臍

鐺墨

墨俗名鍋底墨燒柴薪者良信草冷刮下名鍋鐵上收貯用採無時

鐺突墨

亦竈額上黑煤曾載於黃炎氏

中吐血欬逆近用搗細調水服之小兒夜啼即止鼻洪便血立除催生下胞遊精止帶

○【補註】心痛似熱伏龍肝末煎水服方寸以酒服○小兒臍瘡久不差用伏龍肝傅之○癰腫伏龍肝以蒜和作泥塗布上貼之如乾則易○小兒卒重舌釜下土苦酒和塗舌下○風痱者卒不能語口禁手足不隨而強直伏龍肝水和擣取汁飲之○諸腋臭伏龍肝燒作泥傅之差○狂顛不識人水服伏龍肝方寸○卒魘不悟取伏龍肝吹鼻中○諸癰疽發背及乳房釜下土搗末雞子黃和塗之○中風心煩恍惚或腹中痛滿或絕而復甦者釜下土為末冷水和取汁服之以芥苦酒調以筒灌之甚效○灸瘡痛腫急搗灶中黃土水煮令熱漬之即良○發背欲死伏龍肝末以酒調厚敷瘡口乾易不日平復○小兒辟夜啼取灶中土及四交道土以調塗○小兒丹毒從臍中起伏龍肝研為末以屋漏水和如糊敷患處乾即再敷以差為度用新汲水調亦得○小兒尿灰瘡伏龍肝和雞子白塗之○吐血鼻衄不止伏龍肝半升以新汲水一大升淘汁和蜜服○妊娠熱病冬水和塗臍乾又塗之○子[illegible]調亦妙○子死腹中其母氣欲絕不出伏龍

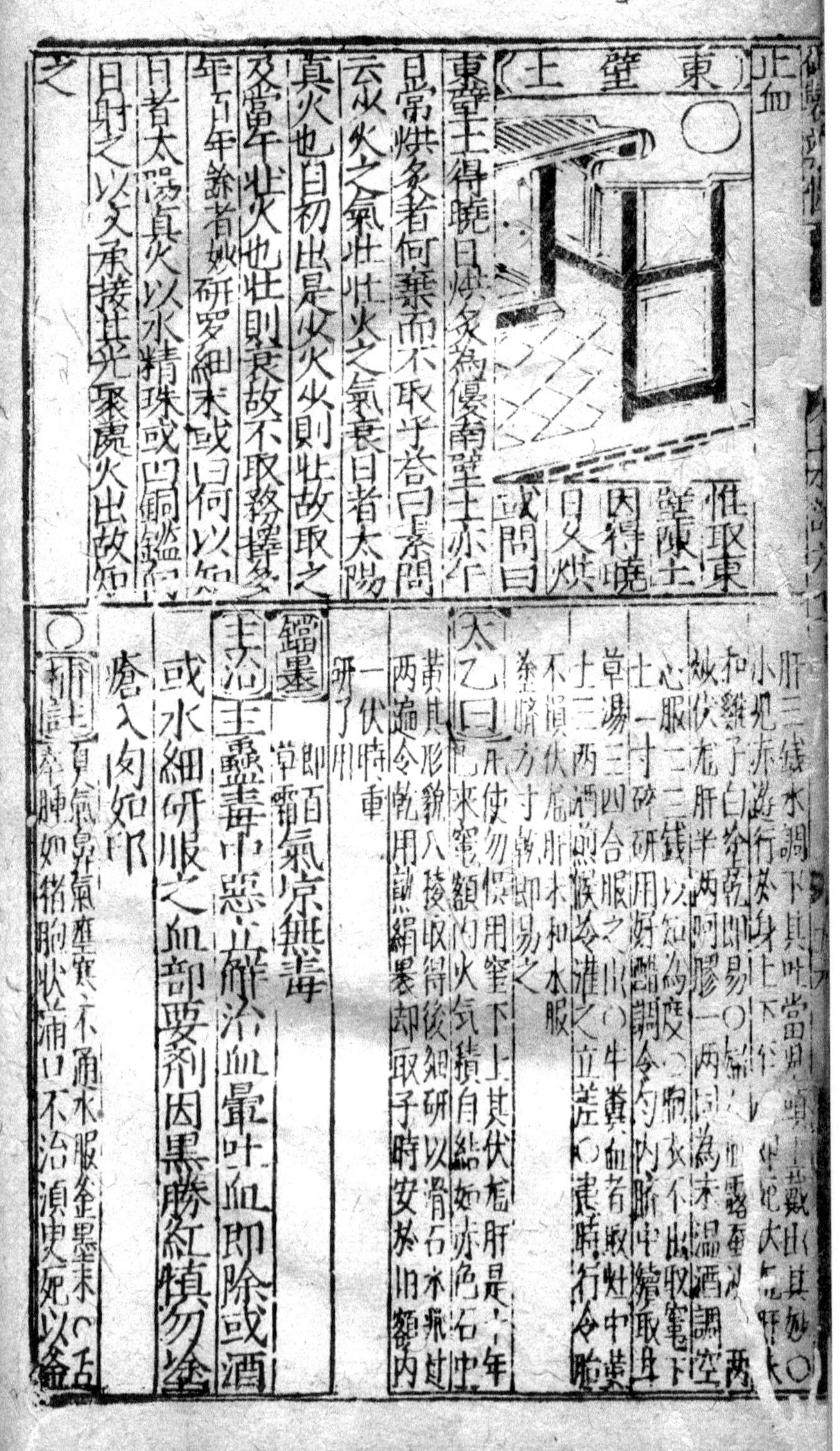

止血

東壁土

惟取東壁陳土因得曉日久烘或問曰東壁土得曉日烘炙為優南壁土亦作日常烘炙者何棄而不取乎荅曰素問云少火之氣壯壯火之氣衰日者太陽真火也自初出是少火少則壯故取之及當午壯火也壯則衰故不取務擇多年百年餘者妙研羅細末或曰何以知日者太陽真火以水精珠或凹銅鑑向日射之以艾承接其光聚處火出故知之

肝三錢水調下其吐當畢頭上戴出其效○小兒赤遊行於身上下至心即死大蒜伏龍肝和雞子白塗乾即易○婦人血露蚕沙一兩炒伏龍肝半兩阿膠一兩同為末温酒調空心服二三錢以知為度○胞衣不出取竈下土一寸碎研用好醋調令勻內臍中續取母草湯三四合服之出○牛糞血者取灶中黄土三兩酒煎候冷濾之立差○妊時行令胎不損伏龍肝末和水服塗臍方寸驗即易之

【太乙曰】凡使勿悞用竈下土其伏龍肝是十年已來竈額內火氣積自結如赤色石中黄其形貌八棱取得後細研以滑石水飛過兩遍令乾用熟絹裹却取子時安於舊額內一伏時重研了用

【鍋墨】即百草霜 氣凉無毒

【主治】主蠱毒中惡立解治血暈吐血即除或酒或水細研服之血部要剤因黑勝紅慎勿塗瘡入肉如印

○【補註】鼻氣壅塞不通水服釜墨末○舌卒腫如猪胞狀滿口不治須臾死以釜

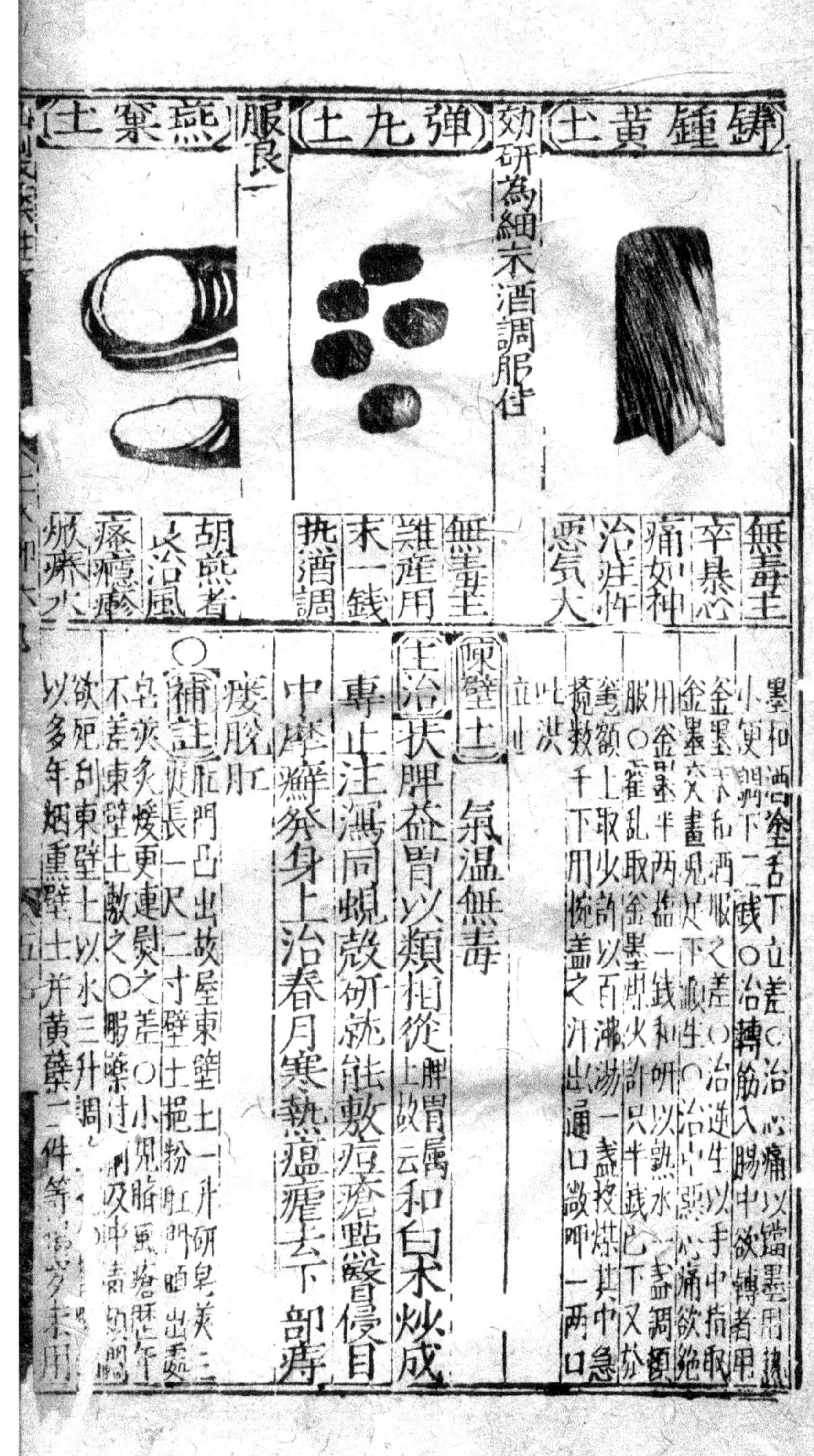

鑄鍾黃土

効研為細末酒調服佳

彈丸土

服良

燕窠土

無毒主卒暴心痛如神治卒忤惡氣大

墨和酒塗舌下立差○治心痛以鐺墨用熱小便調下二錢○治轉筋入腸中欲轉者甲釜墨和酒服之差○治逆生以手中指取釜墨交畫兒足下順生○治心頭心痛欲絕用釜墨半兩搗一錢和研以熱水一盞調頓服○霍亂取釜墨燒火許只半錢已下又於竈額上取少許以百沸湯一盞投燒其中急攪數千下用碗盖之汗出通口啜呷一兩口吐洪立止

無毒主難產用末一錢熱酒調

胡燕者主治風瘙癮疹浸瘡水

陳壁土　氣溫無毒

主治　扶脾益胃以類相從（脾胃屬土故云）和白朮炒成專止注瀉同蜆殼研就能敷瘡瘍點醫侵目中犀癬發身上治春月寒熱瘟瘧去下部壽瘥脫肛

○補註　脫肛門凸出故屋東壁土一升研皂莢三梃長一尺二寸壁土撻粉肛門頭出處皂莢炙煖更連熨之差○小兒臍風瘡歷年不差東壁土敷之○腸藥過劑及中毒納悶欲死刮東壁土以水三升調……以多年烟熏壁土并黃蘗二件等分為末用

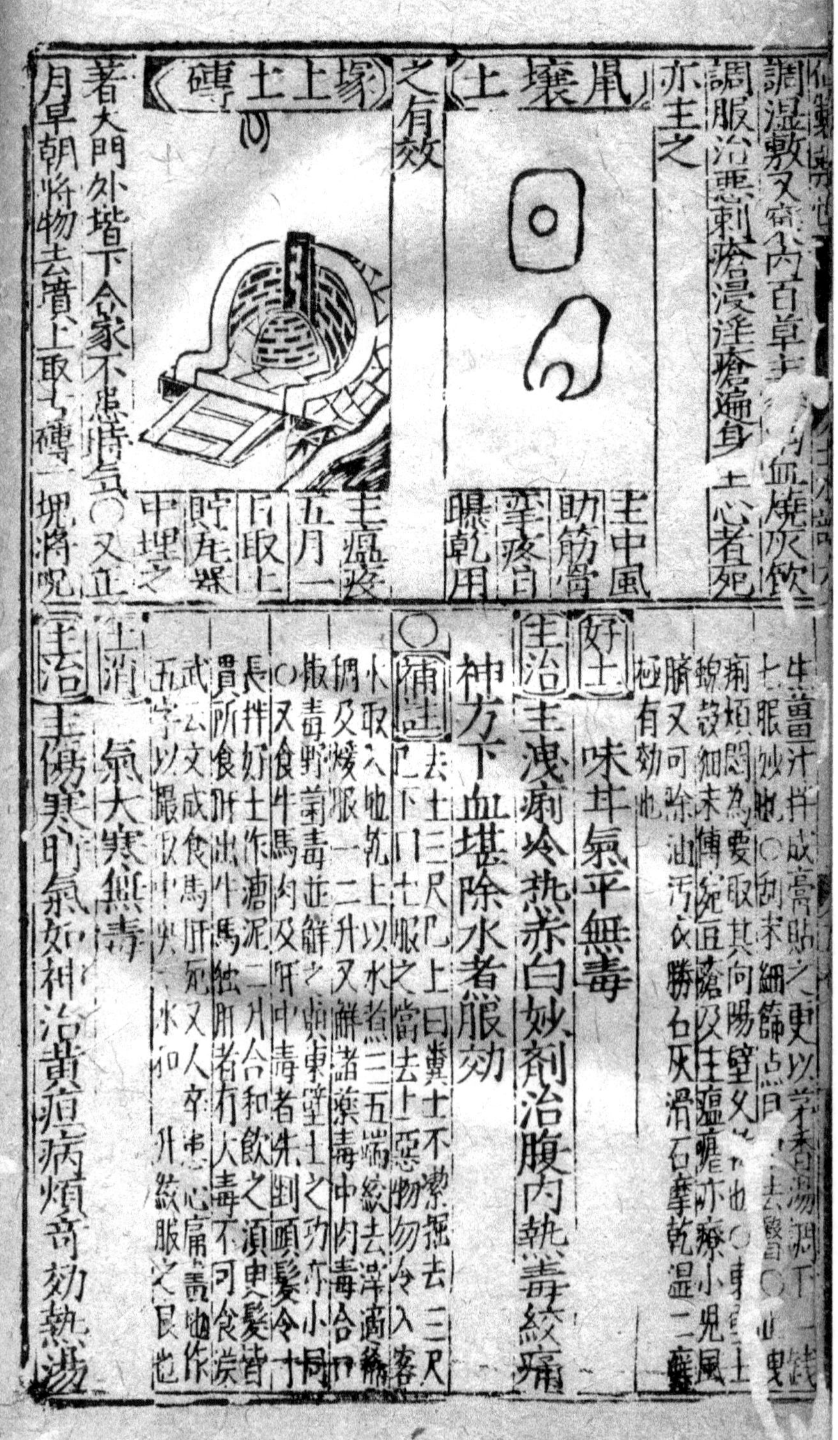

[illegible]
調湿敷又治[illegible]內百草末[illegible]血燒灰飲
調服治惡刺瘡浸淫瘡遍身 主心者死
亦主之

鼠壤土

主中風
助筋骨
攣疼百
曝乾用
之有效

塚上土磚

主瘟疫
五月一
日取土
貯瓶器
中埋之
著大門外堦下合家不患時氣○又五
月旱朝將物去塚上取土磚一塊將呪[illegible]

生薑汁拌成膏貼之更以茅香湯調下一錢
七服妙也○別末細篩点眼去翳○出曳
痢煩悶為要取其向陽壁久者也○東壁土
療發細末傅施豆瘡及主瘟瘧亦療小兒風
臍又可除油污衣勝石灰滑石摩乾濕二癬
極有効也

好土 味甘氣平無毒

主治 主洩痢冷熱赤白妙劑治腹內熱毒絞痛
神方下血堪除水者服効

○補註 去土三尺已上曰糞土不潔掘去三尺
已下曰土凡服之當去上惡物勿令入客
水取入地乾土以水煮三五沸絞去滓適稀
調服一二升又解諸藥毒中肉毒合口
椒毒野菌毒並解之與東壁土之功亦小同
○又食牛馬肉及肝中毒者取頭髮合寸
長拌好土作漿泥二升合和飲之須臾髮皆
貫所食肝出牛馬肉肝者有大毒不可食羨
武云文成食馬肝死又人卒患心扁亦畵地作
五字以撮取中央一水和升絞服之良也

土消 氣大寒無毒

主治 主傷寒時氣如神治黃疸病煩奇効熱湯

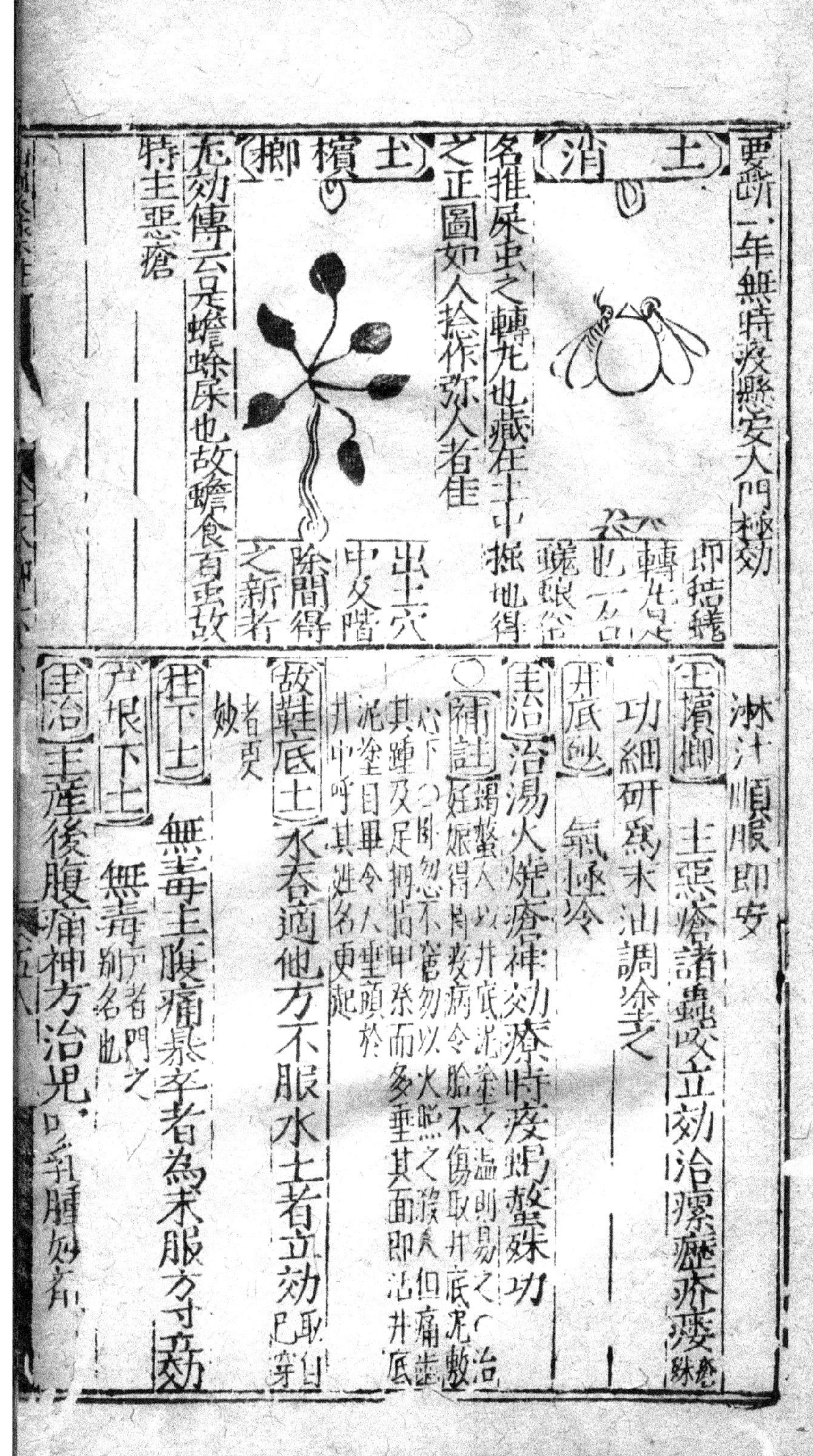

更斫一年無時疫縣安大門極効

土消

即蛣蜣轉丸是也一名蜣蜋俗名推屎虫之轉丸也藏在土中掘地得之正圓如人捻作弥久者佳

土檳榔

出土穴中久階陰間得之新者尤効傳云是蟾蜍屎也故蟾食百蟲故特主惡瘡

淋汁順服即安

土檳榔 主惡瘡諸蟲咬立効治瘰癧疥瘻瘡殊功細研為末油調塗之

井底泥 氣極冷

主治 治湯火燒瘡神効療時疫蜞盤殊功

補註 蠲螫人以井底泥塗之蟲則易之○治妊娠得時疫病令胎不傷取井底泥敷心下○卧忽不寤勿以火照之殺人但痛齧其踵及足拇指甲際而多唾其面即活井底泥塗目畢令人垂頭於井中呼其姓名更起

故鞋底土 水吞適他方不服水土者立効取自己穿者更妙

柱下土 無毒主腹痛暴卒者為末服方寸匕効

户根下土 無毒户者門之別名也

主治 主產後腹痛神方治兒口乳腫如茄

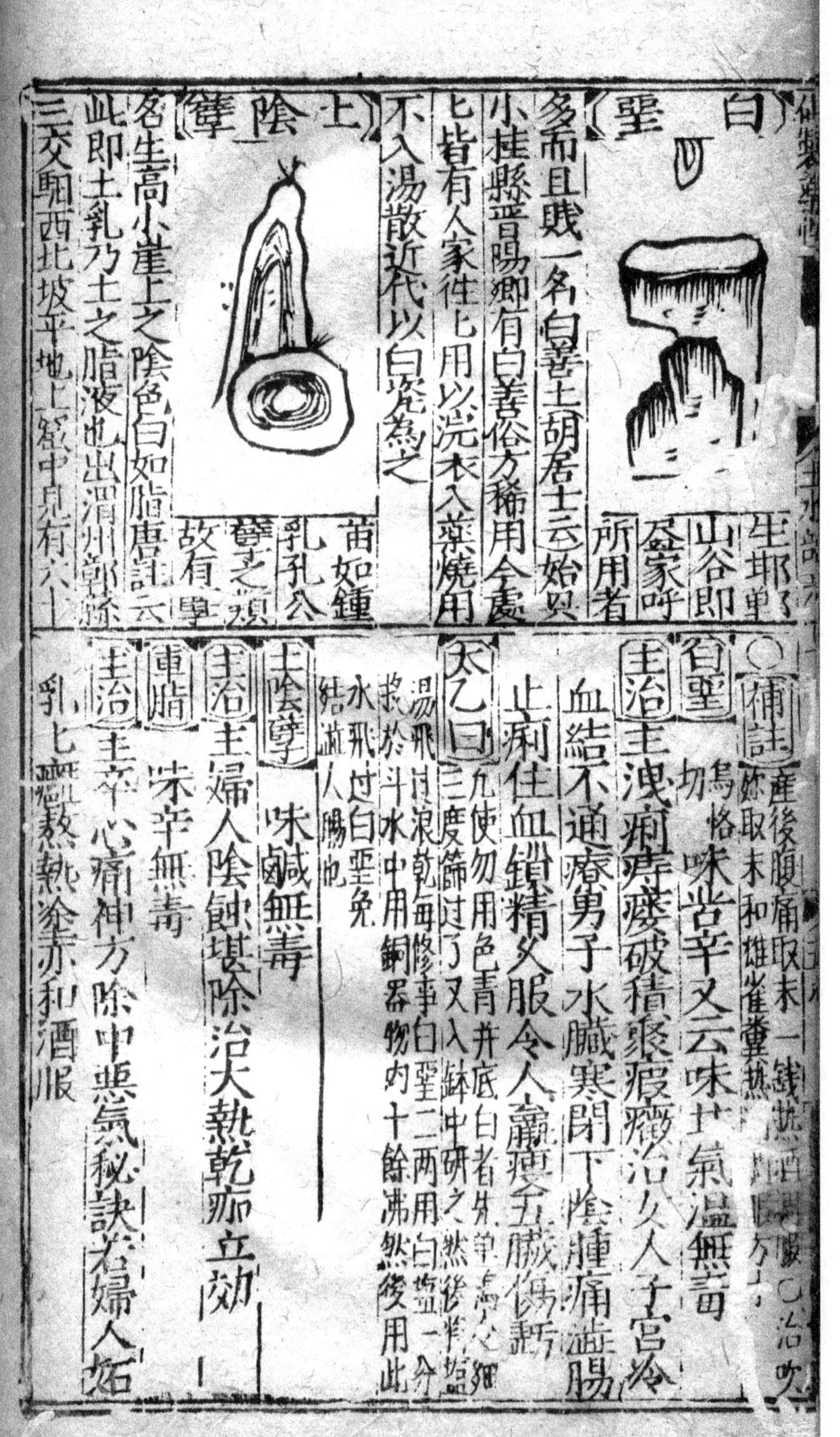

〔白堊〕

生邯鄲山谷即瓷家呼所用者多而且賤一名白善土胡居士云始興小桂縣晉陽鄉有白善俗方稀用今處處皆有人家往往用以浣衣入藥燒用不入湯散近代以白瓷為之

〔土陰孽〕

苗如鍾乳孔公孽之類故有孽名生高山崖上之陰色白如脂唐注云此即土乳乃土之脂液也出渭州鄣縣三交驛西北坡平地土窟中見有六十

○補註 產後腹痛取末一錢熱酒調服○治吹妳取末和雄雀糞熱酒調服方寸匕

〔白堊〕烏恪切 味苦辛又云味甘氣溫無毒

〔主治〕主洩痢痔瘻破積聚癥瘕治女人子宮冷血結不通療男子水臟寒閉下陰腫痛澁腸止痢住血鎖精久服令人羸瘦五臟傷

〔太乙曰〕凡使勿用色青并底白者先單搗令細三度篩過了又入鉢中研之然後將鹽湯飛過浪乾每修事白堊二兩用白鹽一分投於斗水中用銅器物内十餘沸然後用此水飛過白堊免結澁人腸也

〔土陰孽〕 味鹹無毒

〔主治〕主婦人陰蝕堪除治大熱乾痂立效

〔車脂〕 味辛無毒

〔主治〕主卒心痛神方除中惡氣秘訣治婦人妬乳乳癰熬熱塗亦和酒服

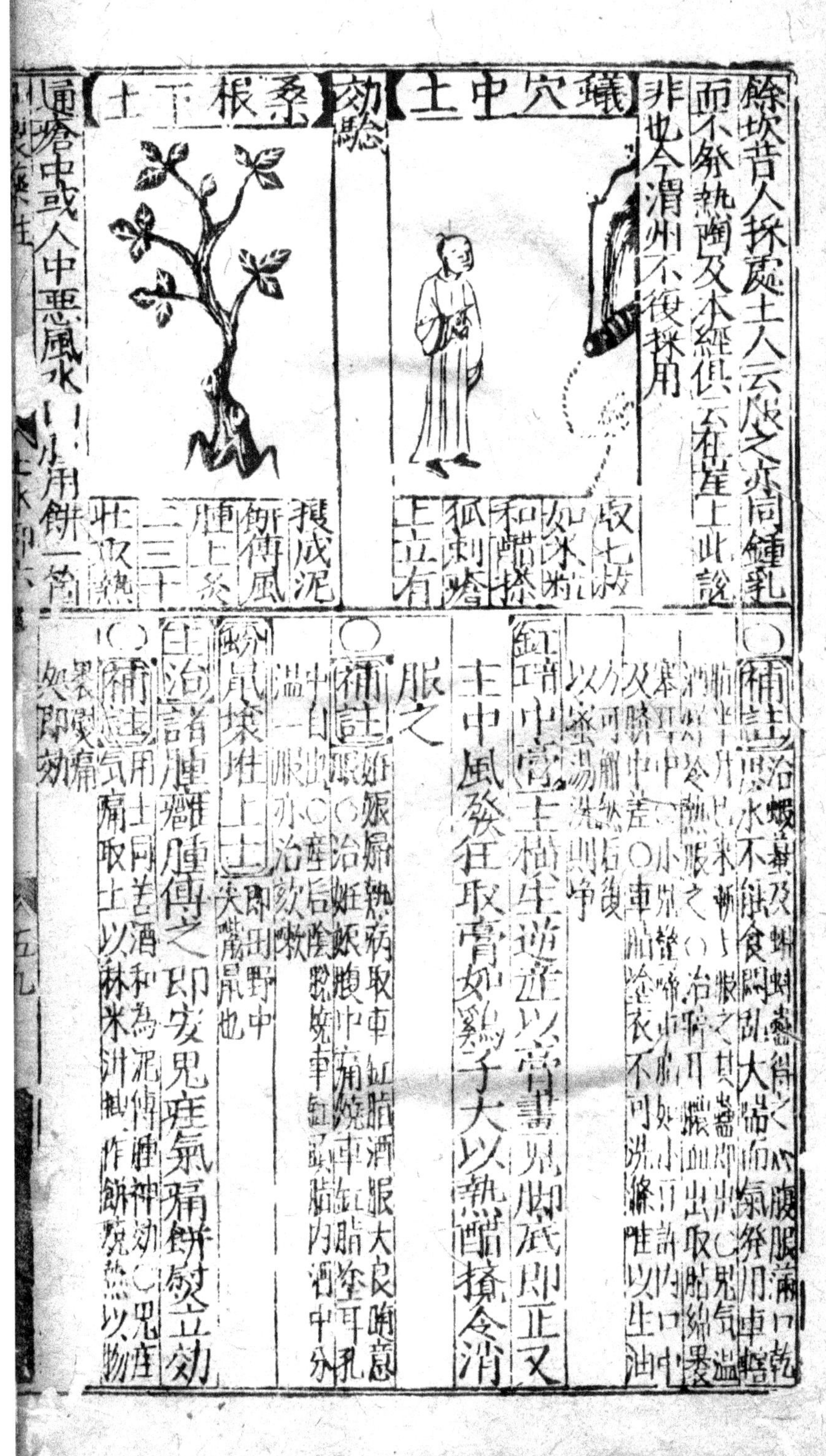

餘坎昔人採處土人云取之亦同鍾乳而不發熱𤈦及本經俱云在崖上此說非也今滑州不復採用

蟻穴中土

效驗　收七枚如米粒和醋搽狐刺瘡上立有

桑根下土

攪成泥餅傅風腫上灸二三十壯取熱通瘡中或人中惡風水小用餅一箇

○補註治蝦蟇及蚯蚓蠱觜之心腹脹滿口乾思水不能食悶亂大喘而氣發用車轄脂半升以水五升煮取一升服之其蟲即出○鬼氣溫酒調熱服之○治耳聾血出取脂綿裹塞耳中○小兒驚啼中脂如小豆許納口中及臍中差○車脂塗衣不可洗滌惟以生油分可解然後以皂湯洗則淨

釭中膏　主樹生遊疰以膏畫見脚底即止又主中風發狂取膏如雞子大以熱醋攪令消服之

○補註姙娠婦熱病取車釭脂酒服大良噫意娠○治姙娠腹中痛燒車釭脂塗耳孔中白出○產後陰腫燒車釭頭脂內酒中分溫一服亦治欬嗽

鼢鼠壤堆上土　即田野中尖嘴鼠也

主治諸腫癰腫傅之即發鬼疰氣痛餅熨立效

○補註用土同苦酒和為泥傅腫神効○鬼疰氣痛取土以林米汁拌作餅燒熱以物裹熨痛處即效

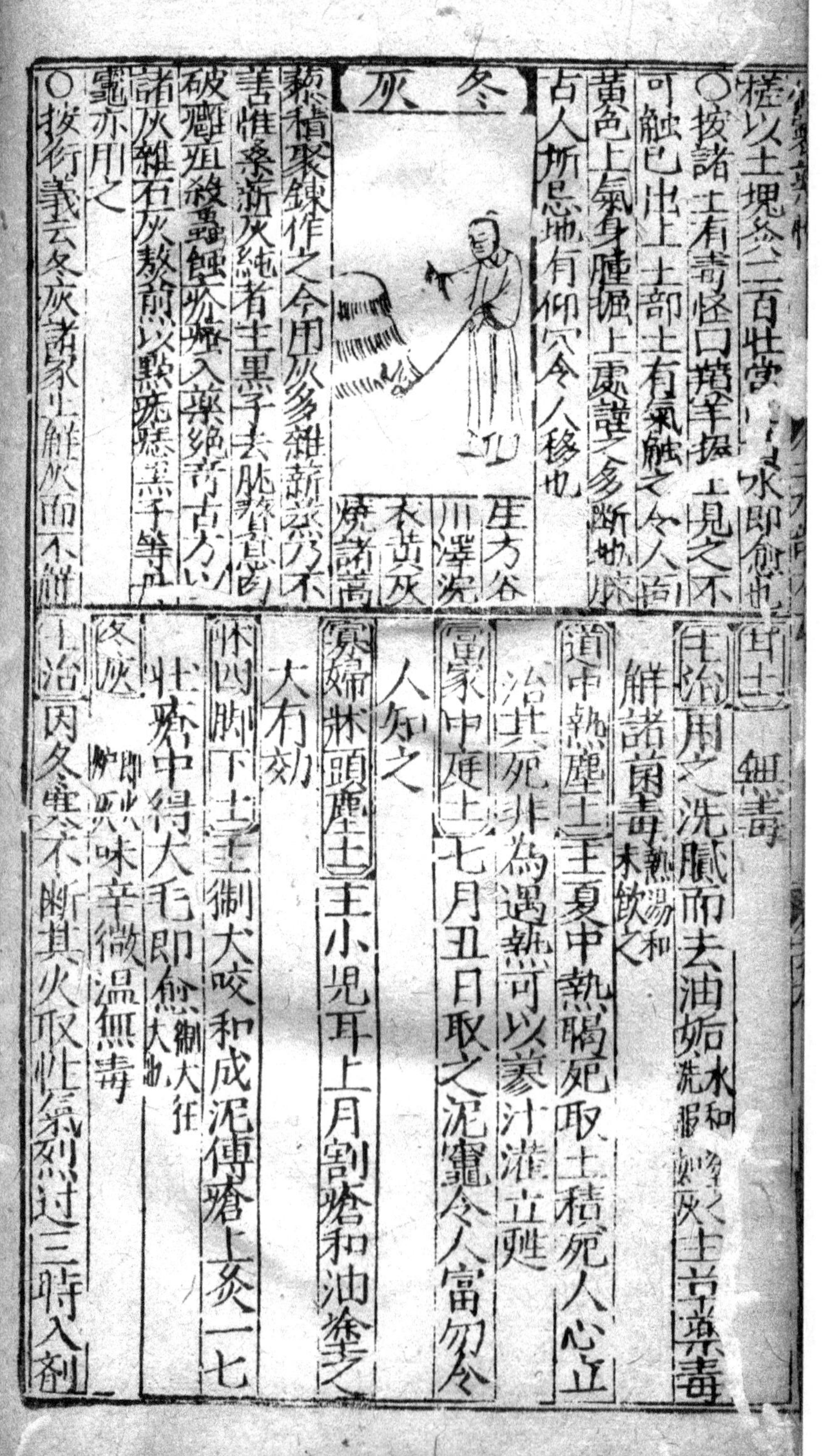

搓以土塊各二百壯當[illegible]水即愈也

○按諸土有毒怪口蘗筆掘土見之不可觸也出上土部土有氣觸之令人面黃色上氣身腫掘土處謹之多斷妨麻古人所忌地有仰穴令人移也

冬灰

生方谷川澤洗本草灰燒諸蒿藜積聚鍊作之今用灰多雜薪蒸乃不善惟桑薪灰純者至黑子去肌蟹息傜破瘀疽發蠱蝕瘀瘰入藥絕奇古方以諸灰雜石灰熬煎以點疣痣黑子等丸竈亦用之

○按衍義云冬灰諸家止解灰而不解

【甘土】無毒

【主治】用之洗膩而去油垢水和塗之洗衣服燒灰土苦藥毒解諸菌毒熱湯和末飲之

【道中熱塵土】主夏中熱暍死取土積死人心立治土其死非為遇熱可以蓼汁灌立甦

【富家中庭土】七月五日取之泥竈令人富勿令人知之

【寡婦牀頭塵土】主小兒耳上月割瘡和油塗之大有效

【牀四腳下土】主御犬咬和成泥傅瘡上灸一七壯瘡中得犬毛即愈御犬狂犬也

【冬灰】即竈灰爐灰味辛微溫無毒

【主治】因冬竈不斷其火取性氣剛烈過三時入劑

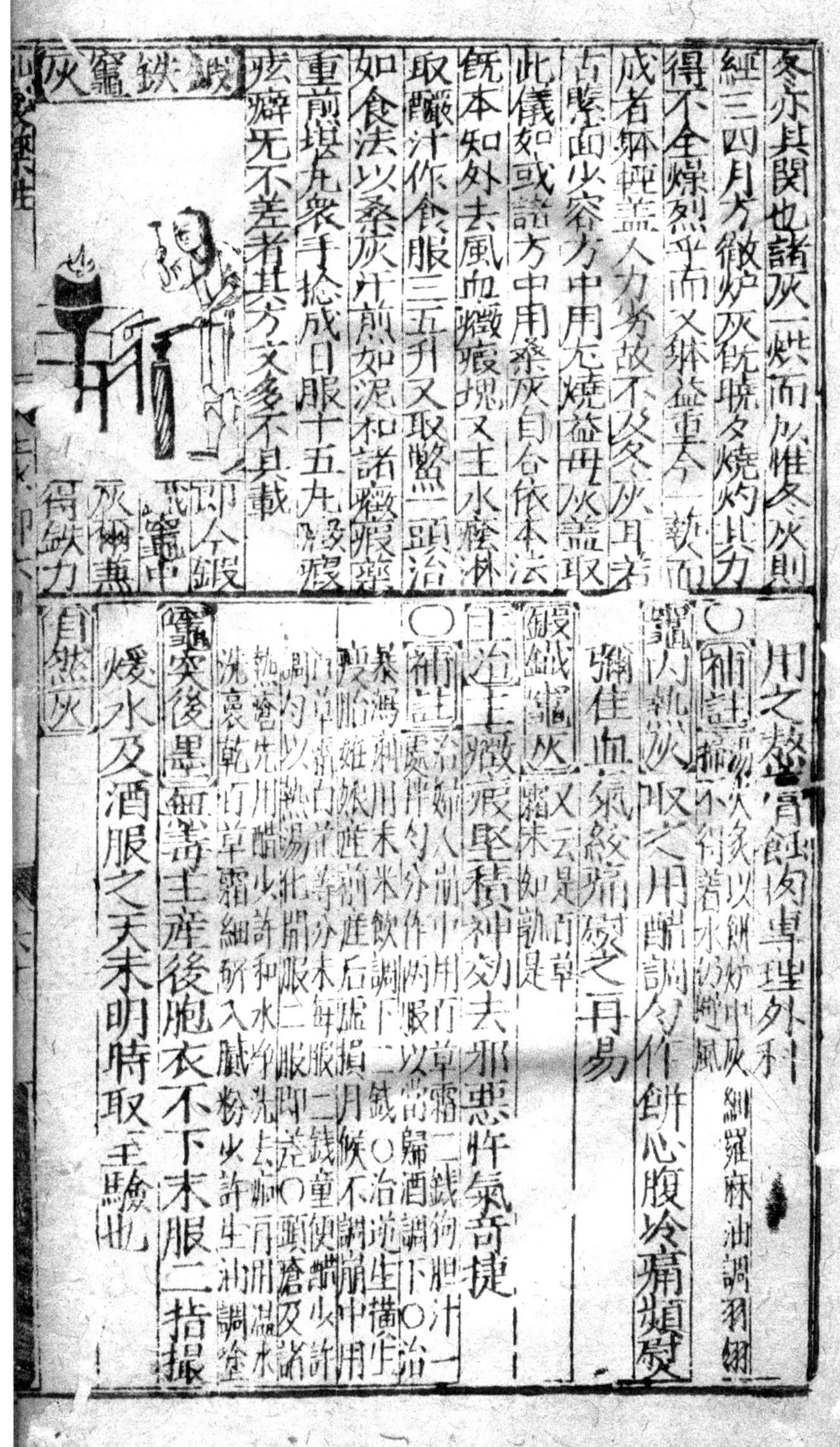

冬亦具閔也諸灰一烘而成惟冬灰則
經三四月方徹炉灰既曉夕燒灼其力
得不全燥烈乎而又桑益重今一數而
成者無輕蓋人力劣故不及冬灰耳若
古醫面少容方中用尤燒益毋灰蓋取
此儀如或諸方中用桑灰自合依本法
既本知外去風血癥瘕塊又主水癃淋
取釅汁作食服三五升又取鱉一頭治
如食法以桑灰汁煎如泥和諸癥瘕藥
重煎堪丸衆手捻成日服十五丸癥瘕
痃癖无不差者其方文多不具載

鍛鉄竈灰

即今鍛鐵竈中灰稱為得鐵力

用之整骨鉗肉專理外科

○補註治湯火灸以餅炉中灰掃不得著水防避風細羅麻油調羽翎掃

竈內熱灰　服之用醋調令作餅心腹冷痛頻熨彌佳血氣絞痛熨之再易

鍛鐵竈灰　又云是百草霜未如勘是

主治　主癥瘕堅積神効去邪惡忤氣奇捷

○補註治婦人崩中用百草霜二錢狗胆汁一處拌勻分作兩服以當歸酒調下○治暴瀉痢用米米飲調下二錢○治逆生横生胞胎難娩産前産后虛損月候不調崩中用百草霜白芷等分末每服二錢童便醋少許調勻以熱湯泄開服二服即瘥○頭瘡及諸熱瘡先用醋少許和水淨洗去痂再用溫水洗裹乾百草霜細研入膩粉少許生油調塗

竈突後墨　無毒主産後胞衣不下末服二指撮煖水及酒服之天未明時取至驗也

自然灰

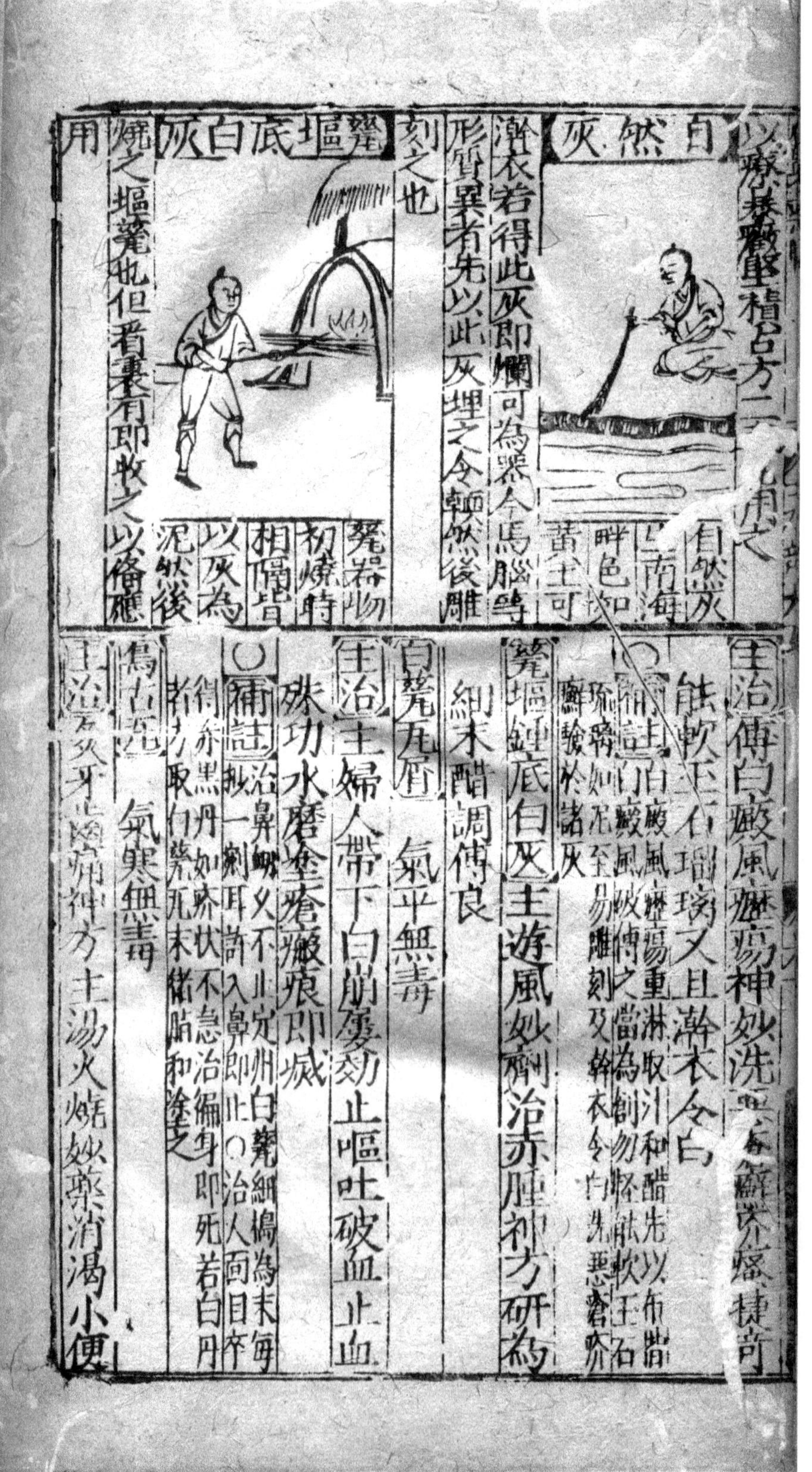

以療暴癥堅積古方二[illegible]用之

自然灰

自然灰生南海畔色如黃土可澣衣若得此灰即爛可為器今馬腦等形質異者先以此灰埋之令軟然後雕刻之也

甆甌底白灰

甆器物初燒時相隔皆以灰為泥然後燒之甌甆也但看裏有即收之以備應用

【主治】傅白癜風癧瘍神效洗[illegible]癬疥瘡捷奇

能軟玉石瑠璃又且澣衣令白

○【補註】主白癜風癧瘍重淋取汁和醋先以布揩白癜風皴傅之當為創勿怪能軟玉石琉璃如泥至易雕刻及澣衣令白洗惡瘡疥癬驗於諸灰

甆甌鍾底白灰 主遊風妙劑治赤腫神方研為細末醋調傅良

白甆瓦屑 氣平無毒

【主治】主婦人帶下白崩漏効止嘔吐破血止血殊功水磨塗瘡瘢痕即滅

○【補註】治鼻衄久不止定州白甆細搗為末每抄一剜耳許入鼻即止○治人面目卒得赤黑丹如疥狀不急治徧身即死若白丹者方取白甆瓦末豬脂和塗之

烏古瓦 氣寒無毒

【主治】[illegible]灸牙止喉痺神方主湯火燒妙藥消渴小便

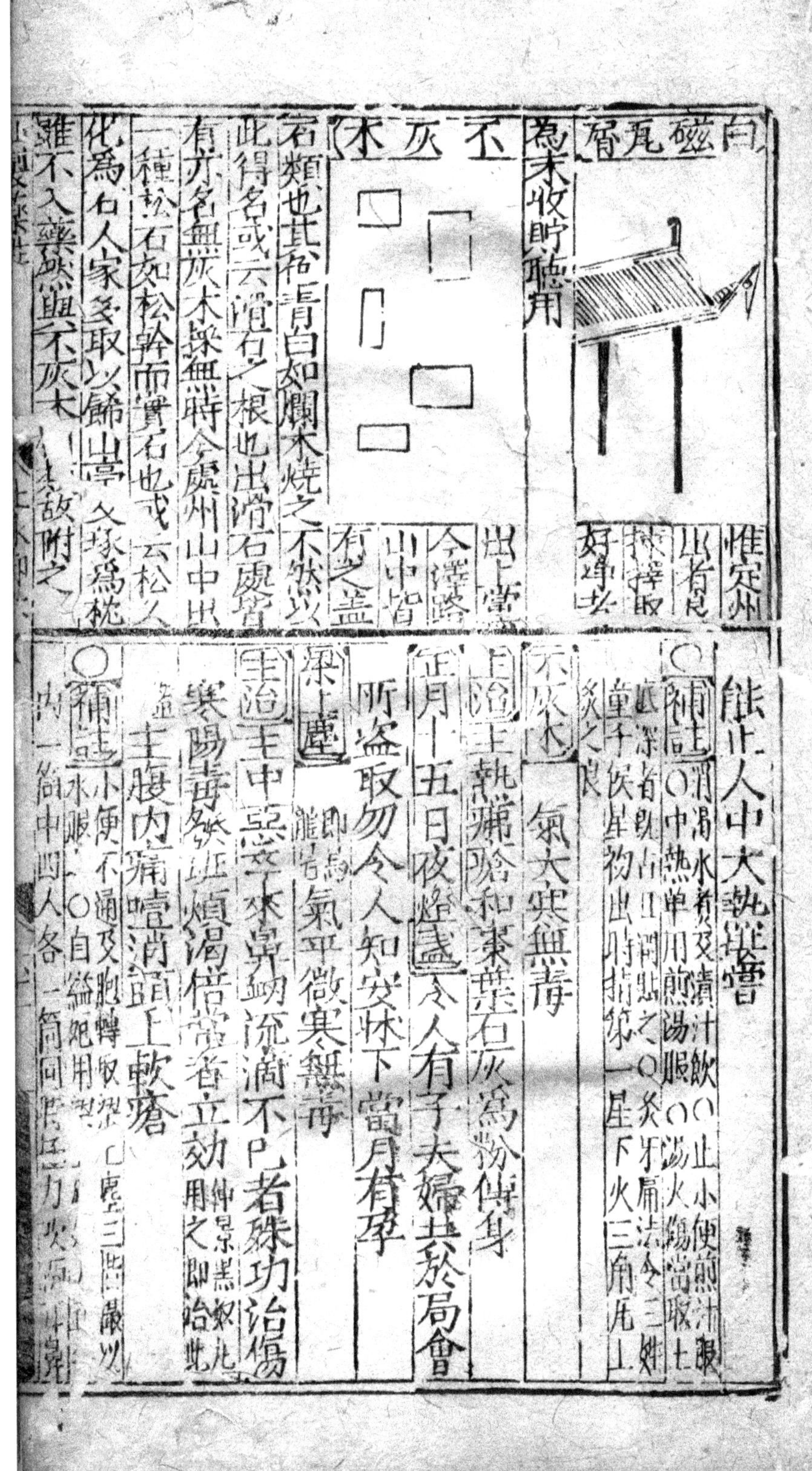

白磁瓦屑

為末收貯聽用

惟定州出者良揀擇取好淨者

不灰木

出上黨今澤潞山中皆有之蓋

石類也其色青白如爛木燒之不然以此得名或云滑石之根也出滑石處皆有之名無灰木燒無時今處州山中出一種松石如松幹而實石也或云松久化為石人家多取以飾山亭　又琢為枕雖不入藥然與不灰木[illegible]故附之

能止人中大熱[illegible]嘗

○補註　消渴水煮及漬汁飲○止小便煎汁服○中熱單用煎湯服○湯火傷當取土[illegible]深者以[illegible]淋[illegible]之○灸牙痛法令三姓童子候星初出時指第一星下火三角灶上灸之良

不灰木　氣大寒無毒

主治　主熱痱瘡和棗葉石灰為粉傅身

正月十五日夜燈盞　令人有子夫婦共於局會所盜取勿令人知安牀下當月有孕

梁上塵　即烏龍尾　氣平微寒無毒

主治　主中惡卒來鼻衄流滴不已者殊功治傷寒陽毒發斑煩渴倍常者立效　仲景黑奴丸用之即治此

[illegible]　主腹內痛噎消頭上軟瘡

○補註　小便不通及胞轉取梁上塵三指撮以水服○自縊死用梁上塵如豆大各內一筒中四人各一筒同時極力吹兩耳及鼻

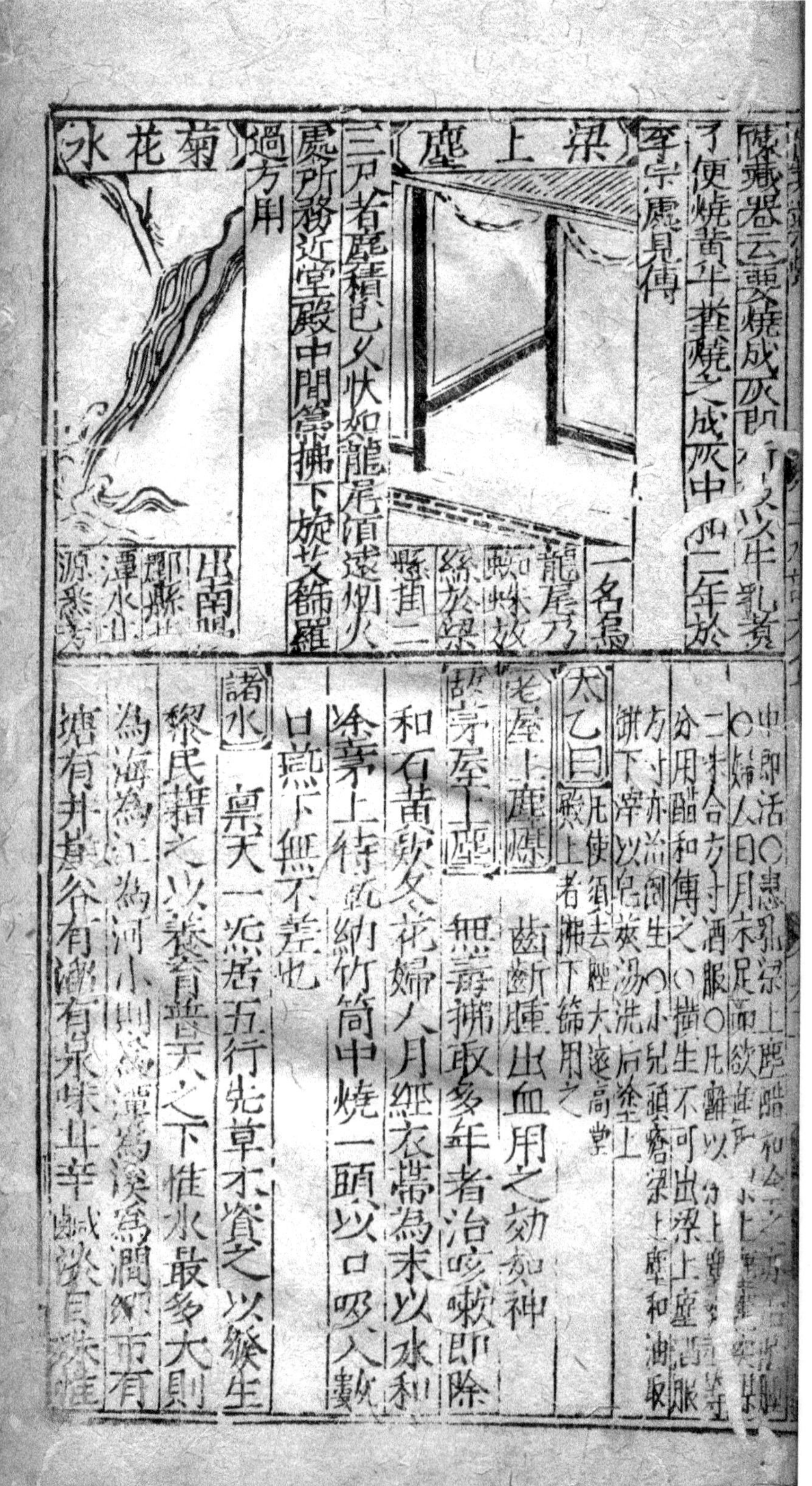

陳藏器云要燒成灰即□□以牛乳煮了便燒黃牛者燒之成灰中四二年於李宗處見傳

梁上塵

三尺者塵積已久狀如龍尾須遠烟火處所發近堂殿中間常拂下旋收篩羅過方用

菊花水

中即活○患乳癰上塵醋和塗之□□□□○婦人日月未足而欲產□□上塵□□□二錢合方寸酒服○凡癰以□上□□□等分用醋和傅之○横生不可出梁上塵酒服方寸亦治倒生○小兒頭瘡梁上塵和油取餅下滓以皂莢湯洗后塗上

太乙曰 凡使須去煙火遠高堂殿上者拂下篩用之

老屋上塵 齒斷腫出血用之効如神

故房屋上塵 無壽拂取多年者治咳嗽即除和石黃款冬花婦人月經衣帶為末以水和塗茅上待乾納竹筒中燒一頭以口吸入數口煙下無不差也

諸水

稟天一之氣居五行先草木資之以發生黎民藉之以養育普天之下惟水最多大則為海為江為河小則為潭為溪為澗細而有塘有井其谷有澗有泉味甘辛鹹淡且性

菊彼崖水為菊味盛溢涉之此菊其美膚後收此菊實播之京師處處傳植抱朴子云南陽酈縣山中有甘谷水所以甘者谷上左右皆生甘菊菊花墮其中歷世彌久故水味為變其臨此谷中居民皆不穿井悉食甘谷水食無不壽考

○按衍義云菊花水本條言南陽酈縣北潭水其源悉芳菊生被崖水為菊味此說甚怪且菊生於浮土上根深者不過尺百花之中此特淺露水泉莫非深遠而來況菊根亦無香其花當九月十月間止二兩句中焉得香入水也若因花而香其無花之月合如何也殊不詳水自有甘淡鹹苦焉知無有甘味者嘗官於永耀間鈐轄至[illegible]此山下古石

動靜緩急亦異用烹藥餌各有所宜務爲詳知安求効驗

【菊花水】味甘氣溫無毒

【主治】除風痰補表治眩冒止痺痛暖溫中立除陽弱羸瘦變肥健

○【補註】大尉胡廣久患風羸常汲飲此水後疾遂瘳司空王暢太尉劉寬太傅袁隗皆為南陽太守每到官常使酈縣月送甘谷水四十斛以為飲食此諸公多患風痺及眩冒皆痊愈

【菊英水】出於菊英多處原陶靖節好植菊而採英浸水是焉氣甚馨香而最堪可烹茗芳鬯延壽者宜斟蜀中有長壽源其源多菊花而流水四季皆菊花香居民飲之壽皆二三百歲

【井花水】味甘氣平無毒

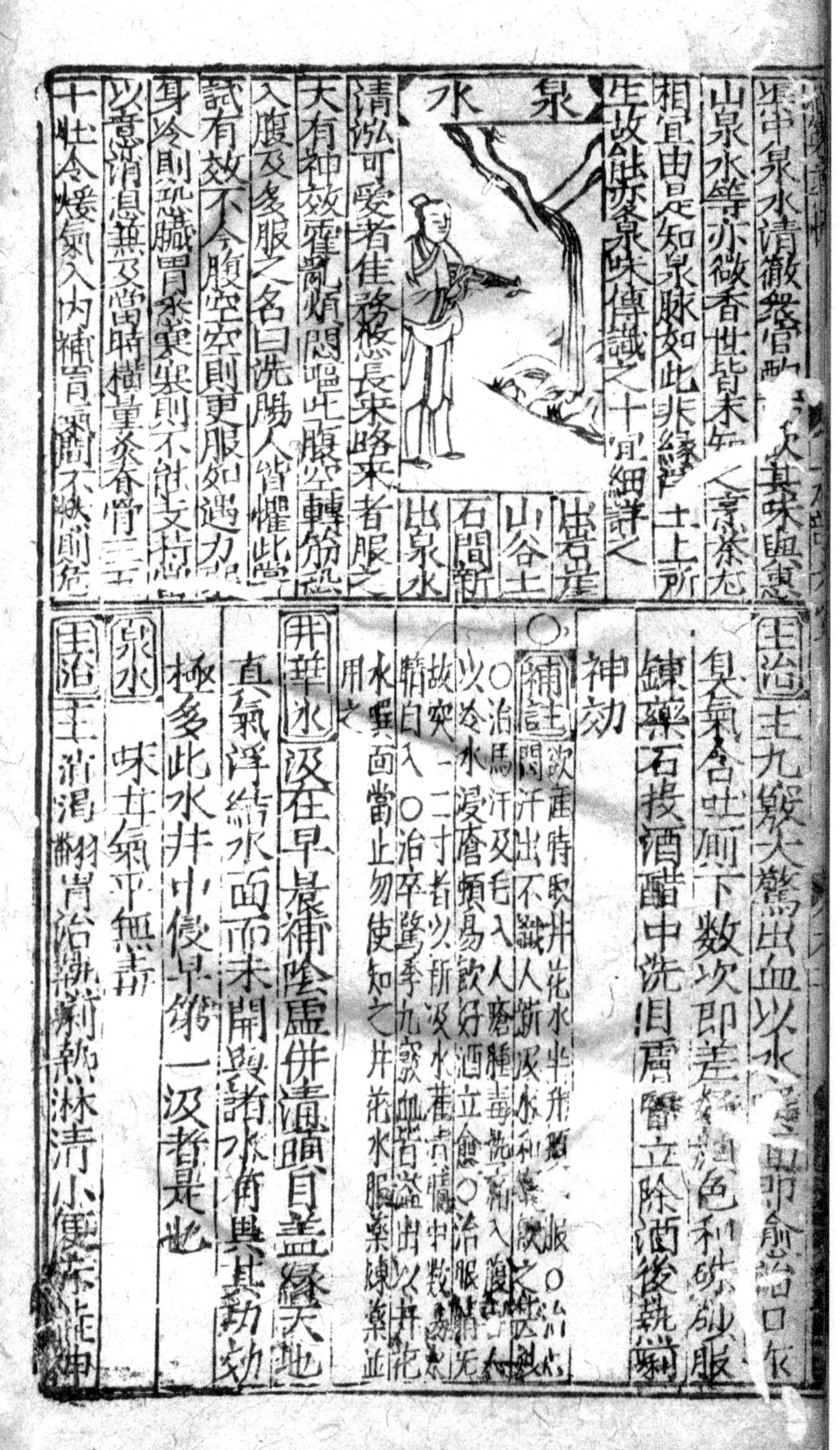

巖中泉水清徹甞嘗酌[illegible]其味與惡山泉水等亦微香世皆未知人烹茶尤相宜由是知泉脉如此非緣[illegible]土上所生故能發泉味傳識之十宜細詳之

泉水

出巖崖山谷土石間新出泉水清澄可愛者佳務要長流路來者服之大有神效霍亂煩悶嘔吐腹空轉筋恐入腹及後服之名曰洗腸人皆懼此當試有效不令腹空空則更服如過力服身冷則恐臟胃受寒寒則不能支持即以意消息無及當時欄量灸脊骨二三十壯令煖氣入內補育元氣則不然則危

【主治】主九竅大驚出血以水噀面即愈治口臭氣含吐厠下數次即差好酒色和硃砂服鍊藥石投酒醋中洗目膚翳立除酒後熱嘔神効

【補註】欲産時取井花水半升服○治[illegible]問汗出不識人漸汲水和藥飲之○治馬汗及毛入人瘡腫毒熱痛入腹以冷水浸瘡頻易飲好酒立愈○治眼睛突故突一二寸者以新汲水灌漬中數易之睛自入○治卒驚悸九竅血皆溢出以井花水噀面當止勿使知之井花水服藥煉藥並用之

【井華水】汲在早晨補陰虛併清頭目益緣天地真氣浮結水面而未開與諸水有異其功效極多此水井中儘早第一汲者是也

【泉水】味甘氣平無毒

【主治】主消渴反胃治熱痢熱淋清小便并[illegible]

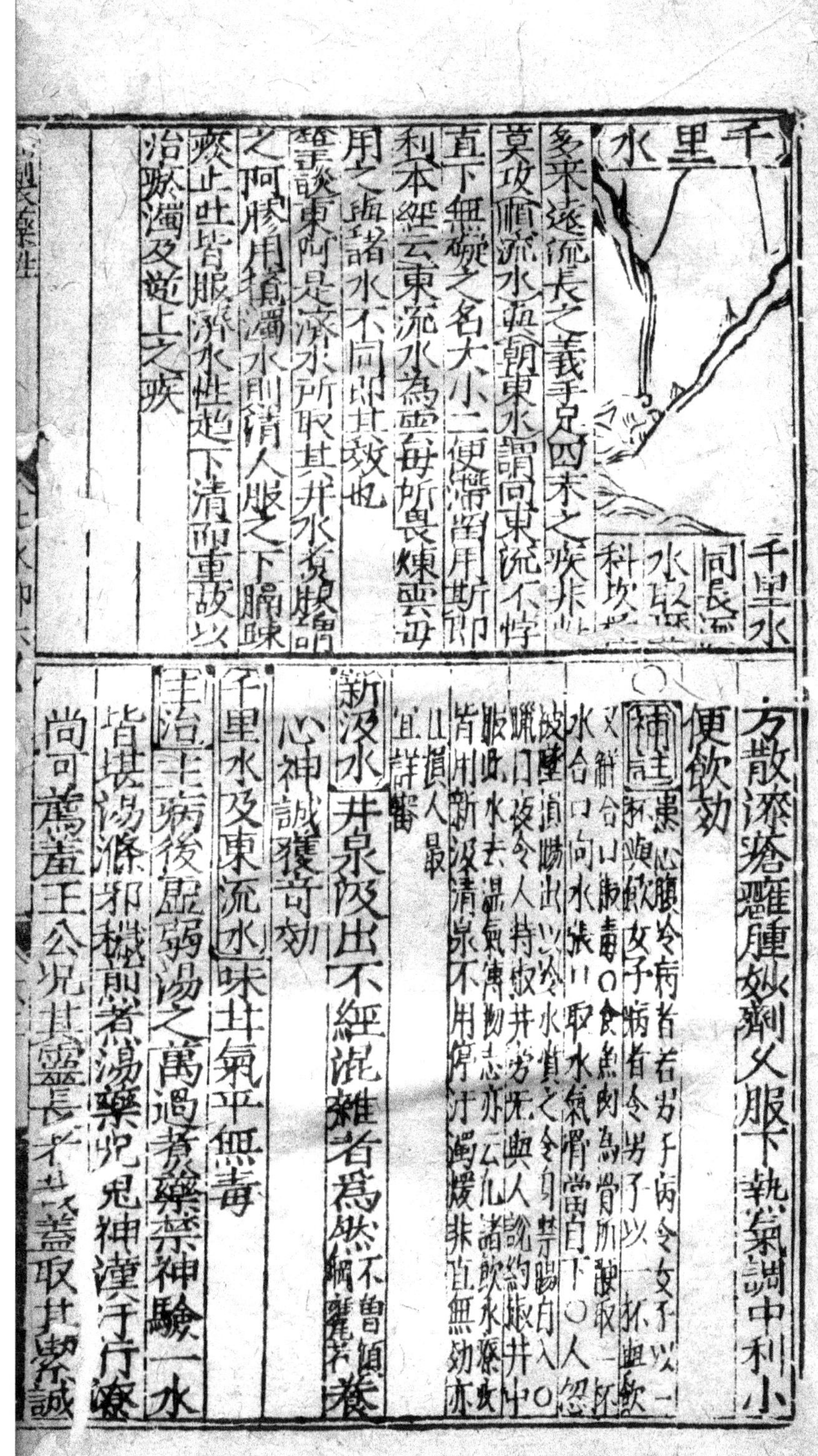

千里水　同長流水……

多來遠流長之義手足四末之疾非此莫攻順流水與朝東水謂同東流不悖直下無礙之名大小二便滯留用斯即利本經云東流水為雲母所畏煉雲母用之與諸水不同即其效也藥論東阿是濟水所取其井水煮膠謂之阿膠用攪濁水則清人服之下膈疎痰止吐皆服濟水性趨下清而重故以治瘀濁及逆上之疾

方散潑瘡癰腫煉劑又服下熱氣調中利小便飲效

補註　患心腹冷病者若男子病令女子以一杯與飲女子病者令男子以一杯與飲又解合口椒毒○食魚肉為骨所鯁取一杯水合口向水張口取水氣鯁當自下○人忽被墜損腸出以冷水噴之令身噤腸自入○嚥門夜令人持敝井旁旋與人說約埋井中服此水去濕氣傳物志亦云凡諸飲水療疾皆用新汲清泉不用停汙濁煖非直無效亦且損人最宜詳審

新汲水　井泉湲出不經混雜者爲然不曾傾網羅若養心神誠獲奇效

千里水及東流水　味甘氣平無毒

主治　主病後虛弱湯之萬過煮藥禁神驗一水皆堪湯滌邪穢煎著湯藥咒鬼神潢汙行潦尚可薦羞王公況其靈長者哉蓋取其潔誠

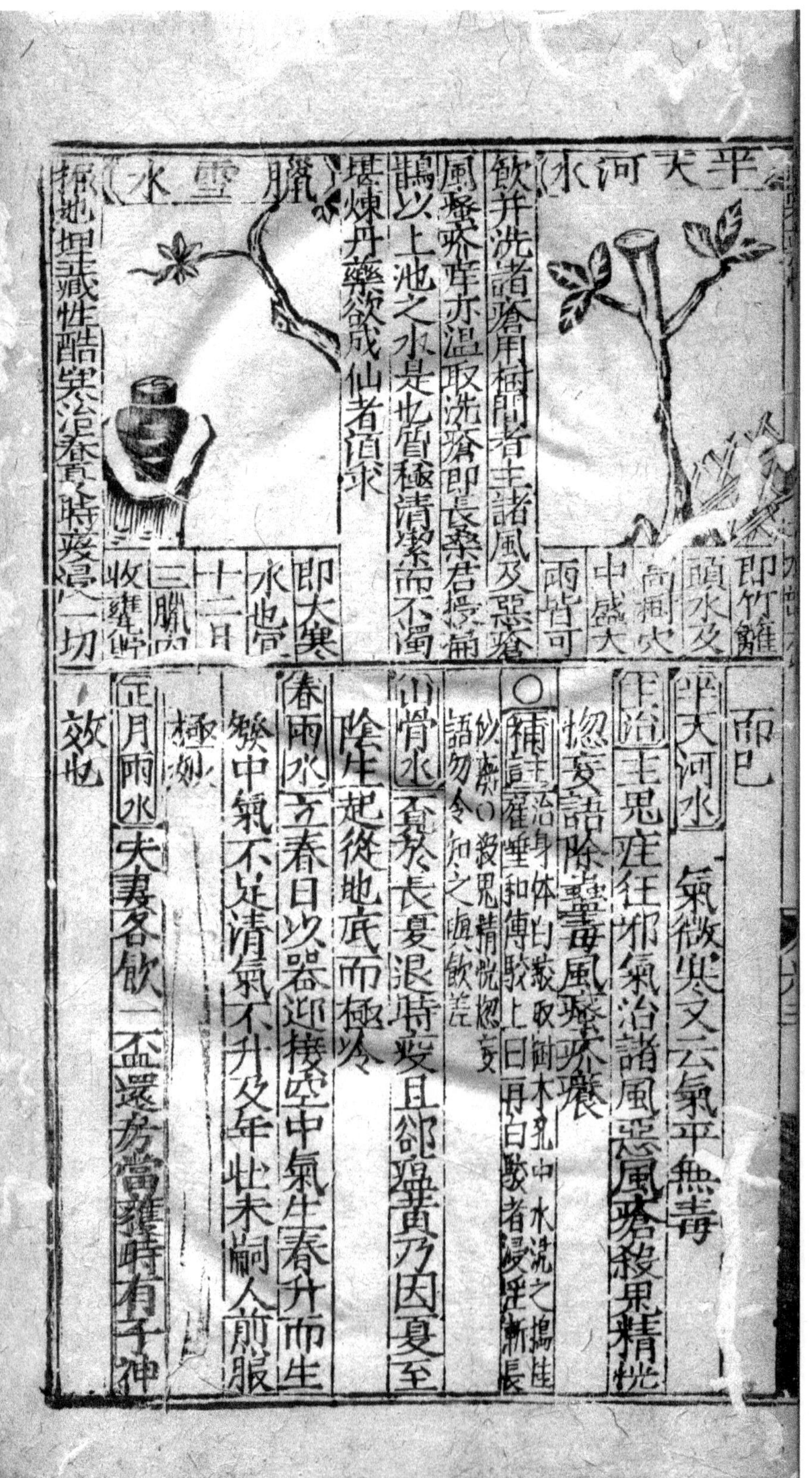

平天河水

即竹籬頭水及高樹穴中盛天雨皆可

飲并洗諸瘡用樹間者主諸風及惡瘡
風瘙疥痒亦温取洗瘡即長桑君授扁
鵲以上池之水是也質極清潔而不濁
堪煉丹藥欲成仙者須求

臘雪水

即大寒水也當十二月三臘内收甕貯

掘地埋藏性酷寒治春夏時疫瘟一切

而已

平天河水　氣微寒又云氣平無毒

主治　主鬼疰狂邪氣治諸風惡風瘡殺鬼精恍
惚妄語除蠱毒風瘙疥癢

○補遺　主治身体白駮取樹木孔中水洗之搗桂
羅𡍼和傅駮上日再白駮者浸淫漸長
似癬○殺鬼精恍惚妄
語勿令知之與飲差

山骨水　氣冷長夏退時變且欲發黃乃因夏至
陰生起從地底而極冷

春雨水　立春日以器迎接空中氣生春升而生
發中氣不足清氣不升及年壯未嗣人煎服
極效

正月雨水　夫妻各飲一盃還房當獲時有子神
效也

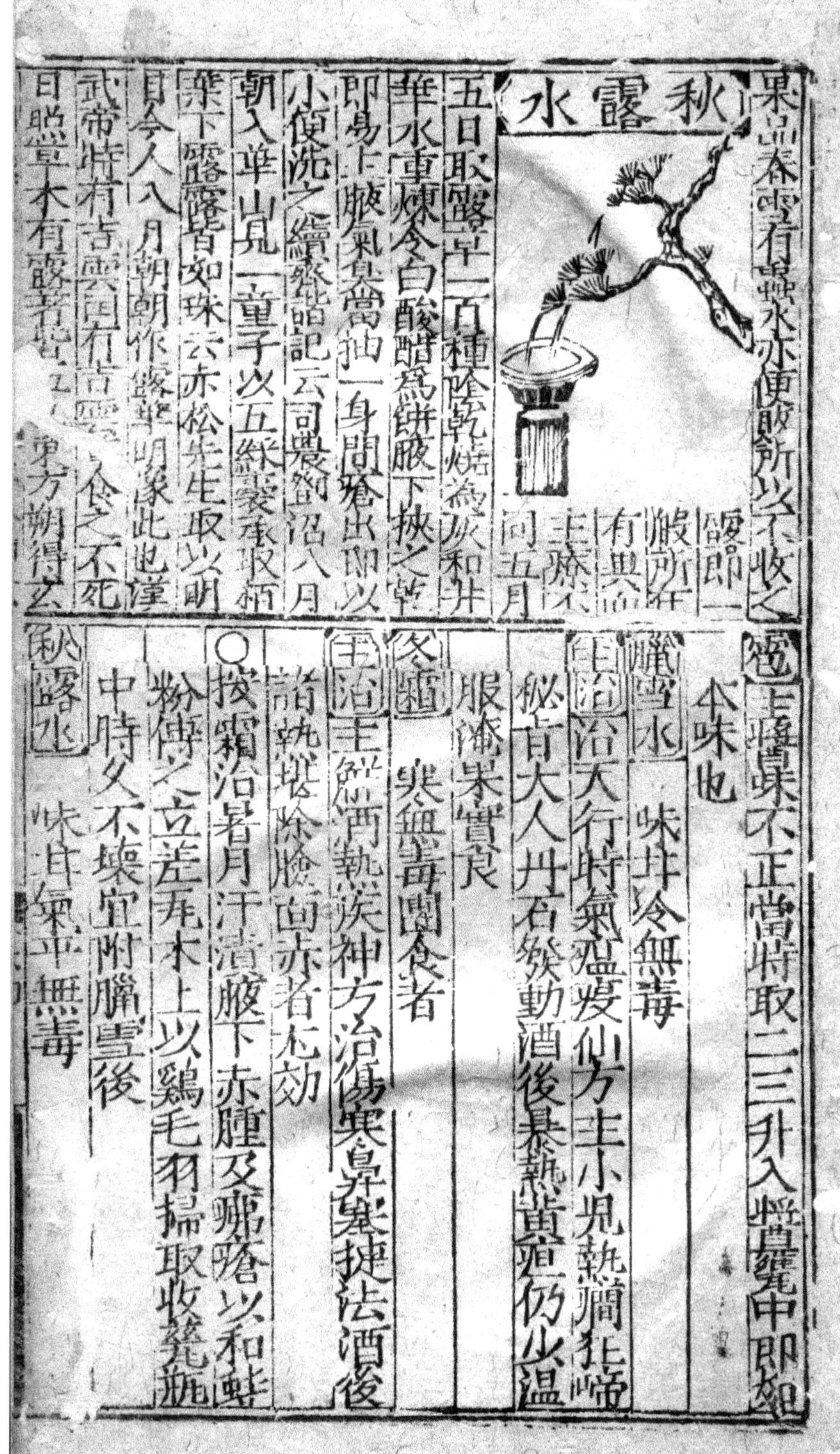

果品春雪有蟲水亦便敗所以不收之

秋露水

臘雪即一般所伴有與治主療不同五月五日取露草一百種陰乾燒為灰和井華水重煉令白釅醋為餅腋下挾之乾即易主腋氣臭當抽一身間瘡出即以小便洗之續齊諧記云司農鄧紹八月朝入華山見一童子以五綵囊承取柏葉下露露皆如珠云赤松先生取以明目今人八月朝作露華明眼此也漢武帝時有吉雲國有吉雲草食之不死日照草木有露著地五色東方朔得之

【甕】主[illegible]果不正當時取二三升入甕中即如本味也

【臘雪水】味甘冷無毒

【主治】治天行時氣瘟疫仙方主小兒熱癇狂啼秘百大人丹石發動酒後暴熱黃疸仍少溫服浸果實良

【冬霜】寒無毒團食者

【主治】主解酒熱傷寒鼻塞捷法酒後諸熱或除臉面赤者尤効

○搽霜治暑月汗漬腋下赤腫及痱瘡以和蚌粉傅之立差在木上以鷄毛羽掃取收甕瓶中時久不壞宜附臘雪後

【秋露水】味甘氣平無毒

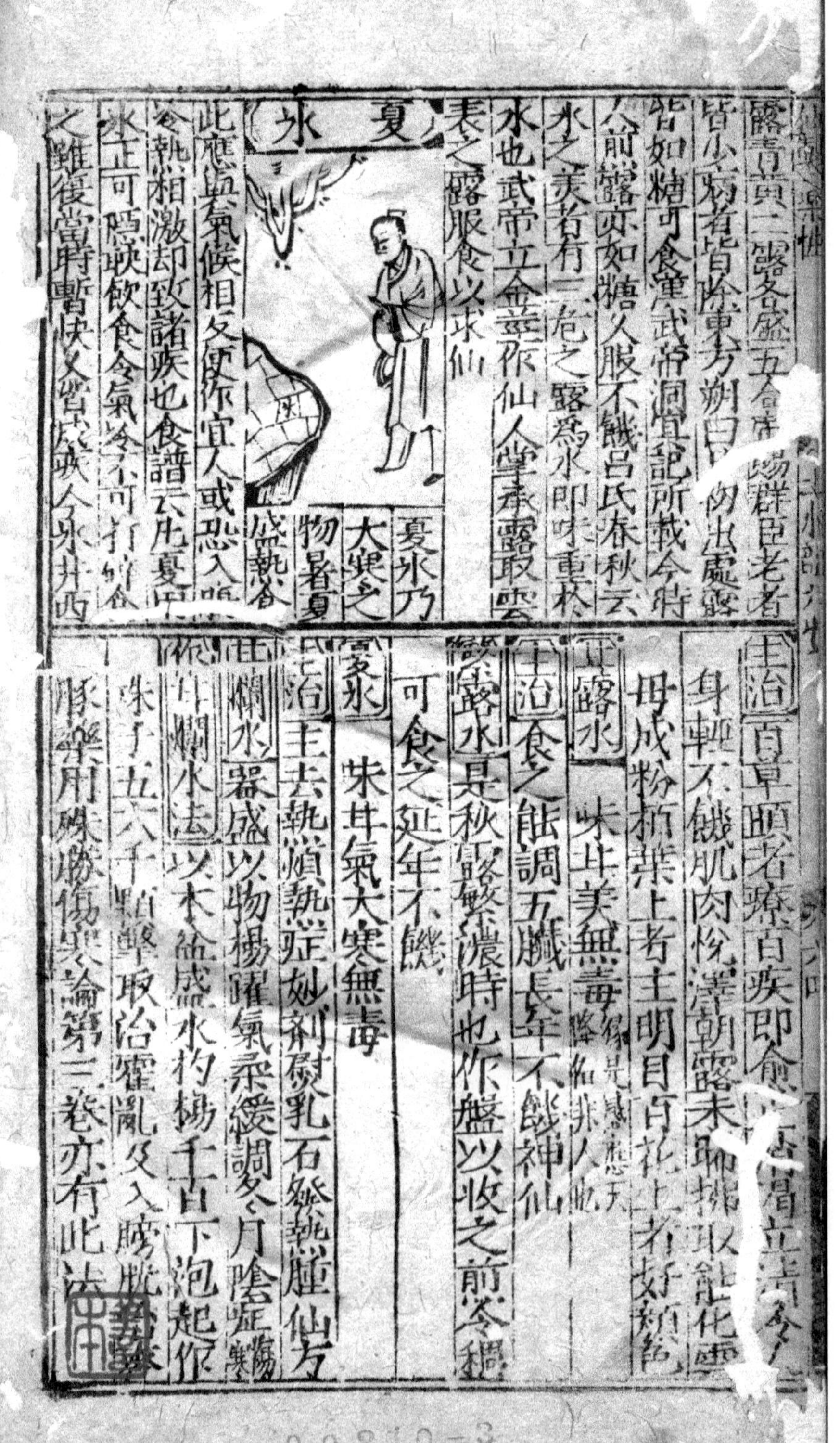

醫青黃二露各盛五合[illegible]賜群臣老者皆少病者皆除東方朔曰[illegible]內出處露皆如糖可食漢武帝洞冥記所載今將人前露亦如糖久服不饑呂氏春秋云水之美者有三危之露為水即味重於水也武帝立金莖作仙人掌承露取雲表之露服食以求仙

夏冰

夏冰乃大寒之物暑月盛熱食此應與氣候相反便作宜人或恐入腹冷熱相激却致諸疾也食譜云凡夏月冰止可隱映飲食令氣冷不可打碎食之雖復當時暫快久皆成疾今氷井西[illegible]

【主治】百草頭者療百疾即愈[illegible]身輕不饑肌肉悅澤朝露未晞時拂取能化雲母成粉柏葉上者主明目百花上者好顏色

【甘露水】味甘美無毒緣是感德天降名非人力

【主治】食之能調五臟長年不饑神仙

【繁露水】是秋露繁濃時也作盤以收之煎令稠可食之延年不饑

【夏冰】味甘氣大寒無毒

【主治】主去熱煩熱[illegible]乳石發熱腫仙方

【甘爛水】器盛以物揚擲氣柔緩調之月陰症傷寒

【作甘爛水法】以水盆盛水杓揚千百下泡起作珠子五六千顆取治霍亂及入膀胱豚藥用殊勝傷寒論第三卷亦有此法

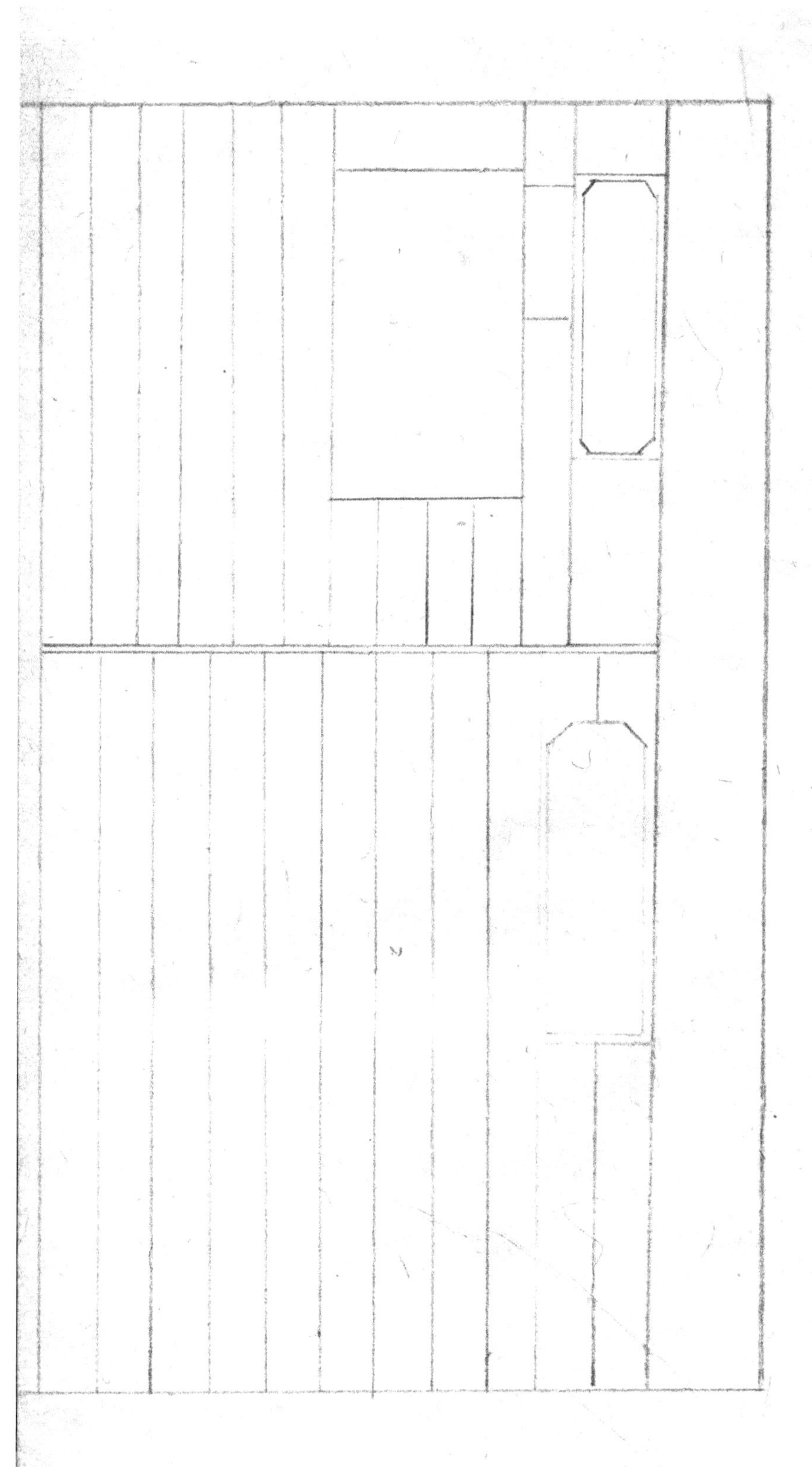

角生一則一爲吉弗多與鹿茸或於水
濞流漲沮流撓則粘著木枝如蒲槌狀
其色微青黃復似灰色號紫稍花坐□
多用之延齡至寶方治瘡瘍用年月白
取京肪每日點汁杏仁許入耳中仍
差云此物福建州县爲鄭得其脂須琉
璃瓶子盛更以樟木合重貯之不爾則
透氣失之矣又經中方女經積年不通
必治之用龍胎花松景天三物各半許
都以水兩盞煎至一盞去滓分溫二服
必頃腹中轉動便下龍胎古今方不見
用者人亦鮮識本方註云此物出蜀中
山澗大類乾魚鱗投藥煎時□腥臊方
家稀所聞見雖並非要藥昔人曾用
世當有識者因附於此以示廣記耳

【能治】主大人驚癇顛疾狂走治小兒五驚十二癇
癇熱難近骨間結熱堪除蠱毒精物□□志心
下熱氣喘促□兒

【龍角】氣平無毒

【主治】主驚癇瘈瘲身熱大效治腹中堅癖熱洩
殊功又服通神明輕身延年壽

【補註】○一心熱風癇□□□疾行湯研取汁食上服
二大人合日□服

【太乙】曰剡州生晉州太原首上其骨細紋廣
者是雌骨粗文狹者是雄骨五色者上
白色者中黑色者次黃色者稍得經落不淨
之處不用婦人採得者不用夫使先以香草
煎湯浴過兩度搗研如粉用絹袋子盛之
可以燕子一隻擘破腹去腸安袋子於□
腹內懸於井面上一宿至明去燕并袋子取
骨粉重研萬下其效神妙但是丈夫服之
益腎藥中安置圖龍
骨氣入腎藏中也

【龍魚】形強而實世所稀有卻□驚退熱小兒痰盛驚[illegible]

○按羅氏云龍春分登天秋分潛淵物之至靈者也世俗畫龍有三停九似之說三停者謂自首至膊膊至腹腹至尾相停也九似者謂角似鹿頭似馬眼似鬼項似蛇腹似蜃鱗似魚爪似鷹掌似虎耳似牛也頭上有物如博山名尺木龍無尺木不能升天其性粗猛而畏鐵愛珠玉空青而嗜燒燕肉故嘗食燕者不可渡海又言畏楝音練葉五色線故送以五色線合楝葉縛之古有豢龍氏從能知其欲惡而節制之爾噓氣成雲又蔽身躲人不可見其聲如戛銅盤涎出發衆香龍火與人火相反得濕而焰遇水乃燔以火逐之則燔息而焰滅矣衛生寶鑑曰龍齒安魂虎睛定魄此各

【龍涎】吐出涎沫 南海多有 而可製香 [illegible] 能斷癇疾

【龍遺瀝】粘木傍木枝類蒲槌狀而伙色

【紫稍花】又別号為陰冷無孕仙丹

【龍胞胎】出蜀中山澗如乾魚鱗而腥臊景天尾

松同煎係經閉不通要藥

【虎骨】臣 味辛氣微熱無毒

【閻骨】治筋骨毒風攣急癆溫瘧溫風傷寒用治

風痺乃因虎嘯風從用補膝痿只緣虎走力

健殺鬼疰毒除邪惡氣止驚悸惡瘡鼠瘻在

腹痛走疰瘦疼

○【補註】歷節風百節痛疼不可忍用虎頭骨一斤塗酥炙黃搗為末絹袋盛以清酒二斗浸五宿隨性緩飲之○療犬咬人發狂如犬刮虎牙虎頭骨末酒服方寸匕○療月蝕瘡虎頭骨二兩搗碎同豬脂一斤熬以骨黃取塗瘡上○本經以虎頭骨為枕效○辟鬼以頭骨

許叔微云東方蒼龍木也屬肝藏魂西方白虎金也屬肺藏魄龍能變化故魂遊不定虎能專靜故魄止能守以是魄不安者宜治以虎睛魂飛揚者宜治以龍齒乃物有成理而不紊亦在夫人達之而已矣

虎骨

虎骨并睛爪本經不載所出州土今有山林處皆有之骨用頭及脛色黃極者為佳稀審非藥箭中傷藥箭射死者不可入藥恐藥毒浸漬骨血間能害人□□網捕殺死

户上○療髑取虎骨爲末水服方寸匕治肛門凸出燒虎骨末水服方寸匕日良○治痢久下痢時不愈者此名休息取虎小兒辟惡氣以水煎骨炙令黃焦擣末飲方寸即愈虎骨湯浴兒數數作

虎脛骨　堅筋骨脚攣難行腰下躰痛風立止

入腸疳痛并漏肛以虎脛骨兩節蜜二兩炙令赤擣末蒸餅丸如梧子大每服

○**補註**　清晨溫酒下二十丸隔夜先和入腸後方服此藥○白虎風走注疼痛兩膝熱腫虎脛骨塗酥炙黑附子炮裂去皮臍各一兩爲末每服酒調二錢

虎骨酒法　治臂脛痛不計深淺皆効用虎脛骨一大兩搥碎熬黃羖羊角一大兩屑新芍藥二大兩切細三物以無灰酒浸之春夏七日秋冬倍日每日空心飲一杯冬月速要服即以銀器物盛火爐中煖養之三兩日即可服也

虎腰骨　主腰脚痿痺步履不隨者神

○**補註**　取虎腰脊骨一具細剉訖又以斧於石上更搥碎又取前兩脚全骨以斧於鐵之兩件並於鐵床上炭火上勻炙轉候待脂出甚則投濃美無灰酒中密封春夏一

著方用絶取塗酥油炙[illegible]煎湯浴惟作散丸所畏三藥須知蜀漆蜀椒磁石睛亦多偽須自獲者乃真爪并指骨毛存之以繫小兒臂上辟惡鬼两脅間及尾端皆有威如乙字長一二寸許眼光凡虎夜視以一目放光一目看物獵人候而射之弩箭纔及目光便隨墮地得之者形如白石○腰膝急疼者作湯浴之或和醋浸亦良主筋骨風急痛脛骨尤妙又小兒初生取骨煎湯浴其孩子長大無病又和通草煮汁空心服半升覆蓋臥少時即出治筋骨節急痛切忌熱食損齒小兒齒生未足不可與食恐齒不生又正月勿食虎肉

七日秋冬三七日每日空腹暖飲性多則多飲性少則少飲未飯前三盃飲之○大户以酒六七斗止小户二斗止[illegible]不计三劑七年已下者一劑立差忌如藥法又一方虎脛骨五六寸已來削去肉膜等塗酥炙令極黃熟細擣絹袋子盛以酒一斗置袋子於甆瓶中然後以塘火煎至七日後任情喫之當微利便差

【虎睛】治小兒驚風斑氣客忤主瘧疾癎疽發熱鎮心收定魄良方止夜啼秘訣

○〖補註〗治小兒驚癎掣瘲以虎睛細研水調灌之良大小加減服之○療小兒驚癎以虎睛一豆許火炙為末水和服○治小兒夜啼取虎睛一隻為散以竹瀝調少許與喫

【虎牙】主丈夫陰瘡神方刮骨敷疽瘻妙法

【虎爪】用之懸小兒臂辟惡氣鬼魅尤良

【虎鬚】療齒痛尤良

【虎骨髓】塗猘犬咬䘌瘡毒納下部五痔下血

○〖補註〗療禿瘡取膏塗之○小兒頭瘡不差用腦油令[illegible]每日三四度塗之

豹肉

豹肉本經不載所出州土今云洛唐郢州或有之豹亦稀有然用亦鮮惟尾可貴種類繁夥赤白匪同形躰小猛健尤甚獵者網捕亦或得之按豹有赤豹尾赤而文黑謂之赤豹有玄豹有白豹尔雅云貘與豸同白豹郭璞云似熊小頭痺脚黑白駁能舐食銅鐵及竹骨節強直中實少髓皮辟湿人寢其皮可以驅温癘或曰豹白色者別名貘唐世多畫貘作屏白居易有賛序之不知入藥

虎膽　主小兒疳痢驚癇心神不安

○補註　治小兒疳痢驚神不安取膽研水服之良

虎脛骨　其骨生在西傍帶之日添威勢

虎睛　主驚邪辟惡鎮心辟瘧疾小兒熱悸眞

狀形如白石得若夜可燭行

虎皮毛　用之息卧極妖邪絕疫瘧不靈

虎肉　取之喫食最佳益力止嘔惡甚驗

虎鼻　懸戶上生男　孕婦以虎鼻懸門戶上定生男癲疾仍治

虎爪　封瘡口殺毒亦歐兒魅惡瘡

○補註　瘰癧瘡疽者手足痛背腫上如米起色白刺之汁出愈而復發虎屎白者以馬溺和之曝乾燒灰用

屎中骨　用之研細如灰火灼爛瘡效功

太乙曰　虎睛凡使須知采人問其源有雌有雄有老有嫩有殺得者惟有中毒自死者

果用何類古今医方無所用者今黔蜀中時有貘象鼻犀目牛尾虎足土人鼎釜多為所食頗為山居之患亦捕以為藥其齒骨極堅以刀斧椎鍛鐵皆碎落火亦不能燒人得之詐為佛牙佛骨以誑俚俗

〇按古人立虎潜丸方中用虎脛骨一味其理甚深雅也蓋虎金也屬陰風木也屬陽虎嘯風從乃木被金制也不得不然故凡胸膝拘攣癱瘓痠痛等証用骨調治即能遣風定痛此又陰出陽藏之義焉况虎一身筋節力氣皆出前足脛中因其性氣且藏人每用之所以名曰虎潜今人用別骨者訶非虎潜之義也

勿用使却有傷人之患夫用虎睛先於生羊血中浸一宿漉出微火上焙之乾搗成粉候製藥出取合用之

【豹肉】味酸氣平無毒

【主治】安五臟補絕傷甚驗強筋骨壯膽志丸靈猛健益氣利人正月勿食犯則傷神正月建寅屬虎忌

食虎豹肉多食不耐寒暑亦且輕身

【豹骨脂】可合生髮膏朝塗暮生

【豹鼻】和狐鼻煮服辟狐魅邪鬼

【豹頭骨】燒灰淋汁沐頭白屑盡除

【豹皮毛】用之以作裘可以禦冷

【麝香】味辛氣溫無毒

【主治】辟蛇虺誅蛔虫蠱疰癇痓總邪殺鬼精驅疫瘴脹急痞滿癥消催生墮胎通關利竅除

麝香

陜西各山谷俱有之文州者尤盛然類獐畧小其結臍近陰內別有膜裹之春分取之生者益良此物極難得其香入採得以一子香刮取皮膜雜內餘物裹以四足膝皮共作五子而土人貨得又復分採一為二三其偽可知惟生得之乃堂全真耳一說香有三種第一生香麝子凡臍閉滿之時自將蹄尖剔出所落之処草木焦黃一名遺香性甚烈人若檢得價同珠珍蛇蚣向來不泄日常

恍惚驚悸鎮心安神療癰腫瘡疽蝕膿逐血吐風痰不夢俯魘殺鬼目疾去瞖膜淚聽主中惡心腹暴痛治温瘧去風毒三蟲

○補註 治瘧疾麝香少許研墨書額上云邪瘧○治中惡客忤垂死射香一錢重研和醋二合服之即差○治吊咬人射香封上用綿裹了繫之○治小兒客忤項強欲死麝香少許細研乳汁調塗口中○治蠶咬人射香細研蜜調塗之差○小兒驚啼發渴不定用真射香研細每服清水調下一字日三服○令易産用一錢研水調服○療中水氣口服藥末平除宜单服射香如大豆三枚細研乳汁少調分為四五服

太乙曰 凡使多有偽者不如不用其香有三等一者名遺香是麝子臍閉滿其麝自於石上用蹄尖弾臍落处一里草木不生並燋黃人若收得此香價与明珠同也二名臍香採得其甚用三名心結香被大獸驚心破了因此在走雜諸群中遂亂投水被人收得擘破見心流在脾上然作一塊乾血塊可隔山澗早聞之香是香中之次也 凡使麝香並用子日開之不用苦細研篩用之也

噉蛇為食是則又相[illegible]市家但得臍
囊每研荔核攙壺當門子粒亦係造成
欲的實求真必親目見剖勿近火日磁
鉢細研令人帶真香過園中瓜果皆不
實此其驗也其次臍香乃捕得殺取者
又其次心結香麝被大獸捕逐驚畏失
心狂走巔墜崖谷而斃人有得之破心
見血流出作塊者是也此香乾燥不可
用又有一種水麝臍香更奇好者臍中皆
水瀝一滴於斗水中用濡衣衣至敝
而香不歇唐天宗初虞人嘗獲一水麝
詔養於囿中每取以針刺其臍捻以真
雄黃則其臍復合其香氣倍於肉麝近
[illegible]有之爾雅謂麝為麝父

【麝肉】似獐肉微腥食之不畏蛇毒惟忌胡蒜亦
宜知之

【鹿茸】君 味甘鹹又云苦辛氣溫無毒
【主治】益氣滋陰扶肢贏瘦立效強志堅齒止
腰膝痠痛殊功破留血隱作疼逐虛勞灑灑
如瘧治女人崩中漏血療小兒寒熱驚癇溢
血泄精散石淋癰腫骨熱可退疽癢能敺
○【補註】治腰膝痠痛傷敗鹿茸不限多少塗酥炙紫色為末溫酒調下一錢

【鹿角】味鹹氣溫無毒杜仲為之使
【主治】逐鬼邪辟惡輕身益氣續絕傷強筋骨消癰
腫愈惡瘡止婦人夢與鬼交令病者招實鬼
話治婦人被邪昏迷不肯招實者水調末服即自言也
○【補註】治消腎小便數用一具炙令燋研篩酒服
方寸匕癰疽瘡瘍燒為末以苦酒調塗○

鹿角

本經不載所出州土今有山林處俱有之取之須按時令冬至一陽生而麋角解夏至一陰生而鹿角解除鹿補陽多因得陰氣錯脊以家畜宿火熬乾復擣飾其角堅好者以為膠入藥亦佳今醫家多貴麋茸麋角分係於鹿本經自有麋脂角條在下出鹿髓可作酒廣分多有其法近世有服鹿血酒云得於射生者因採捕入山出入道數日飢渴將委頓惟一生鹿刺血數升飲之飢渴頓除後遂竟血

川毒惡瘡五色無常燒和豬脂敷○小兒癇用生角細末先發時便以乳調一字服○治骨鯁用為末含津嚥下咽○竹木刺肉皮中不出燒末水和塗立出○人面目卒得赤黑丹如疥狀偏身即死燒角末豬膏和塗○卒腰痛轉不得用一枚長五寸酒二升燒令赤投酒中浸一宿飲○發乳房初起微赤不急治即殺人用鹿角以水磨濁汁塗腫上○妬乳便欲結膿令消以角石上磨取白汁塗乾又塗出黃水隨即散○馬鞍瘡用角灰酢和塗之○婦人悶腹痛血不盡角燒末豉汁服方寸○姙娠卒腰痛以角截五寸燒令赤入酒一中浸之又燒又浸如此數過細研空心酒調服方寸○小兒重舌角末細篩塗舌下日三度

麋角附 剉為屑白蜜五升淹之微火熬令小變暴乾更擣篩服之令人輕身益氣強骨髓補絕傷○女子胞中餘血不盡欲死者以清酒和麋角灰服方寸日三夜一甚效○妖魅貓鬼病人不肯言鬼角屑搗散以水服方寸即言實也○小兒嗽以角屑大豆末等分相和乳調塗奶上飲兒○治卒死角屑一二方寸煮葱豉湯和服○腎藏虛冷腰脊痛和[illegible]刺不能動搖角屑二兩熬令黃擣末空腹煖酒一杯投末方寸服之日三兩服○腹痛

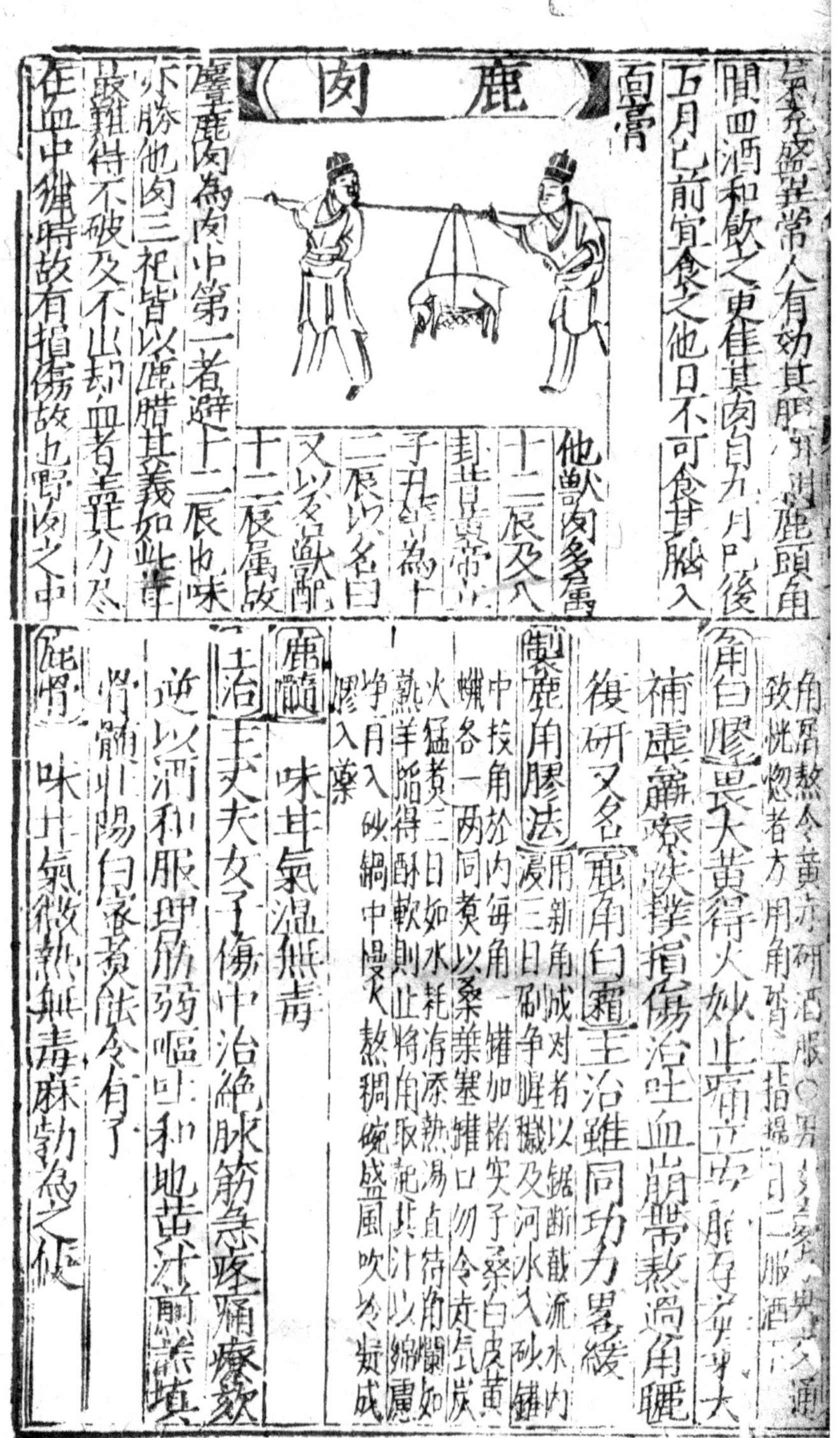

氣充盛異常人有効其肥[illegible]用鹿頭角
間四酒和飲之更佳其肉自九月已後
五月已前宜食之他月不可食其腦入
面膏

鹿肉

他獸肉多屬十二辰及八卦皆異常[illegible]子丑寅為十二辰以名曰又以名為獸部十二辰屬故

譽鹿肉為肉中第一者避十二辰也味不勝他肉三祀皆以鹿腊其義如此蓋最難得不破及不出却血者蓋其力盡在血中獵時故有損傷故也野肉之中

角屑熬令黃末研酒服○男女[illegible]與鬼交通致恍惚者方用角屑三指撮日二服酒下

【角白膠】畏大黃得火妙止痛安胎孕要大補虛羸療跌撲損傷治吐血崩帶熬過角曬復研又名【鹿角白霜】主治雖同功力畧緩

【製鹿角膠法】用新角成對者以鋸斷截流水內浸三日刮爭腥穢及河水入砂罐中按角於內每角一罐加楮實子桑白皮黃蠟各一兩同煮以桑柴塞罐口勿令走氣炭火猛煮三日如水耗將添熱湯直待角爛如熟羊脂得酥軟則止將角取起其汁以綿濾淨再入砂鍋中慢火熬稠碗盛風吹冷凝成膠入藥

【鹿髓】味甘氣溫無毒

【主治】丈夫女子傷中治絕脈筋急疼痛療欬逆以酒和服理筋弱嘔吐和地黃汁煎蒸填骨髓壯陽白蜜煮服令有子

【鹿骨】味甘氣微熱無毒麻勃為之使

麞鹿可食生則不燥腥而熟餘溫補於人即生死無尤故道家許聽為補過其餘肉雖牛羊雞犬補益充肌膚於亡魂皆為愆責並不足啖凡肉脯炙之不動及見水而動及暴之不燥並殺人又茅屋漏脯藏脯密器中名為鬱脯並不可食茸上毛先薄以酥塗勻於烈焰中急灼之若不先以酥塗恐火焰傷茸候毛淨微炙入藥今人亦能將麻茸偽為之不可不察也頭亦可釀酒然須作湯時將稍益蒸瘦角用為膠別有法角主癰疽瘡腫除惡血若腰脊痛折傷多取角併截取尖錯為屑以白蜜淹浸之微火熬令小變色曝乾搗篩令細以酒服之輕身益力強骨髓補陽道角炒飛為丹服之

【主治】下漏氣而安胎殺鬼精尸疰物令人寢宜近除食不厭延年耐老。

【鹿頭】主消渴而生津液煎之作膠服彌善

【鹿筋】主勞傷而續絕骨下骨鯁而治虛勞

【補註】療骨鯁取鹿筋漬之索緊令大如彈丸持筋端吞之候至鯁處徐徐引之鯁着筋出

【鹿腎】味甘氣平無毒

【主治】主溫中而安五臟補腎精而壯陽氣作酒尤良煮粥亦妙

【補註】治腎氣虛損耳聾用鹿腎一對去脂膜切於豉二升中入粳米二合和煮粥入五味之法調和空腹食之作羹及酒並得

【鹿肉】氣溫無毒

【主治】強五臟益氣力貼口喎僻如神切生肉片與主椒同搗右患貼左左患貼右正則去之每煮食之宜斯按令九月後正月前

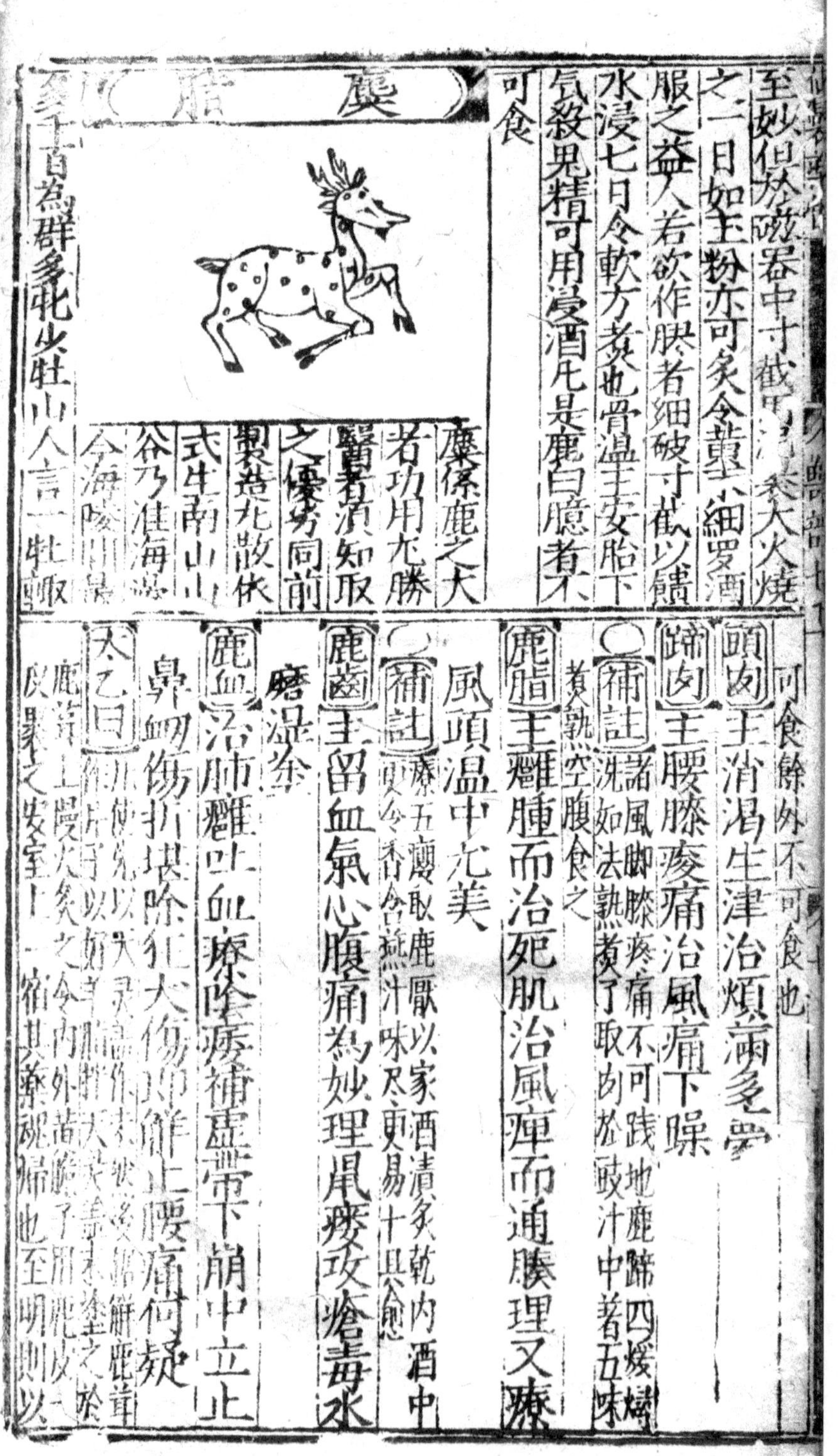
至妙但於磁器中寸截用泥裹大火燒之一日如玉粉亦可炙令黃為末細羅酒服之益人若欲作膠者細破寸截以饙水浸七日令軟方煮也骨溫主安胎下氣殺鬼精可用浸酒凡是鹿白臆者不可食

麋 胎生

麋係鹿之大者功用尤勝醫者須知服之優劣同前製造丸散依式生南山山谷及淮海邊今海陵川縣

麋千百為群多牝少牡山人言一牡輒

可食餘外不可食也

頭肉 主消渴生津治煩滿多夢

蹄肉 主腰膝痠痛治風痛下躁

補註 諸風腳膝疼痛不可踐地鹿蹄四隻燖洗如法熟煮了取肉於豉汁中著五味煮熟空腹食之

鹿脂 主癰腫而治死肌治風痺而通腠理又療風頭溫中尤美

補註 療五瘻取鹿䐗以家酒漬炙乾內酒中更令香含嚥汁味盡更易十具愈

鹿齒 主留血氣心腹痛為妙理鼠瘻攻瘡毒水磨湿塗

鹿血 治肺癰吐血療陰痿補虛帶下崩中立止鼻衄傷折堪除狂犬傷仍解止腰痛何疑

太乙曰 凡使須以天靈蓋作末然後鋸解鹿茸作片子以好羊脂拌天靈蓋末塗之於鹿茸上慢火炙之令內外黃脆了用鹿皮一片裹之安室上一宿其藥魂歸也至明則以

交一隣牝交畢即死其脂墮土中經年人得之方好名曰道脂一名官脂酒服至良尋麋性乃尔淫快不應痿人陰一方言不可近陰令痿不痿此乃有理麋肉不可與蝦及生菜梅李果实食不可合雉肉同食皆之令病人其角刮取屑熬香酒服大益人茸服之功力勝鹿茸煮為膠亦勝白膠作粉長服亦良俗人以皮作靴襪除脚氣令[illegible]麋茸利補陽鹿茸利補陰壯骨血堅陽道強骨髓茄茸大嫩長數寸破之如朽木端如馬腦紅玉者最佳

○按蘇東坡云補陽以鹿角為勝補陰以麋角為勝蓋鹿陽獸多在山故冬至鹿角解從陽退之象麋陰獸多在澤冬至

慢火焙之令脆方擣作末用之每五兩麋茸用羊脂三兩炙盡為度又制法用黃精自然汁浸兩日夜了取出焙令乾細擣用免濕人也雷公角使之勝如麋角其角要黃色緊重尖好者緣此鹿食靈草所以異其衆鹿其麋角頂根上有黃色毛若金線兼旁生小尖色蒼白者上上乾寧記云其鹿与蛇相戲乃生此異耳採得角了須全截者並長三寸鋸解之以物盛於急水中浸之一百日滿出用刀削去粗皮一重以物拭水垢令淨然後用酸醋煮七日旋旋添醋勿令火歇戌時不用著火只從子時至戌時也日足其角白色軟如粉即細擣作粉卻以無灰酒煮其膠陰乾削了重研篩過用每修事十兩以無灰酒一鎰煎乾為度也

【麋脂】味辛氣溫無毒

【主治】性畏大黃近陰令陰不痿本經云不可近陰令痿此大錯誤因多淫性故易舉其主風寒濕痺筋攣腫癰惡毒肌死仍通腠理更宜皮膚

○【補註】葛氏療年少氣盛面生皰瘡麋脂塗即差

麋角則從陰退之象陰陽相反如此故鹿茸利補陽麋茸利補陰今人麋鹿不分但云麋勝鹿鹿勝麋殆疎失矣又有刺麋鹿血以代茸云茸亦血耳尤大誤也麋鹿角自生至堅無兩月久大者二十餘斤其堅如石凡骨角之類生長無速於此雖草木之易生者亦無以過之此骨之至強者所以能補骨血堅陽道強骨髓豈可與血為比哉據東坡云此似甚有高見但指兩角所補較前經意大遠本經言鹿補陰麋補陽以二至日節氣所進者為云東坡言鹿補陽麋補陰以二至日節氣之退者為象故讀者不免故兩端之疑獨必求歸一之說此愚嘗忖度陽剛而有餘陰柔而不足麋

【麋茸】味辛氣大溫無毒

【主治】但性熱只專補陽多本經亦云麋茸補陽性熱鹿茸補陰性溫畧此差耳骨軟可健堅痿能扶

○【補註】治老人骨髓虛湿補益麋茸煎麋茸五兩去毛塗酥炙微黃為末以清酒二升於銀鍋中慢火熬成膏盛磁器中每服半匙空心食前温水調下

【麋角】味甘氣溫無毒

【主治】煮膠猶勝白膠因力較鹿更緊填精髓煖腰膝益血脉悦顏容漿水中研爛如泥敷面皮不皺醇酒內取末調飲入心脘止疼

○【補註】補虛勞填髓理角法可五寸截之中破炙令黄香為末和酒空心服三錢若卒心痛一服立差常服之令人赤白如花益陽道

【麋脂】除虛勞秘方羨顏色妙劑

鹿無可同一類者麋躰大而剛強非古餘屬陽乎鹿躰小而柔弱非不足屬陰乎正猶男人氣躰多剛大女人氣躰多柔小是也陽能補陽陰能補陰此理甚然不可易者今東坡引多在山多在澤而為陽獸陰獸之分執此為是則猶亦水畜多為陰獸冊淡何言其肉專補陽詳上以為陰虛者戒耶凡攝生家欲資兩角分補者須宗本經之文以為之世準的也

又按淮南子曰孕婦見兔而子缺唇見麋而子四目物有自然而似不然者麋有四目其二夜目也古謂目下有竅夜能視物者是尔

○【補註】治虛勞至良可煮骨作汁醸酒飲之令人肥白美顏色

【麋肉】多無功用所食亦微能補五臟不足之氣食多發脚氣弱房事

【麋骨】味甘氣微溫無毒

【主治】補虛損刼若通神止洩精用之多益

【麋角】味甘氣溫無毒

【主治】用服能補益五臟食多發癭惡瘡疾

○【補註】主瘤病蠻中有一種肉剖如厚脯炙令熱搨淹可四炙四易痛挫出膿便愈不瘥更炙新肉用之良○主乳無汁鐔肉療食勿令婦人知

【麋髓】味甘氣溫無毒

【主治】補益氣力尤良悅澤人面甚驗

【麂】味甘氣平無毒又云氣凉有小毒

【主治】主野雞五痔病大効發瘡疥瘡癬亦如神

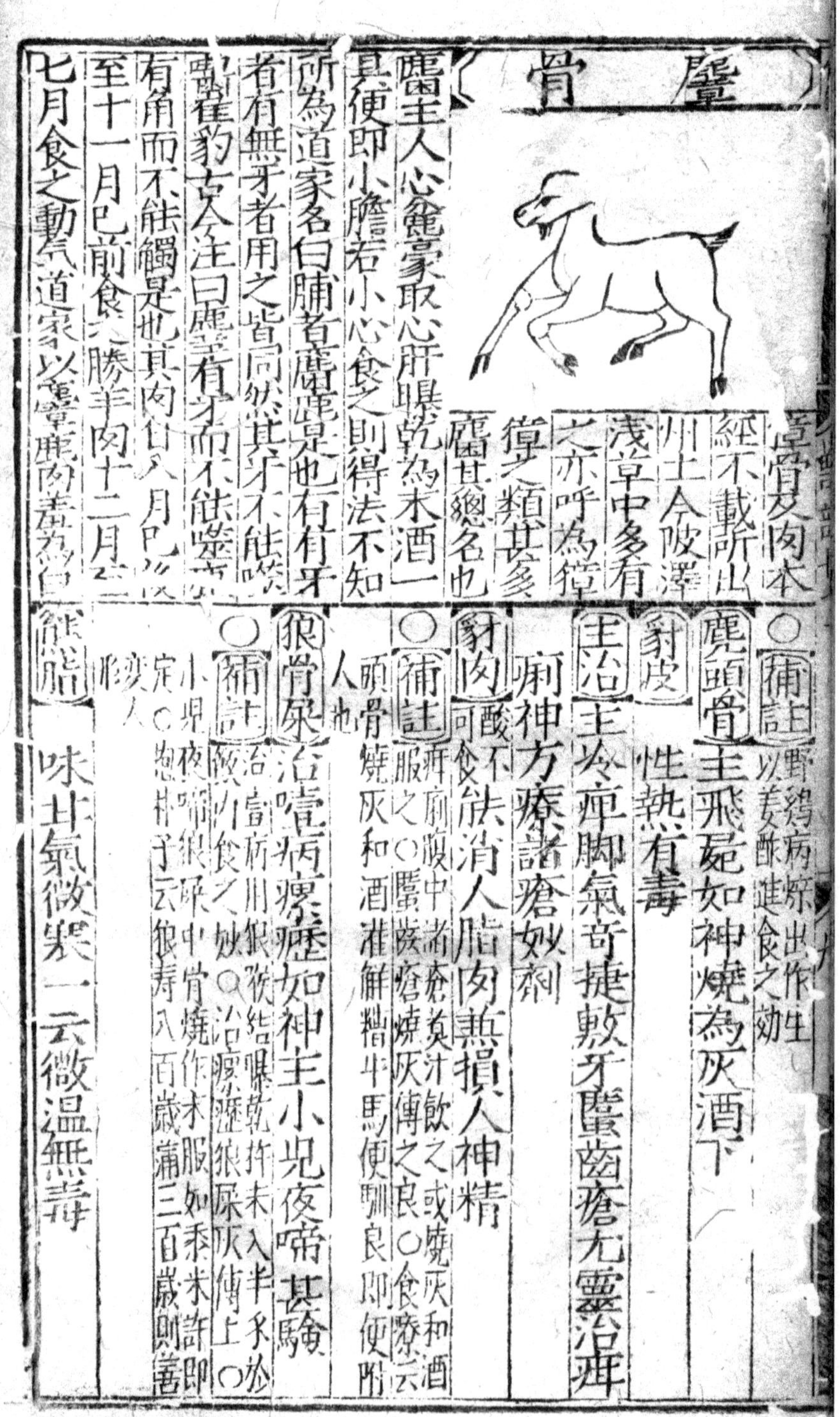

麞骨

麞骨及肉本經不載所出州土今陂澤淺草中多有之亦呼為麞麞之類甚多麕其總名也

麕主人心麤豪取心肝曝乾為末酒一其便即小膽若小心食之則得法不知所為道家名白脯者麕麞是也有有牙者有無牙者用之皆同然其牙不能噬齧崔豹古今注曰麞有牙而不能噬有角而不能觸是也其肉自八月已後至十一月已前食之勝羊肉十二月以七月食之動氣道家以麞鹿肉羞為白

○【補註】野鷄病瘵出作生以姜酢進食之効

【麞頭骨】主飛屍如神燒為灰酒下

【豺皮】性熱有毒

【主治】主冷痺脚氣寄捷敷牙䘌齒瘡尤靈治疳痢神方療諸瘡妙劑

【豺肉】酸不可食能消人脂肉熱損人神精

○【補註】療癩腹中諸疾煑汁飲之或燒灰和酒服之○䘌齒疳瘡燒灰傅之良○食療云頭骨燒灰和酒灌解糟牛馬便馴良即便附人也

【狼骨屎】治噎病瘰癧如神主小兒夜啼甚驗

○【補註】治噎病用狼喉結曝乾杵末入半匕於飯内食之妙○治瘰癧狼屎灰傅上○小兒夜啼狼屎中骨燒作末服如黍米許即定○抱朴子云狼壽八百歲滿三百歲則善變人形

【熊脂】味甘氣微寒一云微温無毒

補言其無禁忌也唐本有猪骨酒炙掌髓煎之並補下其腦亦入面膏臍下竹吞栗子大不能食亦治風病又一切羸損

【主治】去頭瘍白秃及面皯皰主風痺不仁併筋攣急腸胃積聚堪卻肢体羸瘦能肥久服強志強心目令不飢不老但有痼疾不宜食之食則終身不能除矣

○【補註】療髮黃熊脂塗髮梳之散頭入床底伏地一食頃即出便尽黑不过一升脂驗

療白秃瘡及瘡中生癬服熊白神效

【太乙曰】凡收得後煉过就器中安生椒每一斤熊脂入生椒十四个煉了去脂宰并椒入瓶中收任用

【熊膽】臣　味苦氣寒無毒

【主治】治男婦時執氣蒸変為黃疸療小兒風痰壅塞發出驚癎毆五疳殺虫敷惡瘡散痔病久發不愈塗之立建奇功

○【補註】治水弩射人用熊膽塗之[illegible]黄同用酒匝服之即愈○小兒驚癎瘈瘲熊膽两大豆許和乳汁及竹瀝服之[illegible]

麂

麂獐之屬又小於獐出東南山谷今有山林處皆有而均房相淇間尤多矣獐類也謹按尔雅麂與几同大麕旄毛狗足釋曰麕亦獐也旄毛濃長毛也口两邊有長牙好鬬則用其牙皮為第一無出其右者然多牙傷痕而其声如擊破鈸大獐毛長狗足者名麂南人往往食

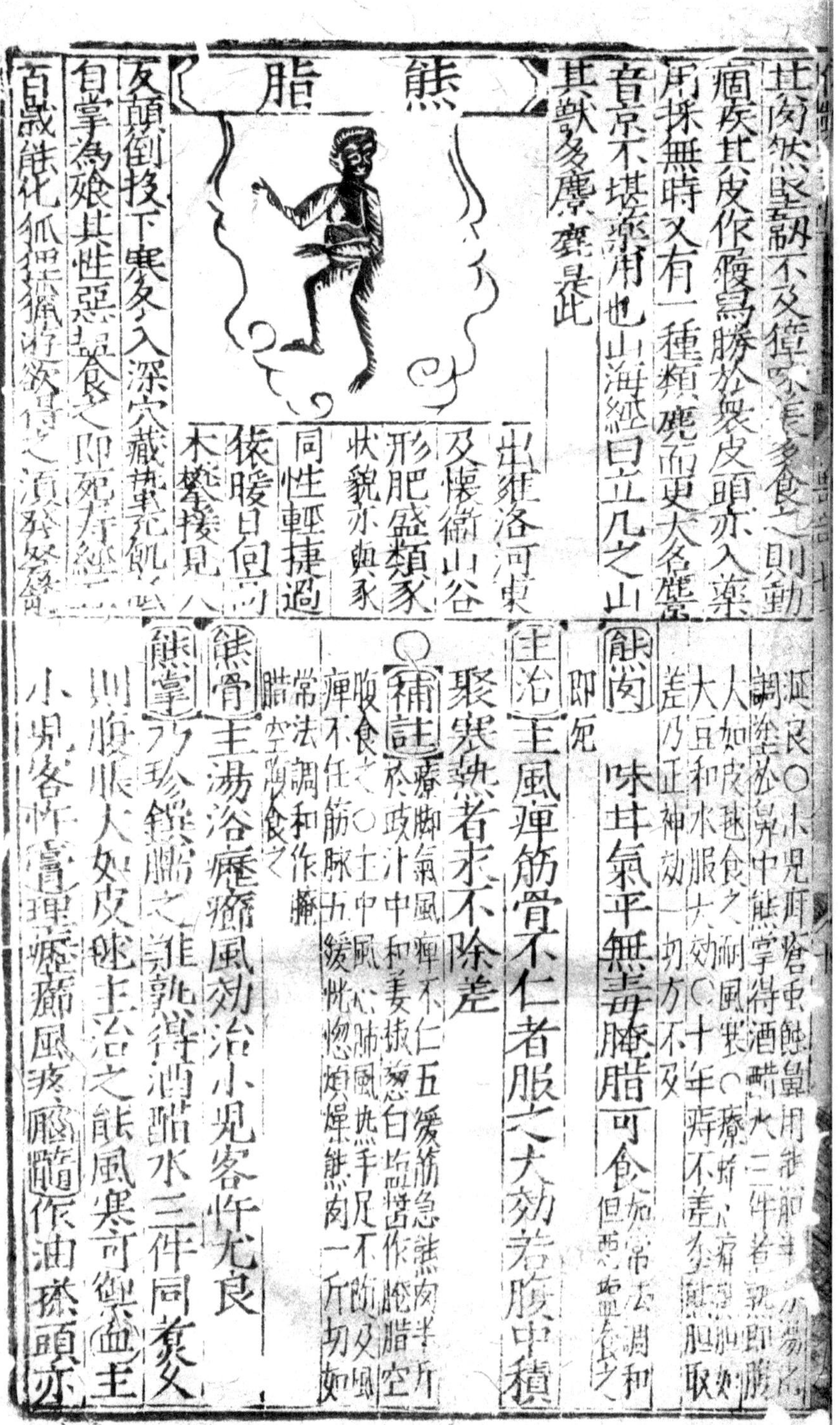

其肉然堅韌不及獐麂尾多食之則動痼疾其皮作褥爲勝於裘皮頭亦入藥用採無時又有一種類熊而更大名羆音皮不堪藥用也山海經曰立几之山其獸多麈羆是也

熊脂

出雍洛河東及懷衛山谷形肥盛類豕狀貌亦與豕同性輕捷過猿猴日伺木攀援見人及頭倒投下寒冬入深穴藏蟄飢自掌爲飧其性惡聒聲聞之即死本經百歲能化狐狸

延良○小兒疳瘡蟲蝕鼻用熊膽汁入湯化調塗於鼻中熊掌得酒醋水三件煮熟即膨大如皮毬食之耐風寒○療痔瘡熊膽如大豆和水服大効○十年痔不差者熊膽取差乃正神効一切方不及

熊肉 味甘氣平無毒臘脂可食加常法調和但恐塩食之即死

主治 主風痺筋骨不仁者服之大効若腹中積聚寒熱者求不除差

補註 療脚氣風痺不仁五緩筋急熊肉半斤於豉汁中和姜椒葱白塩醬作臘脂空腹食之○主中風心肺風熱手足不隨及風痺不任筋脉五緩恍惚煩燥熊肉一斤切如常法調和作臘臘空腹食之

熊骨 主湯浴癧瘍風効治小兒客忤尤良

熊掌 乃八珍饌膳之難熟得酒醋水三件同煮熟則脹大如皮毬主治之能風寒可禦血主小兒客忤

熊腦髓 作油搽頭亦

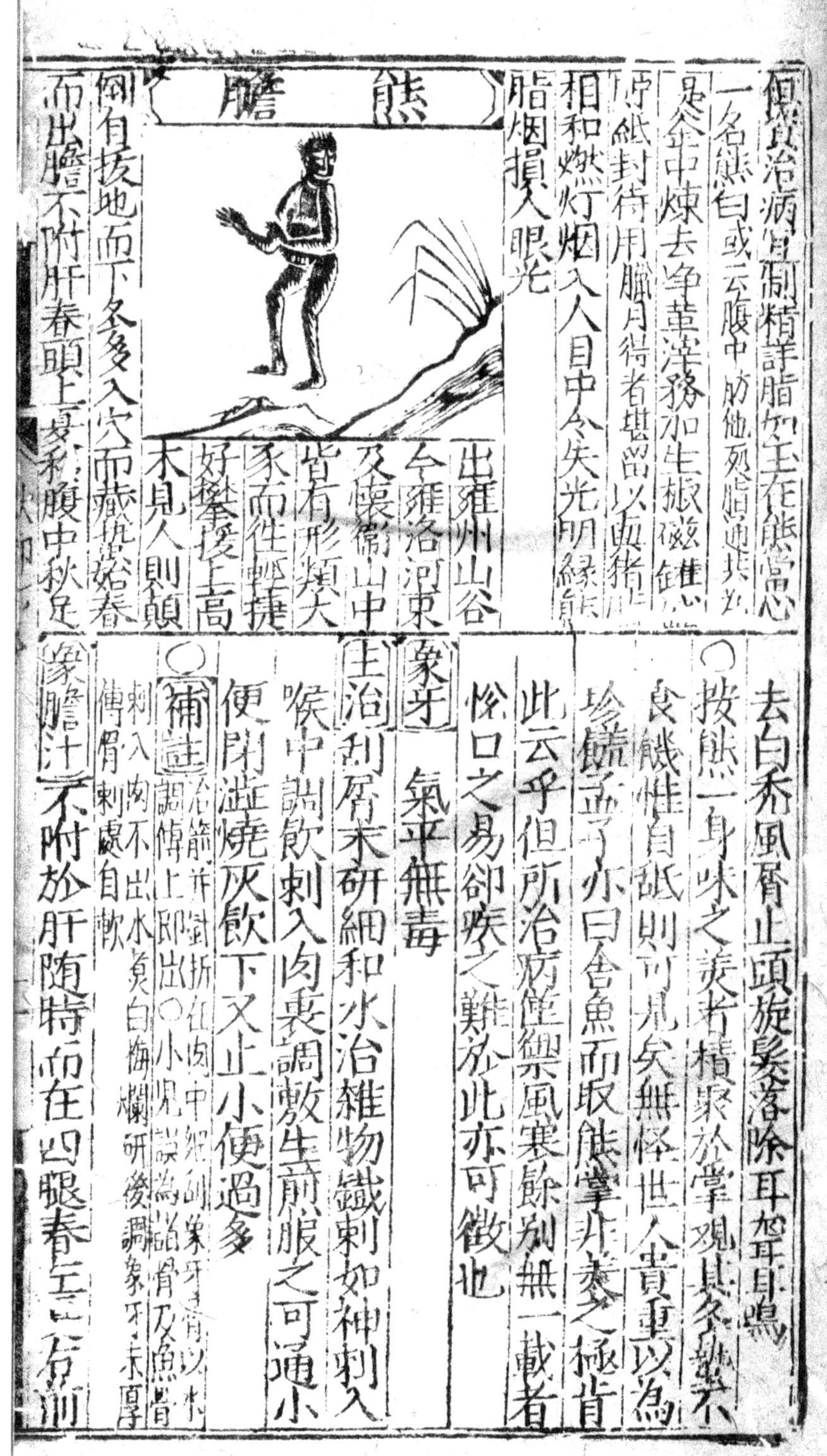

但只治病宜制精詳脂如玉在熊當心一名熊白或云腹中肪他処脂通共名是冬中煉去淨菫滓務加生椒磁罐厚紙封待用臘月得者堪留以與豬脂相和燃灯烟入人目中令失光明緣熊脂烟損人眼光

熊膽

出雍州山谷今雍洛河東及懷衛山中皆有形類大豕而性輕捷好攀援上高木見人則顛倒自投地而下冬多入穴而藏蟄始春而出膽不附肝春頭上夏秋腹中秋足

去白禿風屑止頭旋髮落除耳聾耳鳴

○按熊一身味之美者惟聚於掌觀其冬蟄不食饑惟自舐則可見矣無怪世人貴重以為珍饈孟子亦曰舍魚而取熊掌非美之極豈此云乎但所治病從禦風寒餘別無一載者惜口之易卻疾之難於此亦可徵也

象牙 氣平無毒

主治 刮屑末研細和水治雜物鐵刺如神刺入喉中調飲刺入肉裹調敷生煎服之可通小便閉澁燒灰飲下又止小便過多

○**補遺** 治箭并針折在肉中細刮象牙屑以水調傅上即出○小兒誤為鯁骨及魚骨刺入肉不出水煮白梅爛研後調象牙末厚傅骨刺處自軟

象膽汁 不附於肝隨時而在四腿春在左前

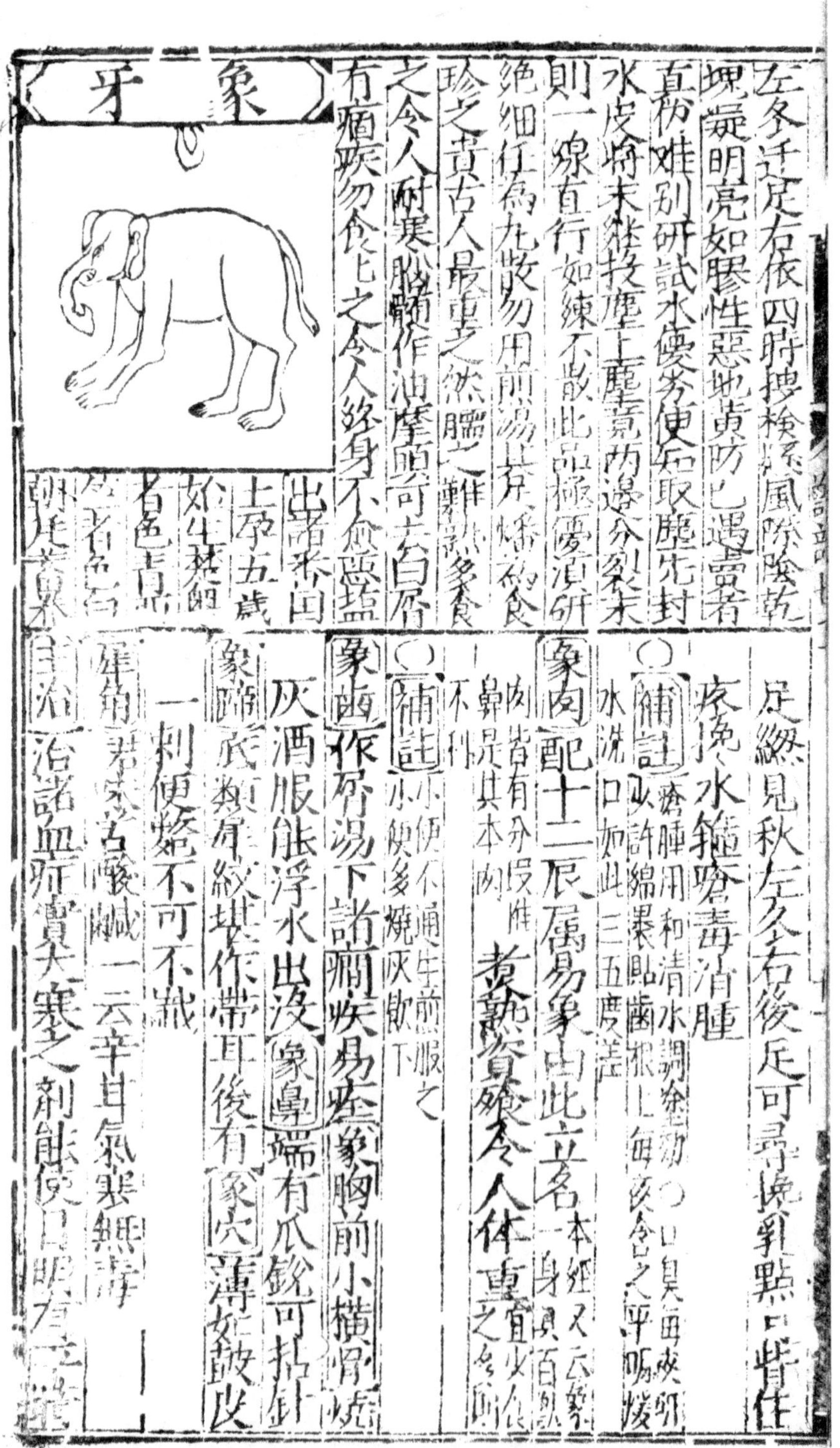

左冬壬足右依四時搜檢察風際陰乾
堍凝明亮如膠性惡地黄防己遇當者
真偽雖別研試水優劣便知取腦先封
水皮將末絲投塵上塵竟兩邊分裂來
則一線直行如練不散此品擬霧須研
絕細任為丸散勿用煎湯其芽燒灰食
珍之貴古人最重之然臘之一作鮮熟多食
之令人耐寒脂髓作油摩頂可去白屑
有痼疾勿食之食之令人終身不愈鹽

象牙

出諸番國上孕五歲始生其齒者色青黑老者色白雖是黄木

足縱見秋左冬右後足可尋撓乳點上背任
療撓水鑑磨毒消腫
（）【補註】磨腫用和清水調塗效 ○口臭每夜卧以許綿裹貼齒根上每夜含之平明撥水洗口如此三五度差
【象肉】配十二辰屬易象由此立名本經又云象一身具百獸肉皆有分段惟鼻是其本肉 煮熟資食令人体重宜少食之多則不利
（）【補註】小便不通生煎服之 小便多燒灰飲下
【象齒】作研湯下諸癎疾易痊【象胸】前小横骨燒灰酒服能浮水出沒【象鼻】端有爪鈎可拈針
【象蹄】底似犀有紋堪作帶耳後有【象穴】薄如鼓皮一刺便傷不可不識
【牙角】君味苦微鹹一云辛甘氣寒無毒
【主治】治諸血症瘡大寒之劑能使目明肴主[illegible]

賓客樂聞忠聞太古知人曲直遇鬥訟人行則觸之聖人因則遇理曲者以觸獬之而食之以其廉而刺之載安然獸於自在以西遇下畢豸奔初解難取川假易有猪作假易之凡入郁山猪名犀勝自牙極及諸畜皿熊缺或曰象有十二種肉配十二辰第推鼻是其肉又膽不附肝隨月在諸肉間淳化中上死一馴象斃太宗命取胆不獲使問徐鉉鉉曰當在前左足既而剖足果驗又問其故鉉曰象膽隨四時今其斃在春故知在左足也世傳判象山中亦有野象若左氏傳所謂楚師燧象以奔吳軍是其事也然楚粵之象皆青惟西方拂林大食諸國乃多白象樊綽雲南記平

之功殺鈎吻鴆羽蛇毒山瘴溪毒百毒皆除辟屍疰鬼疰惡邪狐魅精邪諸邪不遭傷寒瘟疫能解熱煩毒腫癰疽專破膿血治中風失音療痘疹風熱鎮驚癇而止頭疼安心神而定魂魄能消胎氣孕婦忌之

牯犀角 君 味苦有小毒多作撒豆斑紋為帶繫腰色深炫目

主治 化膿癰膿血如水退時熱煩悶發狂風毒竟壓心神亦鎮邪精鬼魅恐卻無侵

㹀犀角 乃甚良斑白分明細膩因紋不雜又謂斑犀造器推堪入藥不及

犀鼻角 治病為上氣味無毒大寒攻心下能燥熱煩除腸中赤白洩痢中惡中毒俱治風癇

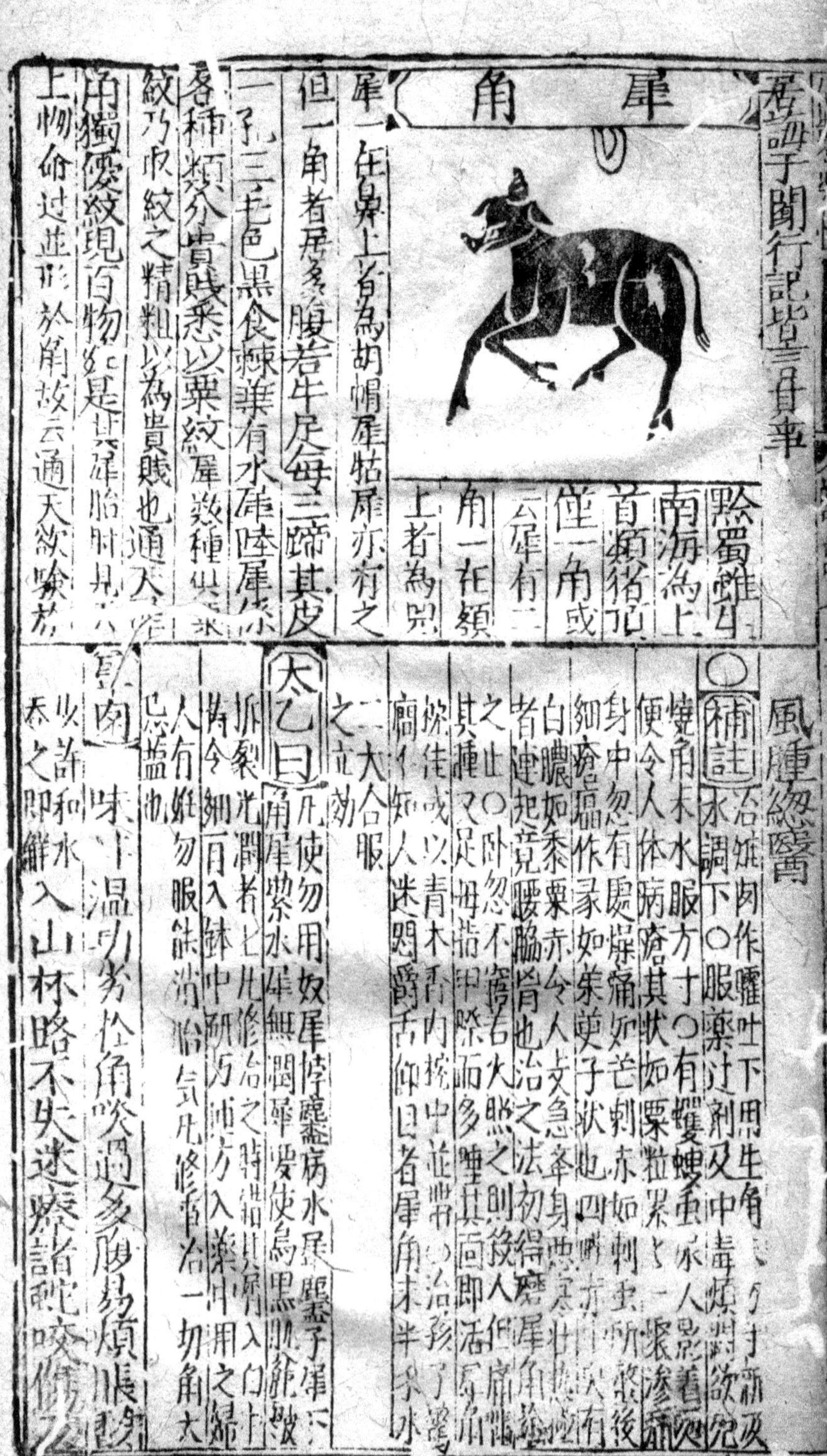

居海學聞行記皆言其事

犀角

黔蜀雖有

南海為上

首類豬而

止一角或

云犀有二

角一在額

上者為勝

犀一在鼻上者為胡帽犀牯犀亦有之

但一角者居多腹若牛足每三蹄其皮

一孔三毛色黑食棘華有水犀陸犀亦

各種類分貴賤悉以粟紋犀戲種些

紋乃取紋之精粗以為貴賤也通天犀

角獨優紋現百物之形是其犀胎時見天

上物命過並形於角故云通天欲驗者

風腫總醫

〇補註 石姓肉作癰吐下用生角寸新汲水調下〇服藥過劑及中毒煩悶欲死

燒角末水服方寸〇有蠼螋蟲尿人影着處

便令人體病瘡其狀如粟粒累累一聚滲痛

身中忽有處燥痛如芒刺亦如刺蟲所螫後

細瘡瘟作聚如茱萸子狀也四畔赤中央有

白膿如黍粟赤令人皮急舉身惡寒壯熱極

者連起竟腰脇胸也治之法初得磨犀角塗

之止〇卧忽不寤若火照之則殺人但痛囓

其踵及足拇指甲際而多唾其面即活犀角

搽佳或以青木香內搽中並帶之治孩子驚

癇如人迷悶噤舌仰目者犀角末半錢水

二大合服之立效

太乙曰 凡使勿用奴犀牸犀病水犀盤子犀下

角犀紫水犀無潤犀要使烏黑肌皴

坼裂光潤者上凡修治之時錯其屑入臼中

搗令細再入鉢中研萬匝方入藥中用之婦

人有娠勿服能消胎氣凡修事治一切角大

忌鹽也

食肉 味甘溫劣於角啖過多腹易煩脹

以許和水

吞之即解入山林路不失迷療諸蛇咬傷之

尸下以水盆映則知通尸矣此犀白欲
濁水照之影形海人設法捕取沿掛樹上
木犀來往倚木少憩木折稍犀仆倒也
足直前腳直不能曲難竟起走獵者此
時擒取角貫入為世至寶置米中雞
驚亦名駭雞犀掛簷際鳥雀驚縛尺寸潤
水自開簪髻避行露草毒飲饌毒能試
攪內白沫竦起則有毒否則無毒也屋
今塵可除昔石保吉官陳州惡蝕舊解
欲新之見風塵輒自分去人以怪疑不
知腰係辟塵犀帶也燃照莫測深潭盡
見水底怪物造異者是就弗效採新者
性烈芳香錯屑鎊抄以紙裹懷中先抱
沾人氣則易擣故曰人氣粉犀治病還
黑色擇肌角皺潤光使松脂經入陽明

血痢痔瘻嶺海外瘴氣併蠱疰精邪
○按丹溪云犀角屬陽其性走散比諸角尤甚
昔俗痘瘡後多用以散餘毒若無餘毒或血
虛或有燥熱於者用之禍不旋踵又云鹿取
茸犀取尖以力之精銳在是能此為然諸角
取尖俱相同也

【牛黃】味苦氣平有小毒人參為之使得牡丹
菖蒲良利耳目

【主治】惟入肝經專除筋病療小兒諸驚癇吊客
忤口噤不開治大人癲狂發痓中風痰壅不
語除邪逐鬼定魂安魄更得牡丹菖蒲又能
聰明耳目孕婦忌服因墮胎元

○【補註】初生兒至七日口噤以牛黃一錢細研
淡竹瀝調下一字灌之更以[illegible]點口中

黄牛

各處俱有黄色牯者 耘黄色牯者 燕無時鳴也亦好照

〔天乙曰〕有此使有角者第一是生神黃角者又有

〔牛角䚡〕臣味苦其性澀又云氣溫無毒下漏冷利蕪除吐衂諸般用之然效

〔生〕治閉血瘀血作疹與崩亦治除赤帶白帶

〔附註〕

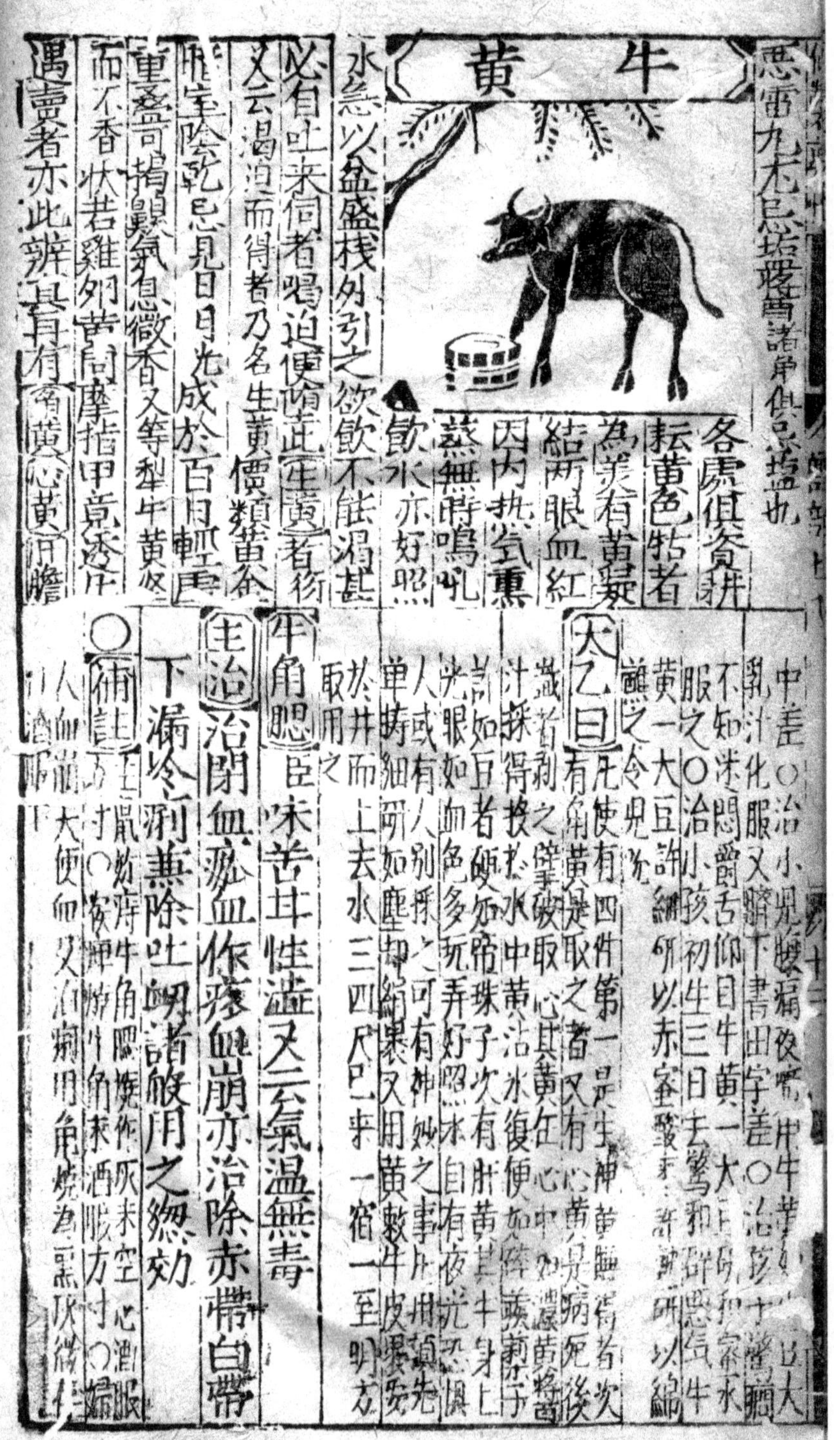

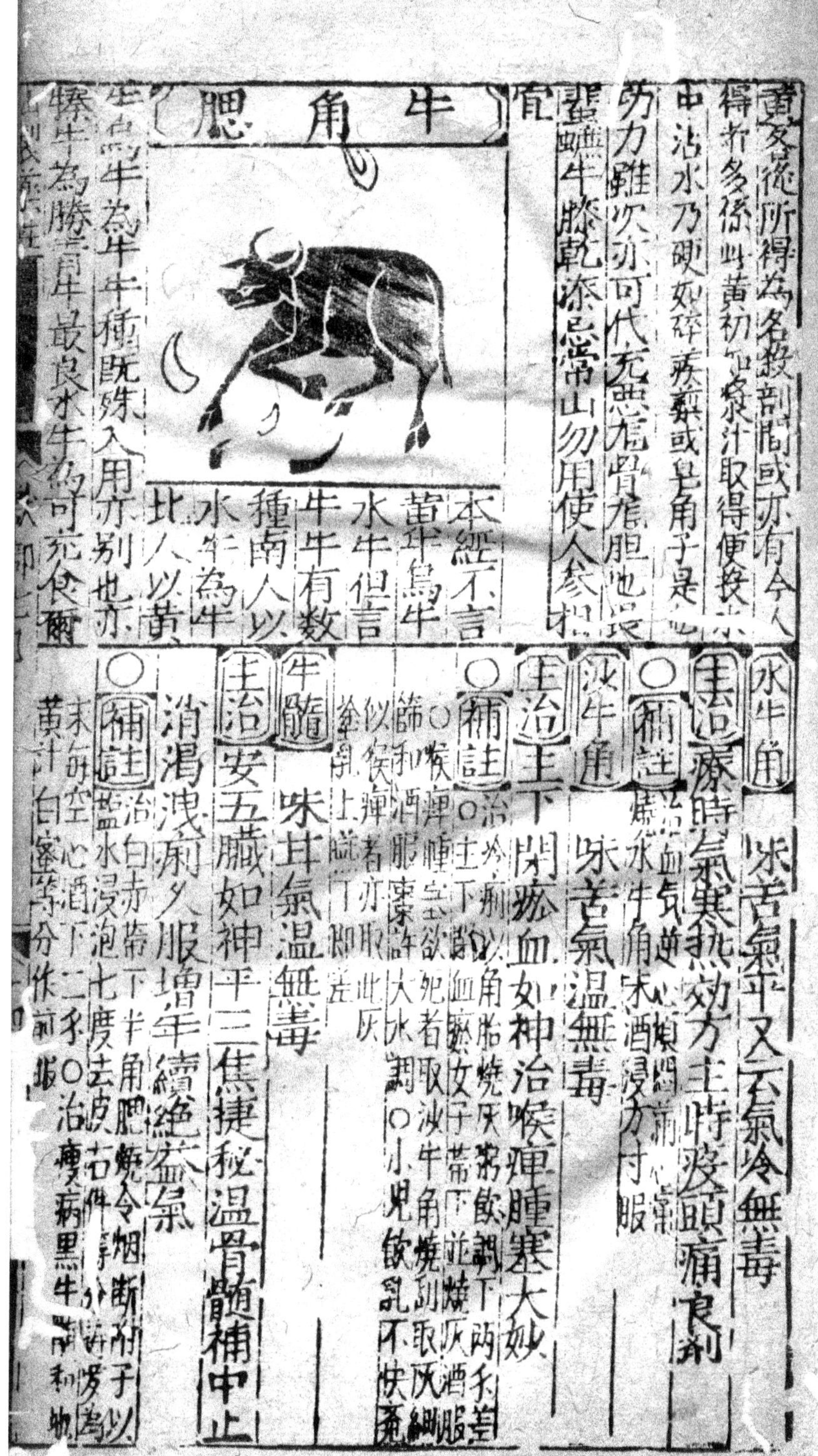

黄文從所得為名殺剖間或亦有今人得亦多係斗黄初如蒙汁取得便投水中沾水乃硬如碎蘇類或皂角子是也药力雖次亦可代充惡龍骨龍胆地黄蜚蠊牛膝乾漆畏常山勿用使人參相宜

牛角腮

本經不言黄牛烏牛水牛但言牛牛有數種南人以水牛為牛北人以黄牛烏牛為牛牛種既殊入用亦别也亦㹀牛為勝青牛最良水牛為可充食爾

水牛角 味苦氣平又云氣冷無毒

主治 療時氣寒熱効方主時疫頭痛良劑

○**補註** 治血氣逆心煩悶痛心兼燒灰水牛角末酒浸方寸服

沙牛角 味苦氣温無毒

主治 主下閉瘀血如神治喉痺腫塞大妙

○**補註** 治冷痢以角胎燒灰粥飲調下兩手差○主下血瘀女子帶下並燒灰酒服○喉痺腫塞欲死者取沙牛角燒刮取灰細篩和酒服棗許大冰調○小兒飲乳不快覺似喉痺者亦取此灰塗乳上嚥下即差

牛髓 味甘氣温無毒

主治 安五臟如神平三焦捷秘温骨髓補中止消渴洩痢久服增年續絕益氣

○**補註** 治白赤帶下半角腮燒令烟斷附子以鹽水浸泡七度去皮右件等分為末每空心酒下二錢○治瘦病黑牛髓和地黄汁白蜜等分作煎服

自死謂疫死肉多毒青牛腸不可共犬
肉血食之令人成病也牛者稼穡之資
不多屠殺自死者血脉已絕骨髓已竭
不堪食黄牛書牛發藥動病黑牛又不
可食凡牛之入藥者水牛犊牛黄牛取
乳及造酥酪醍醐等然性亦不同水牛
乳凉犊牛乳温其肉皆寒也〇黄牛乳生
服利人下熱氣冷補潤肌止渴和蒜煎
三五沸食之主足氣疼癖羸瘦先服乳
必主一二沸停冷啜之熱食則壅不欲
頻服欲得漸消與酸物相反令人腹中
結癥凡以乳及溺療去病者黑牛强於
黄牛酥堪合諸膏摩風腫踠跌血瘀是
醐更佳性滑以物盛之皆透惟雞子殼
葫蘆盛之不出又有底野迦是西戎人

【牛骨髓】治吐血鼻衄有效止崩中帶下尤良腸
風下血服之如神水洩瀉痢用之愈妙

【牛膽】味苦氣大寒無毒青牛膽君

【主治】治癉濕除心腹熱渴哥捷益睛眸滋口唇
焦燥神灵

〇【補註】消渴利大小腸臘月牯牛膽中盛黑豆
一百粒後一百日開取食後夜間吞二
七枚鎮肝明目黑豆盛不計多少〇臘月及
瘴濕以釀檳榔子服之彌佳〇牛膽以丸藥令
方鎮日取甘汁和天南星末却内皮内放當
風處喻月取以合凉風丸治有奇効〇痔漏
疼痛用左旋牛兒膽蝸蟾各一个用貳物五十
文麝香二十文將蝸蟾搗碎麝香和匀入牛
膽内懸於簷前四十九日熟旋取為丸如大
麥用紙包裹入瘡内後追出惡物是驗瘡口
漸合以生麪盖瘡
内一遍出惡物

【牛鼻】灸理口眼喎斜貼好邊牽正斜左貼右作斜右貼左

羨調乳汁短少吞天曉潤通

用銀器合和作之狀似叉壞丸藥赤黑色合陰乾或有之生 用膽用水牛黃生合作片中爛白者主赤白下燒灰末服之用膽燒煤治腸風瀉血痢崩中帶下水瀉泄止反胃嘔吐治噎要取即以水洗口後塩塗之則重吐出牛肉平消水腫除濕氣補虛令人強筋骨壯健身和石燕煮汁服主消渴水牛肉冷微毒黃牛肉温微毒益腰脚大都食之發藥毒動病不如水牛也独肝者有大毒肝和酸肉食之痢血至死北人牛瘦多以蛇從鼻灌之則為独肝也水牛則無之也蔚一色牛肉自死者發痼疾痃癖令人成疰病落崖死者良若中年壯盛者食之良又宰之尚不堪食非論自死者

○補註 治偏風口喎斜以火炙鼻令熱熨不患處一日三次之漸正

【水牛鼻】乾濕皆可用

【主治】主消渴鼻和石燕煮汁服之良婦人無乳汁即取牛鼻作羹空心食不過三兩日汁下無限

【牛鼻卷】木卷療小兒風癎草卷燒主兒鼻下瘡

【牛心】專主虛忘【牛脾】大止欬逆

【牛腎】補腎氣而益精【牛肝】助肝血而明目治痢

【牛齒】主小兒牛癎又能固齒

○補註 固牙齒法良殺牛齒三十枚固濟瓶中煆令通赤取細研為末水一盞末二錢煎令熱含浸牙齒冷即吐却水堅牢或有損動者亦揩之

【牛肉】黃牛味甘氣平又云微温無毒水牛氣冷微毒

其牛肉取三斤爛切將咬解稽咬人惡馬只兩咬後頸骨斷良着三五頓後其馬猗甦不堪騎十二月勿食傷神腦主消渴風眩齒主小兒驚癇髮主消渴黄疸水腫脚氣小便不通也口中涎主反胃又取老牛涎沫如棗核大置水中服之終身不噎口中齡丑之及草紋取汁服止噦少水牛蹄一隻湯洗去毛如食法隔夜煮令爛熟取汁作羹蹄切空心飽食又主水氣大腹浮腫小便澁少水牛尾條洗去毛細切作臛臛煠熱噉之甚食亦佳又牛肉一斤熟蒸以姜醋心食水牛皮爛煮蒸淡切以豉汁中煮又烏犍牛尿半升空心飲之利小便又牛髓安膀卒死取服少之牛腸羊

【主治】主消渴仙方止痢泄妙劑助胃[illegible]中益氣熱毒壯熱能祛水腫虛羸大强筋骨而力壯健養肌肉而補腰膝

○【補註】治傷寒時気毒攻手足腫痛刀斷牛肉裹腫處止○

【小腸】【大腸】【廣腸】並厚各腸除腸風痔漏

【血脾】【百葉】【草肚】俱補脾胃免飲積

○【補註】治痔瘡月牛脾一具熟食之尽差勿与塩醬食未差再作○百葉作生姜醋食之止熱気水気丹毒壓丹石發热解酒劳上人五藏○肚主消渴風眩補五藏以醋煮食之其件

【牛[illegible]】巢帯漏結胎【牛腦】卻風癎止渴

【牛乳】味甘氣微寒無毒

【主治】補虛羸而養心肺潤皮膚而解熱毒止渴効万熱風宜服

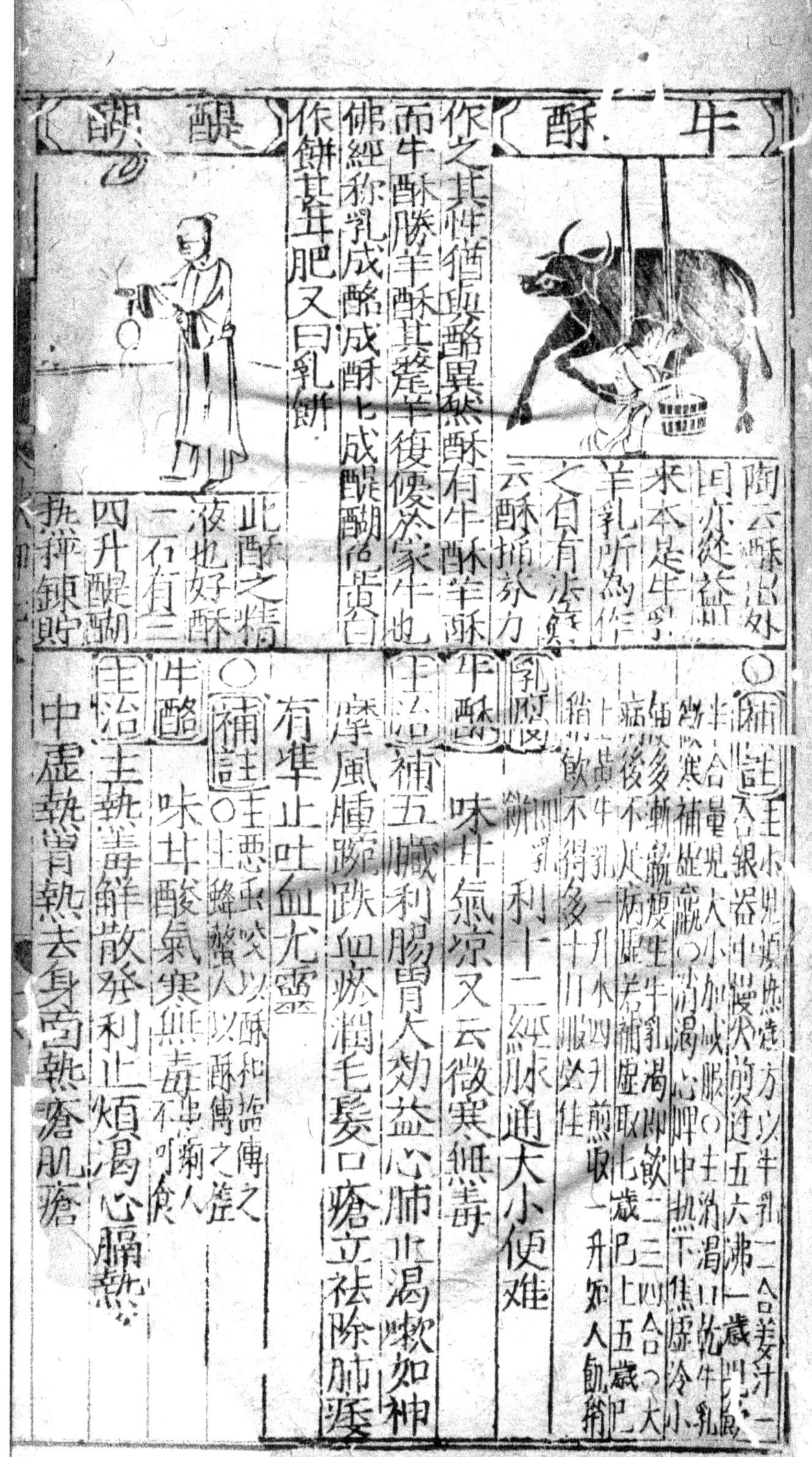

牛酥

陶云酥出外国亦從益州來本是牛乳羊乳所為作之自有法寔云酥搯秀力

作之其性猶與酪異然酥有牛酥羊酥而牛酥勝羊酥其犛牛復優於家牛也

醍醐

佛經称乳成酪酪成酥酥成醍醐色黄白作餅甚肥又曰乳餅

此酥之精液也好酥一石有三四升醍醐熟抨鍊貯

○補註　主小兒噦熱噦方以牛乳二合姜汁一合銀器中慢火煎過五六沸一歲兒服半合量兒大小加減服○主消渴口乾牛乳微寒補虛羸○消渴心脾中熱下焦虛冷小便多漸羸瘦生牛乳渴即飲三四合○大病後不足病虛若補虛取七歲已上五歲已上黄牛乳一升水四升煎取一升如人飢稍稍飲不得多十日服必佳

乳腐　潤乳餅　利十二經脈通大小便难

羊酥　味甘氣凉又云微寒無毒

主治　補五臟利腸胃大効益心肺止渴嗽如神摩風腫踒跌血瘀潤毛髮口瘡立祛除肺痿有準止吐血尤靈

○補註　主惡乘咬以酥和鹽傅之○主蜂螫人以酥傅之差

牛酪　味甘酸氣寒無毒　患痢人不可食

主治　主熱毒解散發利止煩渴心膈熱中虛熱胃熱去身面熱瘡肌瘡

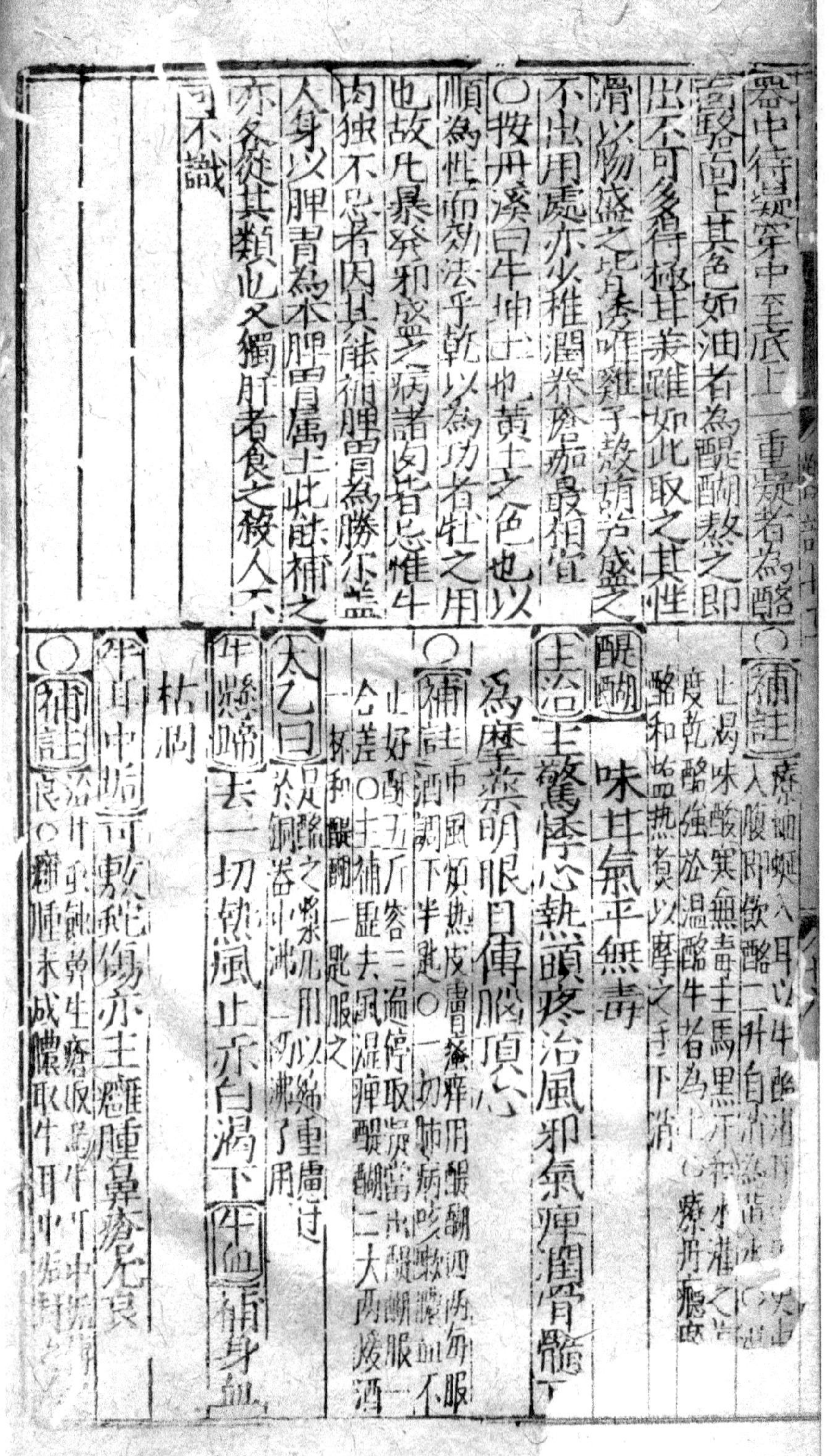

器中待凝穿中至底上一重凝者為酪酪面上其色如油者為醍醐熬之即出不可多得極甘美雖如此取之其性滑以物盛之皆透唯雞子殼及葫蘆盛之不出用處亦少稚潤養瘡痂最相宜○按丹溪曰牛坤土也黃土之色也以順為性而効法乎乾以為功者牡之用也故凡暴發邪盛之病諸肉皆忌惟牛肉獨不忌者因其能補脾胃為勝尔蓋人身以脾胃為本脾胃屬土此能補之亦各從其類也又獨肝者食之殺人不可不識

○補註 療蚰蜒入耳以牛酪灌耳中[illegible]入腹即飲酪二升自化為黃水[illegible] 止渴味酸寒無毒主馬黑汗和水灌之 度乾酪強於溫酪牛者為上○療丹癮疹 酪和鹽熱煮以摩之手下消

醍醐 味甘氣平無毒

主治 主驚悸心熱頭疼治風邪氣痺潤骨髓下為摩藥明眼目傅腦頂心

○補註 主巾風頭熱皮膚瘙痒用醍醐四兩每服酒調下半匙○一切肺病咳嗽膿血不止好酥五斤鎔三遍停取凝當出醍醐服一合差○主補虛去風濕痺醍醐二大兩煖酒一杯和醍醐一匙服之

太乙曰 足酪之粊凡用以綿重濾过於銅器中沸一兩沸了用

牛懸蹄 去一切熱風止赤白渴下

牛血 補身血

枯凋

牛耳中垢 可敷蛇傷亦主癰瘡腫鼻瘡尤良

○補註 治汁蚕蝕鼻生瘡取烏牛耳中垢傅之良○療癰腫未成膿取牛耳中垢封之

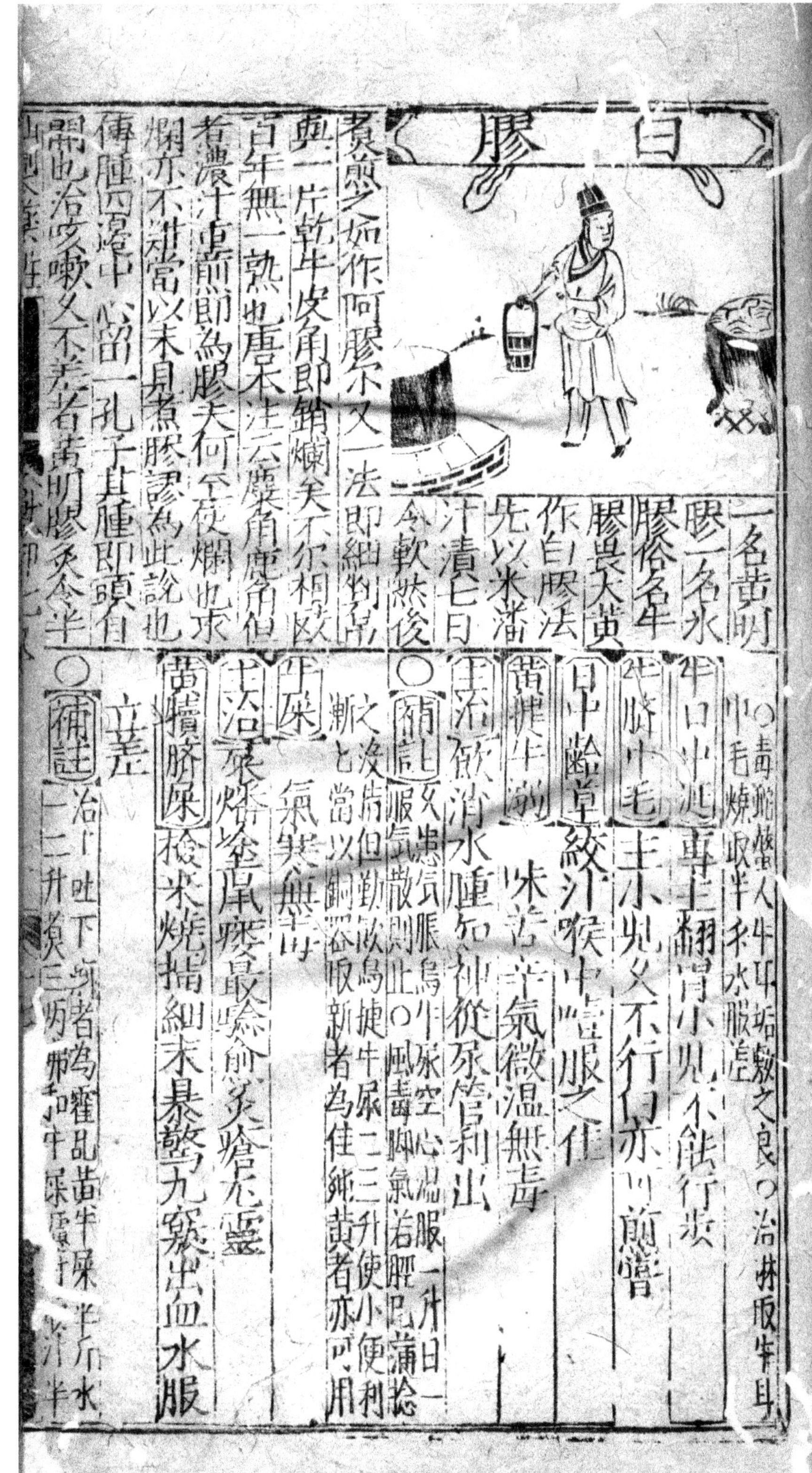

白膠

一名黃明膠一名水膠俗名牛膠畏大黃作白膠法先以米瀋汁漬七日令軟然後煮煎之如作阿膠爾又一法即細剉牛皮與一片乾牛皮角即銷爛矣不尔相攻百年無一熟也唐本注云麋角鹿角但煮濃汁重煎即為膠矣何至使爛也求爛亦不難當以未見煮膠謬為此說也

傳脛四邊中心留一孔子其腫即頭自開也治多嗽久不差者黃明膠炙令半

○毒蛇螫人牛耳垢敷之良○治淋取牛耳中毛燒取半錢水服瘥

牛口中涎　專主翻胃小兒不能行步

牛臍中毛　主小兒久不行日亦可煎膏

牛齝草　絞汁喉中噎服之佳

黃犍牛溺　味苦辛氣微溫無毒

主治　飲消水腫如神從尿管利出

○補遺　久患氣脹烏牛尿空心溫服一升日一服氣散則止○風毒脚氣若脛已痛捻之後背但勤飲烏犍牛尿二三升使小便利漸々當以銅器取新者為佳純黃者亦可用

牛屎　氣寒無毒

主治　燒傅鼠瘻最驗傅灸瘡尤靈

黃犢臍屎　檢米燒擣細末暴驚九竅出血水服立差

○補註　治吐下不止者為霍乱黃牛屎半斤水二升煮三沸和牛屎汁半

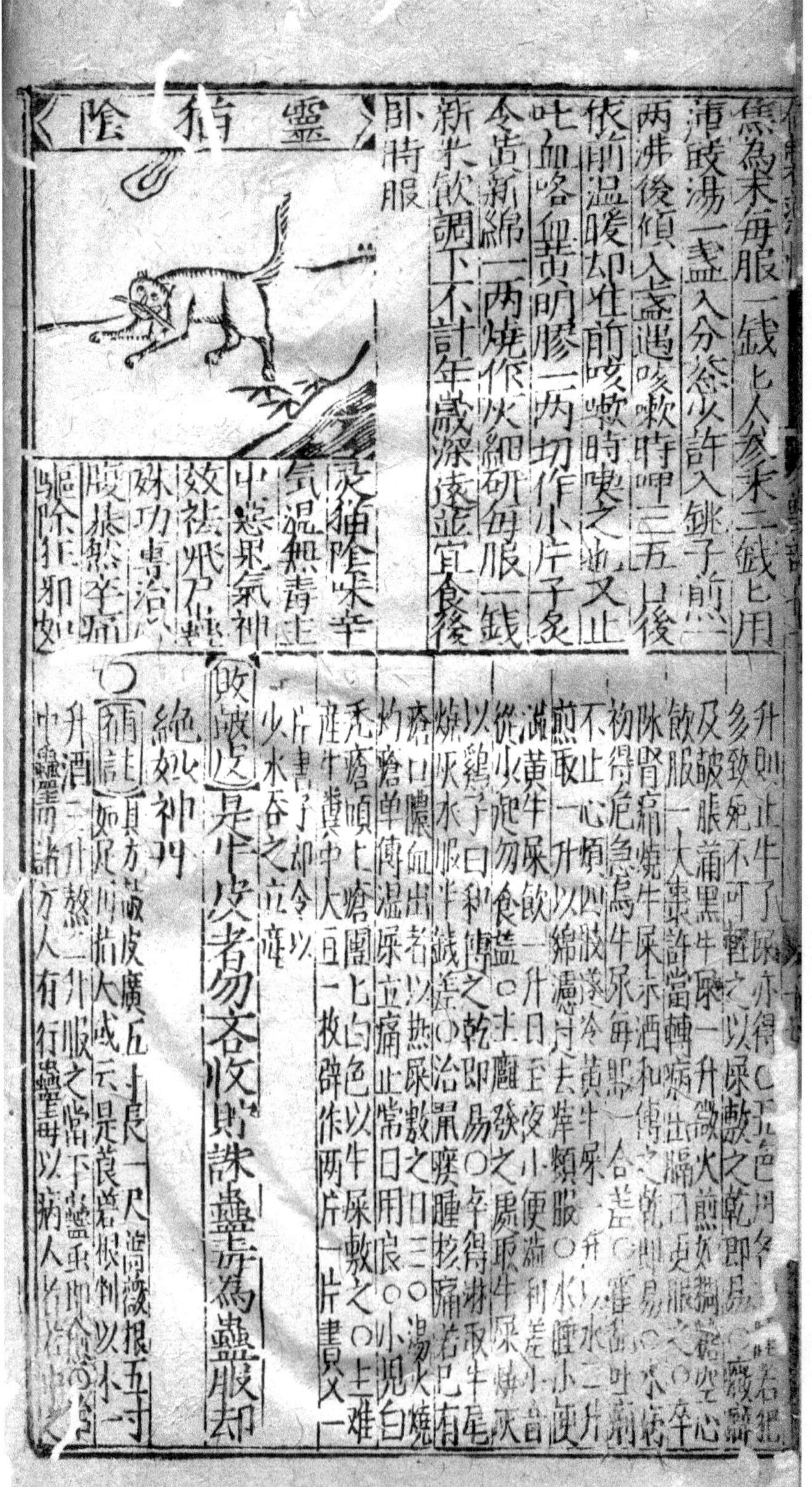

焦為末每服一錢匕人參末二錢匕用蒲豉湯一盞入分葱少許入銚子煎三兩沸後傾入盞遇咳嗽時呷三五口後依前温暖却准前咳嗽時喫之○又止吐血咯血黄明膠一兩切作小片子炙令黄新綿一兩燒作灰細研每服一錢新米飲調下不計年歲深遠並宜食後卧時服

靈貓陰

靈貓陰味辛
氣混無毒主
中惡邪氣神
效袪邪乃難
妖功專治心
腹揉熱至痛
驅除狂邪如

升則止牛了尿亦得○五色丹冬○若犯多致死不可輕之以尿敷之乾即易○瘀爛及腹脹滿黑牛尿一升微火煎如稠飴空心飲服一大棗許當轉病出隔日更服之○卒腰背痛燒牛屎末酒和傅之乾則易○不瘥初得危急爲牛尿每服一合差○霍亂吐痢不止心煩四肢逆冷黄牛屎一升以水二升煎取一升以綿濾過去滓頓服○水腫小便濇黄牛尿飲一升日至夜小便利差小便從小兒勿食鹽○主癰發之處取牛屎燒灰以鷄子白和傅之乾即易○卒得淋取牛毛燒灰水服半錢匕○治鼠瘻腫核痛若已有瘡口膿血出者以熱尿數之日三○湯火燒灼瘡單傅濕尿立痛止常日用良○小兒白禿瘡頭上瘡團七白色以牛尿敷之○上難産牛糞中大豆一枚辟作兩片一片書文一片書子卻令以少水吞之立産

敗鼓皮 是牛皮者易名收貯誅蠱毒爲蠱服却絶如神

○補註 貝方治蠱取皮廣五寸長一尺濇同蘘荷根五寸如足大指大剉云是蘘荷根剉以水一升酒二升煮二升服之當下蠱蟲即愈○中蠱毒諸方人有行蠱毒以病人者若中之

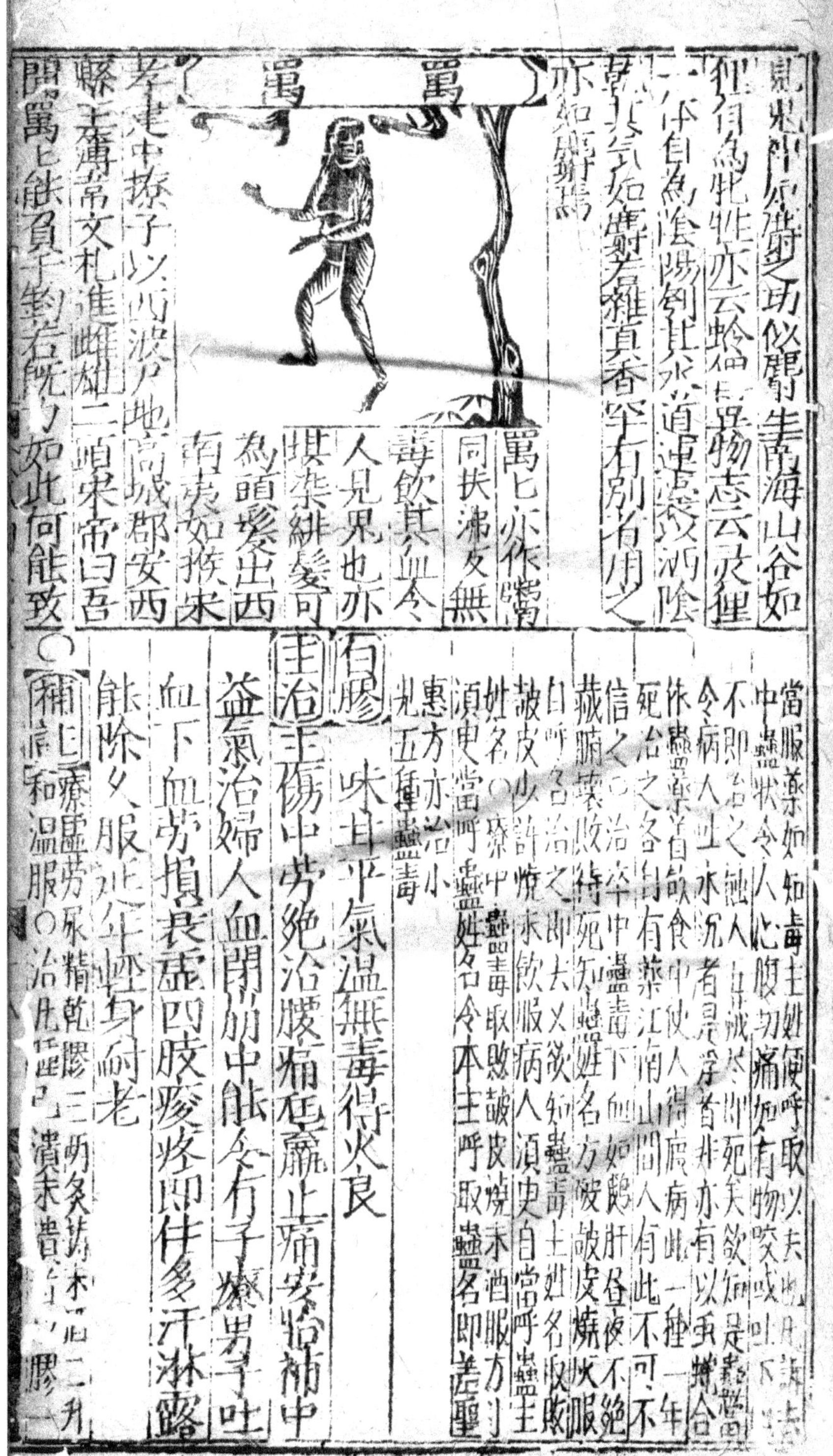

鼠虫蚓亦麝之功似麝生南海山谷如狸自為牝牡亦云蛉狸異物志云靈狸一體自為陰陽刳其水道連囊以酒洒陰乾其氣如麝若雜真香罕有別者用之亦如麝焉

罵ヒ亦作𥜽同狒沸又無毒飲其血令人見鬼也亦其染緋髮可為頭髲出西南夷如猴宋孝建中獠子以西波尸地高城郡安西縣王獻常文札進雌雄二頭宋帝曰吾聞罵ヒ能負千斤若既如此何能致○

當服藥如知毒主姓便呼取以去也月詩告中蠱狀令人心腹切痛如有物咬或吐下血不即治之蝕人五藏盡則死矣欲驗是蠱當令病人吐水沉者是浮者非亦有以手摻合休蠱藥著飲食中使人得病病此一種一年死治之各自有藥江南山間人有此不可不信之○治卒中蠱毒下血如鵝肝晝夜不絕藏腑壞敗待死知蠱姓名方破鼓皮燒灰服自呼名治之即去又欲知蠱毒主姓名取敗鼓皮少許燒末飲服病人須臾自當呼蠱主姓名○療中蠱毒取敗鼓皮燒末酒服方寸匕須臾當呼蠱姓名令本主呼取蠱名即差聖惠方亦治小兒五種蠱毒

白膠　味甘平氣溫無毒得火良

主治　主傷中勞絕治腰痛羸瘦止痛安胎補中益氣治婦人血閉無子能令有子療男子吐血下血勞損長虛四肢痠疼即汗多汗淋露能除久服延年輕身耐老

○補上　療虛勞尿精乾膠三兩炙搗末酒二升和溫服○治虛歷已潰未潰先膠一

之彼土人丁奄進曰萬〻見人喜笑則上脣掩其目人以釘〻着額任其奔馳候死而取之髮極長可為頭髲血堪染韡其毛一似獼猴人面紅赤色作人言馬声或作鳥字善知生死飲其血使人見鬼帝聞而欣然命工圖之亦北山海經亦雅云狒〻如人被髮迅走食人亦曰梟羊彼俗亦謂之山都郭景純有讚文繁不載 脯帯脂者薄劃火上炙熱於人肉傳癖上虫當人脯中候其以頭搊却須臾更差

片水漬令軟納〻然[illegible]上開孔若已潰還合者膿當被膠急撮之膿皆出及未有膿者腫當自消矣○療[illegible]血膠三兩炙以水二升煮取一升四合分再服○補虛勞益髓長肌悅顏色令人肥健鹿角膠炙搗為末以酒服方寸匕日三服○治耳中有物不可出以麻繩剪令頭散傅好膠着耳中物上粘之令相着徐〻引之令出○治妊娠卒下血酒煮膠一兩消盡頓服○治肺破出血忽嗽血不止者用海犀膏一大片於火上炙令焦黃色後以酥塗之又炙再塗令通透可碾為末用湯化三大錢放冷服之即血止 水膠是也大驗○湯火瘡用水煎膠令稀稠得所待冷塗瘡○療小兒囟上瘡豆子瘢法黃明膠慢火炙為末溫酒調服一錢匕出者服之無瘢未出服之瀉下又治小兒火燒瘡斑瘢痕黃明膠小雞翎掃之

【白馬莖】使 味甘鹹氣平無毒 當以遊牝時力勢正盛者生取最良

【主治】增益陰氣堅長陽道傷中絕脈補功強志益氣提神定驚癇小兒方當用補陰療房中術尤宜長肌肉聖方令肥健妙劑

白馬莖

各処俱有雲中者良毛色諸般純白為勝其口眼蹄皆白俗中時有两三尔小小用不必尔

馬肝及鞍下肉舊言殺人食駿馬肉不飲酒亦殺人白馬青蹄亦不可食礼云馬黒脊而班臂亦不可食馬骨傷人有毒人体有瘡馬汗馬气馬毛亦並能為害白馬黒頭食令人癲白馬自死食之害人肉冷有小毒主腸中熱除下气長筋骨亦馬蹄辟温或脊漏及蹄無夜眼鞍下肉並棄勿食毛並擇嫩駒力盛

○【補註】益丈夫陰气陰乾和肉蓯蓉蜜丸空心酒下四十丸日再百日見其効

【白馬肉】味辛苦氣冷有小毒

【主治】下熱气長筋骨強腰脊壮健強志益力輕身不飢好肉食之宜醇酒送下無酒殺人食多心悶須清酒解除酒濁反加懷孕患痢生疥禁勿沾口生薑倉米蒼耳忌餌同時謹慎無憂犯則病

○【補註】治馬癇動發無時筋脉不收周痺肌肉不仁野馬肉一斤細切於豉汁中煮着五味葱白調和作脯臨食之作羹粥及白煮吃妙○治疵日瘡馬肉閑煮汁洗乾脯亦得

【馬眼】去腹滿瘧疾殺取方宜

【齒】主小兒驚癇水攣頻飲

○【補註】治齒痛馬夜眼如米大內孔中或綿裹著虫孔中內之即差未断根源○背瘡取白馬齒燒作灰先以針刺瘡頭開口以灰封以濕麪周匝裹後以釅醋洗去灰根出

遇春季者收老死取者不効懸牽乾務過百日用銅刀劈七片拌羊血蒸三時晒燥以粗佈净揩之去上皮及乾羊血研細入從蓉爛搗各等分蜜丸豆大空心酒下此肉只堪煮餘食难消不可多食之後以酒投之消資好清水濁洗三五遍即可煮食之懷妊者及患痢人並不可食不与倉米同食必卒得惡十有九死不与姜同食生氣嗽其肉多者浸洗方煮得爛熟兼去血盡始可煮食肥者亦然不尔毒不出又刺瘡取黑駁馬尿熱浸當虫出患杖瘡并打損瘡中風疼痛者炒馬駁糞其分取半替換熱裹之冷則易之痛止即止過極効又小兒患頭瘡燒馬骨作灰和醋傅亦治身上

【馬鬃】燒灰敷瘡毒止血【馬牙】燒灰貼瘡腫出根

○【補註】治疔腫馬牙燒灰唾和搽帛貼瘡腫上根出

【馬頭骨】治男子嗜眠能令常醒宜作枕卧

○【補註】頭耳瘡用燒灰傅之佳○治人嗜眠喜垂馬頭骨燒灰末水服方寸匕日三夜一

【蹄甲】理婦人下白立使不流治赤带赤馬蹄

○【補註】若病人齒無色舌上白或好眠睡積不知痛痒処或下痢可急治下部不曉此者但攻其上不以下為意下部生虫虫蝕其肛門爛見五藏便死燒馬蹄作灰未猪脂和傅綿上道下部日數度差○治被打腹中瘀血白馬蹄燒烟尽取灰未酒服方寸匕日三夜一亦治婦人血病宜上膳利方同○治天行黶瘡燒蹄灰以猪脂和傅日五六用○治頑赤禿用白馬蹄燒灰末以臘月猪脂和傅之極作

【懸蹄】亦可煎湯齒痛誠為要藥辟惡氣鬼毒蠱疰乳难除驚癎驚邪止血衄血內漏刺人皮膚不治

()

○【補註】治齒痛以白馬懸蹄塞之不過三度差○辟瘟疫馬蹄三兩絳囊盛帶之男左女右

瘡作水瘡以取馬不多者及數數煖洗之〇補註又白馬脂封白禿髮即生又補汗入人瘡毒氣攻作膿心懣欲絶者燒馬糞作灰濃淋作濃灰汁熱者蘸瘡於灰汁中須臾白沫出盡即差白沫者是毒氣也此方嶺南新有人曾得力凡生馬血入人肉中多則一兩日腫壅連心則死有人剝馬被骨傷手指血入腹中一夜致死又臆驤次駒恐也蹄無夜眼者勿食又黑脊而斑者不可食患瘡疥人切不可食加增難差赤馬皮臨產鋪之令產母坐上催生

【馬血】入人肌肉即亡【心】主健忘【肺】主寒熱莖[illegible]

毒宜棄之

【馬乳】止渴宜求療熱至要

【馬脂】柔五金不堅膏塗禿髮復出

〇【補註】治白禿瘡用白馬脂五兩封瘡上稍七封之其髮即生

【馬骨】主小兒頭瘡亦治身上瘡又刺人皮膚

〇【補註】治小兒夜啼不已馬骨末傅乳上飲止〇小兒患頭瘡馬骨燒灰和醋傅之効亦治身上瘡〇剝馬被骨刺破中毒欲死取駁馬腹中糞及馬尿洗以糞傅之大驗絞糞汁飲之効

【馬毛】療驚癇甚驗【馬鬐】止崩帶常灵

【馬[illegible]】療寒熱痿痺神効【馬尾】主小兒中馬毒奇功

〇【補註】治小兒中馬毒客忤取馬尾於兒面前燒令兒咽烟氣每日燒之差爲度

【馬尿】一名馬通主婦人崩中止渴治金瘡止血

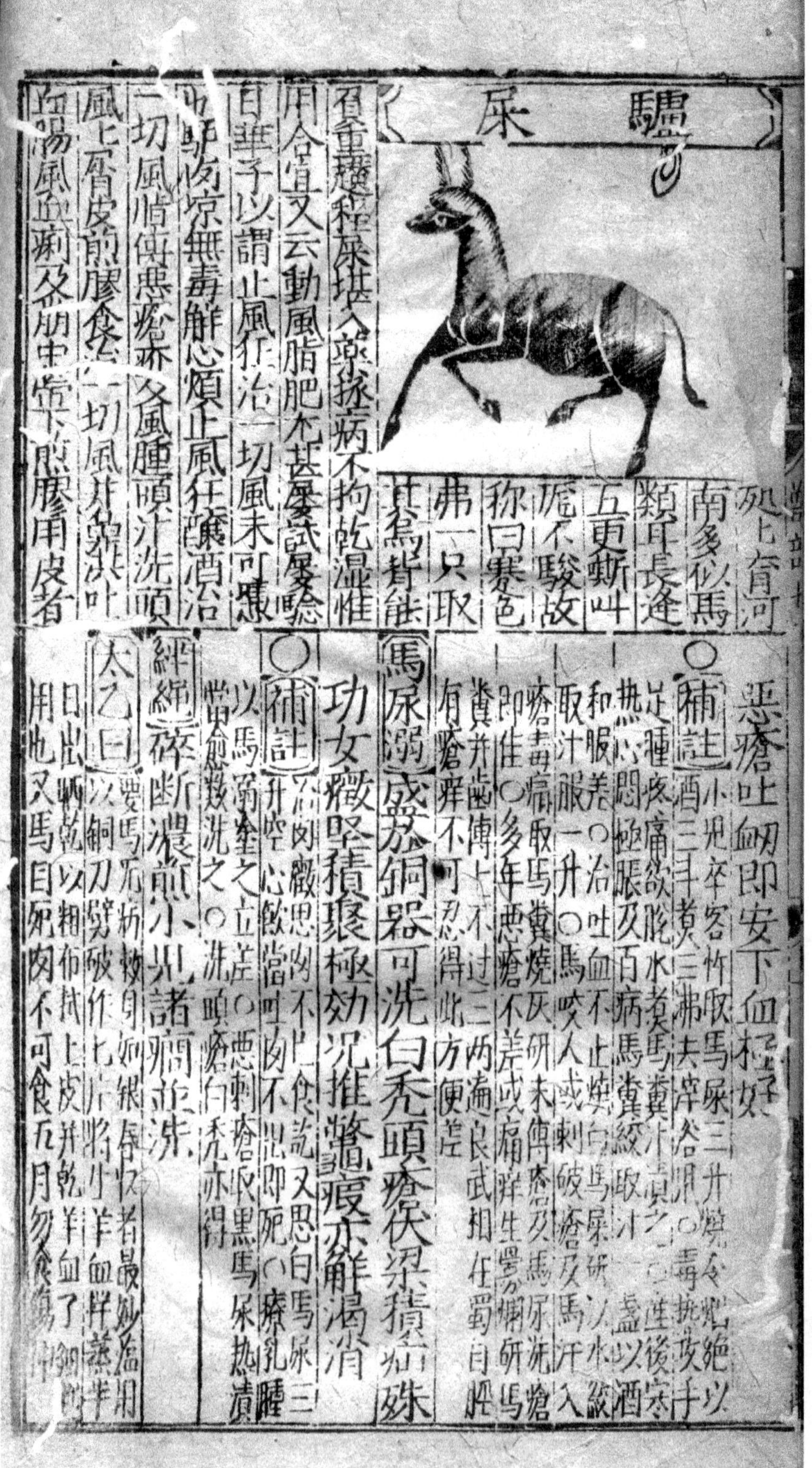

驢尿

死上育河
南多似馬
類耳長逢
五更斷叫
痯不驗故
称曰寒色
弗一只取
其爲背能

召重趯程尿堪入藥拯病不拘乾濕惟用合宜又云動風脂肥不甚屢試屢驗日華子以謂止風狂治一切風未可憑驢肉凉無毒解心煩止風狂釀酒治一切風脂傅惡瘡疥各風腫頭汁洗頭風上骨皮煎膠食治一切風并鴉涎汁治腸風血痢各用中當下煎膠用皮者

惡瘡吐衂即安下血極好

〇補註 小兒卒客忤取馬尿三升煎令沸絕以酒三斗煮三沸夫浴洗〇毒攻手足腫疼痛欲脫水煮馬糞汁漬之〇產後寒熱心悶極脹及百病馬糞絞取汁一盞以酒和服差〇治吐血不止燒白馬尿研以水絞取汁服一升〇馬咬人或刺破瘡及馬汗入瘡毒痛取馬糞燒灰研末傅瘡及馬尿洗瘡即佳〇多年惡瘡不差或痛痒生瘍爛研馬糞并齒傅上不過三兩遍良武相在蜀自脛有瘡痒不可忍得此方便差

馬尿溺 盛於銅器可洗白禿頭瘡伏梁積疝殊功女癥堅積聚極効況推鱉瘕亦能渴消

〇補註 治肉癥思肉不已食訖又思白馬尿三升空心飲當吐肉不出即死〇療乳腫以馬溺塗之立差〇惡刺瘡取黑馬尿熱漬當愈數洗之〇洗頭瘡白禿亦得

經緯 碎斷濃煎小兒諸癇並洗

太乙曰 要馬尿析救身如銀春收者最妙溫用以銅刀劈破作七片將生羊血拌蒸半日出曬乾以粗布拭上皮并乾羊血了細剉用也又馬自死肉不可食五月勿食傷神

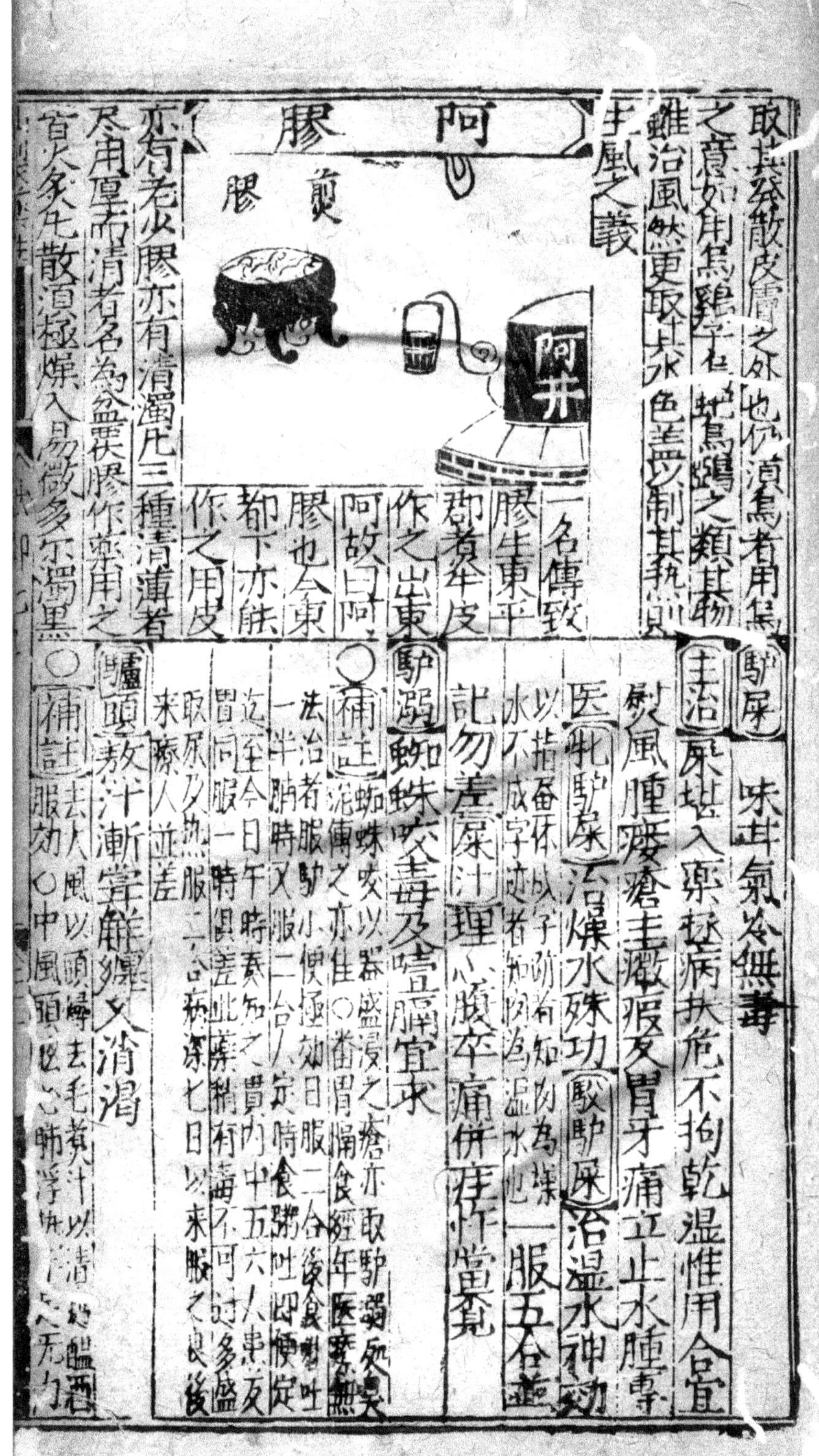

取其發散皮膚之外也。仍須烏者，用烏之意，如用烏雞子、烏蛇、烏鴉之類，其物雖治風，然更取其水色，蓋以制其熱則生風之義。

阿膠

一名傅致膠。生東平郡，煮牛皮作之。出東阿，故曰阿膠也。今東都下亦能作之，用皮亦有老少，膠亦有清濁，凡三種：清薄者畫用；厚而清者名為盆覆膠，作藥用之，皆火炙，丸散須極燥，入湯微炙尔；濁黑

驢屎　味苦，氣平，無毒。

主治　屎堪入藥，療病扶危，不拘乾濕，惟用合宜。熨風腫瘻瘡，主癥瘕反胃，牙痛立止，水腫專医。

牝驢屎　治燥水殊功。

駁驢屎　治濕水神効。

以指畫沐成字，詠者知汭為燥；水不成字迹者，知汭為濕水也。一服五合差。記勿差。

尿汁　理心腹卒痛，併疰忤當覓。

驢溺　蜘蛛咬毒及噎膈宜求。

○補註　蜘蛛咬，以器盛浸之。瘡亦取驢溺淀傅之亦佳。○治反胃膈食經年医療無法治者，服驢小便極効，日服二合，後食惟吐一半，晡時又服二合，人定時食粥，吐即便定。迄至今日午時奏知之，貴內中五六人患反胃，同服一時俱差。此藥稍有毒，不可過多。盛取尿及熱服二合，病深七日以來服之良，後來療人並差。

驢頭　煑汁漸嘗解饑，又消渴。

○補註　去大風，以頭燖去毛，煑汁以清麯醞酒服効。○中風頭眩，心肺浮熱，手足無力

若可膠物不入藥用其法乃東阿井水
在山東兗州府東阿縣井在城北用純
黑驢皮 諸膠多除牛皮熬成惟此用驢
皮耳 鹿角一斤後加文火漸進熬就設
官監禁最難得眞充覓挺腐不可不試
眞者皆脆易斷明澈如水假者皆軟難
敲枯黯似墨製之宜剉薄片蛤粉和炒
成珠入劑不煎研末調化藥煎熟時傾
爭杳滓將末投內自然鎔化使山藥良
大黃入太陰肺經又肝腎二臟療攤緩
風及諸風手脚不遂腰腳無力者驢皮
膠炙令微起先煮葱豉粥一升別貯又
以水煮香豉二合去滓內膠更煮六七
沸膠洋如餳頓服之及煖喫葱豉粥
任意多少如冷喫之令人嘔逆頓服三四

筋骨煩疼言語似醉一身動搖[illegible]驢頭一枚
燖洗如法蒸令極熟細切更於豉汁中煮著
五味調點少酥食之○治黃疸百藥不差者驢
頭熟以姜齏啖之并隨多少飲汁○治多年
消渴煮頭汁令服二三升無不差者

驢骨 煮湯頻浴去歷節痛風

驢毛 炒黃多漬酒呑諸頭風悉遂

○補註 頭中一切風以毛一斤炒令黃投一斗
酒中漬三日空心細細飲之使醉衣覆
取汗明日更依前服忌陳倉米麥麵等

黑驢脂 療疥般只宜生用和生椒擣綿裹塞耳
下俾積年耳聾轉聰同烏梅肉丸水送下喉
令多年瘧疾竟截拌塩傅愈瘡疥換酒服退
癲狂

○補註 治眼中息肉驢脂石塩和勻注兩眥頭
日夜三一月差○治身體手足風腫以脂
和塩傅之○狂癲不能語
不識人酒和服三升良

黑驢皮 治中風四肢拘攣主骨節煩疼心煩口

痢則止禁如藥法又云膠之止洩得蠟黃連尤佳又治赤白痢無問遠近小腹痛痛不可忍出入無常下重痛悶每發面青手足俱冷者黃連一兩去毛阿膠手許大碎蠟如彈子大三味以水一大升先煎膠令散次下蠟又煎令散即下黃連末攪相和分為三服惟須熱喫冷即難吞神妙此膠功用皆謂今之阿膠也故陳藏器云諸膠皆能療風止洩補虛而驢皮膠主風為最又今時方家用黃明膠多是牛皮本經阿膠亦用牛皮是二皮亦通用然今牛皮膠制作不甚精但以膠物者不堪藥用之當以鹿角所煎者而鹿角膠本經自謂之白膠云出雲中今處處皆得其法可以作之但功

眼喎斜用之立驗

○【補註】主中風手足不遂骨節煩疼心燥口面喎斜取烏驢皮燖毛如法蒸令熟切於豉汁煮五味和再煮空心食之

【驢蹄】主小兒解顱不合治飲酒過度穿腸

○【補註】治飲酒過度飲至穿腸驢蹄硬殼削下者以水濃煮汁冷飲之○治小兒解顱不合驢蹄不計多少燒灰研以生油和敷於頭骨縫上以差為度

【驢肉】味甘氣凉又云微溫無毒

【主治】解心煩而安心氣防發痼疾以動風邪

○【補註】主風狂憂愁不樂能安心氣驢肉一斤切於豉汁內煮五味和腌醋食之作脯及煮並得

【驢耳垢】傅蝎螫人甚良【驢駒衣】斷酒燒灰酒服方

【驢乳】味甘性冷利無毒

【主治】療小兒諸熱除天吊客忤止赤痢[illegible]癇痓

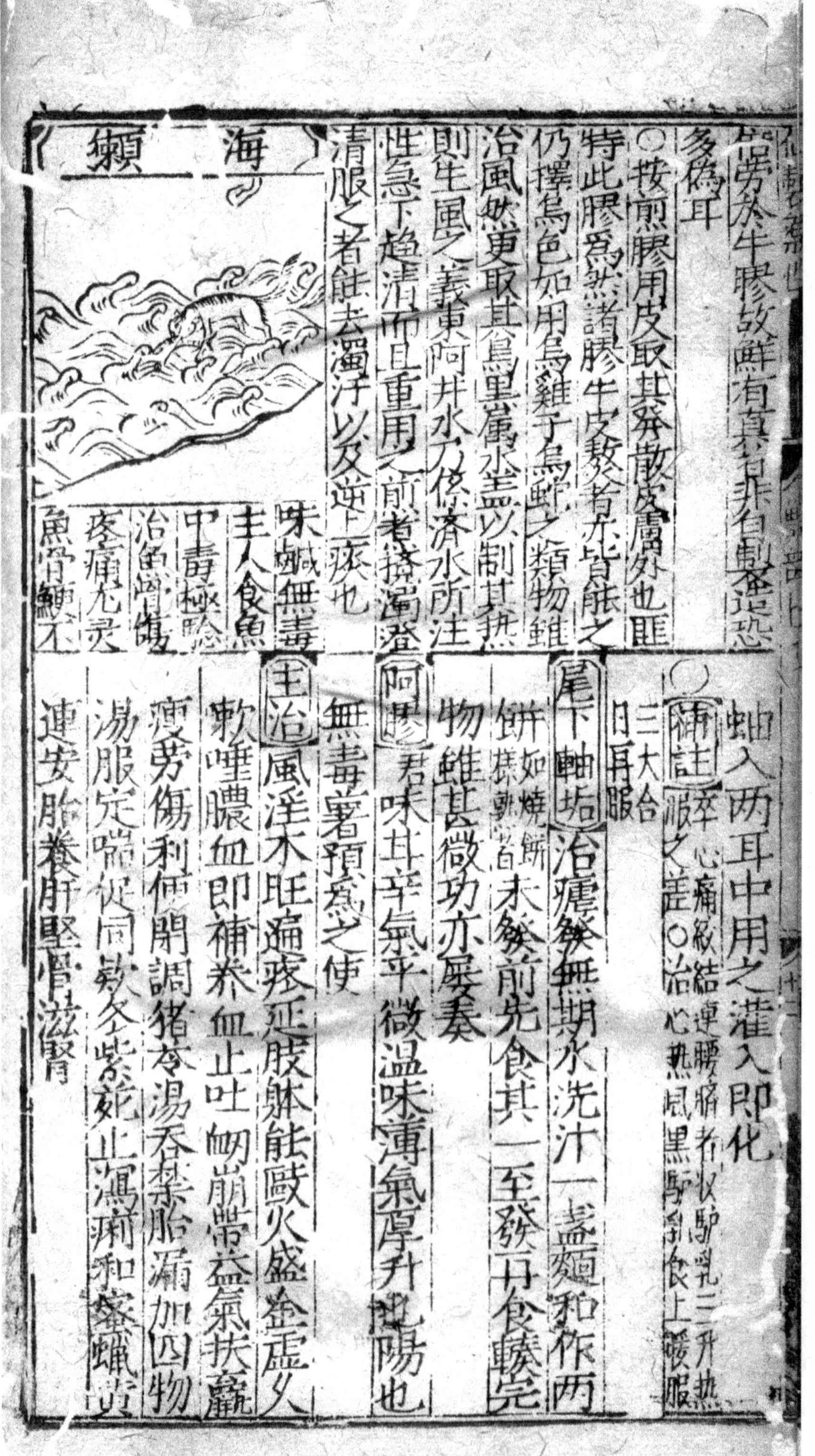

皆勞於牛膠故鮮有真者非自製者恐
多僞耳
○按煎膠用皮取其發散皮膚外也匪
特此膠爲然諸膠牛皮最者尤皆能之
仍擇烏色如用烏雞子烏蛇之類物雖
治風然更取其烏黑屬水以制其熱
則生風之義東阿井水乃係濟水所注
性急下趨清而且重用之前者撥濁澄
清服之者能去濁汙以及逆上痰也

海獺

味鹹無毒
主人食魚
中毒極驗
治魚骨鯁
疼痛尤良
魚骨鯁不

蚰入兩耳中用之灌入即化
○【補註】卒心痛絞結連腰臍者取驢乳三升熱服之差○治心熱風黑驢乳食上暖服三大合日再服
【尾下軸垢】治瘧發無期水洗汁一盞麵和作兩
餅如燒餅炙熟未發前先食其一至發日食竟
物雖甚微功亦屢奏
【阿膠】君 味甘辛氣平微溫味薄氣厚升也陽也
無毒薯蕷爲之使
【主治】風淫木旺遍疼延肢體能熄火盛金虛久
軟唾膿血即補養血止吐衄崩帶益氣扶羸
瘦勞傷利便閉調豬苓湯吞禁胎漏加四物
湯服定喘促同款冬紫菀止瀉痢和蜜蠟黃
連安胎養肝堅骨滋腎

下消取皮煮汁服之出南海中其形如犢大似犬脚下有鬣如人肝拇毛蒼人不識海人取得亦不識其肉海中魚類海牛海馬海驢等皮毛在陸地皆候風潮猶能毛起博物志有此說也

犢子臍屎

主卒九竅出血燒末服之方寸新生未食草者須取之黃犢為上姚氏方云人有九竅四肢指間血出乃暴驚所為取新生犢子未食草者臍屎日乾燒末水服方寸日四五頓差人去口鼻

○補註 治妊娠尿血用阿膠炒令黃燥為散每食前以粥飲調下二錢○妊娠無故子下血不止取阿膠三兩炙搗末酒一升半煎令消一服愈又方以阿膠二兩搗末生地黃半斤搗取汁以清酒三升絞汁分三服○療妊娠血痢阿膠二兩酒一升半煮取一升頓服

太乙曰 汁使先於猪脂內浸一宿至明出於柳木火上炙待泡了細研用

羖羊角

味鹹苦氣溫微寒無毒

主治 止血調崩安胎和衛卻驚悸解蠱毒禁冷瀉殺疥虫治小兒發熱神益療婦人產後餘痛取百節中結氣逐兩眼內青肓山瘴溪毒並祛虎狼蛇虺齊辟

○補註 治風心煩恍惚腹中痛或時悶絕而復甦用羖羊角屑微炒搗羅為散不計時候溫酒下一錢○療面目身卒得赤斑或痒或瘭子腫起不即治之日甚殺人羖羊角燒灰研令極細以雞子清和塗妙○療產後寒熱心悶極脹百病羖羊角為末酒服方寸末產再服○辟蛇治蛇倒燒羖羊角令烟出地即去矣

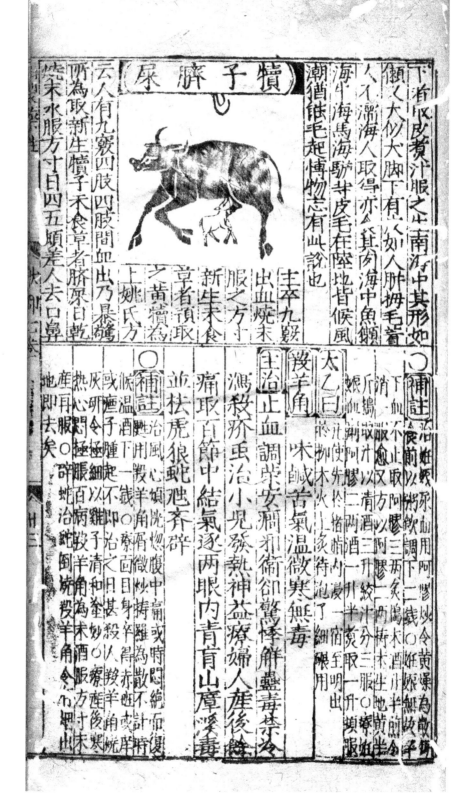

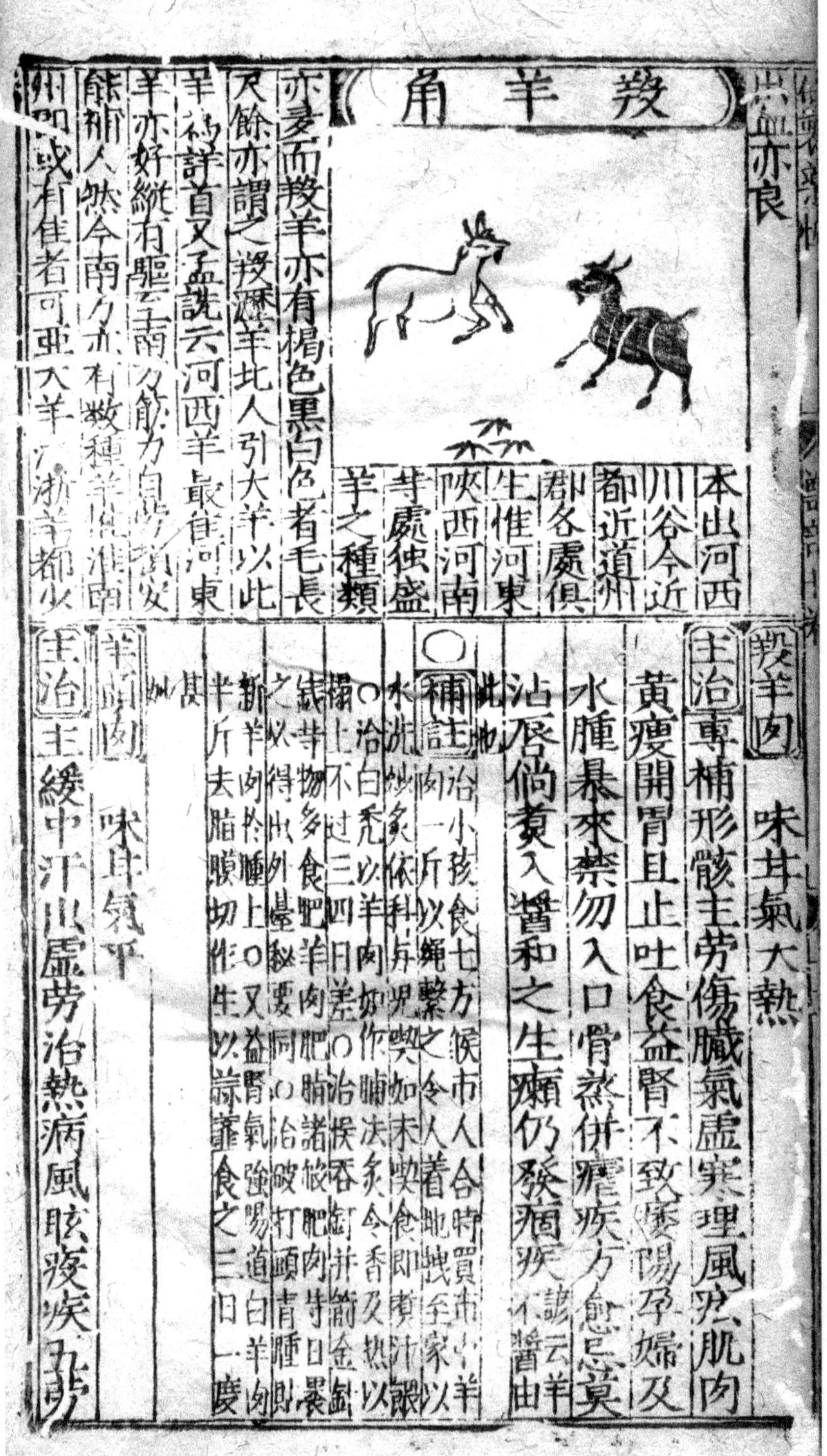

出血亦良

羖羊角

本出河西川谷今近都近道州郡各處俱生惟河東陝西河南者處独盛羊之種類亦多而羖羊亦有褐色黑白色者毛長尺餘亦謂之羖䍽羊北人引大羊以此羊為群首又孟詵云河西羊最佳河東羊亦好縱有驅至南方筋力自勞損安能補人然今南方亦有數種羊惟淮南州郡或有佳者可亞大羊之淅羊都少

羖羊肉 味甘氣大熱

主治 專補形骸主勞傷臟氣虛寒理風疾肌肉黃瘦開胃且止吐食益腎不致陽痿孕婦及水腫暴來禁勿入口骨蒸併瘧疾方愈忌莫沾唇倘煮入醬和之生癩仍發痼疾 諺云羊不醬由此也

○補註 治小孩食乜方 候市人合時買市中羊肉一斤以繩繫之令人著地拽至家以水洗炒炙依科與兒喫如未喫食即煮汁餵 ○治白秃以羊肉如作脯法炙令香及熱以搨上不過三四日差 ○治誤吞釘并箭金鍼錢等物多食肥羊肉肥脂諸般肥肉等自裹之以得出外臺秘要同 ○治破打頭青腫貼新羊肉於腫上 ○又益腎氣強陽道白羊肉半斤去脂膜切作生以蒜韭食之三日一度甚妙

羊頭肉 味甘氣平

主治 主緩中汗出虛勞治熱病風眩瘦疾五勞

味甘治疾閩廣山中出一種野羊彼人謂之羚羊其皮厚硬不堪多食肉頗肥軟益人兼主冷勞山嵐瘴瘧婦人赤白下帶此羊多噉石香薷故腸臟頗熱亦不宜多食也羊有三四種最以青色者為勝次則烏羊其羖羊及虜中無角羊正可噉食之為藥不及若白色者惟充庖廚祭宜青羝乃獲效驗其或独生一角又苻白身黑頭有毒中藏全禁勿啖圈養誤犯即生腸癰豪貴之家不可不識角取勿先中溫上則有毒損人鋸秋尖燒灰務令存性調熱酒吞服使宜羖羊角主驚邪明目辟鬼安心益氣燒角作灰治鬼氣并漏下惡血羊肉姙娠人勿多食頭肉平五緩中汗出虛勞安

骨熱堪宜安心止驚神秘發寒宜禁熱宜食

〇補註 主風眩羸瘦小兒驚癇丈夫五勞手足無力羊頭一枚燖洗如法蒸令熟切以五味調和〇治風眩瘦病五勞七傷虛驚悸以羊頭一枚燖如食法煮令及熟切於豉汁中五味調和食之〇理風眩瘦病及小兒驚癇熱火大五勞七傷羊頭一枚治如食法煮令熟作膾以五辣醬醋食之

羊蹄肉　雖微補水甚捷水腫啖者百不一瘳

羊眼睛　主目赤紅目瞖神効又痛澁視物不見立瘥

〇補註 治目赤及瞖羊眼睛暴乾為末傳兩目〇常患眼痛澁不能視物及看日光并燈火光不得者取熟羊頭眼睛中白珠子二枚於細石上和棗汁研之取如麻子大安眼睛上仰臥日二夜二不過三四度差

羊腎　助胃止小便益汗治勞瘵虛損耳聾益腎理精枯陽敗同乳粉極靈羊腎一个煮熟和煉成乳粉五錢空服食極効

心止驚宿有冷病人勿多食主熱風眩瘦疾小兒癇兼補胃虛損及丈夫五勞骨熱病後宜食羊頭肉肚主補胃病虛損小便数止虛汗肝性冷治肝風虛熱目赤暗痛熱病後失明者以青羊肝或子肝薄切水浸傅之極効生子肝合之尤妙羊心補心肺從三月至五月其中有虫如馬尾長二三寸巳來須割去之不去令人痢又取皮去毛煮羹補虛勞煮作臛食之去一切風脚中虛風羊骨熱主治虛勞患宿熱人勿食調酒服之補血主女人風血虛悶可中髓發風若和酒服則迷人心便悶中風也羊齒骨及五臟皆温平主疾惟肉性大熱時疾初愈百日內不食之當復發

○補註 主腎勞損精竭炮羊腎一双去脂細切於豉汁中以五味米糅如常法作羹食作粥亦得○主下焦虛冷脚膝無力陰事不行補益羊腎一个熟煮和半大两沙成乳粉空腹食之甚有効○治五勞七傷陽气衰弱腰脚無力羊腎蓯蓉羹法羊腎一对去脂膜細切肉蓯蓉一两酒浸一宿刮去皴皮細切相和作羹葱白塩五味等如常法事治空腹食之

羊心 補心主憂恚氣隔有孔者勿食有毒殺人

羊肝 性冷療肝風虛熱致眼淚凝膠

○補註 療目眼上青羊肝入銅器內煮以麪餅覆器向上鑽两孔如人眼止以目向上熏之不過兩度○主目失明取羖羊肝一斤去脂膜薄切以未着水新瓦盆一口揩令淨鋪肝於盆中置於炭火上煿令脂汁盡候極乾取決明子半升蓼子一合炒令香為末和肝杵之為末以白蜜漿下方寸匕食後服之日三如至三七止不过三劑目極明一年服之妙夜見文字○理目熱赤痛如隔紗縠看物不分明宜補肝气益精青羊肝一具細起薄切以水洗漉出瀝乾以五味醬醋食之○目暗黄昏不見物者以青羊肝切淡醋食之煮亦佳○救急治人行後嘔逆不下食又嘔

令人骨熱也羊脛方言炙用近人收以内鯽魚腹中密固濟燒灰以塗鬚鬚令易生而黑其效箭鏃不出糞和鴈肓脅毛髮落三宿即生乳療蜘蛛咬徧身生絲者生飲之即愈有人為蜘蛛咬腹大如有娠徧身生絲其家棄之乞食於道有僧教喫羊乳未幾而瘥甲胄主虛羸張文章有主久病瘦羸不生肌肉水氣在胃下不能飲食四季煩執者羊胃湯方羊胃一枚朮一升並切以水二斗煑取九升一服一升日三三日盡更作两劑乃差肉多入湯劑胡合羊肉湯療寒勞不足産後及腹中有激痛方當歸四两生姜五两羊肉一斤三味以水一斗二升煑肉取七升去肉内諸藥

出取羊肝如食法作生淡食不過二三度即止

【羊肺】治肺虛欬瘵及小便頻数

○【補註】下焦虛冷小便数無力羊肺一具細切内少羊肉作羹食之煑粥亦得

【羊脛骨】固牙齒踈豁易動青鹽畧加即固牙散

【羊脊骨】匡腰脊轉側不能蒜虀微入

○【補註】治脾胃氣冷食入口即吐出羊肉半斤去脂膜切作生以蒜虀五辣醬醋空腹食之

【羊齒】燒灰逐小兒羊癇寒熱

【羊皮】作臛踈大人脚膝虛風

【羊膽】解蠱毒殊功開青盲明目

○【補註】療面䵟黯如雀卵色以羖羊膽一枚酒二升合煑三沸以拭之日三度差○治小兒疳羊胆二个和漿水灌下部猪胆亦得○治眼瞼熱病後失明以羊膽傅之日暮時各一傅之

【羊腦】斂虛汗速効補虛怯健脾

煑取三升一服七合日三夜一又有大羊肉湯療婦人產後大虛心腹絞痛厥逆氣息之必皆令醫家通用者又有青羊脂丸主產病相易者大方也都下者其乳則肥好也羊肘不可合猪肉及梅子小豆食之傷人心大病人謹按本經云羊肉甘而素問云羊肉苦兩說不同蓋本經以滋味言而素問以物生解羊性既熱々則歸火故配於苦麥與杏雖性亦熱並同配於苦也六月勿食羊傷神謹按南方羊都不與血食之多在山中喫野草或食毒草北羊一二年間亦不可食食必病生癰為其來南地食毒草故也若南地人食之即不憂也今將北羊於南地養之二年以後猶亦不

○【補註】療家床乃羊膽鹽水令消化明熱[illegible]問取水頻服之即差

【羊血】取生飲下喉砒毒硫黃毒並解

○【補註】治產後餘血攻心或下血不止心悶面青身冷氣欲絕新羊血一盞飲之三兩服妙○治卒驚悸九竅血皆溢出新屠羊血熱飲二升差○治硫黃忽發氣悶用羊血服一合效

【羊毛】用醋炒裹脚踝痛轉筋痛濟除

【羊骨髓】煑酒嘗滋陰虛血脉可利

【羊腦髓】和酒服迷心竅中風便來

【羊乳】臣 味甘氣温無毒

【主治】潤心肺而解消渴療口瘡而利大腸卒心疼驚潤即除內寒冷虛乏之補當

○【補註】主小兒驚癇羊乳一升煎減半分五服牛乳亦得○乾嘔取羊乳一杯空心飲之○小兒舌腫羊乳汁飲之差○蜒蚰入耳以羊乳灌耳中即成水○小兒口中爛瘡取羯羊生乳含五六日差

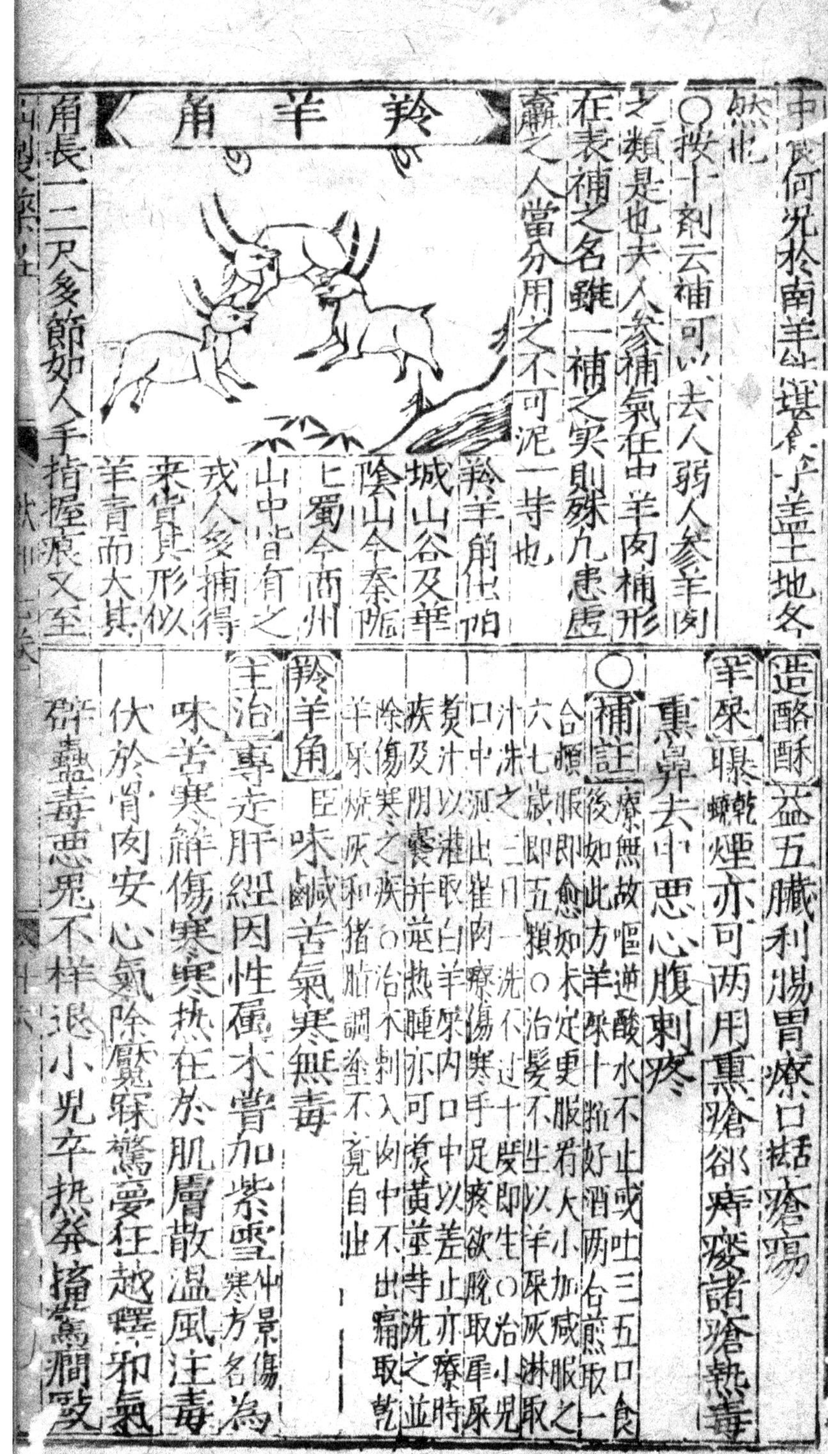

中伐何况於南羊尗堪食蓋土地各然也

○按十剂云補可以去人弱人參羊肉之類是也夫人參補氣羊肉補形在表補之名雖一補之實則殊凡患虛羸之人當分用之不可泥一者也

羚羊角出石城山谷及華陰山今秦隴巴蜀今西州山中皆有之戎人多捕得來貨其形似羊青而大其角長一二尺多節如人手指握痕又至

造酪酥　益五臟利腸胃療口舌瘡瘍

羊屎　曝乾燒煙亦可兩用熏瘡卻痔瘻諸瘡熱毒熏鼻去中惡心腹刺疼

○補註　療無故嘔逆酸水不止或吐三五口食後如此方羊屎十粒好酒兩合煎取一合頓服即愈如未定更服看大小加減服之六七歲即五粒○治髮不生以羊屎灰淋取汁洗之三日一洗不過十度即生○治小兒口中涎出雀肉療傷寒手足疼欲脫取羊屎煮汁以灌取白羊屎內口中以差止亦療時疾及陰囊并莖熱腫亦可煮黃蘗等洗之並除傷寒之疾○治木刺入肉中不出痛取乾羊屎燒灰和猪脂調塗不覺自出

羚羊角　臣　味鹹苦氣寒無毒

主治　專走肝經因性屬木嘗加紫雪仲景傷寒方名為味苦寒解傷寒寒熱在於肌膚散溫風注毒伏於骨肉安心氣除魘寐驚夢狂越僻謬和氣辟蠱毒惡鬼不祥退小兒卒熱發搐驚癇散

堅勁今入藥者皆用此角尔雅云麢郭璞注云麢似羊而大角圓鋭好在山崖間羱似吴羊而大角〻隋出西方許慎注說文解字云麢大羊而細角陶隱居以角多節蹙〻圓繞者為羚羊而角極長惟一邊有節亦踈大大者為山羊山羊即尔雅所謂羱羊也亦徃〻摩成狼跡欺人媒利不可不察也其種生川蜀山林夜宿角每掛樹上獵犬追捕亦多獲之夔人常以貨錢州郡亦每充貢入藥拯病錯角取尖認彎蹙處有掛痕深入者繞眞聽令耳邊似響聲微出者尤妙或搗末少加蜜[illegible]或鏨屑共投水煎其間徃〻彎中有[illegible]角成狼處京師採多詳本草及諸家[illegible]出此乃是眞羱羊

產婦敗血衝心煩悶去惡血注下治食噎不通明目益氣輕身強陰健筋堅骨

【羊肉】和五味子同炒投酒能服中風諸筋骨急強南人食之免致蛇嚙

○【補註】治噎角屑不拘多少自為末服方寸匕亦可以角摩宜上良○療産後心悶不識人汗出燒末以東流水服方寸差○血氣逆心煩滿燒角末水服方寸○治胃脇痛及腹痛熱滿燒末水服方寸○治小兒洞下痢羊角中骨燒末水服方寸○令易産角一枚刮火為末以酒服方寸

【太乙曰】凡所用亦有神羊角其神羊角長有二十四節內有天生木胎此角有神力可抵千牛之力也凡修事之時勿令单用不復有驗須要不折元对以繩縛之將鐵錯了錯之旋〻取用勿令犯風錯末尽處須三重帛果恐力散也錯得了即单搗〻尽背風頭重篩過然入藥中用之若更研万匝了用之更妙免刮人腸也

【衛[illegible]】味甘氣微寒無毒

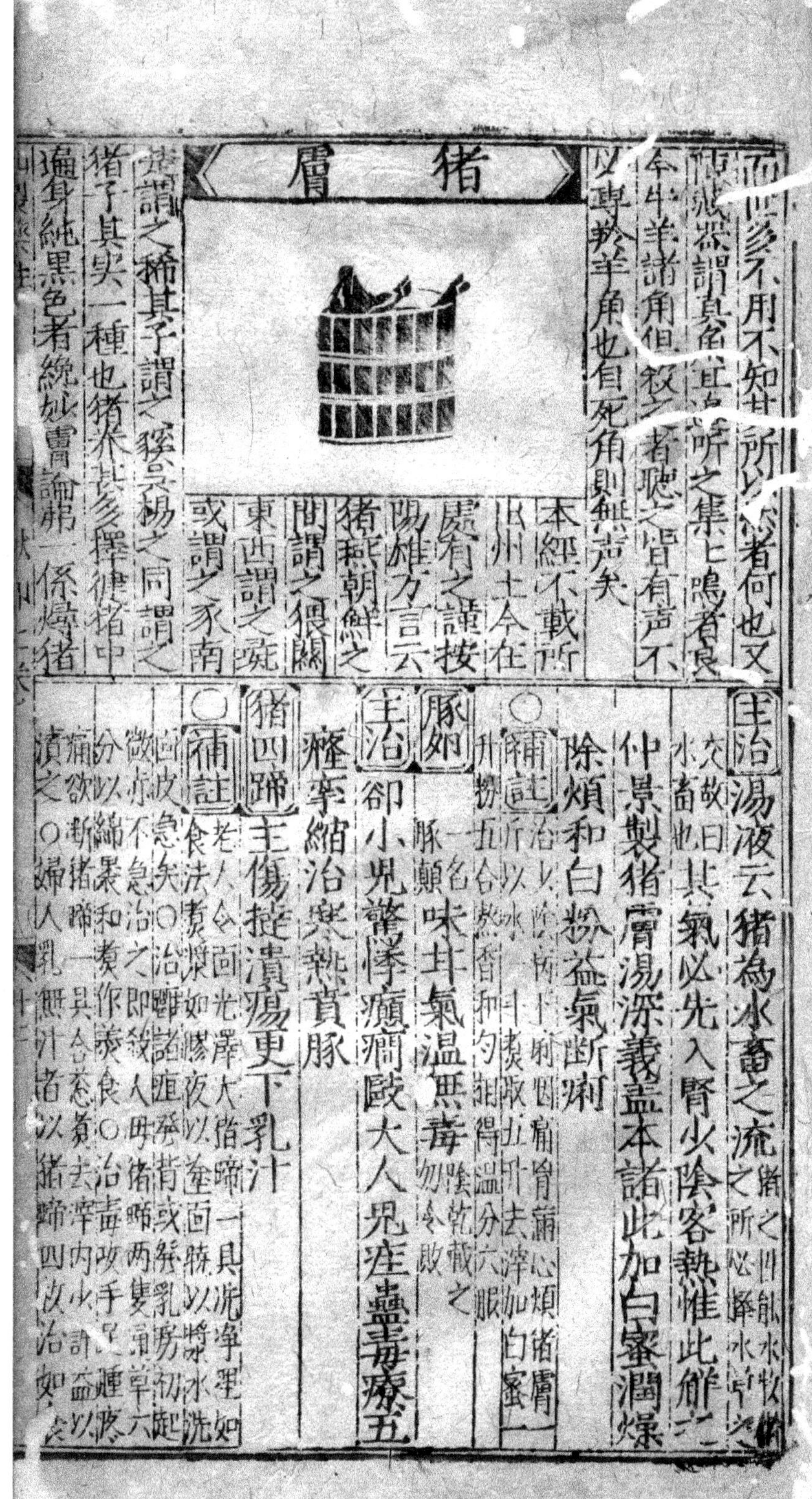

而世多不用，不知其所以然者何也。又[illegible]器謂鼻角，其鼻所之集，七鳴者良。今牛羊諸角但殺之者聽之皆有声，不以專於羊角也。自死角則無声矣。

猪膚

本經不載所出州土，今在處有之。謹按楊雄方言云：猪，燕朝鮮之間謂之貑，關東西謂之彘，或謂之豕，南楚謂之豨，其子謂之豚，吳楊之間謂之猪子。其實一種也。猪類甚多，擇健猪中遍身純黑色者，總爲膚論。第一條猪

【主治】湯液云：猪爲水畜之流，猪之四肢水牧之所以降水之，交故曰水畜也。其氣必先入腎少陰客熱，惟此能[illegible]之。仲景製猪膚湯，深義蓋本諸此。加白蜜潤燥，除煩；和白粉益氣斷痢。

○【補註】治少陰下痢，咽痛，胸滿，心煩。猪膚一斤，以水一斗，煮取五升，去滓，加白蜜一升，白粉五合，熬香，和勻相得，溫分六服。

【豚卵】一名豚顛。味甘，氣溫，無毒。陰乾藏之，勿令敗。

【主治】卻小兒驚悸癲癇，殿大人鬼疰蠱毒，療五癃攣縮，治寒熱賁豚。

【猪四蹄】主傷撻潰瘍，更下乳汁。

○【補註】老人令面光澤：大猪蹄一具，洗淨，理如食法，煮漿如膠，夜以塗面，曉以漿水洗，面皮急矣。○治癰疽發背，或發乳房，初起微赤，不急治之，即殺人：母猪蹄兩隻，通草六分，以綿裹和煮作羹食。○治毒攻手足腫疼欲斷：猪蹄一具，合葱煮，去滓，內少許鹽以漬之。○婦人乳無汁，治以猪蹄四枚，治如食

時附皮連黒膚者為貞先哲嘗言浅膚之義礼韻疏曰膚革外薄皮膚内厚皮亦指此也今人云卯當是豬子也豬之膚為用最多惟肉不宜食ヒ之多患肥蓋風虚所致也（肉）凉寒苦微毒壓丹石疗熱閉血脉虚人動風不可久食令人少子精發宿疾主療人腎虚肉發痰若患瘧疾人切忌食必胃發（心）熱主血不足補虚劣不可多食能耗心氣又不與吳茱萸合食（肺）微寒能補肺得大麻仁良（肝）温主冷洩久滑赤白乳婦赤白下疗用子肝一葉薄批之揾着煨熟訶子一木中煨火炙ㄋ揾炙尽半两末止空腹細嚼陳米飲送下又主冷劳臓腑虚者又主脚氣空心切作生以薑醋進之當

法以水二斗煮取一斗去蹄……取汁……产各三两以汁煮取六升去滓内葱白豉如常着少米煮作稀葱豉粥食之食了覆身体微ヒ熱有少汗出佳乳未下更三两劑大効

豬懸蹄 去懸癰内蝕仍理痔瘡

○**補註** 完喘化涎猪蹄甲四十九个淨洗瀝乾每个豬甲内半夏白礬各一字入罐子内封閉勿令烟出火煅通赤去火細研入射香一錢人有上喘咳嗽用糯米飲下小兒半錢至妙○療小兒寒熱及熱氣中人猪後蹄燒灰末以乳汁調一撮服之効

豬心 托心氣鎮驚憂恚如神治驚癎血癖邪氣立効

○**補註** 理産後中風血気驚邪憂恚気逆豬心一枚切於豉汁中煮五味㨍調和食之

豬脾 主脾傷除熱

豬肺 食多補肺且治肺欬声連得火麻仁良若共白花菜煮嘗緊防滞氣

豬腸 凡食多損陽亦治肺脹喘急欲練縮綃

微[illegible]瘡兒痢卵炙服膽主[illegible]暈病下膿血不止乾嘔羸瘦多涎面黃者取膽和生姜汁釅醋拌令灌下部手急捻令醋氣上至咽喉乃放手當下五色惡物乃出子又主瘦病欬嗽取膽和小便生姜橘皮訶梨勒桃皮煮服又主大便不通取豬羊膽以葦筒着膽縛一頭內下部入三寸灌之入腹立下又主小兒頭瘡取膽汁傅之脾主脾胃虛熱以陳橘皮紅生姜人參葱白切拍之合陳米水煮如羹去橘皮空腹食之腎補虛壯氣消積滯冬月不可食損人真氣兼發生壅髓主骨蒸執勞血脈不行補羸助氣四季宜食張仲景有豬膚黃連丸是也豬[illegible][illegible]寒主撲損惡瘡懸蹄主五痔腸癰內下

瘰癧必用合膏（豬脂所豬肥子油也）

○補註 一切肺病欬嗽膿血不止豬胰一具削薄竹筒盛於塘火中炮令極熟食上喫之○手足皴裂面出血痛方以酒挼豬胰洗并服

豬膽汁 傷寒納穀道通便神効解傷寒熱忘靈

○補註 療肓豬膽一枚微火上煎之可丸如黍米大內眼中食頃良○治瞖如重者取豬膽白皮暴乾合作小繩子如麄釵股大小燒作灰待冷便以灰點瞖上不過三五度即差○治熱病有䘌上下蝕人豬膽一枚苦酒合同煎三兩沸滿口飲之虫立死即愈○小便不通豬膽大如鷄子者內小兒初生豬膽一枚以水七升煎投酒中服姚云亦療大便不通取四升澄清浴兒令永無瘡疥

豬心內血 初剖豬腹取出時勿沾水切開得之 九諸藥養血安補心怯用 禁邪憂紛紜

豬血 補中風眩暈賁豚暴氣海外瘴氣吞歐

豬舌 煮濃湯益元陽健脾進食

四蹄主行婦人乳脉滑肌膚去寒熱
膏主諸惡瘡利血脉觧風熱潤肺入膏
藥宜臘月亥日取之其脂能悅皮膚作
手膏不皴裂肪膏煎藥無不用之勿令
水中臘月者歷年不壞十二月上亥日
取肪脂內新瓦器中埋亥地百日主癰
疽名脂同肪方家用之又一升脂著雞
子白十四枚更良又項下膏謂之負革
肪入道家用忌猪膏又忌烏梅腸臟主
大小腸風熱宜食之肚寒主肺氣乾脹
喘急潤五臟去皴皰黯䵳并肪膏並殺
斑猫地膽亭長等毒然男子多食之損
陽崔元亮海上方以猪脏酒療冷痢久
不差芳云此是脾氣不足暴冷入脾舌
上生瘡飲食無味纔喫食入口還吐小腹

猪肝炙燥熱納陰户止癢引虫不少納入則虫俱引出而瘥即
止也
○補註治卒腫病身面皆洪大生猪肝一具細
切頓食之勿與鹽乃可用苦酒妙○以
子陰中苦痒搔之痛悶取猪肝炙熱納陰中
當有虫著即出○脾腫從足始轉上入腹猪
肝一具細切先布絞更以醋洗蒜齏食之如
食不盡三兩頓食亦可○理浮腫脹滿不下
食心悶猪肝一具洗切作臠著葱姜豉椒熟
炙食之○脾胃氣虛食即汗出猪肝一斤薄
批於瓦上焙令熟乾擣篩為末煮白粥布絞
取汁和衆手丸如梧子大空心飲下五十丸
日五服○主水氣脹滿浮腫猪肝一具煮作
羹任意食之○理肝藏壅熱目赤疼痛熱明
目補肝氣用猪肝一具細起薄切以水淘漉
出瀝乾即以五
味醬醋食之
猪腎止腰疼古方煨腎散可覩
○補註療男子水臟虛憊遺精益汗件七夜夢
鬼交取豶猪腎一枚以刀開去筋膜入
附子末一錢以濕紙裹煨熟空心稍熱服之
便飲酒一盞多不過三五服効○理胃氣冷
喫食嘔逆亦白痢如欬腳腰臍切痛猪腎
一對研著漸用椒葱鹽醬椒末以溲麵以常

【雷】滑時時心悶顫細細如脛酸疼兩
耳聾消四肢沉重漸劣重成鬼氣及
婦人血氣不調沉滯憂煩常行無力四
肢不奉又夫痃癖兩肋虛脹或為水氣
服之皆効驗此法出於傳尸方取猪脏
一具細切與青蒿葉相和以無灰酒一
大升微火溫之乘熱內猪脏中和青蒿葉
相共煖消盡又取桂心一小兩別搗為
末內酒中每日平旦空心取一小盞服
之午時夜間各再一服甚効忌熱麵油
膩等食猪脏者胰又主肺痿欬嗽和棗
肉浸酒服之亦能主痃癖羸瘦又堪合
膏練繒帛臘月猪脂殺蟲久留不敗齒
主小兒驚癇燒灰服之又主蛇咬齒灰
傳之屎主寒熱黃疸溫痺今人取端午

法作餛飩熟煮空心喫兩碗立差○食療
腰精氣弱四肢少力猪腎一對去膜細切
御把葉半斤用豉汁一大盞半相和煮作羹
入鹽椒葱空腹食之○治産後虛勞骨節疼
痛汗出不止取猪腎造臛以葱豉末如法
食之

【猪脂】扶胃弱新升達脂九須知

【○補註】治胎孕九十月將產時急用猪脂一斤
依常法着葱五味煮熟食之食不盡再
食勿與別人食○又主消渴日夜飲水數斗
小便數瘦弱猪脂一枚淨洗以水五升煮令
爛熟取二升已來去猪着少豉渴即飲之肉
亦可吃又和米着五味煮粥食之佳

【猪肉】味甘氣寒有微毒

【主治】多食令人虛肥動風動痰亦速仍閉血脉
損筋骨勿謂無傷

【○補註】治被打頭青腫炙猪肉熱搨之又貼猪
肝○療疵五痔取肉爛煮取汁食之乾
脯亦得○又理五病經久不差或歌或笑行
走不休發動無時用假猪肉一斤煮令熟細
切作膾和醬醋食之
或羹粥炒任性食之

日南行猪零合太一丹是也豪汁療瘟無毒熱食治天行熱病黄疸蠱毒又云東行母猪糞一升宿浸去滓頓服治毒黄熱病猪耳中垢主蛇傷腦主風眩腦鳴及凍瘡血主賁豚暴氣中風頭眩淋瀝停猪湯解諸毒黄鬁凡猪骨細小筋多膏大者有重百餘斤食物至寡故人畜養之甚易生息尔雅曰豕五尺為豝郭璞注云尸子曰大豕為豝今漁陽呼猪大者為豝是也

○按猪飼養甚多蓋圖生息繁食物寡容易長大人多食巾厭乃嗜脂膏盛筋腠少不勝滑濕本經数中戒勿多食是又何所拠也丹溪云猪肉惟補気補気即補陽人身中陽常有餘陰常不足方

猪頭肉 主補虚乏氣力神効治五痔去驚癇言功瘡瘮尤宜亦下丹石

○**補註** 補虚乏氣去驚癇五牙猪頭一枚治如食法煮令極熟停冷作膾以五淋醋食之

猪乳汁 頻進使人潤澤生精生血可知更禁猪癇除天吊臍風撮口尤驗誠為有益

○**補註** 治小兒驚癇発動無時猪乳汁三合以綿纏浸令兒吮之雖多尤佳

猪乳頭 煮啖卻兒痔及寒熱五癃

猪牙齒 燒灰鎮驚風併蚘蟲傷嚙

猪肪膏 利血脉解風熱潤肺

○**補註** 療火焮惡寒壯熱猪肪脂以冷水浸搨之熱即易立効○療毒熱病攻手足腫疼痛欲脱猪肪脂和羊屎塗之亦佳○上気欬嗽胷膈妨満気喘猪肉細切作鱠子於猪脂中煎食之又猪肪脂四两煮百沸已米以和醬醋食之○又云臘月肪脂段乓可煎膏用之

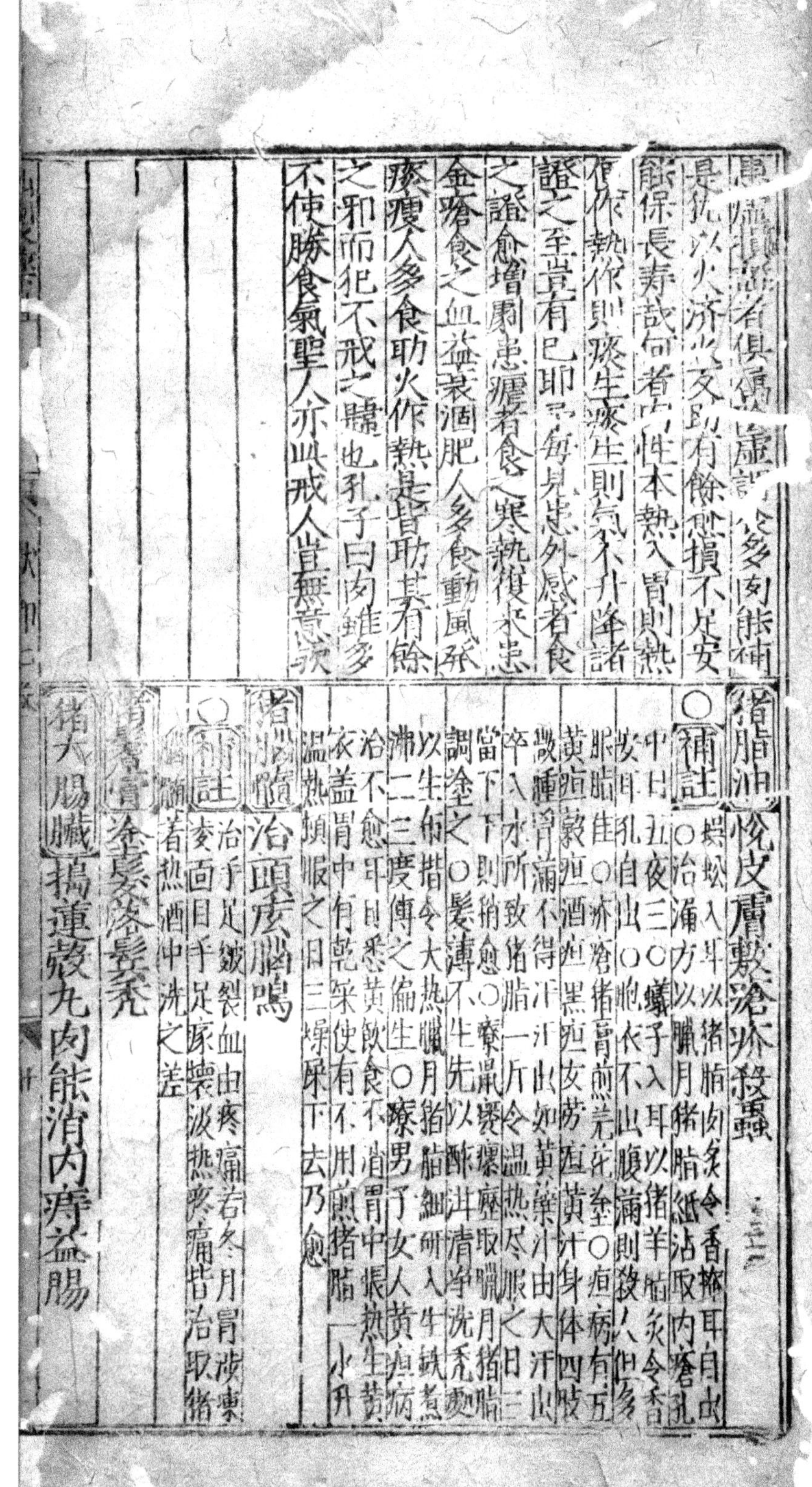

[illegible]者俱爲[illegible]虛[illegible]多肉能補是犹以火济火交助有餘愈損不足安能保長寿哉何者肉性本熱入胃則熱復作熱作則痰生痰生則氣不升降諸證之至嘗有已耶予每見患外感者食之證愈增閑患瘧者食之寒熱復求患金瘡食之血益衰酒肥人多食動風発痰瘦人多食助火作熱是皆助其有餘之邪而犯不戒之驕也孔子曰肉雖多不使勝食氣聖人亦此戒人豈無意哉

猪脂油　悅皮膚敷瘡疥殺蟲

○補註　蜈蚣入耳以猪脂肉炙令香掩耳自出○治涌方以臘月猪脂紙沾取內瘡孔中日五夜三○蟻子入耳以猪羊脂炙令香安耳孔自出○胞衣不出腹滿則殺人但多服脂佳○疥瘡猪膏煎芫花塗○疸病有五黃疸穀疸酒疸黑疸女勞疸黃汗身体四肢微腫胸滿不得汗汗出如黃蘗汁由大汗出卒入水所致猪脂一斤令温熱盡服之日三當下下則稍愈○寒鼠瘻瘰癧取臘月猪脂調塗之○髮薄不生先以酢泔清淨洗禿處以生布揩令大熱臘月猪脂細研入生鐵煮沸二三度傅之偏生○療男子女人黃疸病治不愈耳目悉黃飲食不消胃中脹熱生黃衣蓋胃中有乾粪使有不用煎猪脂一小升温熱頓服之日三燥屎下去乃愈

猪腦髓　治頭眩腦鳴

○補註　治手足皴裂血出疼痛若冬月冒涉凍凌面目手足瘃壞及熱疼痛皆治取猪腦髓著熱酒中洗之差

猪髮膏　塗髮落髮禿

猪大腸臟　搗蓮殼丸肉能消內痔益腸

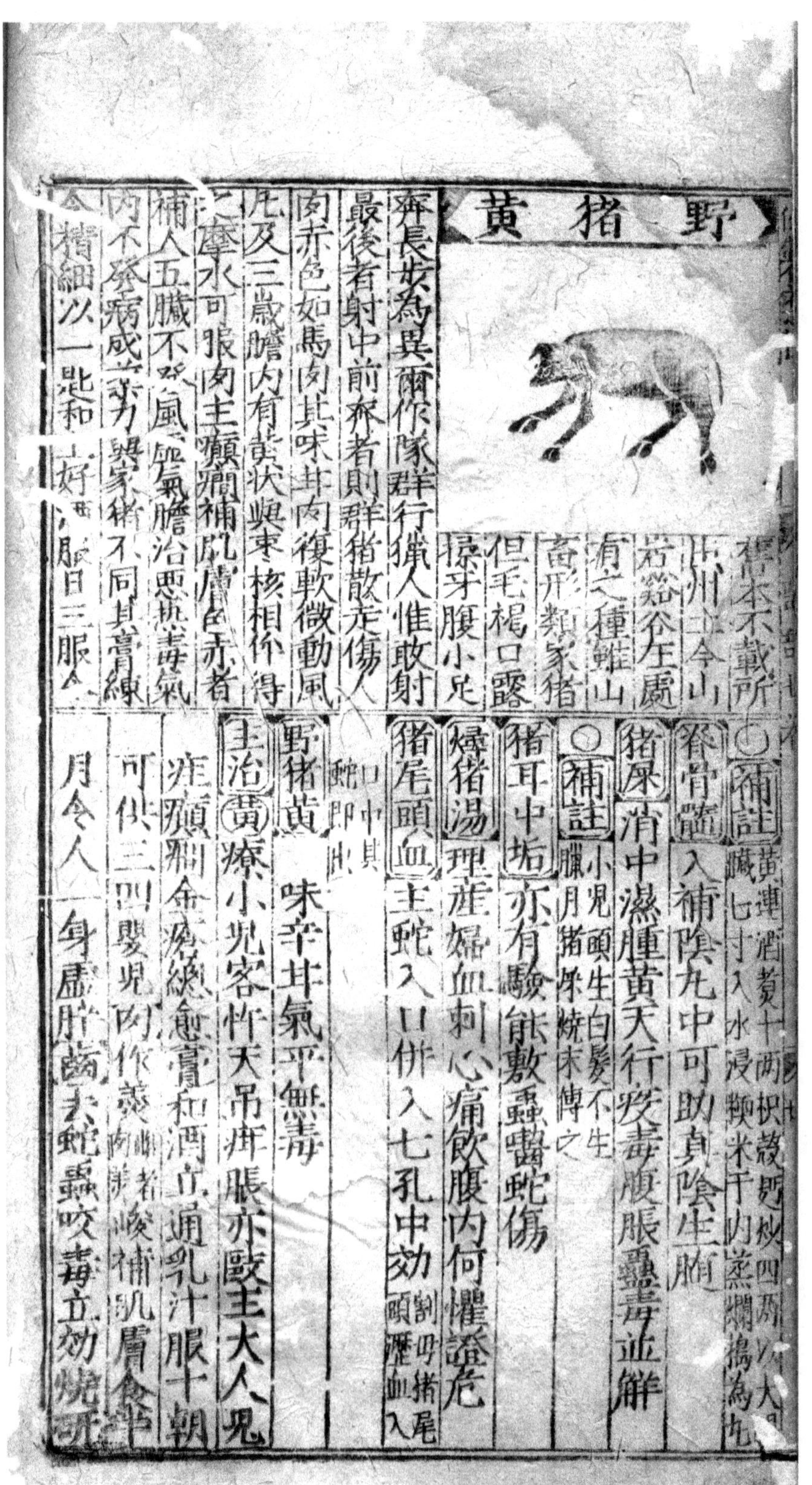

野猪黃

舊本不載所出州土今山谷谿谷生處有之種雖山畜形類家猪但毛褐口露獠牙腹小足脩長尖為異爾作隊群行獵人惟敢射最後者射中前來者則群猪散走傷人肉赤色如馬肉其味甘肉復軟微動風凡及三歲膽內有黃狀與棗核相似得之摩水可服肉主癲癇補肌膚色赤者補人五臟不發風氣膽治惡熱毒氣肉不發病成節力與家猪不同其膏練令精細以一匙和一好酒服日三服令

○補註 黃連酒煮十兩枳殼麩炒四兩以大 藏七寸入水浸麩米于內蒸爛搗為丸

脊骨髓 入補陰丸中可助真陰生脂

猪屎 消中滿腫黃天行發毒腹脹蠱毒並解

○補註 小兒頭生白髮不生 臘月猪屎燒末傅之

猪耳中垢 亦有驗能敷蟲齧蛇傷

燖猪湯 理產婦血刺心痛飲腹內何懼諸危

猪尾頭血 主蛇入口并入七孔中効 割母猪尾頭瀝血入口中其蛇即出

野猪黃 味辛甘氣平無毒

主治黃 療小兒客忤天吊并脹亦醫主大人兒疰癲癇金瘡總愈膏和酒立通乳汁服十朝可供三四嬰兒肉作羹 臛者 炙肉并蹄 峻補肌膚食半月令人一身虛肝齒去蛇蟲咬毒立効燒研

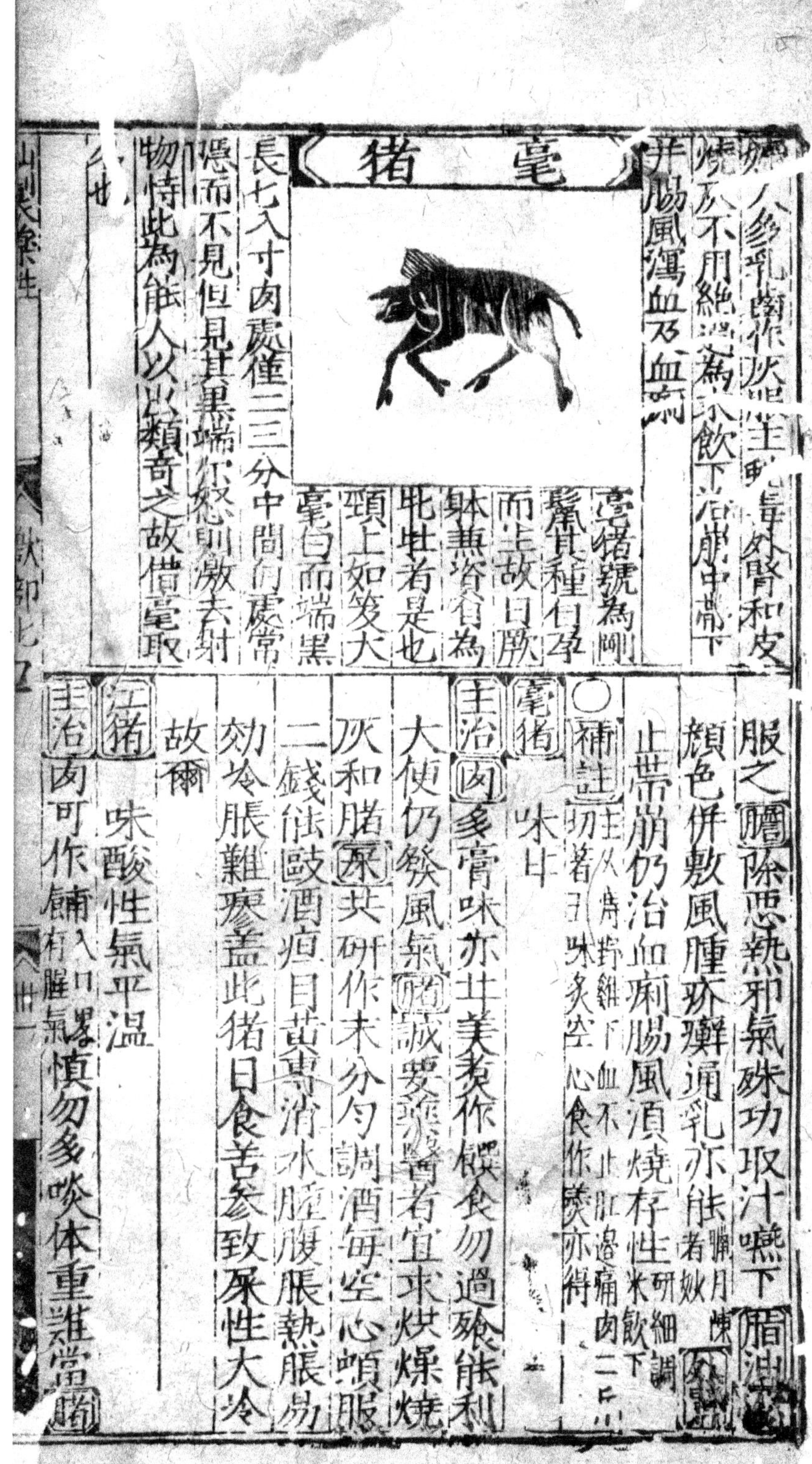

療人參乳嚥作淡[illegible]主[illegible]毒外骨和皮
燒灰不用絲[illegible]為末飲下治崩中帶下
并腸風瀉血及血痢

毫猪

毫猪號為剛鬣其種何孕而生故曰豚躰無脊骨為豼壯着是也頸上如笈大毫白而端黑長七八寸肉處僅二三分中間有虚常憑而不見但見其黑端亦怒則激去射物恃此為能人以此類奇之故借毫取名也

服之【膽】除惡熱邪氣殊功取汁嚥下【脂】潤顏色併敷風腫亦癬通乳亦能臘月煉者妙止帶崩仍治血痢腸風須燒存性研細調米飲下

○【補註】主人骨搗細下血不止肚邊痛肉二斤小切着五味炙空心食作羹亦得

【毫猪】味甘

【主治】【肉】多膏味亦甘美煮作饌食勿過飡能利大使仍發風氣【脂】誠要藥醫若宜求炒燥燒灰和脂【屎】共研作末分勻調酒每空心頓服二錢併鼓酒疸目黃消水腫腹脹熱脹易効冷脹難瘳蓋此猪日食苦參致屎性大冷故爾

【江猪】味酸性氣平温

【主治】肉可作脯入口略有腥氣慎勿多啖体重難當【脂】

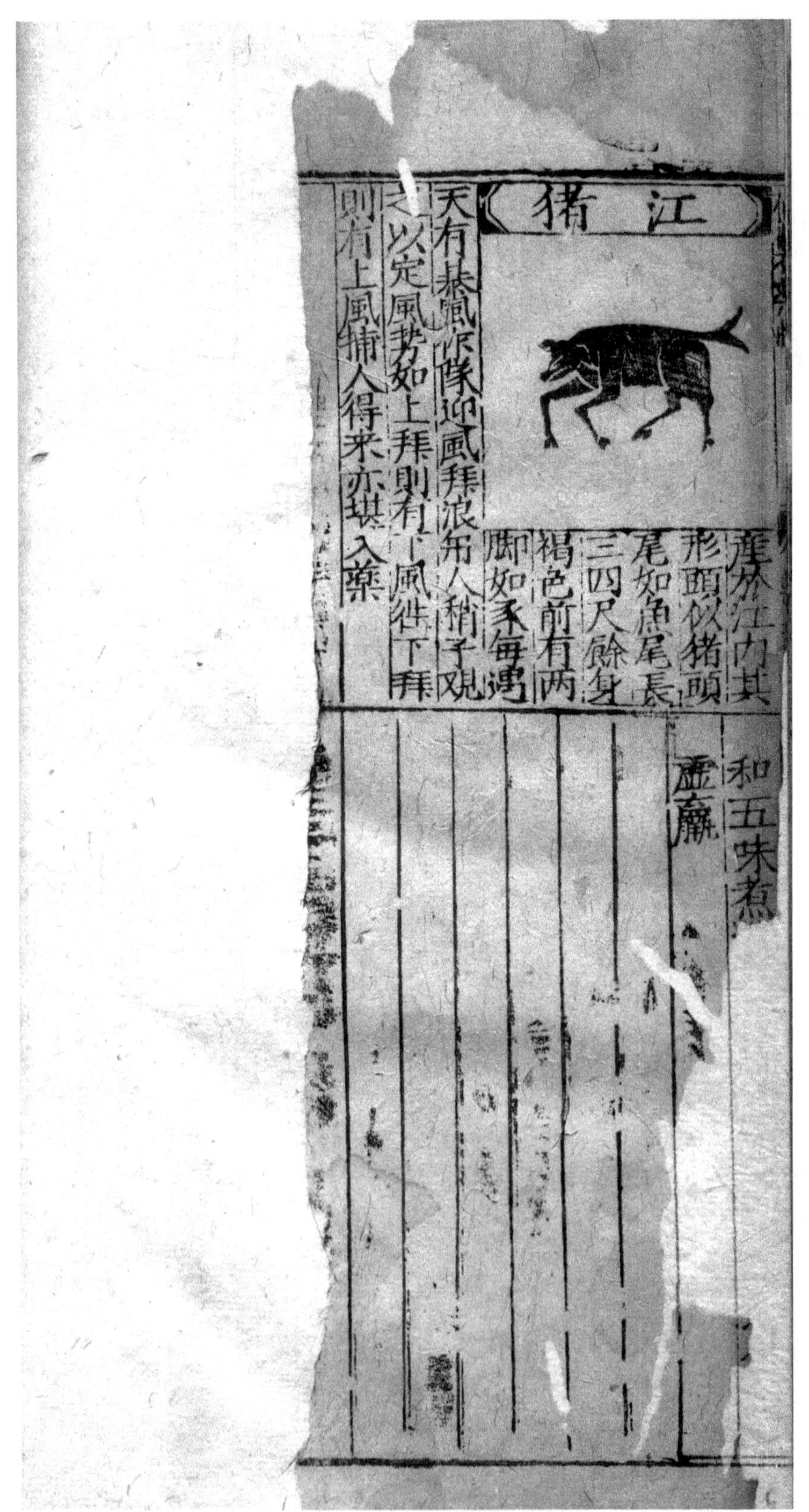

江猪

產於江内其形頭似猪頭尾如魚尾長三四尺餘身褐色前有两脚如豕每遇天有恭風浪隊迎風拜浪舟人稍子覌之以定風勢如上拜則有上風往下拜則有上風捕人得來亦堪入藥

和五味煮

狗陰莖

所在處有之大者為狗小者為犬稱然其色有五樣白狗為狗入藥用白狗骨燒骨療諸瘡瘻及妬乳癰腫黃狗肉大補虛不及壯者壯者火也又呼為犬言脚上別有一懸蹄者是也犬黃者大補益餘色微補古言薯蕷涼而能補犬肉煖而不補有此言服終有益然恭穢甚不食者裂煮咬尚色黃入藥取毛白六月上伏將莖刮收文火烘乾方不與腐又犬傷人杵生杏仁封之差比来失血食之却不益

牡狗陰莖　味鹹氣平無毒

主治　專助房術又名狗精堅舉男子陽莖兩三時不痿禁止婦人帶漏十二疾咸瘳

○**補註**　婦人生子不收用此莖同白狗血投酒中服之

狗膽汁　味甘氣平有小毒

主治　傅痂瘍惡瘡點目疼兩眥主鼻齆去鼻中息肉治撲損去瘀血箭瘡

○**補註**　治血氣撮痛不可忍若黑狗膽一箇半乾半濕割開以飽子排丸如菉豆大蜡粉衮過每服五丸燒生鐵卒酒下其痛立止○又上伏日採膽以酒調服之明目去眼中膿水又主惡瘡痂癢以膽汁傅之止膽傅惡瘡能破血有中傷因損者熱酒調半箇服瘀血盡下○治眼癢急赤濇以膽汁注目中

狗血　味鹹無毒

主治　治發狂癲疾鬼擊可塗遍身補五臟血脉

人也肥者血亦香美即傳要去血去血之後都無効矣犬自死舌不出者食之害人九月勿食犬肉傷神白狗血合白雞肉白鵝肝白羊肉烏雞肉猪子羹等皆病人不可食犬春月目赤鼻燥欲狂猘者不宜食本草狗正黃色者肉溫補虛腰腎起陽道骨煎爲粥熱補令婦人有子益陽氣補血脉厚腸胃實下焦填精髓不可炙食恐成消渴但和五味煑空腹食之不與蒜同食食必損人若去血則力少不益人瘦者多是病不堪食

(膽)塗惡瘡去腸中膿水又(白犬膽)和通草桂爲丸服令人隱形青犬尤妙河內太守劉勳女病左膝瘡痒華佗視之以繩係犬後足不得行斷犬腹取膽向[illegible]

絕傷亦宜充口

(補註)治小兒卒得癇刺取白犬血一升許含之又塗身上○鬼擊之病得之無漸卒着如刀刺狀胷脇腹內絞急切痛不可抑按或即吐血衄血下血一名鬼排斷白犬頭取熱血一升飲之○卒得瘑瘡常對在兩脚塗白犬血立差

(狗腦)主下部䘌瘡去鼻中瘜肉清頭風如神除風痺大驗

(補註)治猘犬咬人仍殺所咬犬取腦傅之後不復發

(狗齒)主癲癇寒熱神方療客忤風痲妙劑

(補註)治馬鞍瘡狗牙灰酢和塗之差

(狗心)主憂恚氣而除邪氣療下部瘡而治風痺狂犬傷用之有効鼻衄血服之尤靈

(狗腎)主產後腎勞如瘧治体冷虛弱服靈

(狗肝)主下痢臍下刺痛調稀粥和醬鹽

白酒服有虫若亂從腹上出長三尺病【餘】狗骨灰主下痢生肌傅馬瘡【烏狗血】主產難橫生血上搶心者【下頷骨】主小兒諸癇【陰莖】主婦人十二疾爲灰服之【毛】主產難【頭下毛】主小兒夜啼以絳囊盛係兒兩手立止【屎】主瘭疽徹骨痒者當燒作灰塗瘡易令病者知又和臘月猪脂塗諸瘻瘡又傅溪毒丁腫出根【白狗屎】主丁瘡水絞汁服主諸毒不可入口者【脬】主婦人產後腎勞如瘧者婦人体熱用猪胃胞並用大腎【肝心】主狂犬咬以傅瘡上【肝】主腳氣攻心作生薑醋進之當洩先洩勿服之

○按丹溪云人身之虛皆陰虛也陰虛則陽必亢用此補亦不助人以添病

○【補註】治下痢臍下切痛狗肝一具洗細切米一升相調煮粥空腹點一二合蒜吃椒蔥鹽醬豉任性著之

【狗乳汁】點眼久青盲搗狗雛未開目即取

○【補註】目青盲取白犬生子未開目時乳汁注目中療十年青盲狗子目開即差

【狗頭骨】使氣平無毒

【主治】主金瘡諸瘡止血神効治久痢勞痢壯陽

【殊功】

○【補註】治久痢勞痢狗頭骨燒灰和干姜莨菪焦炒見烟爲末白飲空心下十丸効○治婦人赤白帶下久不止狗頭骨燒灰爲細散每日空心及食前溫酒調下一錢○治附骨疽及魚眼瘡用狗頭骨燒烟熏之○治婦人產後血不定奔四肢并遍身狗頭骨燒灰酒調下二錢甚効○療小兒桃李鯁狗骨頭煎湯摩頭上差

【狗懸蹄】即四足蹄能通兩乳汁流

【狗肉】味鹹酸性稍溫熱

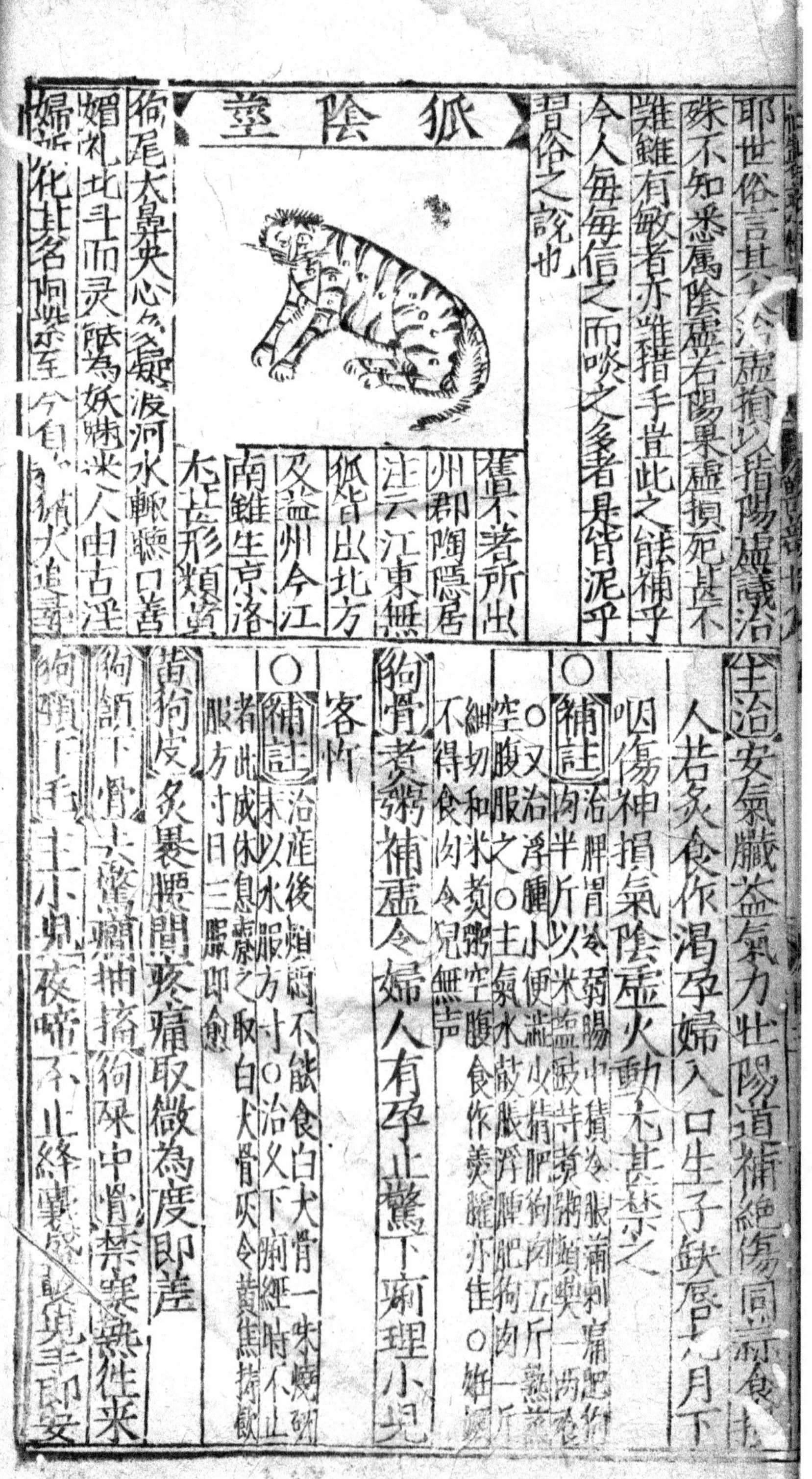

耶世俗言其人□虛損以指陽虛識治
殊不知悉屬陰虛若陽果虛損死甚不
難雖有敏者亦難措手豈此之能補乎
今人每每信之而啖之多者是皆泥乎
習俗之説也

狐陰莖

舊不著所出州郡陶隱居注云江東無狐皆出北方及益州今江南雖生京洛亦甚形類黃
狗尾大鼻尖心多疑渡河水輒聽口善
媚礼北斗而灵態為妖媚迷人由古淫
婦所化其名阿紫至今自□狗犬追尋

主治 安氣臟益氣力壯陽道補絕傷同□食甘
人若炙食作渴孕婦入口生子缺唇十八月下
咽傷神損氣陰虛火動尤甚禁之
○補註 治脾胃冷弱腸中積冷脹滿刺痛肥狗
肉半斤以米鹽豉等煮粥頻喫一兩頓
○又治浮腫小便澀少精肥狗肉五斤熟蒸
空腹服之○主氣水鼓脹浮腫肥狗肉一斤
細切和米煮粥空腹食作羹臛亦佳○姙娠
不得食肉令兒無声

狗骨 煮粥補虛令婦人有孕止驚下痢理小兒
客忤
○補註 治産後煩悶不能食白犬骨一味燒研
末以水服方寸○治久下痢經時不止
者此成休息痢之取白犬骨灰令黃焦擣飲
服方寸日三服即愈

黃狗皮 炙裹腰間疼痛取微為度即差

狗齗下骨 主驚癇抽搐

狗屎中骨 禁寒熱往来

狗頭骨 主小兒夜啼不止絳囊盛□兒□即安

亦能獲猜醫方所用然皆多刮取【膽】
【卒】燒研酒下【肉】溫有小毒主瘡疥補虛
損及女子陰痒絕産小兒癩卵腫瘡炙
食之良五臟邪氣服之差空心服尤佳
光土作鱠主食之甚煖去風補虛勞陰
莖及五臟皆入藥【肝】燒灰以治風令人
作狐肝散用之膽主暴亡臘月收雄狐
膽若有人卒暴亡未移時者溫水微研
灌入喉即活常須預備救人移時即治
無及矣【雄狐屎】燒之辟惡在木石者是
也治五種心痛云肝心痛則顏色蒼匕
亦死灰狀如喘息大用野狐糞二升燒
灰姜黃三兩搗研為末空心酒下方寸
匕日再服甚妙【腸肚】微寒患瘡疥久不差
作羹臛食【腸】主三五歲兒燒灰和水灌之乃

○【補註】治熱泄湯火燒瘡痛不可忍取狗毛細剪以烊膠和毛傅之至瘡落便差

【狗屎】白乾燒灰塗疔瘡止痛豬脂調末敷疔腫

抜根

○【補註】療食魚肉等成癥結在腹并諸毒氣方取狗屎五升燒末以綿裹酒五升漬再宿取清分十服日再已後日三服使盡隨所食癥結即便出矣○治食鬱肉漏脯中毒燒犬屎末酒服方寸匕○治馬鞍瘡取五月五日牡狗屎燒灰敷傅之良○治發背取牡狗白糞半升煮欲作腫時以暖水一升絞汁分再服仍以滓敷上每日再為差止

【狐陰莖】味甘氣微寒有毒

【主治】主婦人絕産陰痒治小兒卵腫陰㿗

【狐肉】氣溫無毒又云有小毒

【主治】任煮炙日食愈瘡疥補虛羸卻癰瘡蠱毒去五臟積冷邪氣除精神恍惚亂言

○【補註】治驚癇精神恍惚亂言歌笑無度兼五臟積冷蠱毒寒熱狐肉一斤及五臟

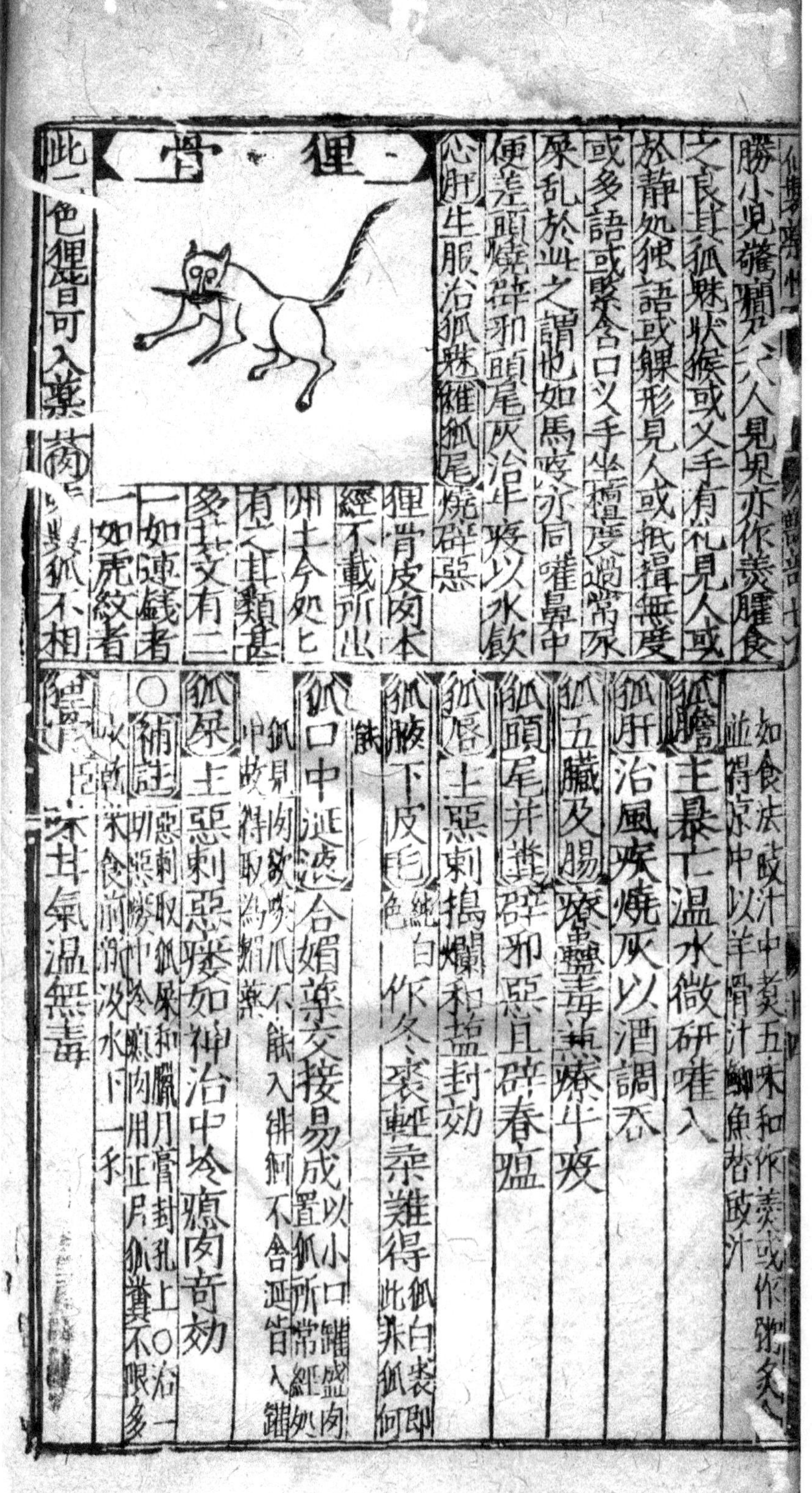

[illegible]勝小兒驚癇[illegible]人見鬼亦作羹臛食之良且狐魅狀候或叉手有礼見人或於靜处獨語或裸形見人或祇揖無度或多語或緊含口叉手坐禮度過常屎屎乱於此之謂也如馬疫亦同嚾鼻中便差頭燒辟邪頭尾灰治牛疫以水歆

心肝生服治狐魅

雄狐尾燒辟惡

狸骨

狸骨皮肉本經不載所出州土今处处有之其類甚多其文有二一如連錢者一如虎紋者此二色狸骨可入藥[illegible]狐不相

如食法豉汁中煑五味和作羹或作粥炙亦並得凉中以羊骨汁鯽魚皆豉汁

狐膽 主暴亡温水微研嚾入

狐肝 治風痫燒灰以酒調吞

狐五臟及腸 療蠱毒並療牛疫

狐頭尾并糞 辟邪惡且辟春瘟

狐唇 主惡刺搗爛和塩封効

狐腋下皮毛 純白作冬裘輕柔難得 狐白裘即此非狐何

狐口中涎 合媚藥交接易成 以小口罐盛肉置狐所常經处狐見肉欲啖爪不能入徘徊不舍涎皆入罐中收得取為媚藥

狐屎 主惡刺惡瘡如神治中冷瘜肉奇効

○補註 惡刺取狐屎和臘月膏封孔上○治一切惡瘡中冷瘜肉用正月狐糞不限多[illegible]以[illegible]米食前[illegible]汲水下一升

狸骨 [illegible]味甘氣温無毒

遠一種牛尾狸其尾如牛人多糟食未聞入藥惟當用頭骨華佗方有狸骨散治尸疰〔肉〕主痔可作羹臛食之內方有一種香狸人以作鱠生若北地狐生法其氣甚香微有麝氣〔肉〕治遊風等病又〔狸頭〕燒灰酒服治一切風〔頭骨〕燒灰主鬼瘧日華子云〔骨〕治遊風惡瘡頭骨最妙〔狸溺〕主諸色風人取養之食果子以養之溺如乳甚難得似兔而短多栖身在高樹上候風而吹過他木其溺主風然甚難取人久養之始可得

〔主治〕治諸疰毒氣在皮中刺痛去遊風惡毒止心氣走疰同桃仁鬼箭麝香丸治痔瘻効

〔狸頭骨〕治鯁為散下咽

〇〔補註〕[illegible]并腹痛痔瘻炙之令香為末酒服二錢十服後見効頭骨尤妙〇治尸疰邪氣燒為灰酒服二錢亦主食野鳥肉物中毒狸[illegible]散服之即差〇治瘰癧腫硬疼痛特久不差用狸頭蹄骨等並塗酥炙令黃杵羅為散每日空心粥飲調下一錢

〔狸頭〕治鼠瘻鼠齧人瘡狸愈之

〔狸肌肉〕療諸疰亦宜

〇〔補註〕治痔疾瘻瘡狸肉作羹食之自作脯食之不過三頓差此肉甚妙

〔狸陰莖〕通月水誠効治陰癩尤灵燒之以東流水服之

〔狸屎灰〕主寒熱鬼瘧發無期度者極効以用五月端陽

〇〔補註〕療小兒鬼舐方狸屎燒灰和臘月豬脂塗上不數次即愈

〔家狸〕一名猫也治鼠瘻瘰癧秘方手捧打樓抻如刺

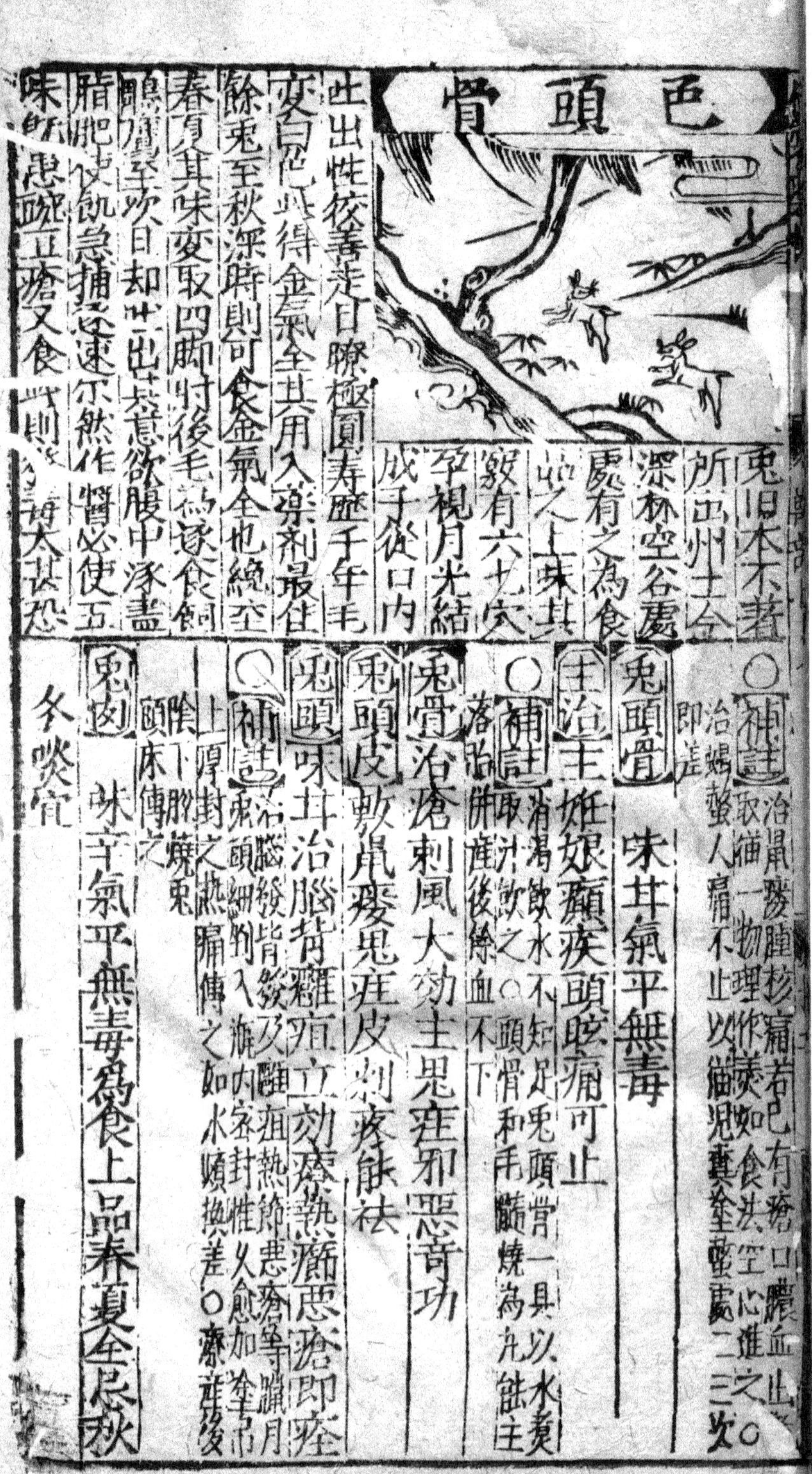

兎頭骨

兎舊本不著所出州土今深林空谷處處有之為食品之上味其竅有六七穴孕視月光結成子從口內吐出性狡善走目瞭極圓壽歷千年毛變白也此得金氣全其用入藥劑最佳餘兎至秋深時則可食金氣全也總至春夏其味變取四脚肘後毛為逐食飼鷹鸇至次日却出毛意欲腹中逐盡脂肥故飢急捕逐速不然作瞖必使五味既患踠豆瘡又食此則為太甚恐

○補註 治鼠瘻腫核痛若已有瘡口膿血出者取貓一物理作羹如食法空心進之○治蝎螫人痛不止以貓兒糞塗螫處二三次即差

兎頭骨 味甘氣平無毒

主治 主姙娠癲疾頭眩痛可止

○補註 消渴飲水不知足兎頭骨一具以水煮取汁飲之○頭骨和毛髓燒為丸催生落胎并產後餘血不下

兎骨 治瘡疥刺風大効主鬼疰邪惡奇功

兎頭皮 敷鼠瘻鬼疰皮剝疼能祛

兎頭 味甘治腦背癰疽立効療熱癤惡瘡即瘥

○補註 治腦發背發及癰疽熱節患瘡等臘月兎頭細剉入瓶內密封惟久愈加塗帛上厚封之熱痛傳之如水頻換差○療產後陰下脫燒兎頭末傅之

兎肉 味辛氣平無毒為食上品春夏全忌秋冬啖宜

歷損人陶隱居云兔肉為羹亦益人
妊娠不可食令子唇缺其肉不可合白
雞肉食之面發黃合獺肉食之令人病
遁尸頭骨主頭眩痛癲疾腦主凍瘡肝
主目闇肉補中益氣然性冷多食損元
氣髓及膏並主耳聾毛煎湯洗豌豆瘡
毛燒灰主灸瘡久不差皮毛及頭同燒
灰酒服主難產衣不下必效療天行嘔
吐不下食臘月兔頭并皮毛燒令烟
盡擘破作黑灰擣羅之以飲汁服方寸
則下食不差更服燒之勿令火耗頻用
有效無比崔元亮海上方療消渴羸瘦
小便不禁兔骨和大麥苗煮汁服極效
又方用兔一隻剝去皮爪五臟等以水
一斗半煎使爛骨肉相離濾出骨肉斟

【主治】主溫瘴熱燕壓丹石燥發補中益氣止渴
健脾孕婦戒勿下咽生子缺唇有驗
【兔腦髓】塗皸皮裂凍瘡神方下難產橫生妙藥
〇【補註】手足皸裂成瘡兔腦髓生塗之〇治產前滑胎臘月兔腦髓一箇攤於紙上令
匀候乾剪作符子於面上書生字一箇覓母
陣痛時用母釵子股上夾定灯焰一燒灰盡
盛煎丁香酒調下〇催生丹兔頭一箇臘月
內取頭中髓塗於淨紙上令風吹乾通明乳
香二兩即入前乾兔髓同研來日是臘今日
先研候夜星宿下安棹子上時果香茶同一
處排定須是潔淨齋戒焚香望北帝禱告云
大道弟子某修合救世上難生婦人藥願降
威靈祐助此藥速令生產禱告再拜用帋帖
同露之更燒香至來日日未出時以豬肉和
丸如雞頭大用紙袋盛貯透風懸每服一丸
醋湯下良久未產更用冷酒下一丸即產此
神仙方
絕驗
【兔肝】除目瞖補勞治頭旋眼痛
〇【補註】主明目和決明子作丸服之又主丹石人上衝眼暗不見物可生食之一如服

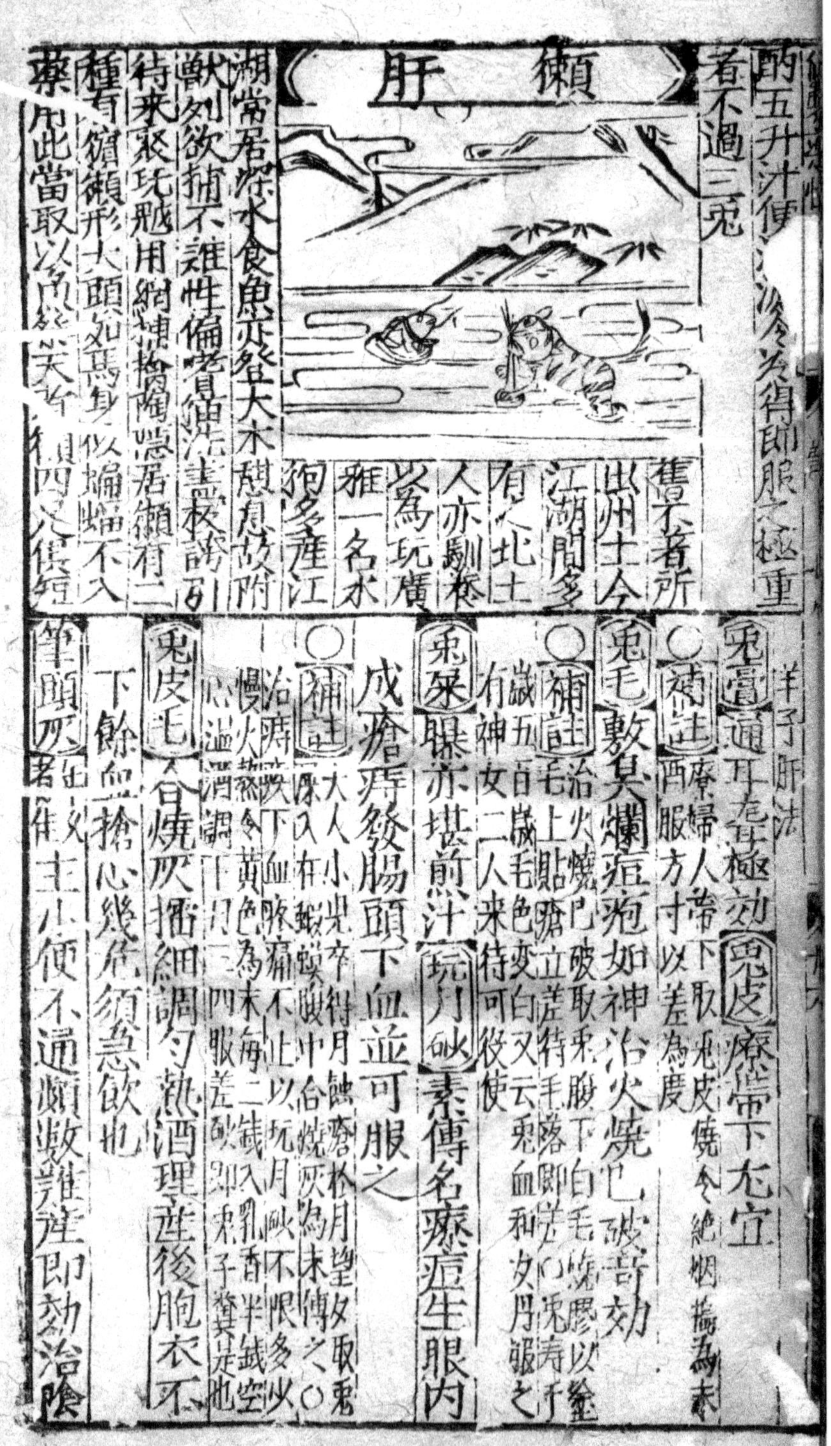

酌五升汁便〻飲之若得即服之極重者不過三兎

獺肝

舊本著所出州土今江湖間多有之北土人亦馴養以為玩廣雅一名水狗多產江湖常居深水食魚遇大木憩息故附獸類欲捕不離性偏者貴須活晝夜誘可待來聚玩瓶用網捕擒陶隱居獺有二種有猵獺形大頭如馬身似蝙蝠不入藥用此當取以為然矣毛色相四足俱短

羊子肝法

兎靨 通耳聾極効 兎皮 療產帶下尤宜

○補注 療婦人帶下取兎皮燒令絕烟擣為末酒服方寸以差為度

兎毛 敷臭爛瘡疱如神治火燒已破奇効

○補注 治火燒已破取兎腹下白毛燒膠以塗毛上貼瘡立差待毛落即差○兎壽千歲五百歲毛色變白又云兎血和丹服之有神女二人來待可役使

兎屎 臘亦堪煎汁 玩月砂 素傳名療瘡生眼內成瘡痔發腸頭下血並可服之

○補注 大人小兒卒得月蝕瘡於月望夕取兎屎入在蝦蟆腹中合燒灰為末傅之○治痔疾下血疼痛不止以玩月砂不限多少慢火熬令黃色為末每二錢入乳香半錢空心温酒調下日三四服差即兎子糞是也

兎皮毛 合燒灰擂細調勻熱酒理產後胞衣不下餘血搶心幾危須急飲也

筆頭灰 年久者 主小便不通斷數難產即効治陰

頭與身尾皆褊毛〻如獺大者身與尾長三尺餘食魚居水中出水亦不死世謂之水獺嘗祭魚大水獺帶松其間旋轉如風水謂之成旋渦起四面高中心凹下觀者駭目皮西戎將以緣毳服領袖聞之云垢不着如風霜眯目即於袖口拭目中即出又毛端果不着塵亦一異也肝與諸畜大殊逐月生出一葉十二數備漸落復生凡欲得真必須見剖或炙熟旋咬或燒末酒調張仲景有治冷勞獺肝丸又九十種蠱疰及傳尸骨蒸伏連殗殜諸鬼毋癘疫等獺肝二方俱妙腎主益男子身主魚骨鯁項下爬亦煮汁食之皮毛主水癊病屎主魚臍瘡膽毛主眼腎黑花飛蠅上下視物

腫中惡腕肛淋瀝神功

○補註 若小便不通數而微腫取陳久筆頭一枚燒灰和水服之○催生治難產用數筆頭一枚燒細研末研生藕汁一盞調下立產若產母虛弱及素有冷疾者恐藕冷動氣即於銀器內重湯煖之後服○治喉中腫痛不得飲食燒筆頭灰漿飲調下方寸

獺肝 味甘有毒一云平鹹微熱有毒一云惟肝性溫餘皆性寒

主治 瘧疾病傳屍一門相染者悉効產勞發熱三時虛汗者殊功上氣咳嗽堪除鬼毒瘟瘴能遣崔氏方常療蠱疫仲景劑每治冷勞卻魚鯁喉中消水脹腹內

○補註 腸痔大便常有血燒獺肝服一錢○治鬼魅獺肝末水服日三服差○尸疰鬼疰病者葛洪云是五尸之一疰又挾諸鬼邪為害其病變動乃有三十六種至九十九種大略使人寒熱淋瀝沉沉默默不知其所苦而無處不惡累年積月漸就頓滯以至

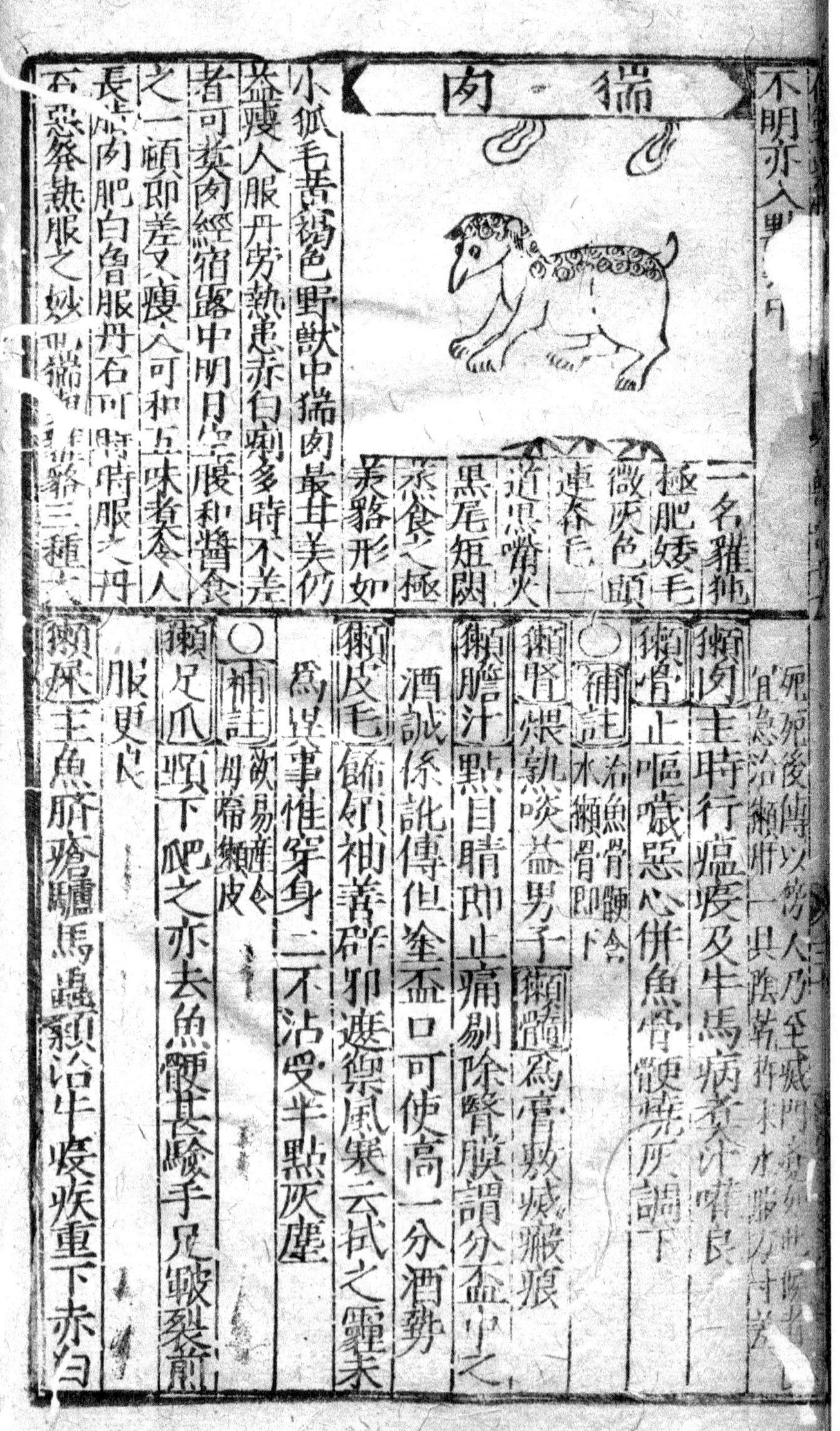

不明亦入[illegible]

猫肉

一名雜狐極肥矮毛微灰色頭連脊毛一道黑嘴尖黑尾短闊恭食之極美貉形如小狐毛黄褐色野獸中猫肉最甘美仍益瘦人服丹劳熱患赤白痢多時不差者可煑肉經宿露中明日空腹和醬食之一頓即差又瘦人可和五味煑食令人長肌肉肥白曾服丹石可時時服之丹石發熱服之妙而猫貍貉三種[illegible]

死死後傳以傍人乃至滅門[illegible]宜急治獺肝一具陰乾杵末水服方寸匕

獺肉　主時行瘟疫及牛馬病煮汁灌良

獺骨　止嘔噦惡心并魚骨鯁燒灰調下

○補註　治魚骨鯁含水獺骨即下

獺腎　煨熟啖益男子

獺髓　為膏敷滅瘢痕

獺膽汁　點目睛即止痛剔除瞖膜謂分盃中之酒誠係訛傳但塗盃口可使高一分酒勢

獺皮毛　飾領袖善辟邪避禦風寒云試之靈矣為裘事惟穿身上不沾受半點灰塵

○補註　欲易産令母帶獺皮

獺足爪　項下爬之亦去魚鯁甚驗手足皸裂煎服更良

獺屎　主魚臍瘡驢馬蟲顙治牛疫疾重下赤白

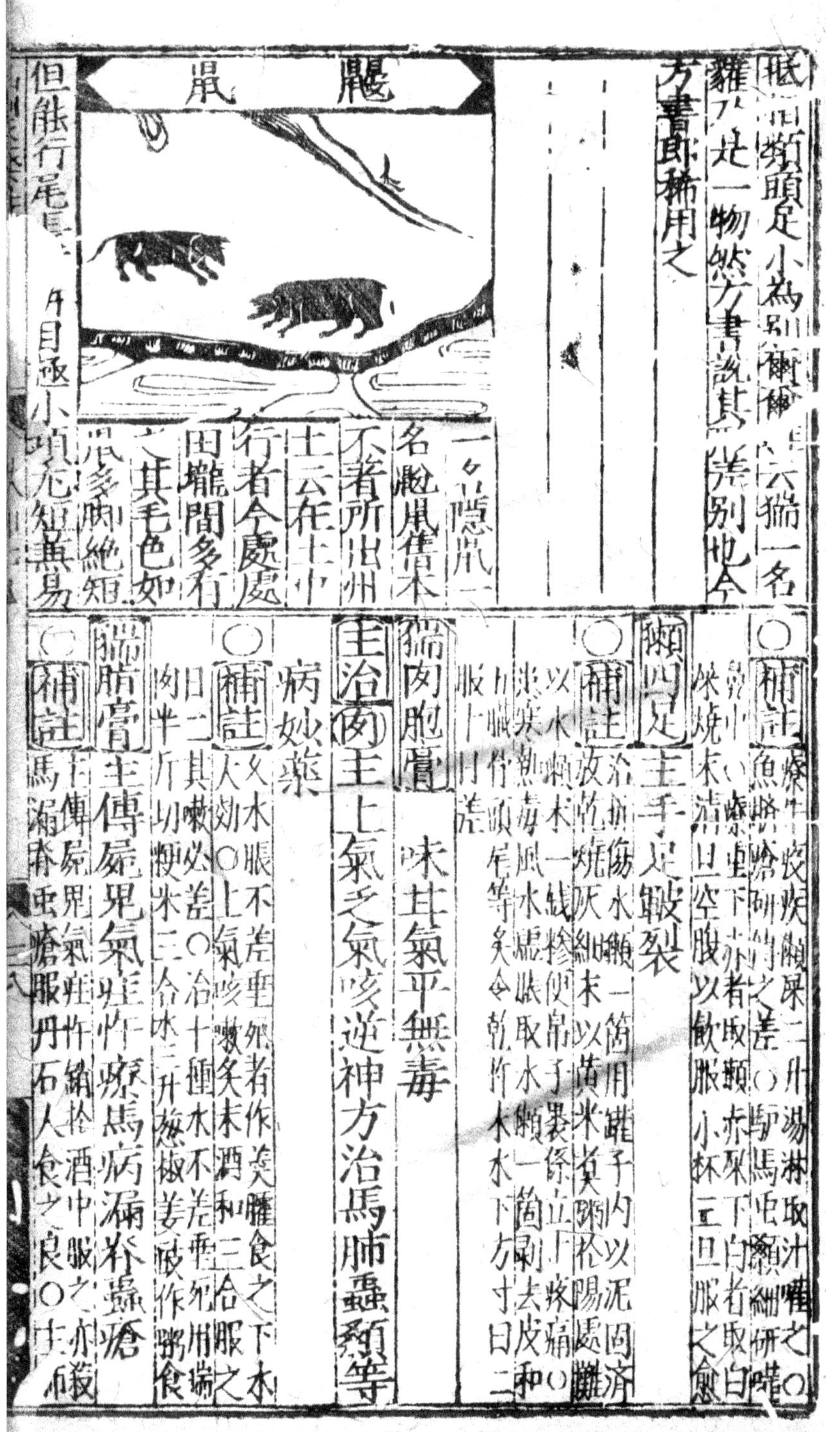

鼫而猯頭足小為別爾雅云猯一名貛又是一物然方書說其狀差別也今方書鮮稀用之

鼴鼠

一名隱鼠一名鼢鼠舊本不著所出州土云在土中行者今處處田壠間多有之其毛色如鼠多兩絕短但能行尾長寸許目極小項短最易

○補註療牛疫疾獺屎二升湯淋取汁灌之○魚骨鯁噎研灌之差○驢馬疳獺細研嚾敷小兒疳瘡下赤者取獺赤脒下白者取白脒燒末清旦空腹以飲服小杯三旦服之愈

獺四足　主手足皴裂

○補註治折傷水獺一箇用罐子內以泥固濟放乾燒灰細末以黃米煮粥於陽處攤以水獺末一錢摻便帛子裹係立止疼痛○炙熱毒風水腫脹取水獺一箇剝去皮和五臟骨頭尾等炙令乾杵末水下方寸匕日二服十日差

猯肉胞膏　味甘氣平無毒

主治　肉主上氣乏氣咳逆神方治馬肺蟲類等病妙藥

○補註久水脹不差垂死者作羹臛食之下水大效○上氣乏氣咳嗽炙末酒和三合服之日二其嗽必差○治十種水不差垂死用猯肉半斤切粳米三合水三升葱椒姜豉作粥食

猯脂膏　主傳屍鬼氣疰忤瘀馬病漏疥蟲瘡

○補註主傳屍鬼氣疰忤納於酒中服之亦殺馬漏疥蟲瘡服丹石人食之良○主

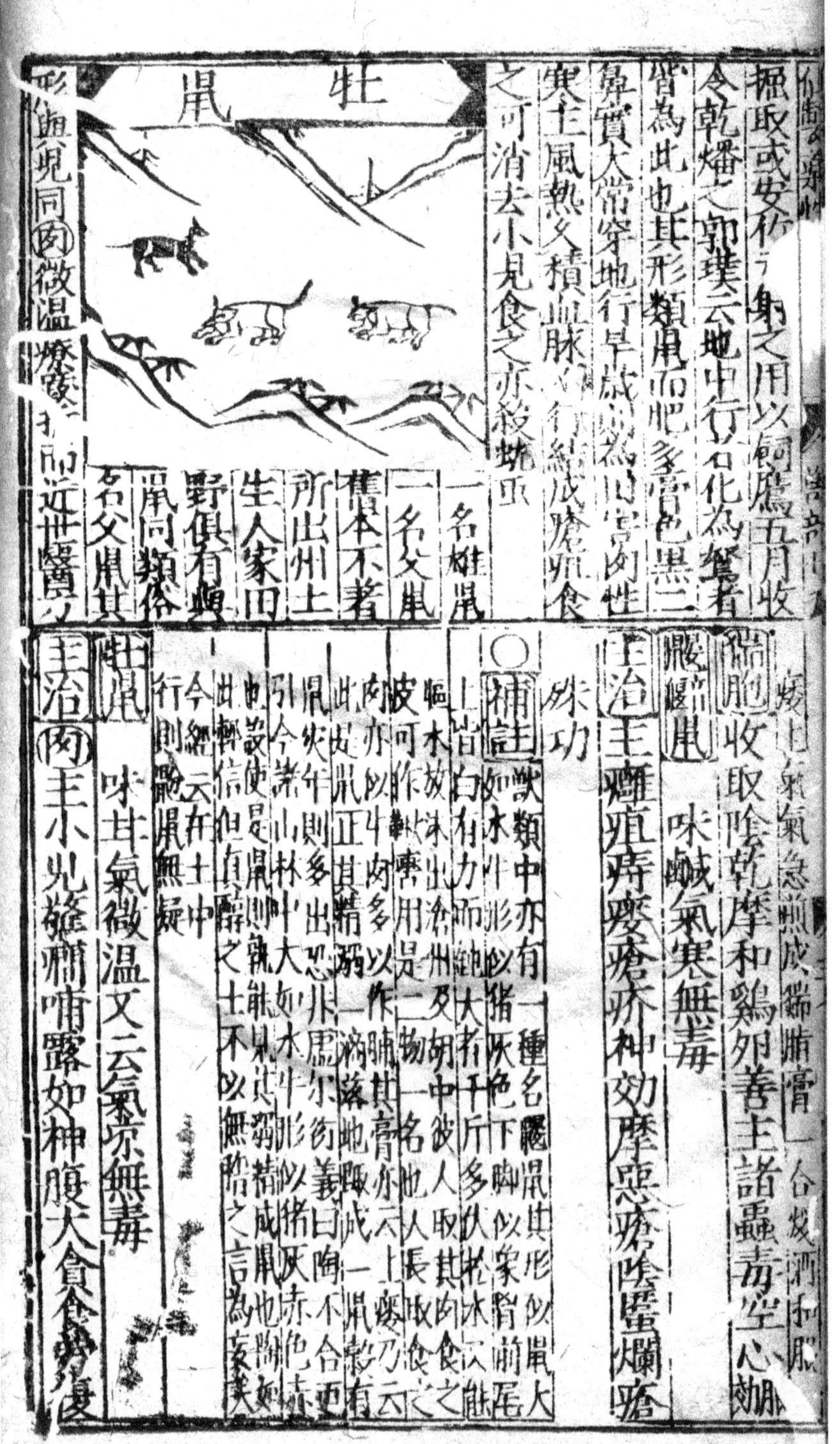

掘取或安穴射之用以飼鷹五月收令乾燔之郭璞云地中行者化為鴽者皆為此也其形類鼠而肥多膏色黑二鼻竇大常穿地行早歲則為田害肉性寒主風熱久積血脈不行結成瘀疣食之可消去小兒食之亦殺蚘蟲

牡鼠

一名雄鼠一名父鼠舊本不著所出州土生人家田野俱有與鼠同類係名父鼠其形與兒同（肉）微溫療踒折近世醫方

瘦氣急煎成膏一合炭酒和服

【製】收取陰乾摩和鷄卵善主諸蠱毒空心服

【鼴鼠】味鹹氣寒無毒

【主治】主癰疽痔瘻瘡疥神効摩惡瘡陰䘌爛瘡殊功

○【補註】獸類中亦有一種名鼴鼠其形似鼠大如水牛形似猪灰色下脚似象胸前尾上皆白有力而鈍大者千斤多伏於水穴能臨木放沐出滄州及胡中彼人取其肉食之皮可作靴寒用是一物一名也人長收食之肉亦以牛肉多以作脯其膏亦云上瘻乃云此是鼠王其精溺一滴落地輒成一鼠穀有鼠災年則多出恐非處所餘義曰陶不合更引今諸山林中大如水牛形似猪灰赤色是也設使是鼠王則孰能見其溺精成鼠也陶如此輕信但有膚淺之士不以無稽之言為妄矣今經云在土中行則鼴鼠無疑

【牡鼠】味甘氣微溫又云氣涼無毒

【主治】（肉）主小兒癥瘕哺露如神腹大貪食黃瘦

用其肉主骨蒸勞極四肢羸瘦殺虫亦主小兒疳疾去骨以酒熬入藥〔脂〕主湯火瘡臘月取活鼠以酒煎為膏瘡湯火瘡滅瘢痕極良〔目〕主明目夜見書術家用之臘月鼠燒之辟惡氣〔膏〕煎之亦療諸瘡〔膽〕主目暗然死膽便消故不可得之〔皮〕主癰瘡中冷瘡口不合用燒灰細研敷瘡口上雄鼠脊骨為末治未長齒多年不生者効〔糞〕主勞復用頭尖者二十枚豉五合水二升煮取一升頓服治鼠瘻以〔新糞〕一百粒已來收置瓷器中五六十日杵碎即傅瘡孔室女月水不通用〔糞〕一兩燒灰研空心溫酒調下半錢狂犬咬人取〔糞〕二升燒末研傅瘡上馬咬人踏破作瘡腫毒取〔糞〕二七枚馬

大効

〇〔補遺〕主小兒鶻瞷腹大貪食者可以黃泥裹燒之細揀去骨取肉和五味汁作羹與食之勿食著骨甚瘦人〇塗凍瘡及折破瘡取臘月新死者一枚油一大升煎之使爛絞去滓重煎成膏塗之〇灵鼠膏大雄鼠一枚淨用清油一斤慢火煎鼠燋於水上試油不散即以綿濾去滓澄清重拭銚子令淨用以慢火煎上件油次下黃丹五兩炒令色變用柳木篦子不住手攪令勻滴於水上試滴候凝即下黃蠟一兩又熬帶黑色方成膏然後貯於瓷合器中候硬合地上出火毒三日傅貼瘡腫去毒而涼〇治踒折續筋骨搗傅之三日一易〇治骨刺人毒痛燒死鼠傅之〇項強身中急者取活鼠破其腹去五藏就熱傅之即差〇治一切瘡中風腰脊反張牙關口噤四肢強直鼠一頭和尾燒灰細研以臘月豬脂傅之〇主水鼓石水腹脹身腫肥鼠一枚剝去皮細切煮粥空心食之頓食三兩度差〇治打傷瘡用若鼠一个自死臘月者和腸肚劈削半片煎令燋黑用豬脂收之使時以鷄翎惹油傅於瘡上即著立差〇下乳汁以鼠作臛勿令知與食〇治小兒癥瘕煑老鼠肉汁煮粥與食〇令子易產取鼠燒末以井花水服方寸匕日三服〇治乳無汁死鼠燒末

鞘五寸故着才利燒為末以豬脂和傅之又主傷寒勞復張仲景傷寒論及古今名方多用之陶隱居云去尿兩頭尖尖耳日華子云鼠涼無毒治小兒驚癇疾以油煎令消入蠟傅湯火瘡生搗署折傷筋骨維鼠糞兩頭尖硬者是治癇疾明目怱聦鼠眼治勞復〔足〕燒令催生

鼺鼠

一名飛生出山都平谷即飛生鳥也今湖嶺間山中多行之狀如蝙蝠大如鴟鳶子

一箇燒末以酒服方寸匕勿令知之○臘月向正旦朝所居處埋之辟瘟疫○治湯火[傷]瘡痛不可忍取鼠一頭油中浸煎之候鼠[焦]爛盡成膏研之仍以綿裹絞去滓待冷敷之入三日度止痛

四足及尾 主婦人墮胎易出

鼠頭 治頭中外瘡瘤膿血出者正月取鼠頭燒作灰以臘月猪膏傅瘡上

鼠腦 針折入肉中以鼠腦塗之○治鉄棘竹木諸刺在肉中不出以鼠腦搗如膏厚塗之即出

鼠目 治人目澁喜睡取鼠目一枚燒脊魚膏和注目皆則不眠兼取兩目絳囊盛帶之

鼠肝 箭鏑及刀刃在咽喉胷膈諸隱處不出杵鼠肝及腦傅之

鼠膽 治眼目喉不見物取鼠膽點之○耳卒聾取膽內耳中不過三愈有人云側卧瀝一胆盡須臾膽汁從下邊出初出亦聾半日須臾乃差治三十年老聾

鼠屎 主小兒癇疾腹大方治大腹勞復秘方

○**補註** 治食馬肝有毒殺人者以雄鼠屎三七枚和水研飲服之○治從高墮下傷損筋骨疼痛叫喚不得眠取猪脂肉以鼠屎燒末豬脂和傅之痛止急裹不過半日即差○

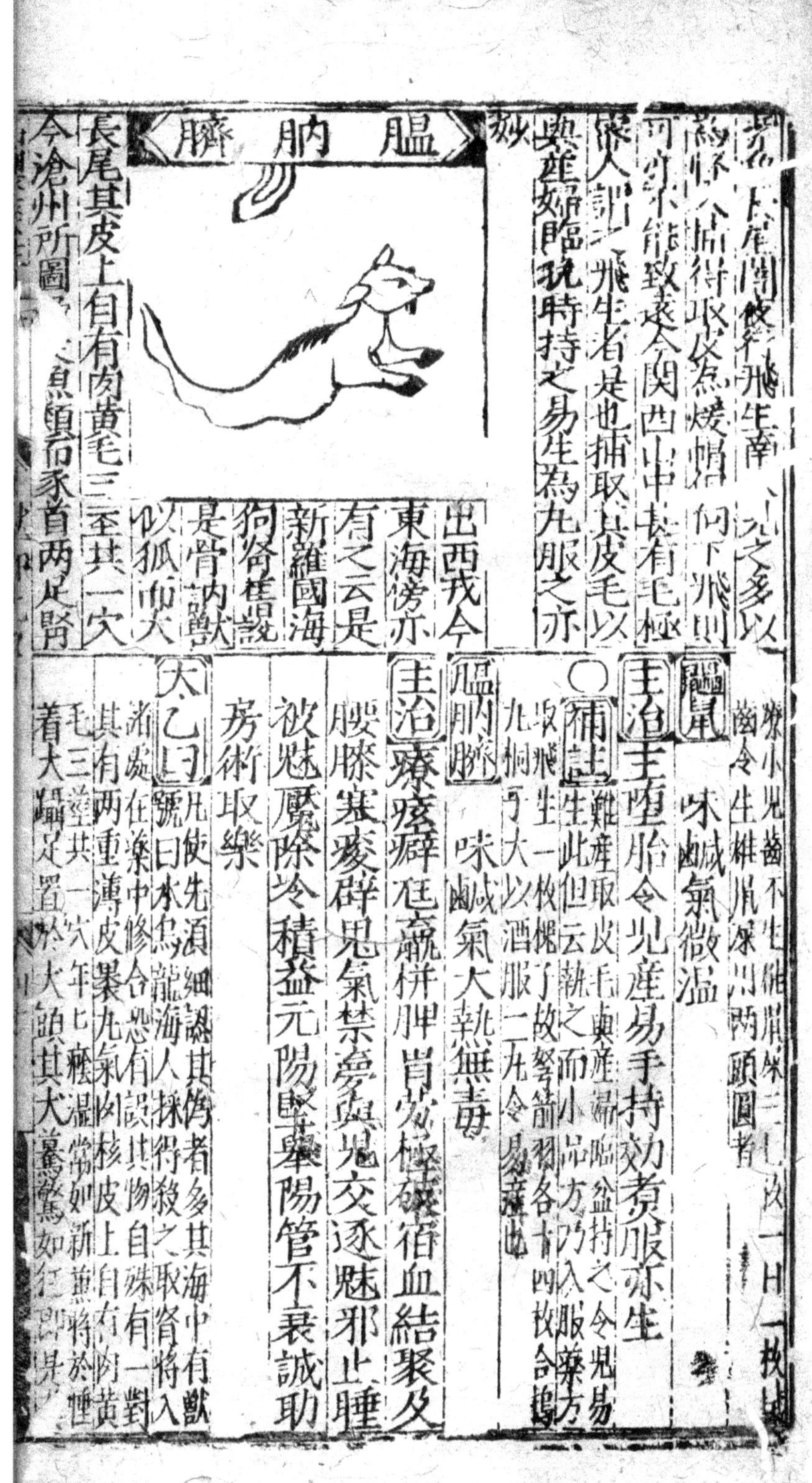

然大尾鬪蝕飛生產　之多以
爲除令臨街取炙煖帽向下飛則
可爲不能致遠今關西山中甚有毛極
密人謂之飛生者是也捕取其皮毛以
與產婦臨秘時持之易生爲丸服之亦
妙

療小兒齒不生雄鼠屎三七枚一日一枚拭
齒令生雄鼠屎兩頭圓者

【鼺鼠】味鹹氣微溫

【主治】主墮胎令兒產易手持效煮服亦生

○【補註】難產取皮毛與產婦臨盆持之令兒易
生此但云熱之而小品方乃入服藥方
取飛生一枚槐子故弩箭羽各十四枚合搗
丸桐子大以酒服二丸令易產也

膃肭臍

出西戎今
東海傍亦
有之云是
新羅國海
狗腎舊說
是骨訥獸
似狐而大
長尾其皮上自有肉黃毛三莖共一穴
今滄州所圖乃是魚類而豕首两足腎

【膃肭臍】味鹹氣大熱無毒

【主治】療痃癖尩羸併脾胃勞極破宿血結聚及
腰膝寒痠辟鬼氣禁夢與鬼交逐魅邪止睡
被魅魘除冷積益元陽堅舉陽管不衰誠助
房術取樂

【太乙曰】凡使先須細認其偽者多其海中有獸
號曰水烏龍海人採得殺之取腎將入
諸處在藥中修合恐有誤其物自殊有一對
其有兩重薄皮裹丸氣肉核皮上自有肉黃
毛三莖共一穴年乜癒濕常如新兼將於睡
着犬躡足置於犬頭其犬驀驚如狂即是

狀類膋囊乾亦似兩擘丸粘聯或又指形躰係獸係魚似未據的其立言立說爾興真偽莫別只憑試驗能知殺腫塾大邊大或犇狂跳走置寒泉水內水因濕煖不冰得此驗者真也酒漬透炙乾氣馨香易毀擣成細末任合散丸也若用須酒浸炙一日後以不裹微火上炙令香細剉單擣用之

〇按衍義云膃肭臍今出登萊州藥性論以謂是海內狗外腎日華子又謂之獸今觀其狀非狗非獸亦非魚也但前即似獸尾即魚其身有短密淡青白毛腹脇下全白仍相間於淡青白毛上有深青黑點久則色復淡皮厚日勒如牛皮邊將多取以飾鞍韉其臍治臍腹積冷精衰脾腎勞極有功不待別試也似狐長尾之說蓋今人多不識

野駝脂

出塞北河西今惟西北番界有之此中盡人家蓄養年息者入藥不及野駝耳其脂在陰莖肉間其性溫治風氣令人彊壯力潤

野駝脂 氣溫無毒

主治 主一切風疾頑痺治惡瘡風瘙毒腫死肌筋皮攣縮灸摩立效跌損筋骨疼痿用之良

〇**補遺** 如上治諸風灸摩取熱氣入米粉作煎餅食之療痔勿令人知和藥傅之亦好

皮膚入亦鮮食之家生東 身蹄最精人

多以鎖糊收之

〈獼猴〉

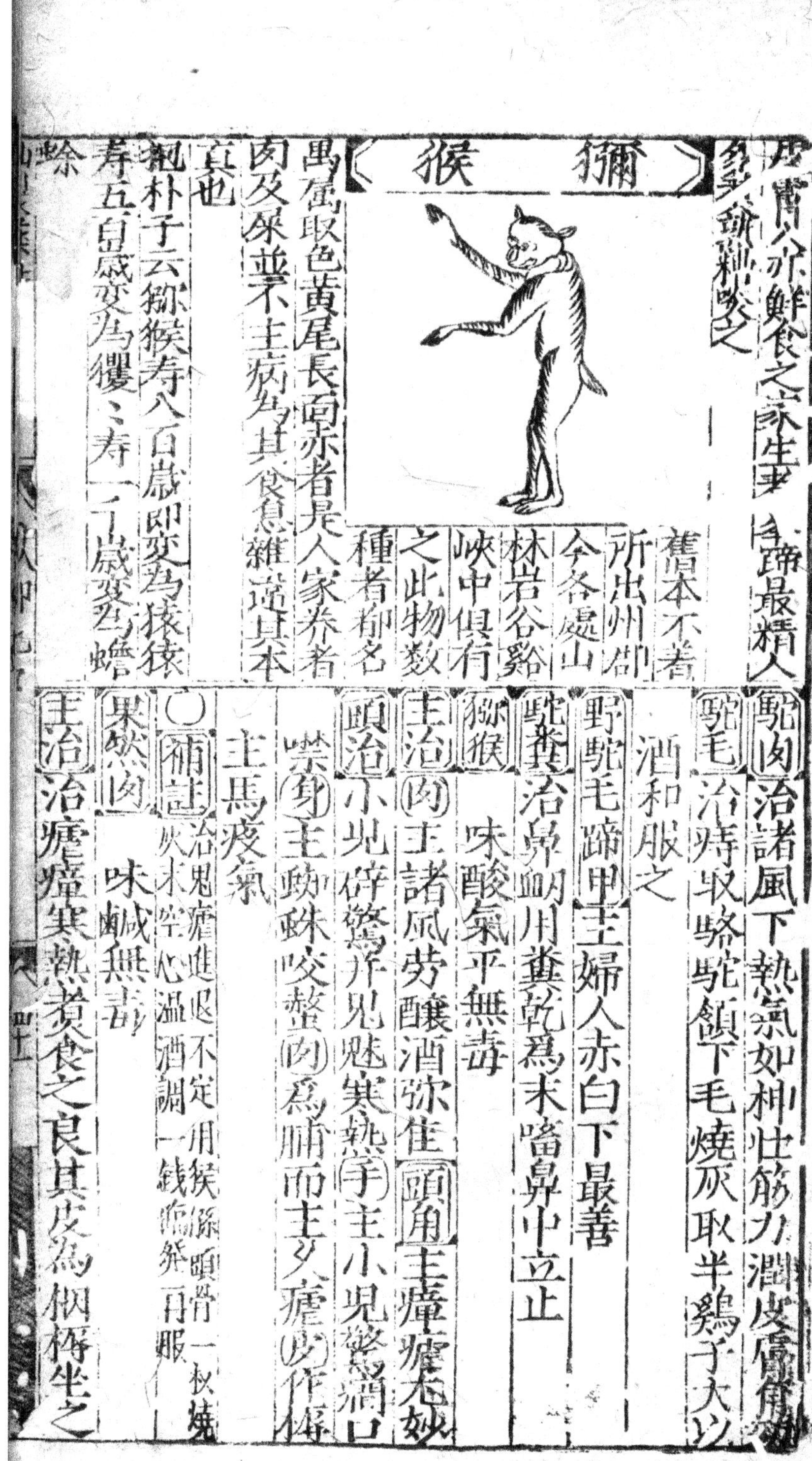

舊本不着所出州郡今各處山林岩谷谿峽中俱有之此物數種者相名禺屬取色黃尾長面赤者是人家养者肉及屎並不主病爲其食息雜過其本眞也

抱朴子云獼猴寿八百歲即变爲猿猿寿五百歲变爲玃玃寿一千歲变爲蟾蜍

駝肉 治諸風下熱氣如神壯筋力潤皮膚補

駝毛 治痔取駱駝頷下毛燒灰取半鷄子大以酒和服之

野駝毛蹄甲 主婦人赤白下最善

駝黃 治鼻衄用黃乾爲末嗃鼻中立止

獼猴 味酸氣平無毒

主治 肉 主諸風勞釀酒弥佳 頭角 主瘧瘻尤妙

頭治 小兒癖驚并兒魅寒熱 手 主小兒驚癇口噤 身 主蜘蛛咬螯 肉 爲脯而主久瘧 皮 作褥

主馬疫氣

〇補註 治鬼瘧進退不定用猴孫頭骨一枚燒灰末空心溫酒調一錢臨發再服

果然肉 味鹹無毒

主治 治瘧瘴寒熱煮食之良其皮爲裀褥坐之

果然肉

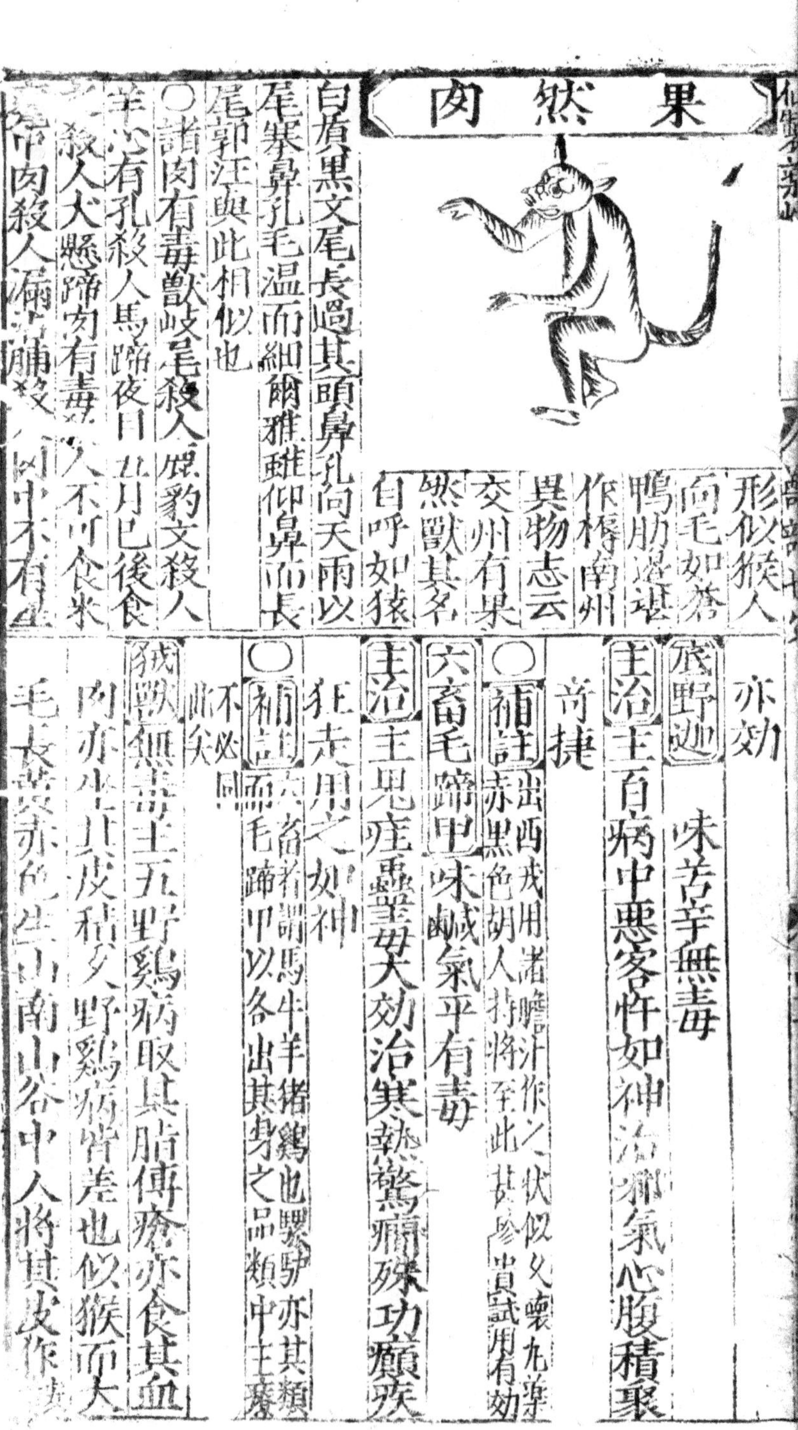

形似猴人向毛如蒼鴨肋邊遲作樗南州異物志云交州有果然獸其名自呼如猿白質黑文尾長過其頭鼻孔向天雨以尾塞鼻孔毛溫而細爾雅蜼仰鼻而長尾郭注與此相似也

○諸肉有毒獸歧尾殺人鹿豹文殺人羊心有孔殺人馬蹄夜目五月已後食殺人犬懸蹄肉有毒殺人不可食米甕中肉殺人漏脯殺人[illegible]肉中不有[illegible]

亦效

【名】野迦

味苦辛無毒

【主治】主百病中惡客忤如神治瘴氣心腹積聚

苛捷

○【補註】出西戎用諸膽汁作之狀似久褒丸藥赤黑色胡人持將至此甚珍貴試用有効

【六畜毛蹄甲】味鹹氣平有毒

【主治】主鬼疰蠱毒大效治寒熱驚癇癲痓狂走用之如神

○【補註】六畜者謂馬牛羊豬雞也騾驢亦其類而毛蹄甲以各出其身之品類中主療不必同此矣

【狨獸】無毒主五野雞病取其脂傅瘡亦食其血肉亦主其皮積久野雞病皆差也似猴而大毛長黃赤色生山南山谷中人將其皮作[illegible]

加米殺人牟脯三月已後不虫如馬尾
有毒殺人脯暴不燥火燒不動入腹不
銷久置黍米瓮中令人氣閉白馬鞍下
肉食之損人五藏馬及鹿肉白不可食
乳酪及大酢和食令人為血痢驢馬兎
肉妊娠不可食乳酪與魚鱠瓜和食立
患霍亂豬牛肉和食令人患寸白虫諸
肉煮熟不斂水食之成瘕食兎肉食乾
薑令人霍亂市得野中脯多有射罔毒
食諸肉過度還飲肉汁即消食腦立消

震肉

此乃畜之被雷所霹靂者此無毒主小兒夜驚大人

楿

狼筋　如織絡袋子似筋膠所作大小如鴨卵人有犯盜者熏之當脚攣縮因之獲賊也或云是狼脞下筋又云虫所作未知孰是狼大如狗蒼色鳴聲諸孔皆涕

諸血　味甘平主補人身血不足或因患血枯皮上膚起面無顏色者皆不足也並生飲之又解諸藥毒菌毒止渴除丹毒去煩熱食飽令人多力

土撥鼠　味甘平無毒

主治　主野雞瘻瘡肥美煮食之宜人生西番山澤穴土為窠形如獺夷人掘取食之魏略曰大秦國出辟毒鼠近似此也

因饑失心亦作脯與食之良

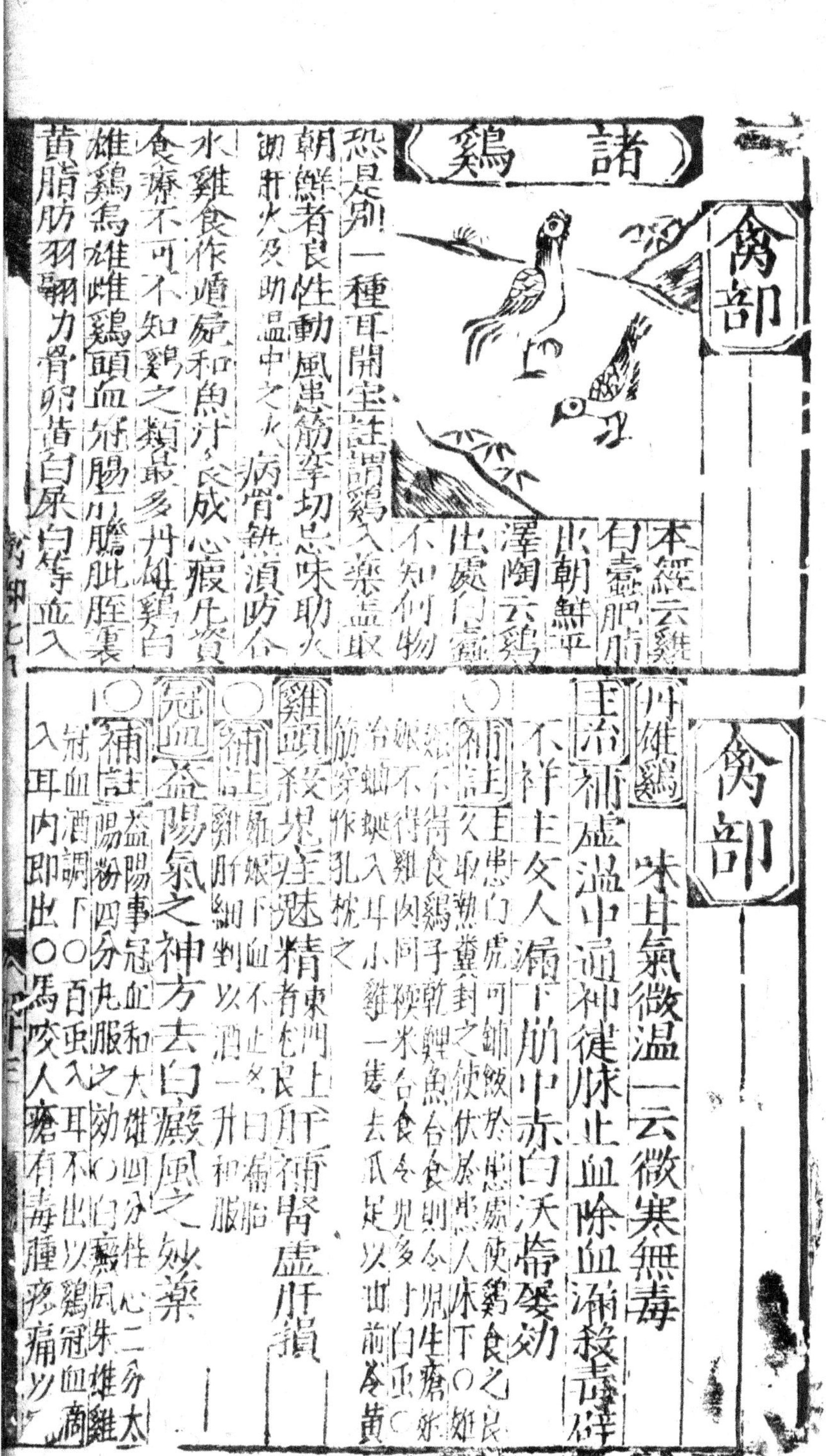

禽部

諸鷄

本經云雞有壺肥脂出朝鮮平澤陶云鷄出處但益不知何物恐是別一種耳開宝註謂鷄入藥當取朝鮮者良性動風患筋攣切忌味助火助升火及助溫中之火病骨熱須防合水雞食作瘧癖和魚汁食成心瘕凡資食療不可不知鷄之類最多丹雄鷄白雄鷄烏雄雌鷄頭血冠血腸肝膽肶胵裏黃脂肪羽翮力骨卵黄白屎白等並入

禽部

丹雄鷄 味甘氣微溫一云微寒無毒

主治 補虛溫中通神健脉止血除血漏殺毒辟不祥主女人漏下崩中赤白沃帶嬰効

○補註 主患白虎可鋪飯於患處使鷄食之良久取熱糞封之使伏於患人床下○雄雞不得食良鷄子乾鯉魚合食則令人生瘡○妊娠不得雞肉同粳米合食令兒多寸白虫○治蜘蛛入耳小雞一隻去爪足以甘前令黃筋穿作孔枕之

雞頭 殺鬼主辟精東門上者尤良 肝 補腎虛肝損

○補註 雞肝 妊娠下血不止名曰漏胎雞肝細剉以酒一升和服

冠血 益陽氣之神方去白癜風之妙藥

○補註 益陽事冠血和大雄四分桂心二分太陽粉四分丸服之効○白癜風朱雄雞冠血酒調下○百虫入耳不出以鷄冠血滴入耳内即出○馬咬人瘡有毒腫疼痛以

藥古今方書用之尤多其肉雖有小毒而補虛羸最要故食治方中多用之蜀本注云凡雞子及卵白等以黄雌爲者良雞膽心肝腸肪膍胵及糞等以烏雄爲良頭以丹雄爲良翮以烏雄爲良藥性論云雞子液味甘微寒無毒能治目赤痛黄和常山末爲丸竹葉煎湯下治久瘧不差治漆瘡塗之醋煮治產後虛及痢主小兒發熱煎服主痢除煩熱鍊之主嘔逆屎能破石淋利小便主脾胃氣虛腸滑下痢以炙鷄散黄雌鷄一隻治如食法以炭炙之槌了以鹽醋刷之又炙令極熬熟乾燥空腹食之又云主赤白痢食不下用雌鷄一隻治如常法細切爲臛作溫餛飩空心服之又云主

血着瘡中三下牝馬用雌牡馬用雄

〔鷄腦〕刺血點飛絲眼免害

〔雞糞〕炒黑淬酒治白虎風止疼

〇〔補註〕產後小便不禁以屎燒灰空心酒服方寸匕○蚯蚓咬人痛不止以屎燒灰酒和服之佳又取屎和醋敷之○治妬乳及癰腫屎末服方寸匕須更三服愈

〔白雄鷄〕味辛酸氣微溫無毒飼養三年能爲鬼神役使

〔主治〕療狂邪下氣止消渴調中仍理小便更壓丹毒〔距〕主婦人難產〔腦〕禁小兒驚癇燒末酒調服良

〔翮〕消癰疽腫毒小兒下血

〇〔補註〕治諸癰不已成膿惧針不得欲令速決取雄雞翅下第一毛兩邊各一莖燒灰研水調服之○治陰大如斗取鷄翅毛其毛一孔生兩毛者佳左腫取左翅右取右翅雙腫取兩邊翅並燒灰研飲服○治小兒下血雌鷄翮下血服之

消渴傷中小便数黄雌鷄一隻治如食法煮令熟去鷄停冷渴即飲之肉亦可食煮和米及鹽豉作粥及以五味作羹並得又云主小便数頻冷鷄肠一具治如常法炒作臛煖酒和飲之又云主風寒一痺五緩六急烏鷄一隻治如食法煮令極熟調作羮食之又云主狂邪癲癇不欲眠卧自賢智驕倨妄行不休安五臟下氣白雄鷄一隻煮令熟五味調作羮粥食之又云勿食暴鷄肉殺人發疽雞又不可合葫蒜及李子食之烏鷄肉不可合犬肝犬腎食之小兒食鷄肉好生蚘虫又鷄不可和芥渠菜食之唐本注云白鷄距及腦主産難燒灰酒服之腦主小兒驚癇本草云鷄冠主馬咬瘡

【烏雄鷄】味甘氣温又云微温無毒

【主治】補中止痛療折傷癰腫殺兒安胎孕

〇【補注】主心腹痛除心腹惡氣又虛弱人取一隻治如食法五味汁和肉一器中封口重湯煮之使骨肉相去即食之甚補益仍須空腹飽食之肉須爛生則反損亦可五味腌經宿炙食之分作兩頓服〇被壓作墜損折骨腹破四肢摧折氣悶欲死以烏雞一隻合毛杵一千二百杵好苦酒三升相和得所以新布搨病上取藥塗布以乾易乾寒振欲吐不可輙去藥須臾復上一雞少則再作〇卒得嗽烏雞一隻治如食法以好酒漬之半日出雞服酒一云苦酒一斗煮白鷄取三升分三服食鷄并與鹽食良

【冠血】滴自縊人口中按胸中回煖即活治中惡寢卧奄絶塗面上復塗立甦

〇【補註】自縊死定安心神徐緩解之慎勿割繩斷抱取心下猶温者刺雞冠血滴口中即活男雌女雄〇救卒死或先病或常居寢卧奄忽而絶皆是中惡割雄鷄冠血塗其面乾後復塗并以灰營死人周〇治小兒卒驚似有痛處而不知疾狀取雄鷄冠血臨兒口

及剝驢馬傷熱鷄血及熱浸之黄雌
雞溫補益陽白雞寒利小便去丹毒風
【烏雌鷄】殺鬼物卵白解熱煩炒服之
主蟲咬毒【黄雌鷄】主白虎病布飯病處
將鷄來食飯亦可抱鷄壓之雄鷄脇血
塗白癜風癧瘍風鷄子益氣多食令人
有声一枚以濁水攪煑兩沸和水服之
主產後痢和蠟作煎餅與小兒食之吐
痢以二枚破著器中以白粉和稀粥頓
服之主婦人胎動腰臍下血取一箇打
開取釅醋如白之半攪為吞之主產後
血閉不下又取卵三枚醋一升酒二升
攪和煑取二升分四服主產後血下不
止又白虎病取鷄子揩病處咒願送糞
堆頭不過三度差白雞……神……

上滴少許差○治蜈蚣蜘蛛毒以冠血傅
○治卒得浸淫瘡轉有汁多起於心不早治
之續身周匝則殺人以冠血敷之差
【熱血】浸馬咬人患處及踒折骨痛俱甦
【脇血】塗白癜風癢瘍浸淫
【肪】去耳聾【心】除邪夢
【腸】烘燥止溺【肝左】
○【補註】治遺尿取雄鷄腸燒末三指撮……酒服愈○卒腹痛安胎烏雌鷄肝一具切酒
五合服令盡姚云肝勿令入水中
【鷄翅】起陰又能安胎治卒腹痛
【膽汁】敷月蝕耳瘡眼目昏暗
○【補註】治反胃安胎及腹痛踒折骨疼乳癰月蝕瘡遶耳根以烏雌雞膽汁傅之日三
以烏油麻一升熬之令香末和酒服即飽熱
能食鷄具五色者良○
【肶胵黃皮】即膍胵裏黃皮名雞內金　性寒
【白治】主去煩熱男子溺遺精泄赤白痢……

子雞糞和黑豆炒酒浸 賊風〻痺破
血
素問云心腹滿旦食則不能暮食名為
鼓脹治之以雞屎醴一劑知二劑已注
云今本草鷄屎利小便微寒並不治鼓
脹今方制法當取用處湯漬服之耳又
張仲景治轉筋為病其人臂脚直脉上
下行微弦轉筋入腹鷄屎白散主之取
屎白為末量方寸匕以水六合和溫服
差鷄子入藥最多而髮煎方特奇劉禹
錫傳信方云亂髮雞子黃生孩子熱瘡
鷄子五枚去白取黃亂髮如鷄子許大
二件相和於鐵銚子中炭火熬初甚乾
少頃即髮燋遂有液出旋取置新磁碗
中以液盡[illegible]之汲令乾塗瘡上即以苦參

女人漏下崩中赤白沃者總禁
○補註 治小兒癲燒雞匙中黃皮為末乳服之 男雄女雌○小兒鵝口不乳燒匙黃皮末乳和服○治尿床鷄膍胵一具并腸服之 男雌女雄
尾燒灰封皮肉出刺翮燒灰下閉血調經
屎白微寒白古多目仲景治轉筋作散有雞屎白散治轉筋入腹素問消鼓脹載名有云治以雞屎醴主亡津液
渴消癉傷風寒〻熱破石淋利小便止遺溺
滅瘢痕
○補註 療頭風臘月烏雞屎一升炒令黃為末絹袋盛酒三升漬之溫服多以任性常令醺甜○主蚯蚓咬人以屎傳之○小兒驚啼燒屎白米飲下又以鷄屎白如棗大酒半盞和唯之及鼻中佳○治齒痛不可忍取鷄屎白燒末綿裹安痛處咬立差○食諸菜中毒發狂悶吐下欲死燒屎末研水服方寸○中風寒痺口禁不知人屎白一升熬令黃極熱以酒三升和攪去滓服○治莖中淋石取屎白日中半乾熬令香末以露將飯飲服

末粉之○耳在武陵生子瘡內便有熱瘡發於臂腿間初塗以諸藥及他藥無益日加劇蔓延半身狀若火燒至晝夜啼號不乳不睡因閱本草不髮[illegible]本經云合雞子黃煎之消為水療小兒驚熱下痢注云俗中嫗母為小兒作鷄子煎用髮雜熬良久得汁與小兒服去痰熱主百病用髮皆取久梳頭乱者又按雞子本經云療火瘡因是用之果如神立効其殼亦主傷寒勞復見[illegible]師方取鷄子空殼碎之熬令黃黑搗篩熱湯和一合服之溫臣取汗出愈

[illegible]按鷄之種類最多古[illegible]方書常用並[illegible]其[illegible]劣丹雄[illegible]冠血併頭[illegible]者[illegible]白及雌[illegible]心肝膽血腸肪

方寸○主子死腹中不出熾雞屎二十枚二升煎五合下米作粥食即出○治因産中風腰脊反張牙關口禁四肢強直雞屎白一升大豆五升和炒令變色乘熱以酒沃之微煮令豆米出量性飲之覆身出汗慎勿冒風○主鱉瘕及心腹宿癥并卒得瘕以白雄鷄屎不拘多少小便和之於器中火上熬令燥末服方寸多服不限度以膏熬飯飼彌佳

黃雌雞 味酸甘氣平又云氣溫無毒

主治 益氣壯陽主傷中消渴安五臟禁痢止洩療勞劣遺尿續絕傷健脾胃子絕哺者內食殺人畜養之家亦當謹記

○補註 主腹中水癖水腫以一隻鷄如常法和赤小豆一升同煮候豆爛即出食之其汁日二夜一每服四合補丈夫陽氣治冷氣瘦着床者漸漸食之良○先患骨熱者不可食之○光嘔者勿為末和飯與鷄食之後取鷄食[illegible]

雞卵 [illegible]止驚益氣漸開喉音[illegible]謳唱者多用 去風又安胎孕之

翮翅雌雄皆皮及䘮等也良最取烏雄者為八齋大烏凶與同黑為水色丹溪曰鷄屬土有金與木火則所當者惟火水耳今得毛色之為是五行中乃至不致偏勝用之治病等不為優古人取義矣在於此然常五更鳴者蓋鳴為鷄鳴位屬乎東方東方五更陽升必從在位鷄感其氣故亦先鳴又陽主動鷄初鳴兩翅先拍則可知矣

錦鷄

與丹雄鷄類尾長尺餘毛羽似紅黃色多有圓斑點嗉藏肉綬

○補註卒中五尸遁尸其狀腹脹氣急沖心或㗖鬼痛起或牽腰脊者以卵一枚取白吞之困者插頭令下又云鷄味辛補肺主濁䏦鷄子黃和之○治大人久小兒熱可取卵三个白蜜一合和服之立差○治天行嘔逆不下食上即出以鷄卵一枚煮三五沸出以水浸之外熟內熱則吞之良○鼠瘻以卵一米下蒸半日取出黃熬令黑先拭瘡上汁令乾以藥內瘡孔中三度即差○治痛以卵一枚打破投醋二合和攪令勻暖過頓服○主蚰蜒蜘蛛毒卵殼敲一小孔合咬處立差○主治小兒撲肚脹用鷄子一箇打破服子如巴大內巴豆一粒去皮膩粉一錢用五十重紙裹於飯甑上蒸三度放冷打破取鷄子肉同巴粉一時研入少射香添麪糊丸如米粒大食後夜用溫湯下二丸至三丸○主雞娠得時疾令胎不傷以鷄子七枚內井中令極冷破吞之○主婦人産後口乾舌縮渴不止打鷄子一箇水一盞調之炼盞火將服○生鷄子一个連紙一幅為梅十个有肉者鷄子白鋪遍連紙日乾搨作四重包撮為梅安熨斗中用白灰火燒烟欲尽取出以盞覆蓋滅火碗後極細入水銀粉少許和勻如大人患分為二服小兒分三服不拘白前空心井花水調服如育藏腑微有嗽利更不須再服

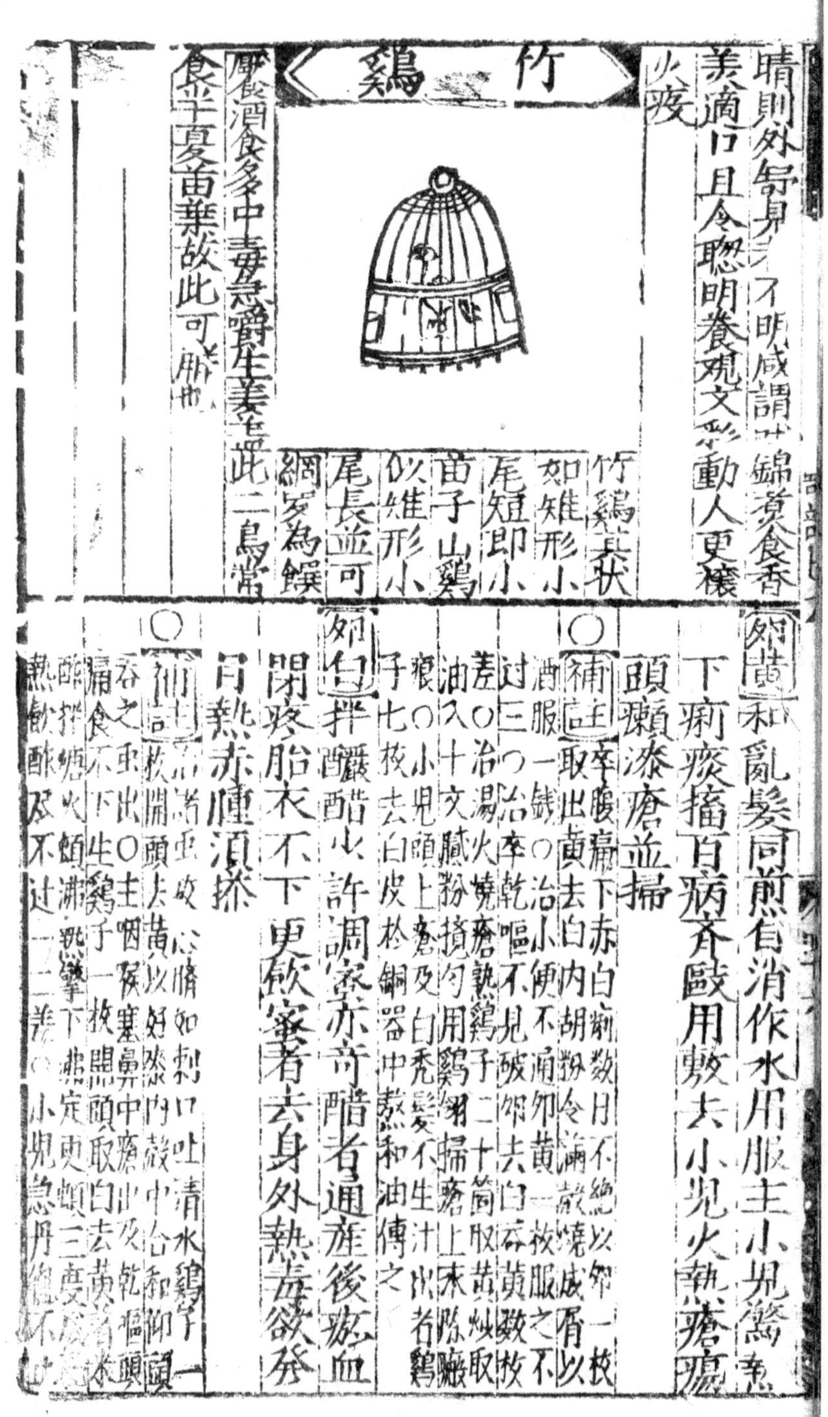

晴則外昏身亦不明咸謂其錦資食香美適口且令聰明養觀文彩動人更禳火疫

竹鷄

竹鷄其狀如雉形小尾短即小苗子山鷄似雉形小尾長並可網罗為饌

屢食酒食多中毒急嚼生姜此二鳥常食半夏苗葉故此可解也

【附】【齒】和亂髮同煎自消作水用服主小兒驚患下痢痰搐百病齊毆用敷去小兒火熱瘡癰頭癩漆瘡並掃

○【補】【注】卒腹痛下赤白痢數日不絕以卵一枚取出黄去白内胡粉令滿殼燒成屑以酒服一錢○治小便不通卵黄一枚服之不过三○治卒乾嘔不見破卵去白吞黄數枚差○治湯火燒瘡熟鷄子二十箇取黄炒取油入十文膩粉攪勻用鷄翎掃瘡上床蹤驗痕○小兒頭上瘡及白禿髮不生汁出若鷄子七枚去白皮於銅器中熬和油傅之

【卵白】拌釅醋少許調塗亦可醋者通産後瘀血閉疼胎衣不下更飲塗者去身外熱毒發月熱赤腫須搽

○【補】【注】治諸蟲咬心膈如刺口吐清水鷄子一枚開頭去黄以好漆内殼中合和仰頭吞之蟲出○主咽喉塞鼻中瘡出及乾嘔頭痛食不下生鷄子一枚開頭取白去黄著木醋拌糖火頓沸熟攪下熱定更頓三度成湯熱飲酢及不过一二差○小兒急丹绝不止

雉肉

雉本經不載所出州土今在處有之南北山野俱生雌雄毛色不同聲作

雞鳴實係雞屬呂后名雉故高祖字以野雞也其飛不高若矢直往百步則墮因以雉名今船車中取尾插其首頭亦欲快速之如矢俯南北皆有之多取以為祀厨周禮庖人共六禽雉是其一亦食品之貴然有小毒不宜常食九月以後至十一月以前食之即有補他月則發五痔及諸瘡疥又不可與胡桃菌蕈

以卵白和赤小豆傅之〇熱毒發可取卵二箇和蜜一合取之差〇又煮卵白令服一合須臾色如金

【卵殼內白衣】名鳳凰退得麻黃紫菀和服散久欬結氣如神

【黃白】混攪同鯽魚燒白堪為拾疥不能媒利則可

【卵生】不者熟者漬醋令壞敷面疵皯生光

【卵殼】治小兒心腹脅脇煩滿欲死燒雞子殼末酒服方寸匕小兒頭身諸瘡燒卵殼研和豬脂傅之

【野雞】即烏雌雞　味甘氣温無毒

【治】養血安胎治癖疝排膿通痰主風寒温痺

補產後虛羸痛者勿與殺人亦速

〇【補益】新產婦可取一隻理如食法和五味炒熟香即投二升酒中封口經宿取飲之令人肥白又和烏油麻二升熬令香末之入酒酒盡極效〇日華子云烏雌雞温無毒安心定志除邪辟惡氣心中宿血及治癰

木耳之類同食亦發痔疾立下血須禁之不與胡桃同食即令人發頭風如在船車內兼發心痛亦不與豉同食有死足瓜不伸食之殺人爾雅所載雉名尤衆今人鮮能盡識江淮伊洛間有一種尾長而小者為山雞人多畜之樊中則以之翟山雉者也江南又有一種白而背有細黑紋名白鷴亦甚畜養彼人食其肉亦雉之類也其餘不復用之

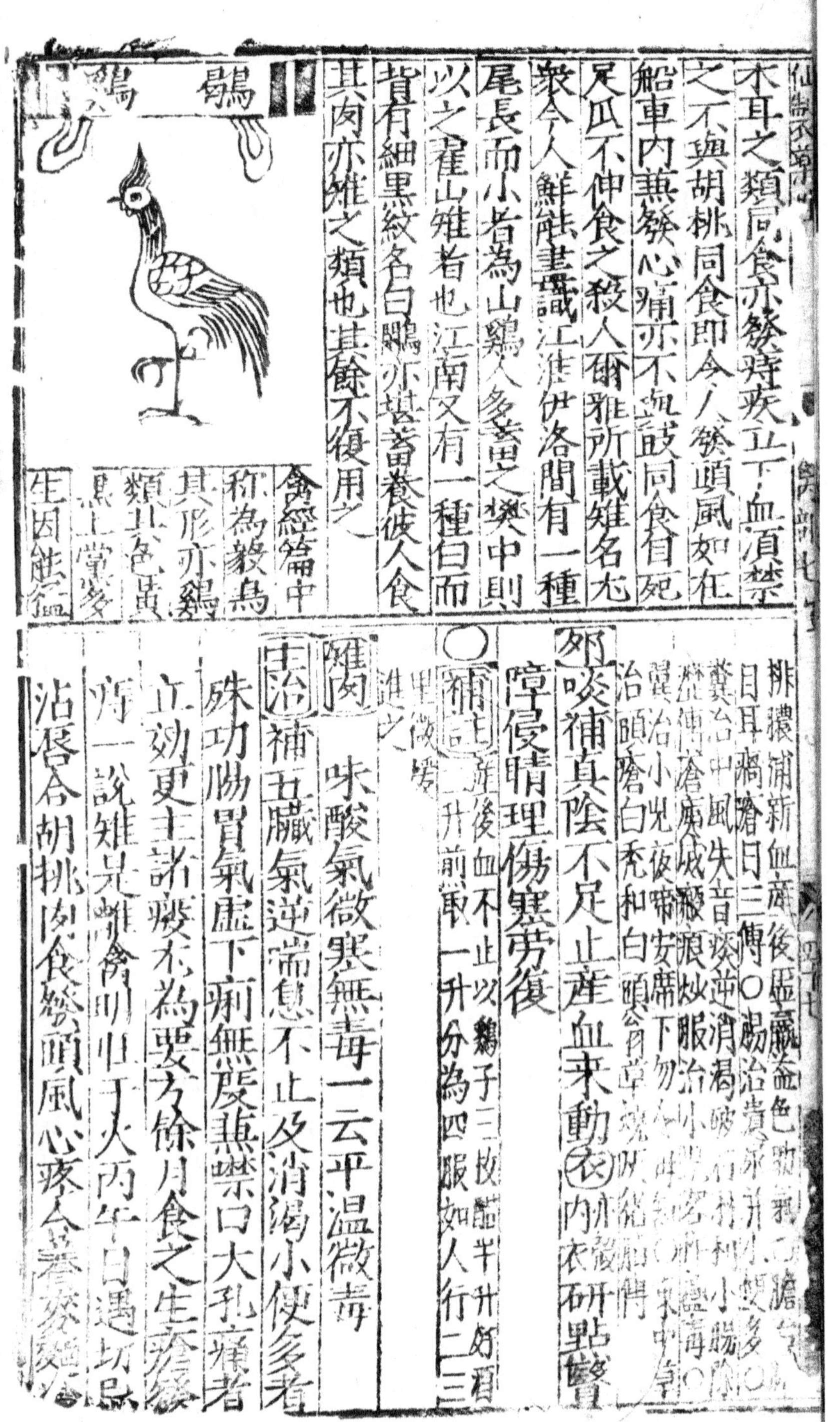

禽經篇中稱為毅鳥其形亦鷄類其色黃黑上黨多生因能鬭

排膿補新血產後惡露益色助氣○膽
目耳瘍瘡日三傳○鷄治貴
糞治中風失音痰逆消渴破石淋利小腸
炒傅瘡瘡疥癬痕炒服治小兒
翼治小兒夜啼安席下勿令母知○果中草
治頭瘡白禿和白頭翁草燒灰豬脂傅

【卵】咳補真陰不足止產血來動【衣】內衣研點瞖障侵睛理傷寒勞復

○【補中】產後血不止以雞子三枚醋半升好酒二升煎取一升分為四服如人行三二里微煖進之

【雉肉】味酸氣微寒無毒一云平温微毒

【主治】補五臟氣逆喘息不止及消渴小便多者殊功腸胃氣虛下痢無度兼禁口大孔痛者立效更主諸瘻不為要久餘月食之生瘡發痔一說雉兒雌禽卯也丁火丙午日遇切忌沾唇合胡桃肉食發頭風心疼合菌蕈發痼

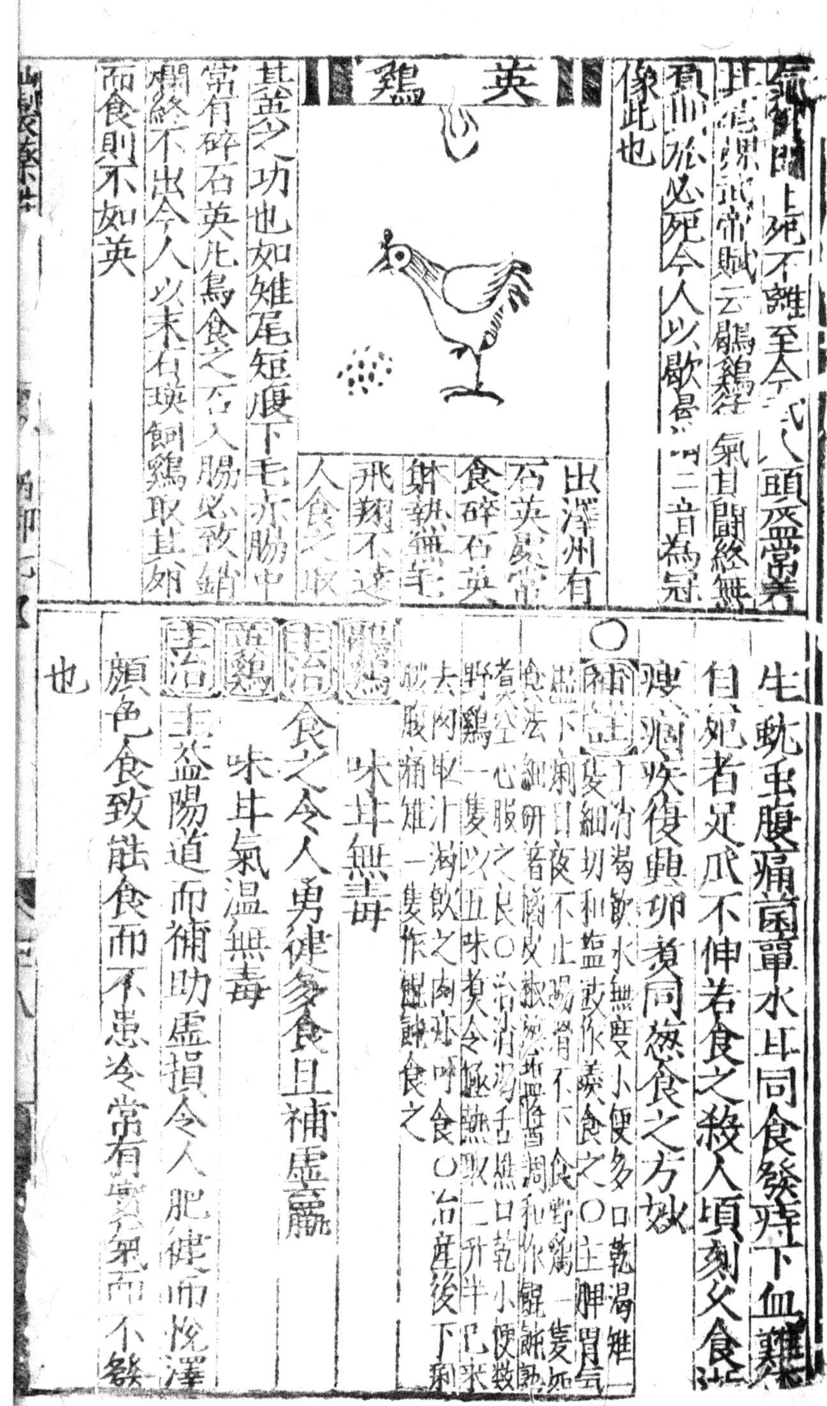

冠翻鬪上死不離至今武人以頭盔當首
其鶡頭武常賦云鶡雞猛氣其鬭終無
負而旅必死今人以歇鳥[illegible]二音為冠
像此也

英鷄

出澤州有石英處常食碎石英體熱無毛飛翔不遠人食之取其英之功也如雉尾短腹下毛赤腸中常有碎石英凡鳥食之石入腸必致銷爛終不出今人以末石英飼鷄取其卵而食則不如英

生蟲腹痛菌蕈木耳同食發痔下血雞自死者足爪不伸若食之殺人頃刻父食此瘦痼疾復與卵煮同葱食之方妙

○補註 治消渴飲水無度小便多口乾渴雉一隻細切和塩豉作羹食之○主脾胃氣虛下痢日夜不止腸滑不下食野鷄一隻如食法細研著橘皮椒葱塩醬調和作餛飩熟煮空心服之良○治消渴舌焦口乾小便數者野鷄一隻以五味煮令極熟取二升半已來去肉取汁渴飲之肉亦呼食○治產後下痢腰腹痛雉一隻作餛飩食之

鷓鴣 味甘無毒

主治 食之令人勇健多食且補虛羸

錦鷄 味甘氣温無毒

主治 主益陽道而補助虛損令人肥健而悅澤顏色食致能食而不患冷常有實氣而不發也

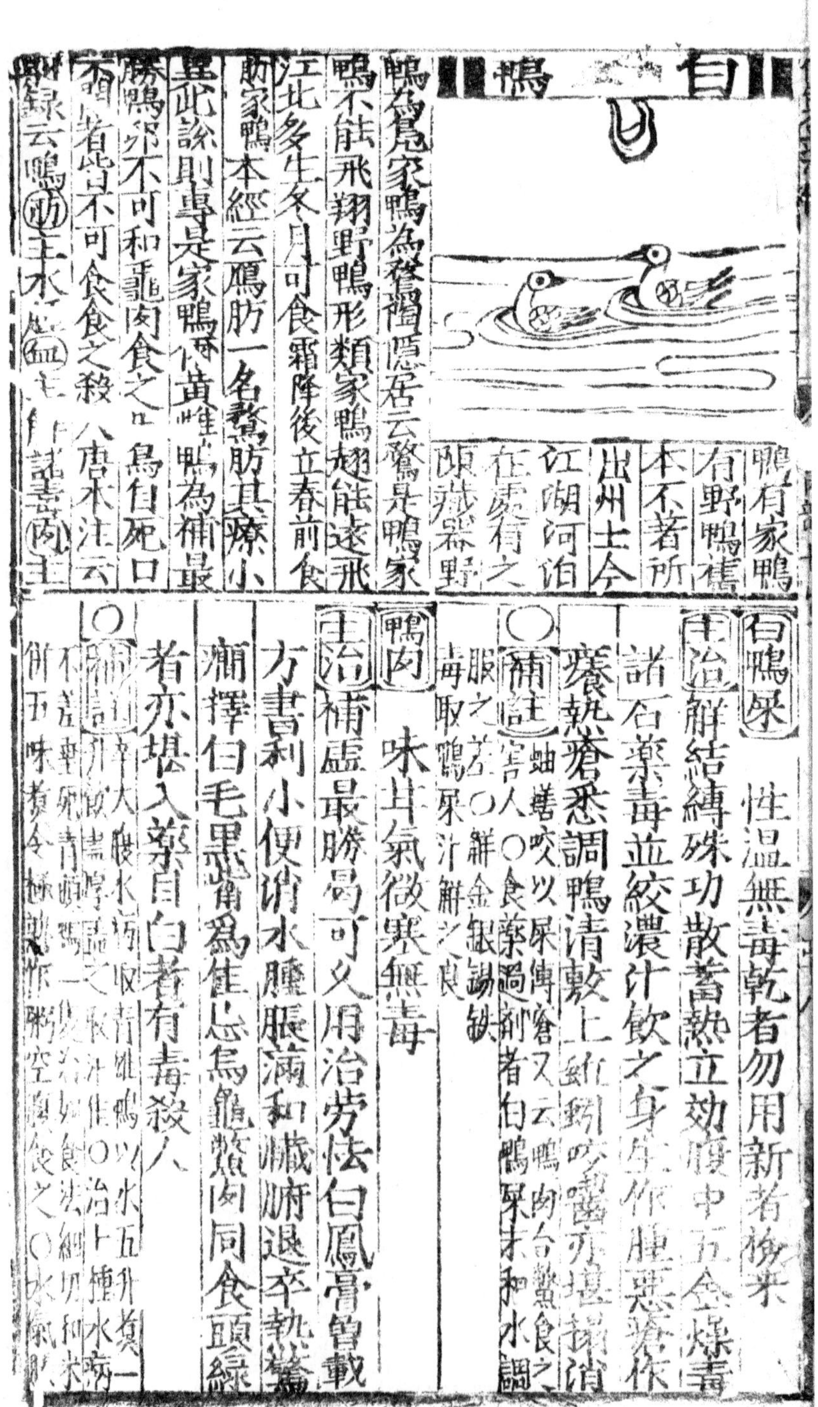

白鴨

鴨有家鴨有野鴨舊本不著所出州土今江湖河泊在處有之陂澤踈野

鴨為鳧家鴨為鶩爾雅鴈居云鶩是鴨家鴨不能飛翔野鴨形類家鴨翅能遠飛江北多生冬月可食霜降後立春前食○家鴨本經云鴈肪一名鶩肪其療小異此說則專是家鴨矣黃雌鴨為補最勝鴨卵不可和鼈肉食之○鳥自死口不閉者皆不可食食之殺人唐本注云附錄云鴨(肪)主水腫(血)主解諸毒(肉)主

白鴨屎　性溫無毒乾者勿用新者收采

主治　解結縛殊功散蓄熱立効腹中五金煉毒諸石藥毒並絞濃汁飲之身生作腫惡瘡作癢熱瘡悉調鴨清敷上

○補註　蚰蜒咬以屎傅瘡又云鴨肉合鱉食之害人○食藥過劑者白鴨屎末和水調服之若○解金銀銅鐵毒取鴨屎汁解之良

鴨肉　味甘氣微寒無毒

主治　補虛最勝昜可久用治勞怯白鳳膏曾載方書利小便消水腫脹滿和臟腑退卒熱驚癇擇白毛黑嘴為佳忌鳥雞鱉肉同食頭綠者亦堪入藥白者有毒殺人

○補註　治大腹水病取青雄鴨以水五升煮一升飲盡厚蓋之取汗佳○治十種水病不差垂死青頭鴨一隻治如食法細切和米併五味煮令極熟作粥空腹食之○水氣脹

□以瀉痢卵□水□通□□古方療水
肉□□□□□說云野鴨□　補中益氣消
食力八已後卯中食全勝□□者雖寒不
動氣消十二種蟲平胃氣調中經身又
身上諸小熱瘡多年不差者但多食之
即差不可與木耳胡桃豉同食又云白
鴨肉補虛消毒熱利水道及小兒驚癇
頭生瘡腫又和葱豉作汁飲之去卒煩
熱又【鴨卵】主熱毒毒痢又取和蜀子白封
熱腫毒止消又黑鴨滑中發冷痢小腳
氣不可多食□□□□□少食之亦發氣令
胃脇悶止痢綠頭者佳【鴨】治水腫【鹽】治
熱毒瘡疥腫毒以鵝子調勻內消【鵝】治
心腹胸膈熱多食發冷痢食療云卯中
熱血解野葛毒飲之差【卵】小兒食之腳

病浮腫小便澁以白　飲半升以飯薑□服猴　鴨一隻去毛腹內洗淨　鴨腹中縫定如法煮候
熟食之良

【鴨血】調酒頻吞解諸毒【鴨肫】【鴨頭】作丸旋服治 古方有鴨頭丸

治水腫亦【鹽鴨頭】通利小便去熱於心胃多食
漸軟其腳膝□□兒□□不可不知

【野鴨】味甘氣涼無毒

【主治】雖冷而不動氣去熱而能愈瘡小兒瘡多食則□□消食積和胃輕身退水腫補虛益力除惡瘡癤毆熱毒風同食切忌二般胡桃白□木耳○又云小者名刀鴨呼之味亦甘涼食之補益

【鶩肪】味甘氣寒無毒

【主治】主風虛寒熱大效

【[illegible]】味甘氣微寒無毒

軟不行羞食鹽滷食之即止又屎可搨

蚯蚓咬瘡

○按野鴨與家鴨有相似者有全別者尸子曰野鴨為鳧家鴨為鶩鶩音木鶩木故也鶩性木不能飛翔如庶人守耕稼而已故周官庶人執鶩即此觀之則鶩為家鴨明矣寇氏衍義引王勃云落霞與孤鶩齊飛乃以鶩為野鴨殊不知詞人損鶩景象托物起興而已難以泥其形迹况下條鳧肪本經亦以鶩名此指鳧未可知若據此以鶩為野鴨則鳧又當為何鴨耶

【蒼鵝】多食亦有毒發諸瘡疥除射工毒最靈

【白鵝】不食蟲性寒解五臟熱止消渴極效凡資食療惟白為宜

【鵝膏】兩耳卒聾灌下遂寬【脂】一身皴皺塗潤肥

【鵝尾】與【毛】俱碎射工仍燒灰治子噎須記

【鵝肉】和【卵】並補臟腑但食多發痼疾

【鵝涎】候吞稻刺塞喉當攻旋嚥

【鵝血】忽染溪毒着體快吞兼遍塗

【鵝屎】蛇蟲咬傷敷之立愈

○【補註】小兒鵝口不乳者白鵝屎汁灌口中

【鵝毛羽】主小兒驚癇極者燒灰主噎

○【補註】誤吞銅錢者但燒鵝羽毛灰末飲服之

【鵝尾罌】治聤耳及聾塞內之仍療手足皴

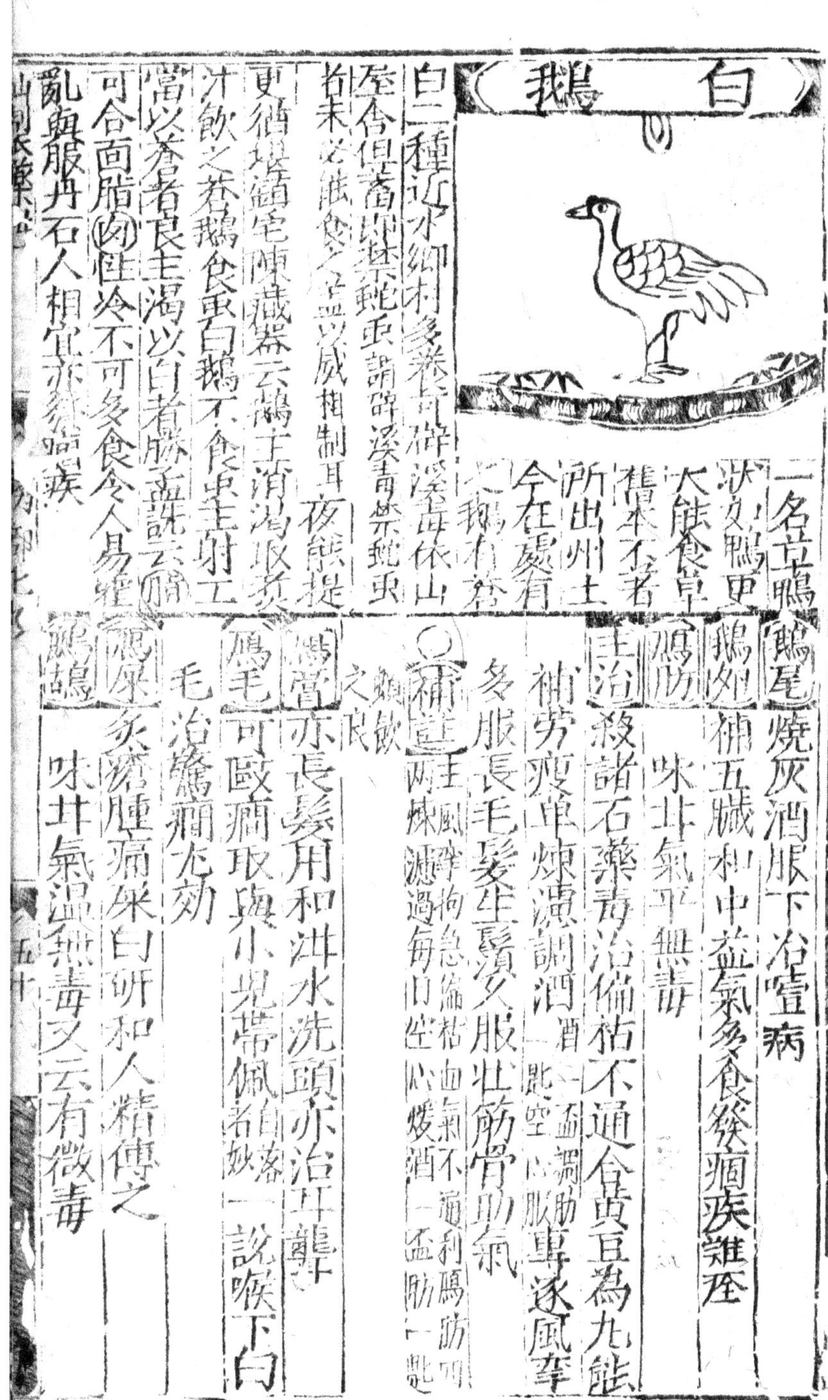

白鵝

一名舒鴈狀如鴈更大能食草舊本不著所出州土今在處有之鵝有蒼白二種近水鄉村多養畜浮溪澤亦依山塢今俱畜以辟禁蛇虺謂辟溪毒禁蛇虺尚未必能食之並以威相制耳夜能提更循堤遶宅陳藏器云鵝主消渴取煮汁飲之蒼鵝食蟲白鵝不食蟲主射工當以蒼者良主渴以白者勝孟詵云脂可合面脂肉性冷不可多食令人易霍亂與服丹石人相宜亦發痼疾

鵝尾　燒灰酒服下治噎病

鵝卵　補五臟和中益氣多食發痼疾雜痊

鵝肪　味甘氣平無毒

主治　殺諸石藥毒治倫折不通合黄豆為九能補勞瘦單煉灌調酒酒一盃調肪一匙空心服專逐風痺多服長毛髮生鬚須久服壯筋骨助氣

補遺　主風痺拘急偏枯血氣不通利鵝肪四兩煉濾過每日空心煖酒一盃肪一匙頻飲之良

鵝膏　亦長髮用和泔水洗頭亦治耳聾

鵝毛　可敺癇取與小兒帶佩自落一說喉下白毛治驚癇尤効

鵝屎　灸瘡腫痛屎白研和人精傳之

鵝鴇　味甘氣溫無毒又云有微毒

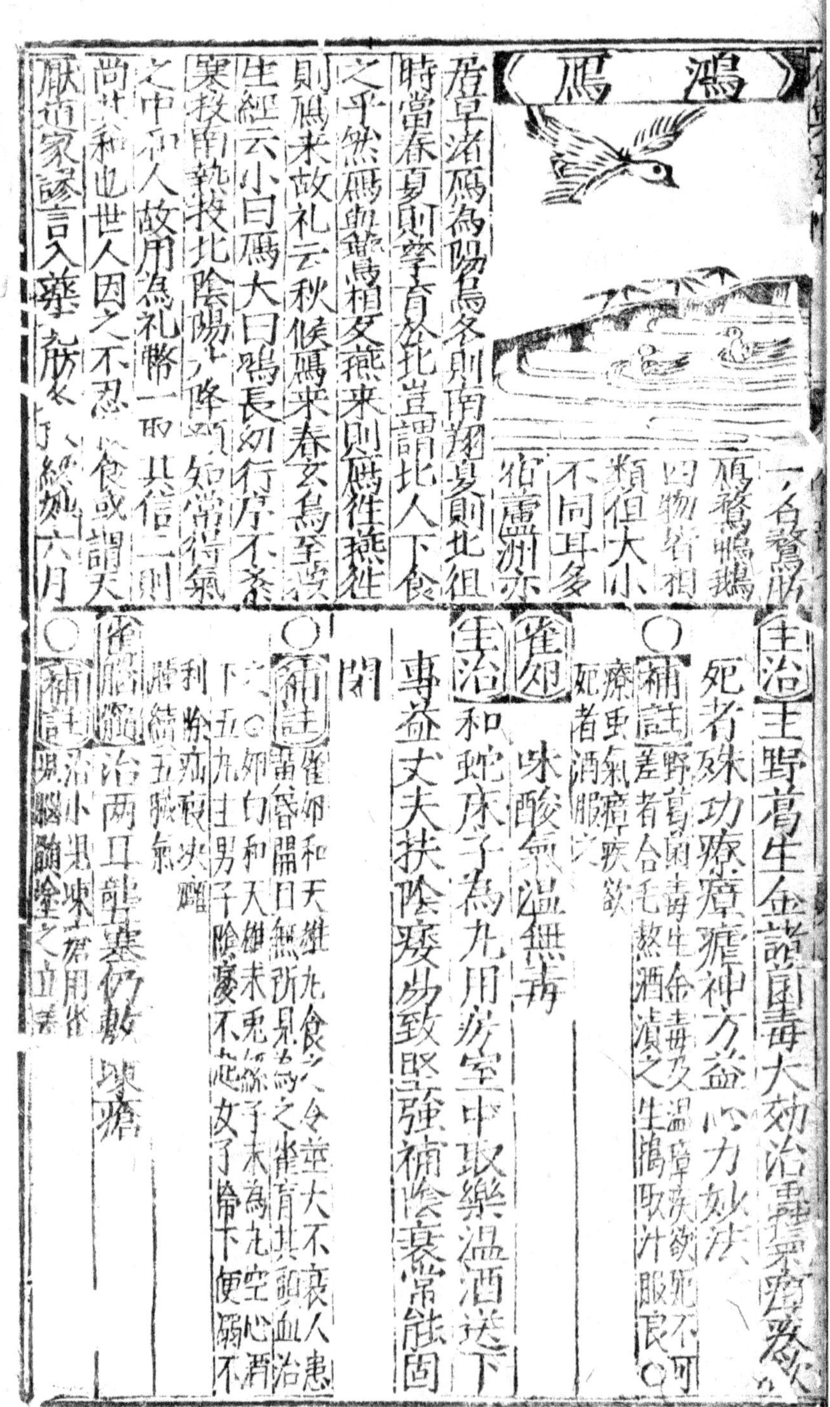

鴻　鴈

一名鶩肪。鴈、鶩、鴨、鵝四物皆相類，但大小不同耳。多宿蘆洲，亦居草渚。鴈為陽鳥，冬則南翔，夏則北徂，時當春夏則孳育於北，豈謂北人不食之乎。然鴈與鷰相反，燕来則鴈往，燕往則鴈来，故礼云秋候鴈来，春玄鳥至。[illegible]生經云：小曰鴈，大曰鴻，長幼行序不紊，寒投南，熱投北，陰陽之降，知常得氣之中和人，故用為礼幣，一取其信，二則尚其和也。世人因之不忍食，或謂天厭。道家諺言入藥[illegible]六月

【主治】主野葛生金諸毒，大効。治[illegible]死者殊功，療瘴瘧神方，益心力妙法。

○【補註】野葛、斑毒、生金毒及溫瘴疾欲死不可差者，合毛熬酒漬之，生鴻取汁服良。○療蟲氣瘴疾欲死者，酒服之。

【雀卵】味酸，氣溫，無毒。

【主治】和蛇床子為丸，用於室中取樂，溫酒送下。專益丈夫扶陰痿，助致堅強，補陰衰，常能固閉。

○【補註】雀卵和天雄丸食之，令莖大不衰。人患雷啓陽日無所見為之，雀育其卵血治之。○卵白和天雄末、兎絲子末為丸，空心酒下五九丸，主男子陰痿不起，女子帶下，便溺不利，除疝瘕，決癰腫，續五臟氣。

【雀腦】治兩耳聾，塞仍敷瘻瘡。

○【補註】治小兒凍瘡，用雀腦髓塗之立差。

七月食之傷神

鷓鴣

出江南今江閩廣嶺表外郡皆有之形似母鷄臆前有白圓点背間有紫赤毛彼人亦呼為越雉又謂之逐影之鳥能五臟益心力聰明此鳥出南方不可與竹筍同食令人小腹脹自死者不可食一言此鳥天地之神每月取一隻嚮至尊所以自死者不可食也南越志云鷓鴣雖東西徊翔然開翅之始必先南翥崔豹古今注云其名自呼此不然也其鳴若云鉤輈格磔者是矣亦有一種

雀頭血 點兩目雀盲使夜見物

雀肉 大溫熱益氣壯陽煖腰膝有功損妊娠忌食

○**補註** 妊娠食雀肉飲酒令子心淫亂又云妊娠食雀肉豆醬令子面多点

白丁香 即雀屎 兩頭尖者是雄端午取之妙甘草湯浸一宿晒乾研細收藏決肌表軟癤癰塗之即潰瘡目內努肉血膜點上立差去翳瘕伏梁爛弦癖積塊齒痛通用屢試有效

○**補註** 療齒䶕痛有虫取雄雀屎以綿裹塞齒孔內日二三易之○治咽喉閉塞口噤用雄雀屎細研每服溫水調半錢○療目熱生膚赤白瞙取雀屎細直者以人乳和上自消爛盡○治諸癰不消已成膿懼針不傳藥者令速決取雀屎塗頭上乾即易之雄雀屎佳坐者為雄○婦人吹妳獨勝散白丁香半兩搗羅為散每服一錢溫酒調下無時服○治小兒中風口噤乳不下雀屎白水丸如麻子大服二丸即愈○主疝瘕諸塊伏梁痃

烏酯相類但不作此鳴不可食之其脂膏可以已瘴瘵令不龜裂

雄雀屎

旧不著所出州土今處處有之其肉大温食之益陽

冬月者良亦及腦頭血皆入藥雄雀屎臘月收俗呼為青丹頭尖者為雄屎素問云胸脇支滿者妨於食病至則先聞腥臭出清液先唾血四肢清目眩時時前後血病名血枯得之年少時有所大脫血若醉入房中氣竭肝傷故月事衰少不來治之以烏賊骨藘茹二物併合之丸以雀卵大如小豆以五丸為後飯

乾姜桂心三文等為丸入腹能爛痃癖○患齒若不消以一枚傅之立決○又急黃欲死以兩枚細研水温服之効

【雷公】凡使勿用雀兒糞其雀兒口黃未經淫者糞是蘇若底坐尖在上即曰雌兩頭圓者是雄陰人使雄陽人使雌凡採得後先去兩畔有附子生者勿用然後於鉢中研如粉煎甘草湯浸一宿傾上清甘草水盡焙乾任用

【臭】味辛氣平有毒

【合治】治久瘧最灵臨發日攪酒一升擣兩箇取氣灌鼻中瘧即禁止欲蠱毒先驗空心時炒香三合丸独蒜獨蒜擣和丸之用湯嚥送腹內蠱立洩除殺兒疰而逐不祥破五癖以利水

【補註】若石淋者取雄雀屎末以冷水服五錢匕服不食時當泻石水○牛身有[illegible]煎熬為服[illegible]取煎了屎一合以水煮二升相和唾之塗

【[illegible]】擣[illegible]亦能出蟲殺則不宜死者方可

飲䱊汁以利腸戶及作乎也飲後逆先啗之後飯按本草烏鰂 骨戶昔並不治血枯然經法用之是否 其所生所起正今人亦取雀肉以蛇床子數膏和合煉藥丸服術下有效謂之駟馬丸此法起於唐世云明皇服之

燕屎

種有兩般用宜細認胸紫赤而輕小者名越燕入藥不宜胸斑黑而声大者名胡燕治病方効春夏則巢屋舍梁楣而孕育秋冬乃入樹孔土穴以蟄藏其作窠喜長人言有容一疋絹者令家富窠小入藥用也

【燕窠】取哺雛処所作湯可浴小兒恐逐驚癇除瘡疥目翳亦去痔瘻可除

○【補註】治嬰嬰孩瘡繞身匝即死以燕窠中土為屑古酒和傅之○卒得浸淫瘡有汁多発於口不早療周匝身則殺人胡燕窠中土水和傅之○陶隱居云燕有胡越二種入藥用胡燕也凡冶治青羊脂丸中用之其窠亦入藥治濕瘡取胡燕窠最大者堪用其抱子処餘不用搗為末加漿水煎耳當入少許益成湯用洗瘡洗訖拭乾以窠末貼其上三兩日便差若患惡刺以醋和末如泥裹之三兩日易便差

【燕卵】治水腫浮腫用之極有効驗

○【補註】治卒大腹水病取胡燕卵中黃頓吞十枚

【伏翼】味鹹氣平無毒一云微热有毒

【主治】逐五淋而利水道明双目以搽翳雲久服延年無憂令人喜樂媚好

○【補註】治小兒生十餘月後母又有娠令兒精神不爽身体痿瘁名為鬾病用伏翼燒

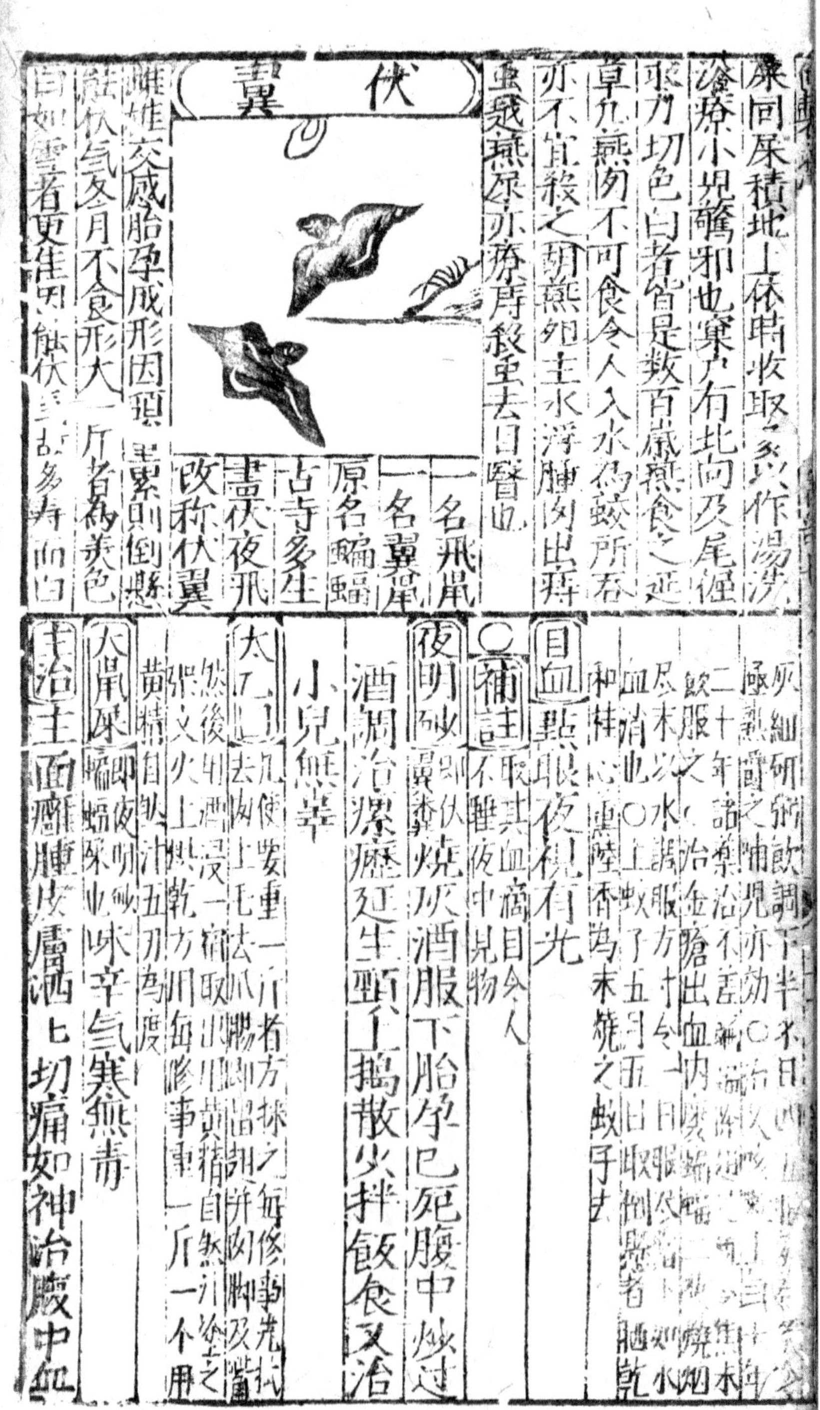

屎同屎積地上依時收取之炙以作湯浴瘡療小兒驚邪也窠戶有北向及尾徑尺乃切色白者皆是數百歲燕食之延年凡燕肉不可食令人入水為蛟所吞亦不宜殺之胡燕卵主水浮腫肉出痔蟲蝕燕屎亦療痔殺蟲去目瞖也

伏翼

一名飛鼠 一名翼鼠 原名蝙蝠 古寺多生 晝伏夜飛 故稱伏翼

雌雄交感胎孕成形因頸重累則倒懸能伏氣冬月不食形大一斤者為美色白如雪者更佳因能伏氣故多壽而白

灰細研粥飲調下半錢日四五服[illegible]丞熟研之喂兒亦効○治久咳上氣十年二十年諸藥治不差者蝙蝠二枚燒焦末飲服之○治金瘡出血內漏蝙蝠二枚燒烟盡末以水調服方寸匕令一日服盡當下如水血消也○五月五日取倒懸者曬乾和桂心薰陸香為末燒之蚊子去

【目血】點眼夜視有光

○【補註】取其血滴目令人不睡夜中見物

【夜明砂】即伏翼糞也燒灰酒服下胎孕已死腹中炒過酒調治瘰癧延生頸下搗散少拌飲食又治小兒無辜

【太乙云】凡使要重一斤者方採之每修事先拭去肉上毛去爪腸留翅并肉腳及嘴然後用酒浸一宿取出用黃精自然汁塗之炙乾方用每修事重一斤一个用黃精自然汁五兩為度

【天鼠屎】即夜明砂蝙蝠屎也味辛氣寒無毒

【主治】主面癰腫皮膚洒七切痛如神治腹中血

人服之亦期壽之同也下く引其多未可
服食宜丁張擭制宗太了仕可丸散每
服酒吞為使藥加覓實營只

天鼠

一名鼠法一
名石肝生合
浦山谷中十
月十二月取
又云仙鼠在
山孔中食諸
乳石精汁皆千歲頭上有冠淳白大如
鳩鵲其大如鶉未白者皆已百歲而並
倒懸其石乳中此仙經所謂肉芝者也
其屎皆白如大鼠屎入藥當用此然今
蝙蝠多生古屋中白而大者蓋稀有屎
亦有白色皆料其出乳石穴山中生首

氣破寒熱積聚殊効除心中驚悸去面上黑
點

〇【補註】治五膈方夜明砂搗為散每服一大錢冷茶調下立差〇一歲至兩歲小兒無辜夜明砂熬搗為散任意拌飯并肉食與喫二歲兮乾無辜

鷹屎白

臣　氣平又云微寒有小毒

【主治】（屎）主中惡止丹补効滅傷撻瘢痕殊功

〇【補註】〇主惡酒鷹屎酒服方寸匕勿使飲人知也滅瘢止用屎白和姜蚕衣魚之萬為羔〇〇主食哽鴻鷹屎燒末服一方寸虎很明屎亦得〇治小兒奶癖黃鷹屎白一錢蜜作餡一兩一觔上研黃一分丁香二十一箇右為末每服一字三歲已上半錢用乳汁或白奶湯調下並不轉瀉一復時取下青黑物後服補藥醋石榴皮半两炙黑色伊祁一分木香一分射香五分同為末每服一字並薄酒調下并喫二服凡小兒臟下硬如有物乃是癖氣俗謂之奶脾只服溫脾化積氣丸子藥不可取轉無不愈也取之多失

鷹肉

味鹹氣平

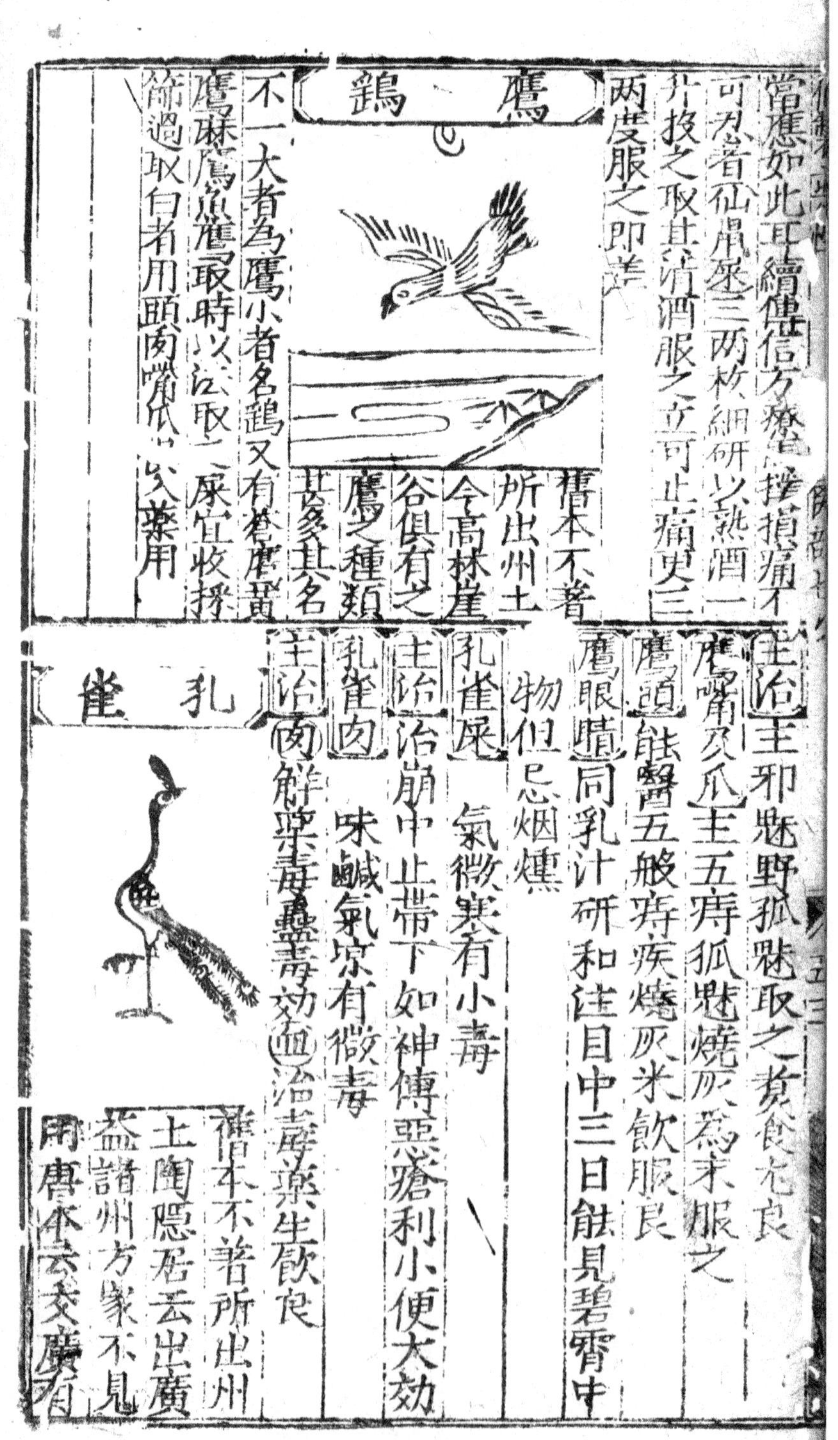

常應如此耳續傳信方療撲損痛不可忍者征鼠屎三兩枚細研以熱酒一升投之取其清酒服之立可止痛更三两度服之即差

鷹鶻

舊本不著所出州土今高林崖谷俱有之鷹之種類其多其名不一大者為鷹小者名鶻又有蒼鷹黃鷹來鷹角鷹取時以法取之屎宜收採篩過取白者用頭肉嘴爪以入藥用

【主治】主邪魅野狐魅取之煑食尤良

【鷹嘴及爪】主五痔狐魅燒灰為末服之

【鷹頭】能醫五般痔疾燒灰米飲服良

【鷹眼睛】同乳汁研和注目中三日能見碧霄中物但忌烟熏

孔雀

舊本不著所出州土陶隱居云出廣益諸州方家不見用唐本云交廣有

【孔雀屎】氣微寒有小毒

【主治】治崩中止帶下如神傳惡瘡利小便大効

【孔雀肉】味鹹氣涼有微毒

【主治】（肉）解藥毒蠱毒効（血）治毒藥生飲良

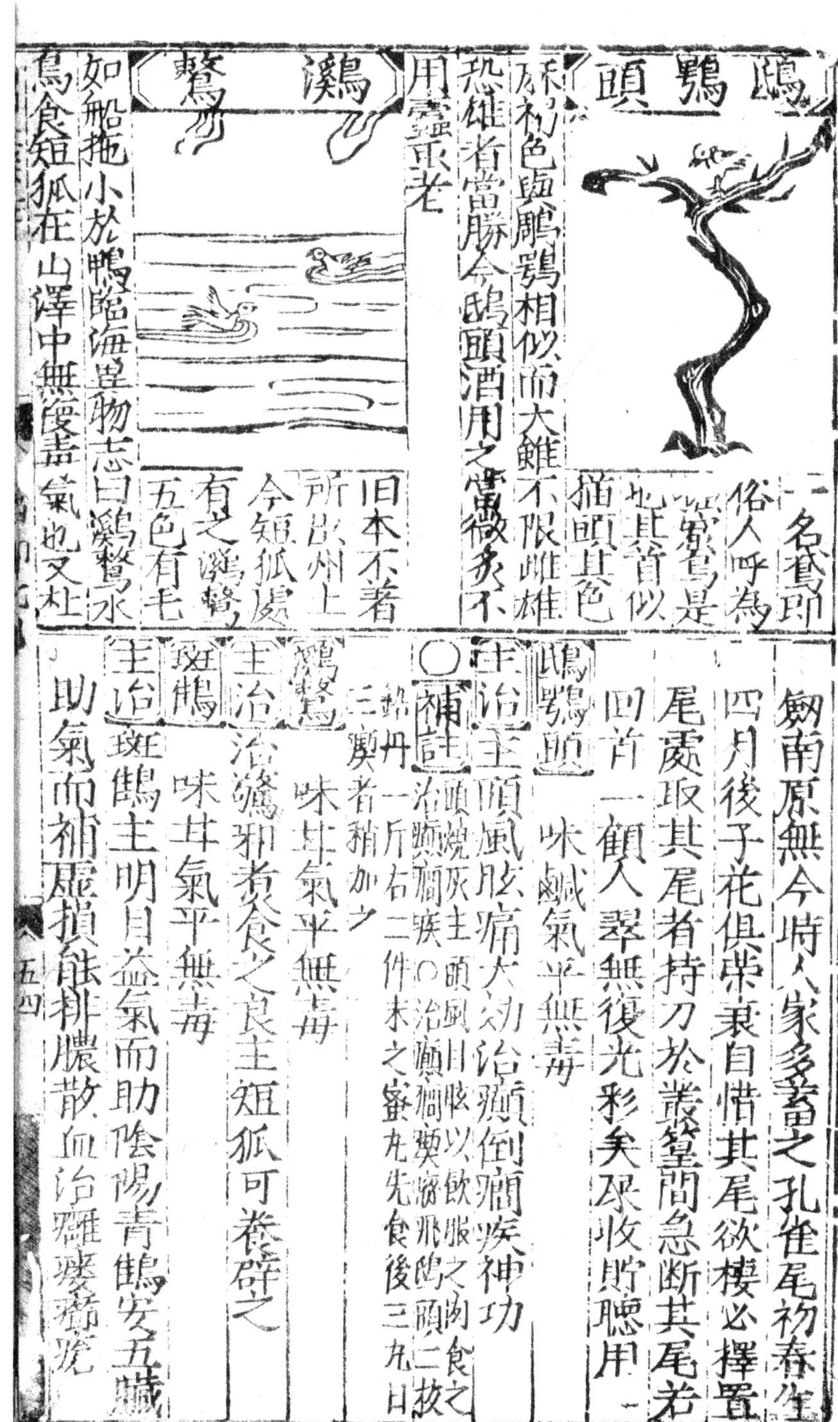

鴟鶚頭

一名鳶即俗人呼為鷂鷹是也其首似猫頭其色黎初色與鵰鶚相似而大雖不限雌雄恐雄者當勝今鴟頭酒用之當微炙不用蠹蛀老

鸂鶒

旧本不著所出州土今短狐處有之鸂鶒五色有毛如船柂小於鴨臨海異物志曰鸂鶒水鳥食短狐在山澤中無復毒氣也又杜

劒南原無今時人家多畜之孔雀尾初春生四月後子花俱凋衰自惜其尾欲棲必擇置尾處取其尾者持刀於叢篁間急斷其尾若回首一顧人翠無復光彩矣采收貯聽用

鴟鶚頭　味鹹氣平無毒

主治　主頭風眩痛大効治癲倒癇疾神功

○補註　頭燒灰主頭風目眩以飲服之肉食之治癲癇疾○治癲癇瘈瘲邪鴟頭二枚鉛丹一斤右二件末之蜜丸先食後三丸日三瘈者稍加之

鸂鶒　味甘氣平無毒

主治　治驚邪煮食之良主短狐可養辟之

斑鵻　味甘氣平無毒

主治　斑鵻主明目益氣而助陰陽青鵻安五臟助氣而補虛損能排膿散血治癰瘻癧瘡

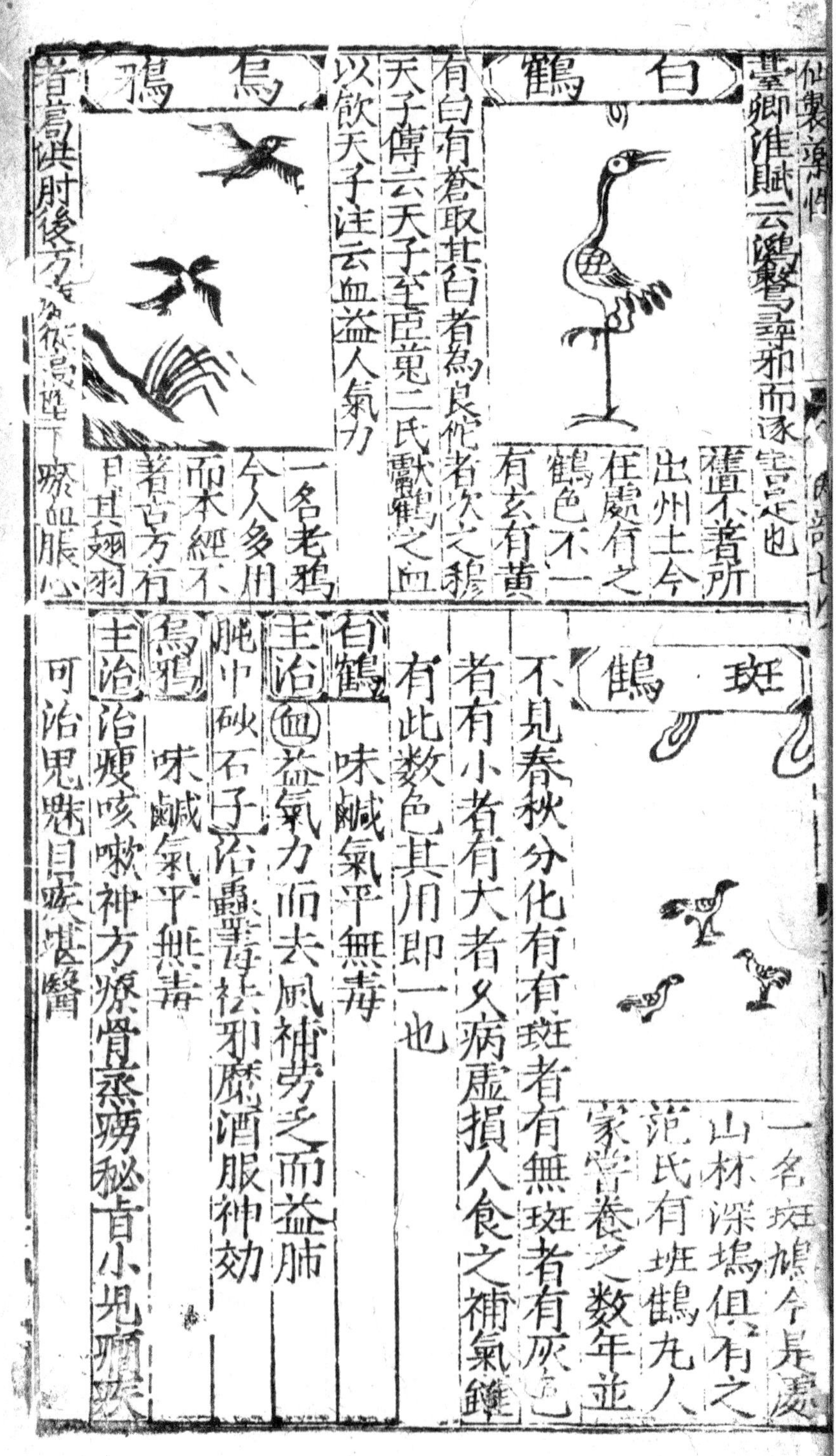

仙製藥性　禽部七

臺卿淮賦云鵾鸞尋邪而逐害是也

白鶴

舊不著所出州土今在處有之鶴色不一有玄有黃有白有蒼取其白者為良他者次之穆天子傳云天子至巨蒐二氏獻白鶴之血以飲天子注云血益人氣力

烏鴉

一名老鴉今人多用而本經不著古方有用其翅羽昔葛洪肘後方云治從高墜下瘀血脹心

斑鷦

一名斑鳩今是處山林深塢俱有之范氏有斑鷦九人家嘗養之數年並不見春秋分化有有斑者有無斑者有灰色者有小者有大者久病虛損人食之補氣雖有此數色其用即一也

白鶴　味鹹氣平無毒

主治　血　益氣力而去風補勞之而益肺肫中砂石子治蠱毒祛邪厭酒服神効

烏鴉　味鹹氣平無毒

主治　治瘦咳嗽神方療骨蒸癆秘肯小兒癇疾可治鬼魅目疾堪醫

面青色氣者以名爲翅羽之故得名翅鼠良燒末酒服之當吐血出愈近世方家多有烏鴉之全者以治風其法臘月捕取翅羽嘴足全者泥固濟大火燒煆入藥爲散丸中用之

雄鵲

一名飛駮烏舊本不著所出州土今在處有之肉主風大小腸澁四肢煩熱胸膈痰結婦人不可食經云燒作灰以石投中散者是雄也陶云鳥之雌雄難別舊云其翼左覆右是雄右覆左是雌又燒毛作屑內水沉者是雄浮者是雌今云投石恐止

〇補註　久咳蒸烏鴉臘月取用瓦瓶泥煨燒爲灰飲調下〇治目疾用烏鴉目睛注目中幼〇治上蜂瘻以煆頭燒灰細研傅之良

雄鵲肉　味甘氣寒無毒

主治　主石淋秘方消結熱効劑

〇補註　治石淋用子燒作灰淋汁飲了淋石自下

巢多年者　治癲狂鬼魅及蠱毒瘻瘡

〇補註　前諸病皆用燒之呼祟示物名號亦使瘻瘡良

練鵲　味甘氣溫平無毒

主治　治風疾如神益氣力奇捷冬春間取細剉炒香袋盛於酒中浸每朝取酒溫服之似鸜鵒小黑褐色食槐子者佳

鴝鵒肉　味甘氣平無毒其鳥似鵙而有幘者是

主治　主五痔止血如神治老嗽噎膈捷効

是鵲如此餘鳥未必爾也一名飛駮鳥又名鵶

鸕鷀屎

一名蜀水花本經不載所出州土今水鄉皆有之此鳥胎生從口中吐雛如兔子類故杜臺卿淮賦云鸕鷀吐雛於八九鷁鷁御而低昂是也產婦臨蓐令執之則易生其屎多在山石上色紫如花就石上刮取用之南人用治小兒疳蚘研為末炙猪肉點食取有奇功而唐面膏方有使鸕鷀屎一使鳥水花者以謂一物而两名不知其所別有一種

目睛 和乳汁研滴目中能見雲外之外

○補註 主五痔止血又食法臘月取之去毛炙之治老嗽或作羹食之亦得或搗為散白蜜和丸並得治上件並取臘月臘日者良有効非臘日得者不堪用○目睛和乳汁研滴目瞳子點甚分明五月五日取子去舌端能効人言又可使取火主吃取炙食之小兒不過一枚差也

鸕鷀屎 氣冷有微毒

主治 療面瘢黑黶痣治疔瘡湯火瘡痕

○補註 治粉刺面酒皶皰用鸕鷀糞一合研以臘月猪脂和每夜傅之○治魚骨哽口稱鸕鷀則下○治斷酒鸕鷀糞灰水服方寸○治噎欲發特銜鸕鷀觜遂下

鸕鷀頭 微寒主魚骨哽神方治吃噎捷徑

鸕鷀骨 味甘氣大寒無毒凡用骨及觜

主治 主鬼蠱諸疰毒治五屍心腹疼喉痺飛屍即除蛇虺咬螫搽之止小兒閃癖用之大効大

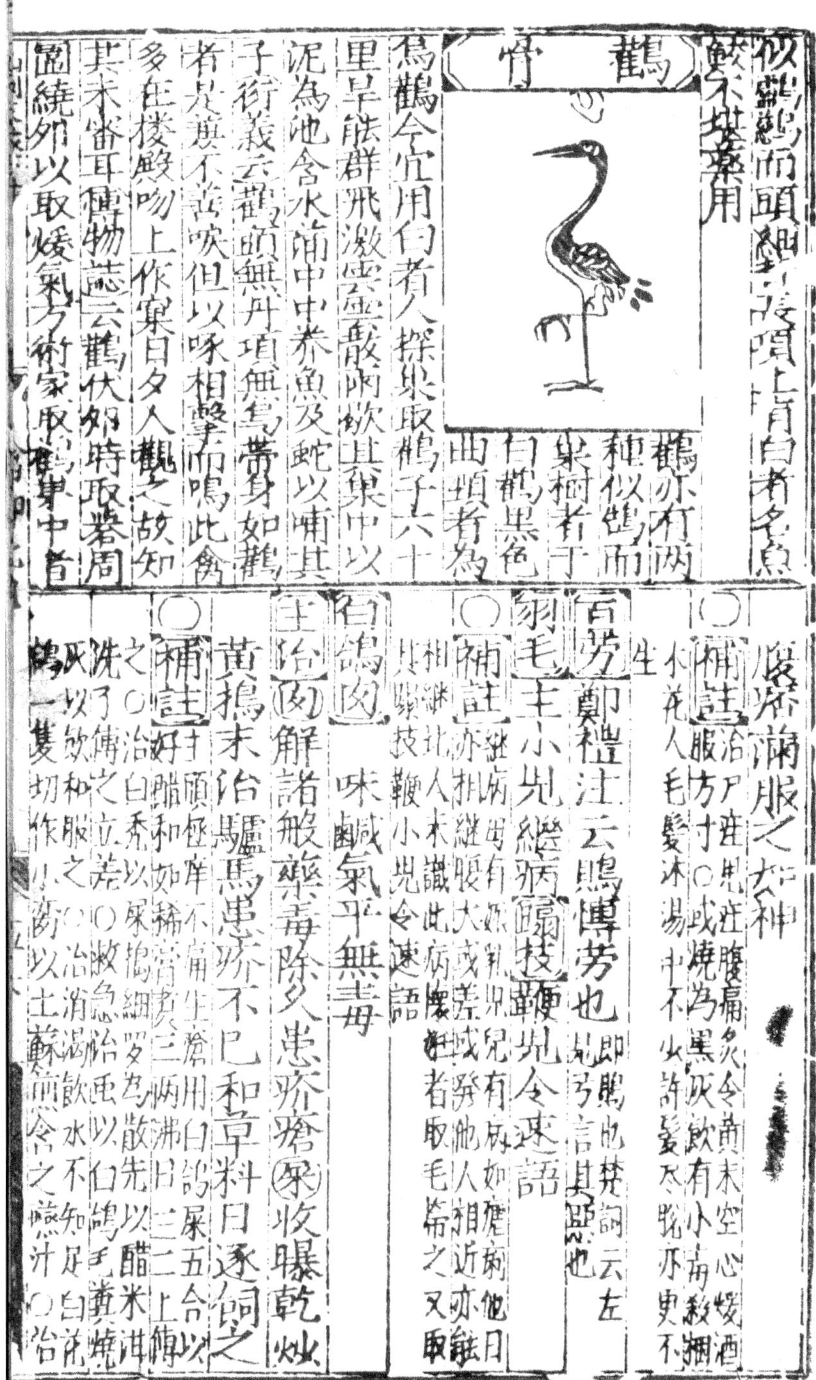

似鶴鷀而頭細長項上有白者名烏鵁不堪藥用

鸛骨

鸛亦有兩種似鵲而巢樹者不白鸛黑色曲頸者為烏鸛今宜用白者人探巢取鸛子六十里旱能群飛激雲散雨欲其巢中以泥為池含水滿中中養魚及蛇以哺其子衍義云鸛頭無丹項無烏帶身如鶴者是兼不善唳但以啄相擊而鳴此禽多在樓殿吻上作巢日夕人觀之故知其未嘗耳博物志云鸛伏卵時取礬周圍繞卵以取煖氣方術家取鸛卵中首

腹淋漓服之如神

○補註 治尸疰鬼疰腹痛炙令黃末空心煖酒服方寸匕或燒為黑灰飲有小毒殺蛔木花人毛髮沐湯中不少許髮盡脫亦更不生

百勞 鄭禮注云鵙博勞也 即鵙也楚詞云左見弓言其惡也

羽毛 主小兒繼病 鶗技 鞭便兒令速語

○補註 繼病母有娠乳兒兒有病如瘧痢他日亦相繼腹大或差或發他人相近亦能相繼北人未識此病懷妊者取毛帶之又取其鶗技鞭小兒令速語

白鴿肉 味鹹氣平無毒

主治 肉 解諸般藥毒除久患疥瘡 采 收曝乾炒

黃鵠末治驢馬患疥不已和草料日逐飼之

○補註 主頭極痒不痛生瘡用白鴿屎五合以好醋和如稀餳煮三兩沸日三二上傅之○治白禿以屎搗細羅為散先以醋米泔洗了傅之立差○嗽急治氐以白鴿毛糞燒灰以飲和服之○治消渴飲水不知足白花鴿一隻切作小臠以土蘇煎令之熟汁○治

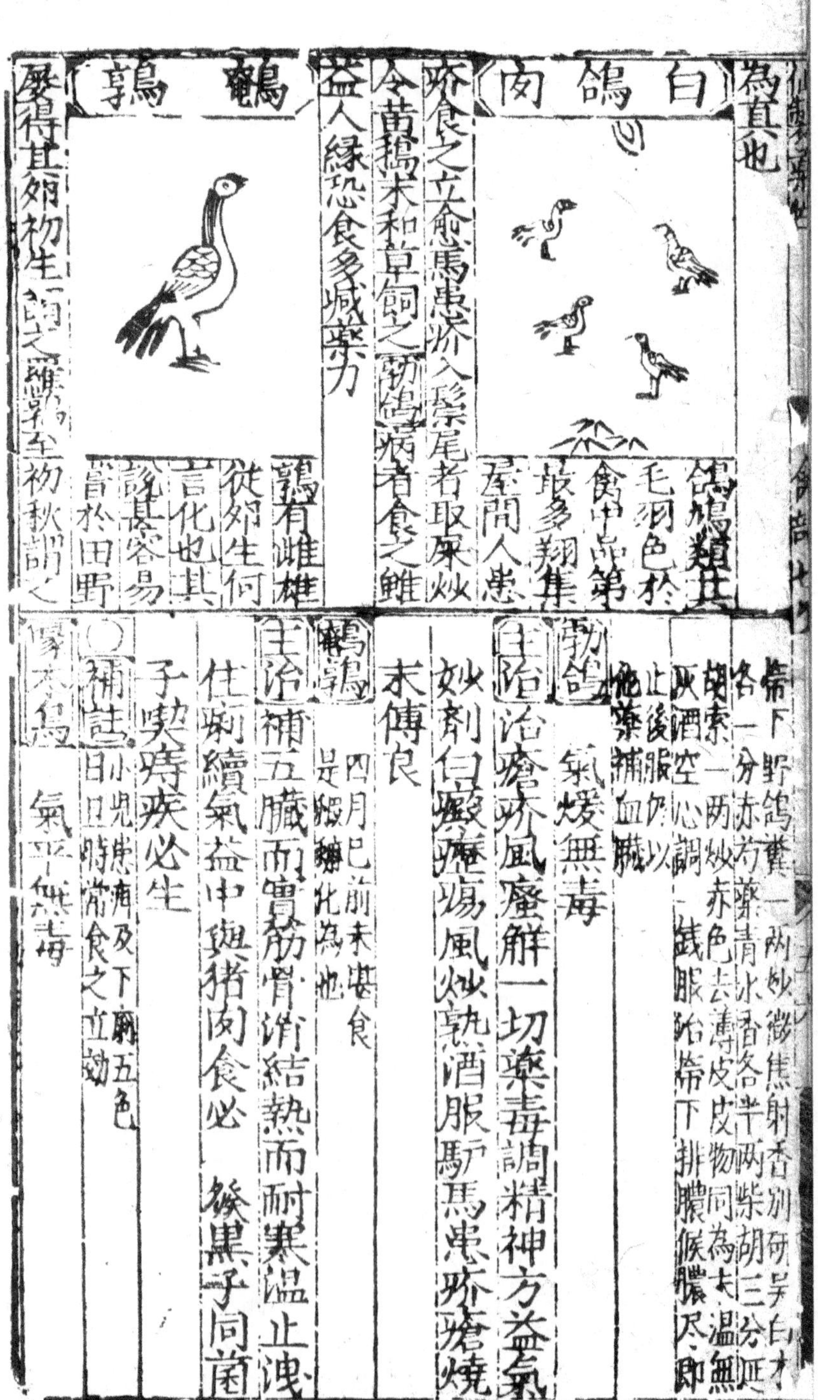
為真也

白鴿肉

鴿鳩類甚毛羽色於食中品第最多翔集屋間人患疥食之立愈馬患疥入鬃尾者取屎炒令黃搗末和草飼之

勃鴿 病者食之雖益人緣恐食多減藥力

鵪鶉

鶉有雌雄從卵生何言化也其說甚容易晋於田野屢得其卵初生謂之羅鶉至初秋謂之

帶下野鴿糞一兩炒微焦射香別研吴白朮各一分赤芍藥青木香各半兩柴胡三分延胡索一兩炒赤色去薄皮皮物同為末溫無灰酒空心調一錢服治帶下排膿候膿盡即止後服仍以他藥補血臟

勃鴿 氣煖無毒

主治 治瘡疥風瘙解一切藥毒調精神方益氣炒剤白癜癧瘍風炒熟酒服驢馬患疥瘡燒末傅良

鵪鶉 四月已前未堪食 是蝦蟆化為也

主治 補五臟而實筋骨消結熱而耐寒溫止洩仕痢續氣益中與猪肉食必 發黑子同菌子喫痔疾必生

○補註 小兒患痢及下痢五色 旦旦時常食之立効

鷃鳥 氣平無毒

早秋中秋已後謂之官鼠然一物四名當梁書之月令云田鼠化為鴽素問云鴽鶉也楊文公談苑云夏秋間是時雨水絕無蛙聲人有得於水次者半為鶉半為蛙列子天瑞篇曰蛙之為鶉張湛注云事見墨子斯不謬矣蓋物之變化非一揆也

啄木鳥

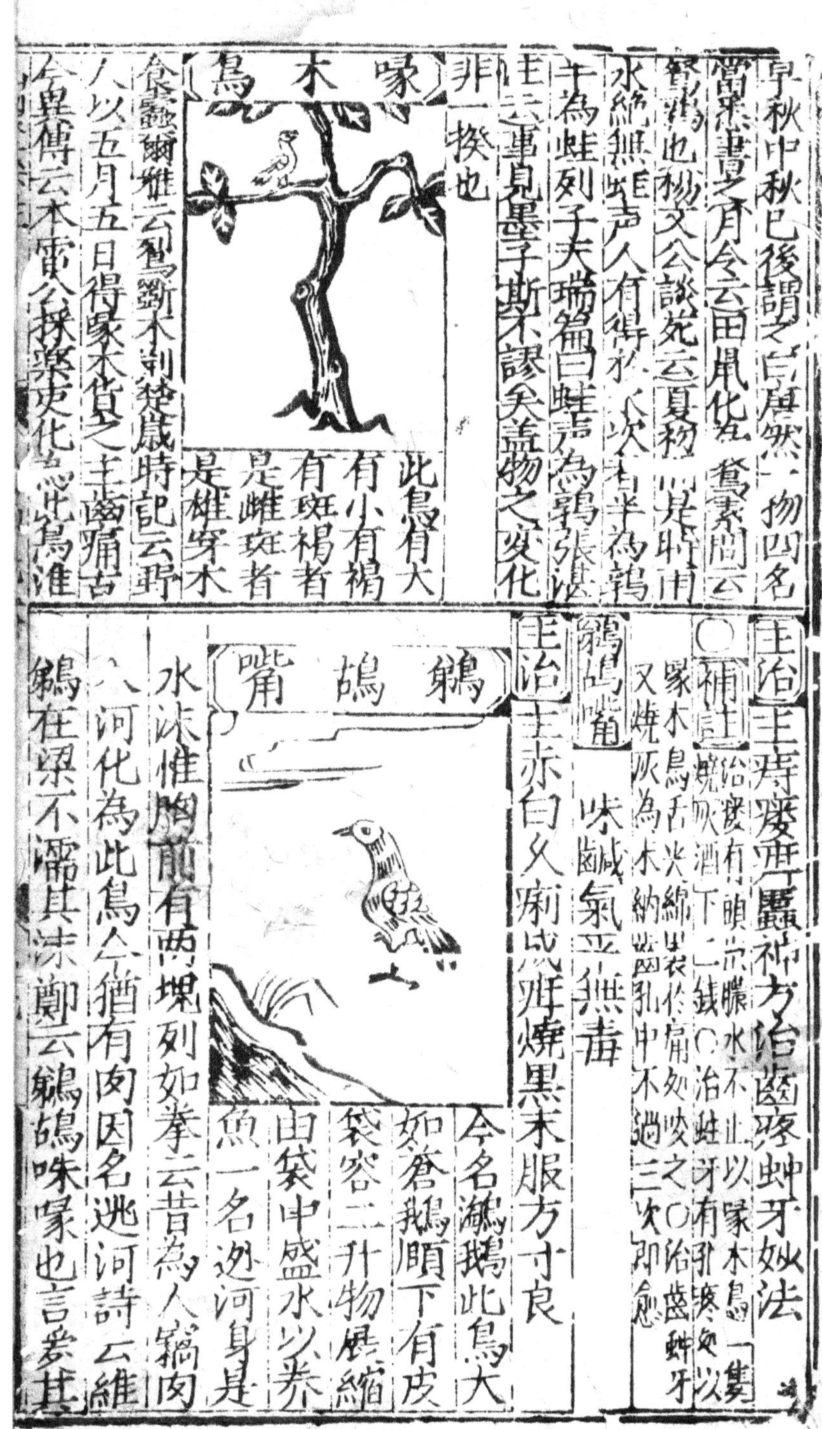

此鳥有大有小有褐有斑褐者是雌斑者是雄穿木食蠹爾雅云鴷斵木荊楚歲時記云野人以五月五日得啄木貨之主齒痛古今異傳云本雷公採藥吏化為此鳥淮

【主治】主痔瘻疳䘌神方治齒疼蚛牙妙法

○【補註】治瘻有頭出膿水不止以啄木鳥一隻燒灰酒下二錢○治蛀牙有孔痛以啄木鳥舌尖綿裹於痛處咬之○治齒蚛牙又燒灰為末納齒孔中不過三次即愈

鵜鴣嘴　味鹹氣平無毒

【主治】主赤白久痢成疳燒黑末服方寸良

鵜鴣嘴

今名淘鵝此鳥大如蒼鵝頤下有皮袋容二升物展縮由袋中盛水以養魚一名逃河身是水沫惟胸前有兩塊列如拳云昔為人竊肉入河化為此鳥今猶有肉因名逃河詩云維鵜在梁不濡其洙鄭云鵜鴣味喙也言愛其

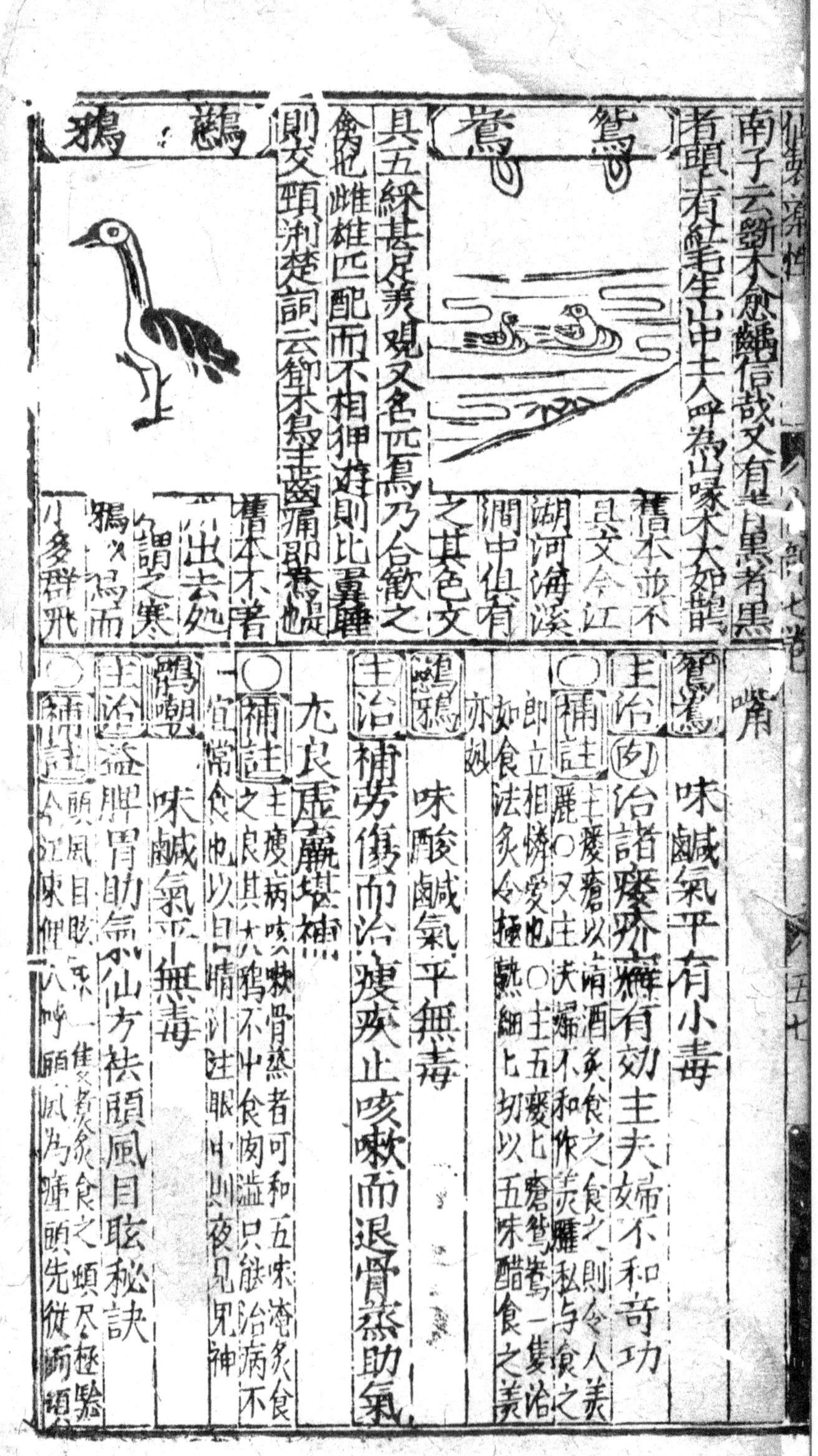

仙製藥性　卷之七　五十七

南子云鵲木愈鷂信哉又有白鷲者黑
者頭上有紅毛生山中土人呼為山啄木大如鵲

舊本並不
收今江
湖河海溪
澗中俱有
之其色文

鴛　鴦

具五綵甚足美觀又名匹鳥乃合歡之
禽也雌雄匹配而不相狎游則比翼雙
則交頸淵楚詞云鴛不鳥主齒痛即煮食也

[illegible]　鴉

舊本不著
所出去處
謂之寒
鴉以冬而
小多群飛

嘴

鴛鴦　味鹹氣平有小毒

主治　肉　治諸瘻疥癬有效主夫婦不和奇功

○補註　主瘻瘡以清酒炙食之食之則令人美麗○又主夫婦不和作羹臛私與食之即立相憐愛也○主五瘻上瘡鴛鴦一隻治如食法炙令極熟細切以五味醋食之羹亦妙

鸂鶒　味酸鹹氣平無毒

主治　補勞傷而治瘦疾止咳嗽而退骨蒸助氣尤良虛羸甚補

○補註　主瘦病咳嗽骨蒸者可和五味淹炙食之良其大鴉不中食肉澁只能治病不宜常食也以目睛汁注眼中則夜見鬼神

[illegible]　味鹹氣平無毒

主治　益脾胃助氣仙方祛頭風目眩秘訣

○補註　頭風目眩[illegible]一隻以炙食之頓盡極驗今江東俚人呼頭風為睡頭先從兩項

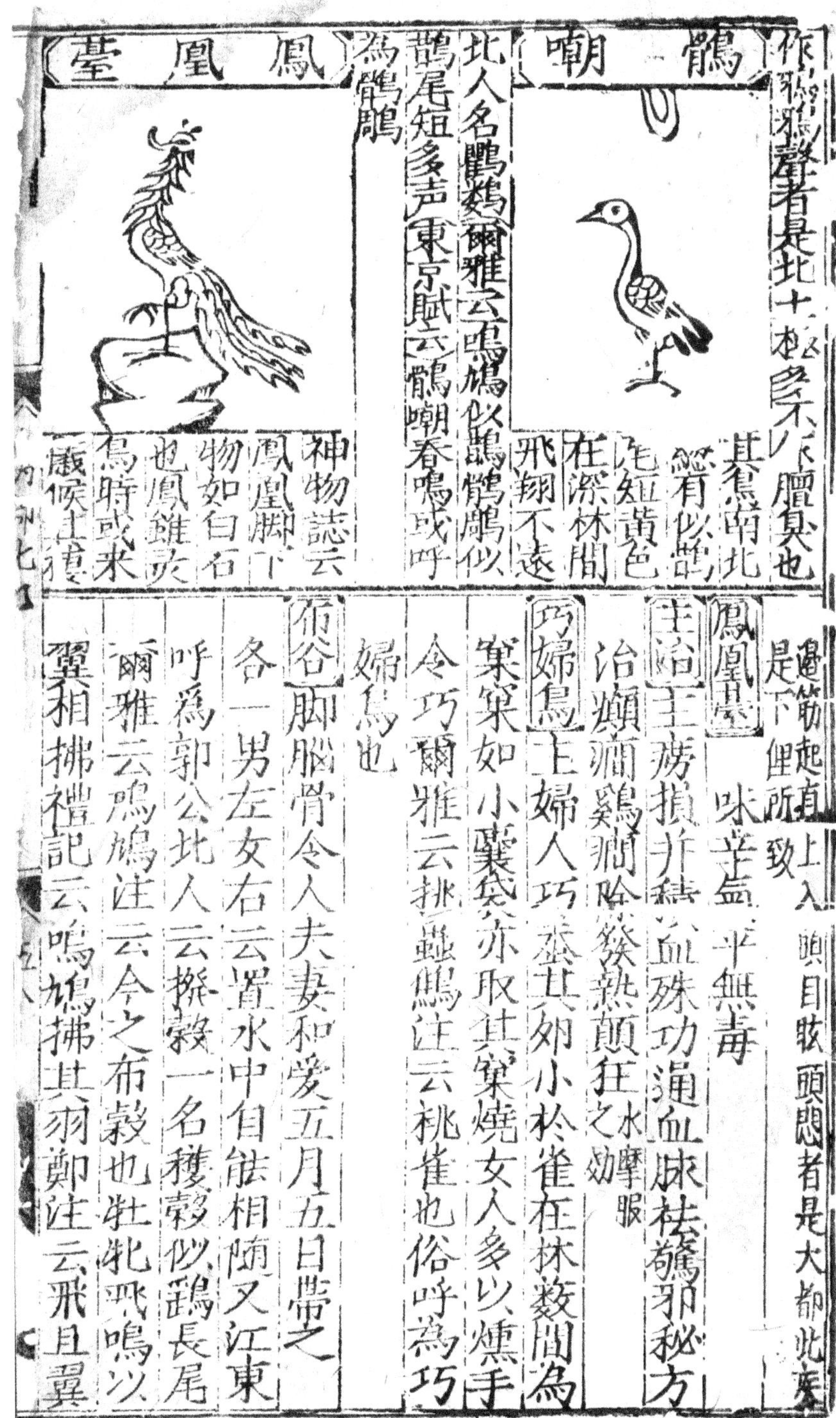

作聲者是北十二經多不下體臭也

鶻嘲

其鳥南北
縂有似鵲
尾短黃色
在深林間
飛翔不遠

北人名鶻鵃爾雅云鳴鳩似鵲鶻鵰似
鶻尾短多声東京賦云鶻嘲春鳴或呼
為鶻鵰

鳳凰臺

神物誌云
鳳凰脚下
物如白石
也鳳雛茨
鳥時或来
一歲候土德

遏筋起直上入頭目眩頭悶者是大都此寒
是下俚所致

鳳凰臺　味辛　氣平無毒

主治　主勞損折積血疾功通血脉祛驚邪秘方
治癲癇雞癇除發熱顛狂之劾　水磨服

巧婦鳥　主婦人巧　蓋其卵小於雀在林藪間為
窠窠如小囊袋亦取其窠燒女人多以熏手
令巧爾雅云桃蟲鷦注云桃雀也俗呼為巧
婦鳥也

布谷　脚腦骨令人夫妻和愛五月五日帶之
各一男左女右云置水中自能相隨又江東
呼為郭公北人云撥穀一名穫穀似鷂長尾
爾雅云鳲鳩注云今之布穀也牡牝飛鳴以
翼相拂禮記云鳴鳩拂其羽鄭注云飛且翼

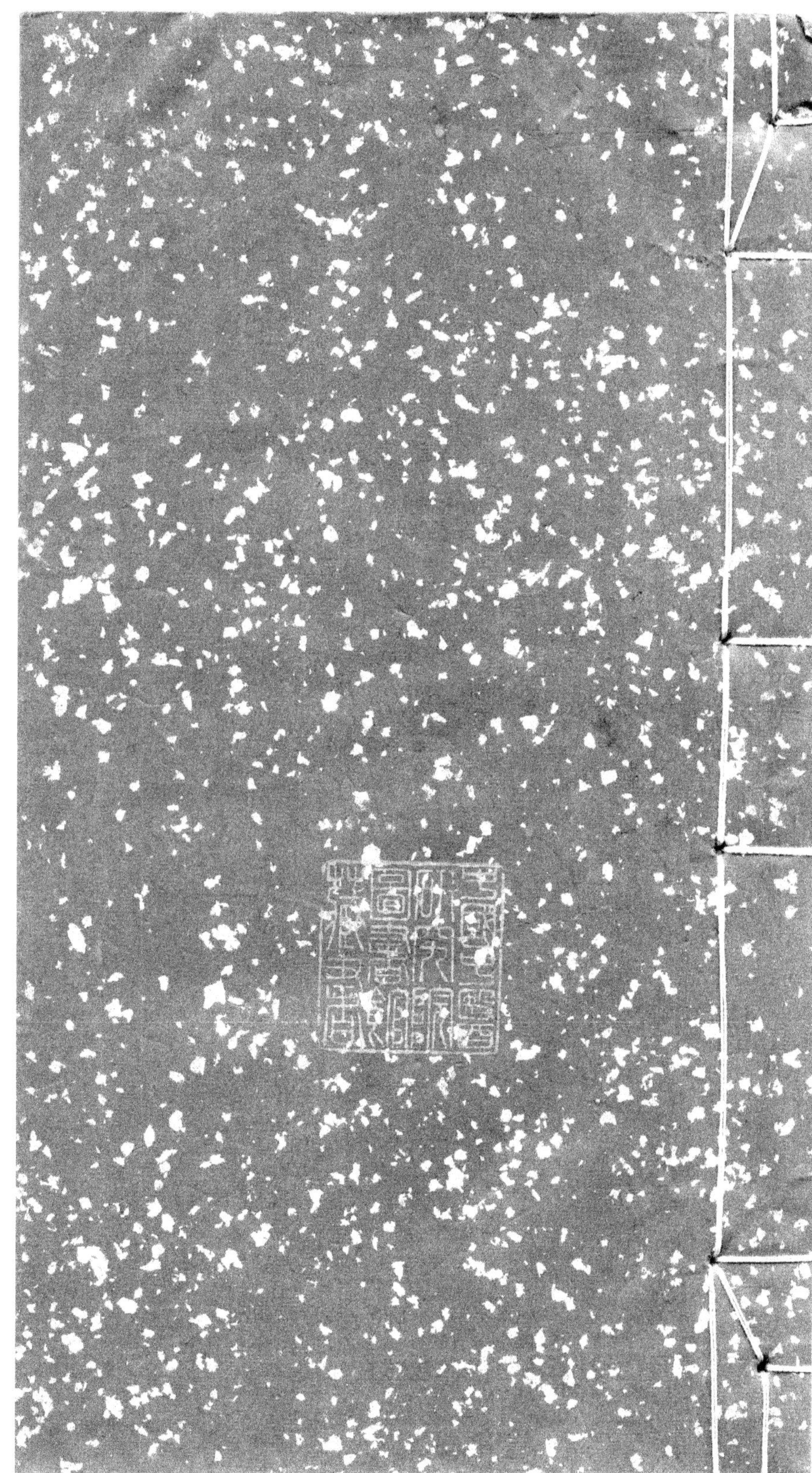

新刻太乙仙製本草藥性大全卷之八

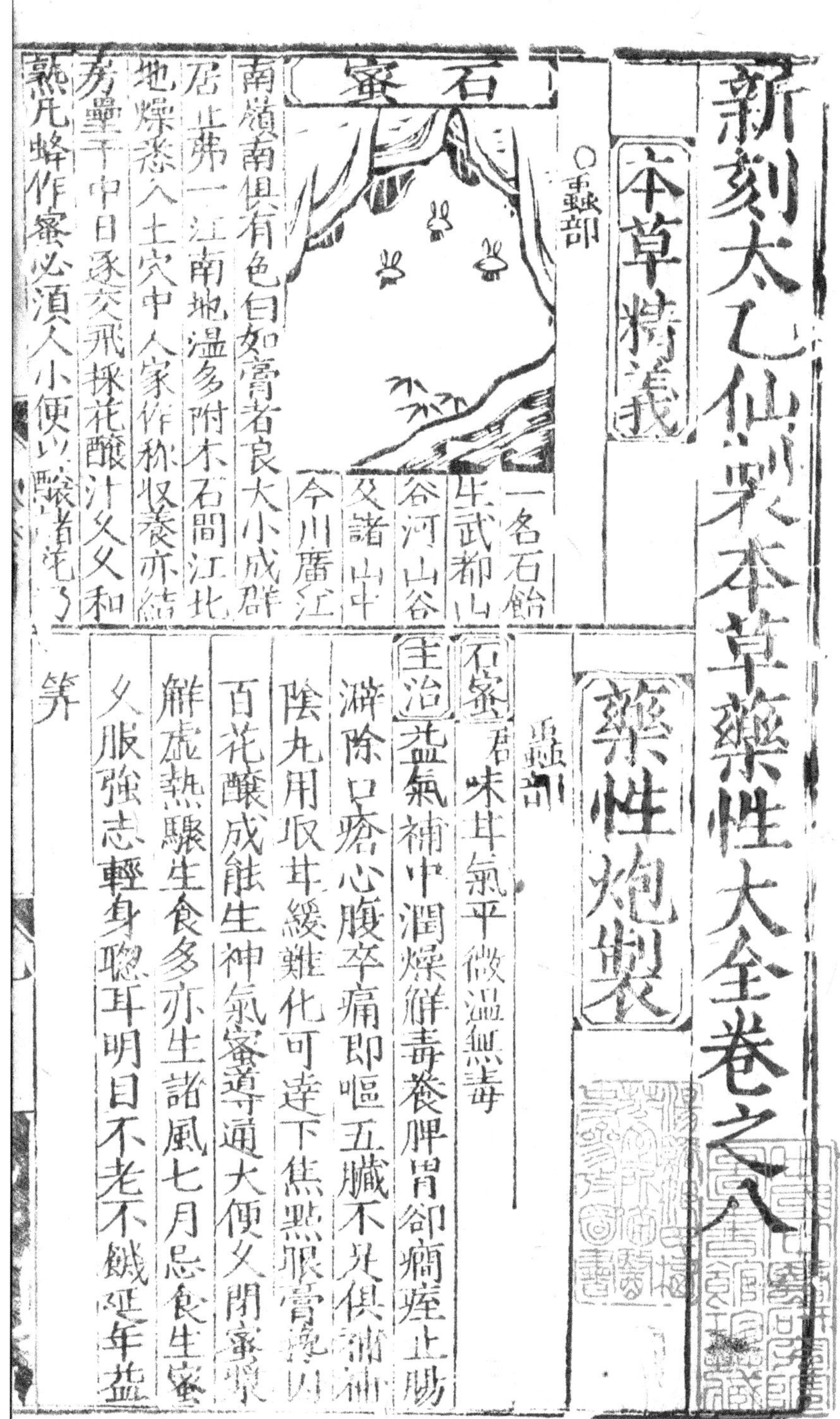

本草精義

○蟲部

一名石飴　生武都山谷河山谷及諸山中今川廣江南嶺南俱有色白如膏者良大小成群居止弗一江南地温多附木石間江北地燥蒸入土穴中人家作桶收養亦結房壘于中日逐交飛採花釀汁久久和熟凡蜂作蜜必須人小便以醸諸花乃笄

藥性炮製

蟲部

石蜜　君　味甘氣平微溫無毒

主治　益氣補中潤燥解毒養脾胃卻痼痓止腸澼除口瘡心腹卒痛即嘔五臟不足俱補補陰丸用取甘緩難化可達下焦點眼膏熬因百花釀成能生神氣蜜導通大便久閉寒凉解虛熱驟生食多亦生諸風七月忌食生蜜久服強志輕身聰耳明目不老不饑延年益

得和熟似飴一說以匽豬之水汁之鋪房而後蜜成故謂爛者蜜之蹛也是謂【蜜糖】三年一取者氣味濃一年一取者氣味薄故本經以石蜜優家蜜劣也入藥煉熟滴水成珠畏生葱惡芫花張司空云遠方山郡幽僻處出蜜所著絕岩石壁非攀緣所及惟於山頂藍轝自垂掛下遂得採取蜂去餘蠟著石有鳥如雀群飛來啄之殆盡至春蜂歸如舊人亦占護其處謂之蜜[illegible]為謂之蜜雀其蜜即今之石蜜也[illegible]蜜有兩種一種在山林木上作房一種人家作窠檻收養之其蜂甚小而微黃蜜皆濃厚而味美又近世宣州有黃連蜜色黃味小苦雍洛間有梨花蜜白如凝脂亳州太清宮

【補註】治天行斑發瘡頭面及身須臾周匝狀如火瘡皆戴白漿隨決隨生不即療數日必死取好蜜通身瘡上以蜜煎升麻數拭之○目生珠管以蜜塗目中時半日乃可洗之生蜜○仰佳治面䵟點取白蜜和茯苓末塗之七日便差矣○食諸魚骨鯁雜物鯁以蜜抄稍稍服之即下○頭生瘡以蜜煎甘草塗之差○誤吞錢煉服二升即出矣○刑者惡毒之瘡五色無常蜜和乾薑末傳之○湯火灼已成瘡白蜜塗之以竹中白膜貼上日三度○治中熱油燒外痛以白蜜塗之○治年少髮白拔去白髮以白蜜塗毛孔中即生黑髮々不生取梧桐子搗汁塗上必生黑者○肛門主肺肺熱即肛塞腫縮生瘡白蜜一升豬膽一枚相和微火煎令可丸丸長三寸作挺塗油內下部臥令後重須臾通泄○王噎不下食取崖蜜含微々嚥下廣利方通○陽明病自汗若小便自利此為津液內竭雖尔不可攻之當須自欲大便宜蜜煎導以通之取蜜七合於銅器中微火煎可丸撚作一挺如指許大得冷以內穀道中須臾必通矣○治產後渴蜜不計多少煉過熱水溫調服即止○治嗽可取白蜜一斤生薑二斤搗取汁先秤銅鐺令知斤兩即下蜜於鐺中消之又秤知斤兩下薑汁於蜜中微火煎令薑汁盡秤蜜斤兩在即休藥已成矣患三十年

有於花處色小赤南京杭城所出者有何首烏處蜜色更赤並以蜂採其花作之各隨其花色而性之温凉亦相近也

蜜蠟

出武都山谷生於蜜房木石間蠟蜜脾底也初時極香嫩重煮治乃成其味淡天下之味莫甜于蜜莫淡于蠟是乎此者必薄于彼理自然也煎蜜得之陳則色黃新則色白本經條中只言白蠟不言黃蠟者盖用蜜宜陳用蠟宜新也一說蠟熔納水中十數過即白乃蠟之精英故入藥勝本經所取亦或在此畏惡芫花齊給古人荒歲多食蠟以度飢欲女

癩者平旦服棗許大一丸一日三服酒飲下忌生冷葷滑臭穢功用甚多世人衆委不能一一具之

太乙曰　凡煉蜜一斤只得十二兩半或分是數若火少火過並用不得

蜜蠟　味甘氣微温無毒

主治　益氣止瀉痢補中續絕傷熔果大黃丸隔寒涼脾胃無損嚼為斷穀藥度荒歉腸胃飢下

○補註　治狐尿刺人腫痛用熱蠟著瘡中又以熏之令汁出即便愈○療代指以蠟於膠相和火炙籠代指即差矣○治小兒御東如有瘡即膿煎蠟塗之○湖南押尚額思恨傳頭風擊疼蠟二斤鹽半斤相和於鏹羅中熔令相入捏作一兜鍪勢可合腦大小搭頭至額頭痛立止○治大坑人重發瘵之火炙蠟灌入瘡中○治雀目如神黃蠟不以多少器內熔成汁取出入蛤粉相和得所成毬每用以刀子切下二錢以豬肝二兩批開摻藥在內麻繩扎定水一椀同入銚子內煮熟取出乘熱熏眼至温將并肝食之日二則以平安為度

當合大棗咀嚼即易爛也劉禹錫傳信方云甘少府治脚轉筋兼暴風通身冰冷如攤緩者取蠟半斤以舊帛絁絹並得藥闊五六寸看所患大小加減闊狹先銷蠟塗於帛上看冷熱但不过燒人便承熱纏脚仍須當脚心便著机裹脚冷即便易之亦治心躁驚悸如覓是風毒兼裹兩手心

又種白蠟人家多栽種冬青樹二三月多買蠟虫掛於樹上至九十月將枝上白殼皮刮下用甑久蒸滴下鍋內者即白蠟也

白蠟 使

味甘氣平無毒

主治 療洩澼後重而見白膿補絕傷白髮而烊即黑亦治胎漏善利小兒久服不飢輕身耐老

○補註 主妊孕婦人胎動漏下血不絕欲死以蠟如鷄子大煎銷三五沸美酒半升投之服之差主白髮鑷去消蠟點孔中即生黑者和松脂杏仁棗肉茯苓等分合成食后服五十丸便不飢功用甚多又云主下痢膿血

蜂子

味甘平氣微寒無毒

主治 治風頭而除蠱毒補虛羸而療傷中理心腹疼痛主風癮遊用腹中留熱可祛大小便澀即利調婦人赤白帶下又下乳汁去浮血療小兒腹中五蟲口吐出者面目黃久服光澤好顏色益氣不老又輕身

大黃蜂子 主心腹脹滿疼痛止乾嘔益氣輕身

土蜂

蜂本經有蜂子黃蜂子蜂而上蜂下云生武都山谷今處處皆有之蜂子即蜜蜂子也在蜜脾中如蛹而白色大黃蜂子即人家屋上作房及大木間𩯭[音侯]瓠[音護]蜂子也嶺南人亦作饌食之蜂並黃色比蜜條更大土蜂子即穴土居者其蜂最大螫人或至死凡用蜂子並取頭足未成者佳謹按嶺表録異載宣歙人取蜂子法大蜂結房於山林間大如巨鍾其中數百層土人採時須以草衣蔽体以捍其毒螫復以烟火熏散蜂母乃敢攀崖[illegible]

土蜂子

一名蜚零　主癰腫耳中氣療嗌痛秘訣

利大小便治婦人帶下病等又有食之者須以冬瓜及苦蕒生菱紫蘇以解其毒也○蜂子蜂木經有蜂子黃蜂上蜂生武都山谷今處處皆有之蜂子即蜜蜂子也在蜜脾中如蛹而白色大黃蜂子即人家屋上作房及大木間𩯭瓠蜂子也嶺南人亦作饌食之蜂並黃色蜂更大土蜂子即穴土居者其蜂最大螫人或至死凡用蜂子並取頭足未成者佳欲人取蜂子法大蜂結房於山林間大如巨鍾其如數百層土人採時須以草衣蔽体以捍其毒螫復以烟火大熏散蜂母乃敢攀崖木斷其帶一房蜂子或五六斗至一石以鹽炒暴乾寄入京洛以為方物然房中蜂子三分之一翅足已成則不堪用今宣城蜂子乃掘地取之似土蜂也今江東呼大蠭在地中作房者為土蠭啖其子即馬蠭荊巴間呼為蟺又木蠭云以土蠭而小在木上作房江東人亦呼木蠭人食其子然則二蜂子皆可食久矣大抵蜂類皆同科其性效不相遠矣

附　蠮螉　有小毒　出嶺南如土蜂翅赤頭黑穿土為窠食蜘蛛間來皆隱蟫

治　主蜘蛛咬毒良方治疔腫疽瘡妙劑

屋木斷其蒂一房蜂子或五六升至一石以鹽炒暴乾寄入京洛以為方物然房中蜂子三分之一翅足已成則不堪用詳此木上作房蓋𧍪瓠類也而今宜蛾蜂子乃掘地取之似土蜂也故郭璞注尔雅土𧒂云今江東呼大𧒂在地中作房者為土𧒂啖其子即馬𧒂荊巴間呼為蟺【音憚】又注木𧒂云似土𧒂而小在木上作房江東人亦呼木𧒂人食其子然則二蜂子皆可食久矣大抵蜂類皆同科其性效不相遠矣

蜂房

露蜂房一名蜂腸一名百穿一名蜂勦【音巢】

○【補註】治蜘蛛咬疔腫疽瘡燒令黑和油塗之取蜂巢出醋和為泥傅咬處效

【露蜂房】味苦鹹氣平無毒

【主治】主癲疾蠱毒鬼精治驚癎瘈瘲寒熱蜂毒乳毒並解赤痢白痢總除水煎汁服治齒疼酒調灰服主陰痿瀉癧作乳研和猪脂塗差癰腫不消磨以釅醋數效熱病後毒氣衝目可焦水頭頻洗之

○【補註】蜂螫人用蜂房末猪膏和傅之○楊氏産乳蜂房煎湯洗亦得○崩中漏下青黄赤白使人無子蜂房末三指撮酒服之神效○卒[illegible]骼方大者一枚水二升煮令濃赤以浴小兒日三四佳○治眼暗煮蜂房細辛各等分含之即差○治[illegible]鼻中外查瘤膿水血出蜂房火炙焦末酒服方寸匕日三○治風瘻蜂房一枚炙令黄赤色為末每用一錢臘月猪脂令調傅瘡上○解藥毒上攻如聖散蜂房甘草等分用麩炒令黄色去麩為末水二盞煎至八分一服令温臨卧頓服取下穢物○治風瘙癮方以水煮蜂房取二

生牂牁山谷今處處山中皆有樹上七月七日收取陰乾去外包裹麁皮用內房曝炙燥張貴今考藥性蜂房乾當用參其窠大者如甕小者如桶其蜂黑色長寸許螫牛馬及人乃至欲死者用此大效人家屋間亦往往有之但小而力慢不甚用不若山林中得風露氣者佳古今方書治牙齒湯多用之七月七日採又云十一月十二月採者佳亦解蠱毒又主乳石發動頭痛煩熱口乾便旋赤少者取十二分炙以水二升煮取八合分溫再服當利小便諸惡毒隨便出又療熱病後毒氣衝目用半大兩水二升同煎一升重濾洗目三四過又療蜂成瘻作孔者取二枚炙末臘月猪脂塗孔

月入者削陰乾用五度即著○治婦人乳癰汁不出內結成腫名妒乳方蜂房燒灰研每服二錢水一盞煎至六分去滓溫服○小兒赤白痢蜂房燒末飲服○小兒大小便不通蜂房燒末酒服三錢日再服○小兒重舌蜂房燒灰細研酒和為膏傅兒舌下日三四次用之○小兒臍風濕腫久不差燒末傅之○治小兒咳嗽蜂房二兩淨洗去蜂糞及泥土以快火燒為灰每服一字飲下○小兒喉痹腫痛蜂房燒灰以乳汁和一錢服○治頭痛煩熱口乾小便赤少蜂房十二分炙水二升煎服八合分為二服當利小便諸惡石毒隨小便出○治熱病後毒氣衝目痛蜂房半兩水二升煮取一升重濾洗目日三四皮治亦自背○治風氣客於皮膚瘙痒不已蜂房炙過蟬蛻等分為末酒調一錢七日三二服之

太乙曰

凡使此窠有四件一名革蜂窠二名石蜂窠三名獨蜂窠四名草蜂窠是也大者一丈二丈圍在上樹時者內窠小隔六百二十箇圍大者有一千二百四十箇蜂其窠粘木蒂是七姑木汁蓋是牛糞沫窩其巢窠石蜂窠只在人家屋上大小如拳色蒼黑內有青色蜂二十一箇不然只有十四箇其蓋是石垢粗處是七姑木汁隔是竹蜂蛻有留

上卷

牡蠣

牡蠣一名蠣蛤一名牡蛤生東海池澤係鹹水結成居海傍不動天生萬物皆有牝牡惟蛎是鹹水結成塊然不動陰陽之道何從而生經言牡者非指爲雄正猶牡丹之牡同一義也小乃磈礧大則崨嶪始生小如拳石四面漸長一二丈者如山輒右口向上如房相連肉藏中隨房漸長每一房有蠔肉一塊肉之大小隨房漸長海潮輒至房一一悉開潮入小蟲合以充腹海人欲取其肉鑿房以火逼得之以錐鑿房用烈火逼開方得挑

蜂巢大小只如鵝卵大皮[illegible]內并蜂翅盛向裏只有一箇蜂大[illegible]子許人馬若遭螫着立亡凡使革蜂窠先須以鵝豆枕等同拌蒸從巳至未出去鵝豆枕子熬乾用之

牡蠣 君 味鹹氣平微寒無毒貝母爲之使

主治 能軟積癖總因味鹹茶清引消結核疽柴胡引去脇下硬同大黃瀉熱焮腫即平同熱芐益精遺可禁麻黃根共作散斂陰汗如神川杜仲共煎湯固盜汗立效髓宿日深咯澤瀉和糊頻調又單末蜜丸水吞令面光時氣上傷寒寒熱溫瘧除驚恚怒氣拘攣祛留熱關節營衛虛熱煩滿往來治喉痺而止咳嗽摩宿血又消老痰開寒鬼交精道收澁氣虛帶下久服強骨節殺邪鬼延年

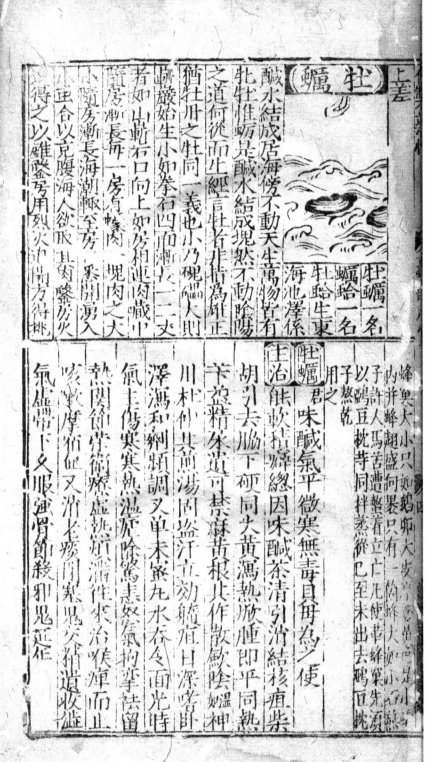

取其肉入藥採無時除甲併口以米泔匕如
粉之處得左顧大者猶良左顧之說諸
註不同一云取蠣向南視之口斜向東
者是一云頭尖者是似無證驗如大者
為上品火煆微紅杵羅細末○蛇床牛
膝甘遂甘草遠志惡吳茱萸麻黃辛夷入
少陰腎經十一月採左顧者入藥南人
以其肉當食品其味猶美好更有益兼
令人細肌膚美顏色海族之中最可貴者

真珠牡

本經不載所出州土即老蚌生者又名真
珠牡蚌即珠母惟老者生多小者少有
出濂州海島大池屬廣東海中有州島

【牡蠣肉】炙令沸去殼食佳海族之中亦為上品
美顏色細肌膚補虛勞調血氣若和姜醋生
啖酒後煩渴亦歐
○【補遺】治一切渴大牡蠣不計多少於臘日端
午日黃泥裹煆通赤放冷取出為末用
活鯽魚煎湯調下一錢小兒半錢只兩服差
○大病差後小勞便鼻衄牡蠣十分石膏五
分搗末酒服方寸匕日三四亦可蜜丸如梧
桐子大○治一切丈夫婦人瘰癧經効牡蠣
用炭一秤煆通赤取出於濕地上用紙襯出
火毒一宿取四兩玄參三兩細搗羅為末以
麵糊丸如梧桐子大晚食後臨卧各三十丸
酒服藥將服盡癧子亦除根本○除盜汗及
陰汗牡蠣為末有汗處撲之○療隨宜日晒
滑皆卧牡蠣澤瀉主之○治甲疽弩肉裹趾
膿血疼痛不差牡蠣頭厚處生研為末每服
二錢研花酒調下如癰盛已潰者以末傅之
仍更服藥並一日三服○治癰一切癰未成
膿拔毒牡蠣白者為細末水調塗乾更塗○
治瘰癧發頸項破未破甚效如神牡蠣四兩
甘草二兩為末每服一大錢食後臘茶同點
日二○治水癩偏大上下不定疼痛牡蠣不
拘多少鹽泥固濟炭三斤煆令火盡冷取二

島上有池謂之珠池人疑其底與海通池水乃淡此不可測也剌皮掌之督珠户歲採充貢圍大寸圍為上光瑩不暗綵優得此告人價值難估欲穿孔眼非金剛鑽不能求入醫方惟新完者可用土人採小蚌肉作脯食之往往得細珠如米者乃知此池之蚌隨大小皆有珠矣而今取珠牡云得之海傍不必是珠池中也其北海珠蚌種類小別人取其肉或有得珠者但不常有其味亦不逮光瑩藥中不堪用又蚌屬中有一種似江珧者其腹亦有珠皆不及南海者奇而且多不及舶上彩耀欲穿之得金剛鑽也為藥須久研如粉麪方堪服食研之不細傷人臟腑

兩乾薑一兩炮又為細末用冷水調鼠肥白於塗病處小便大利即愈

太乙曰有石牡蠣石魚蠣真海牡蠣石牡蠣者頭邊皆大小甲沙石真似牡蠣只是圓如龜殼海牡蠣使得只是丈夫不得服令人無髭真牡蠣火煅白炮并用瑿試之隨手走起可認真是萬年珀号曰瑿用之妙凡修事先用二十箇東流水鹽一兩煮一伏時後入火中燒令通赤然後入鉢中研如粉用也

真珠 君 氣寒無毒即老蚌生者名曰真珠牡

主治 主手足皮膚逆臚安魂魄明目定心磁鉢極研薄紙重篩為丸鎮心神敷面潤顏色作散點目去膜緊塞耳除聾小兒驚熱風癇和藥作錠磨服尤堪止渴亦能墜痰

蚌肉 味甘作脯可食功惟醒酒去熱熾煩

○補註 治遲胞衣不出若酒服真珠一兩○療子死腹中方真珠二兩為末酒調服盡立出○難産取真珠一兩和酒服之立産○卒忤不能言真珠末以鷄冠血和丸

石决明

亦名九孔螺生南海今嶺南州郡及萊州皆有小出

海內單片不生對合光耀與黍真珠由此得名眼科專用或疑珠母此大差遠氣味寒鹹擇七孔九孔方取十孔以上者不佳或以為紫貝或以為鰒魚甲按紫貝即今人砑螺古人用以為貨幣者殊非此類鰒魚乃王莽所食者一邊著石光明可愛自是一種與决明相近耳决明殼大如手小者三兩指海人亦啖其肉亦取其殼漬水洗眼又注云鰒魚主欬嗽啖之明目無時

小豆大以三四入口中〇十鎮安魂螺味蜜方煉真珠如大豆以蜜一蜆殼和一服與一豆許日三人宜小兒矣

太乙曰　真誠消淨者以絹袋盛之然後用地榆五花皮五方草三味各四兩細剉了又以牡蠣約重四五斤已來先置於平底鐺中以物四向搘令穩然後著真珠於上了方下剉了三件藥籠之以漿水煮三日夜勿令火歇日滿出之用甘草湯淘之令淨後於臼中擣令細以絹羅重重篩過却更研二萬下了用凡使要不傷破及鑽透者方可用也

石决明　味鹹氣平無毒

主治　主青盲內障目瞖痛治肝肺風熱骨蒸勞久服輕身益精去肝絡黑瞖漬水洗眼亦如

决明殼　採供饌乾可久留遠行饋人並為珍珠

○**補註**　治小腸五淋石决明去麁皮甲搗研細右件藥如有軟硬物淋即添朽木細末熱水調下二錢服

七日　足使即是真珠母也先去上麁皮用鹽并東流水於大瓷器中煮一伏時了漉

海蛤

生東海今登州萊州滄州皆有之良狗膽甘遂芫花

唐云此物以細如巨勝潤澤光淨者好有麄如半杏仁者不入藥亦謂為豘耳蛤麄惡不堪也又云鴈腹中出者二三過極光潤王十二水滴急滑利膀胱大小腸麄者如半片郁李仁不任用亦名豘耳蜀本云今萊州即墨縣南海沙湍中四月五月採淘沙取之出以半天河煮五十刻然以枸杞子汁拌籠竹筒盛蒸一伏時勿用游波蟲骨似海蛤而面上無光誤食之令人狂取用酏蛋解之

杵搗為末研如粉却入鍋子中再用皮地榆阿膠三件更用東流水於甆器中如此淘之三度待乾再研一萬匝方入藥中用凡修事五兩以鹽半分取則第二度煮用地榆五花皮阿膠各十兩服之十兩水不皆食山枇令人瘦目也海藻云凡用先以鵝眼熟眼然後磨去其外黑處并龜皮子蝴搗之細羅於乳鉢中再研如麪方堪用也

【海蛤】臣 味苦鹹氣寒無毒蜀漆為之使

【主治】主嘔逆上氣治項下癭瘤能潤五臟亦消浮腫利膀胱大小二腸消水腫脹滿降胸脇逆壅邪氣定喘息欬嗽除痿可堅喉渴甚止

○【補遺】治傷寒汗不溜搐却手脚海蛤川烏頭各一兩川山甲二兩為末酒糊和丸大寸許但搞置所患足心下擘葱白盜藥以帛纏定於暖室中取熱水浸腳至膝上久則水溫又添熱水候遍身汗出為度凡一二日一次浸腳以知為度○主水癊取二兩先研三日漢防巳棗肉杏仁二兩葶藶子六兩熱研成脂為丸一服十丸利下

【太乙曰】凡使勿用游波藠骨其蟲骨真似海蛤只是無面上光其蟲骨誤餌之令人狂

肉煎令人多取相攪令磨薄似之尔陳藏器以為海蛤是海中爛殼久為風波淘洗自然圓淨者有大小不以遠者為佳不必鴈腹中出也按說文曰千歲鷰化為海蛤是也

文蛤

舊本不載所出州土今登萊諸州亦有之

係新蛤殼未爛時東海岸可收斑紫形尖表多文彩令名文蛤貴之之辭仲景傷寒方中曾用研為散未有入蛤散牌本云文蛤大者圓二寸小者圓五六分若今婦人以置臙脂者殊非海蛤之類也夫天地間物無非天地間用豈限其

走脹及水腫人為之中兇心狂並不是隸周識朗此蟲骨若服者只以猎解之並差凡修事一兩於漿水中煮一伏時後却以地骨皮柏葉二味又煮一伏時後出於東流水中淘三遍以乾細搗研如粉然後用凡一兩用地骨皮二兩並細剉以東流水淘取用之

【文蛤】味苦鹹氣平寒無毒

【主治】利水為鹹走腎墜痰因鹹軟堅毆脇急腰疼除喉欬脇痺收遊崩中帶下消平鼠瘻痔瘡走馬疳蝕口鼻將危和臘猪脂為膏敷貼癩疝氣引小腸吊痛同香附末薑汁調吞

○【補遺】治急疳蝕口鼻數日盡欲死燒文蛤灰臘月脂和塗之○傷寒論在陽明以汗解反以冷水潠之若水灌之其熱被却不得去彌更益煩皮上粟起意欲水反不渴者文蛤散主之文蛤五兩一味搗篩以沸湯和方寸匕服湯用五合此方醫家多有奇効

去

【附海蛤】味苦氣平無毒

主廢痺洩痢而膿血即止潤五藏消渴而

數為正副耶陳藏器云文蛤是未爛時
殼猶有文者此乃新舊為名二物元同
一類假如鴈食蛤殼豈擇文與不文蓋
恭此言殊為未達至如爛蜆蚌殼亦有
所主與生不同陶云副品正其宜矣說
文曰千歲鷰化為海蛤一名伏老伏翼
化為今亦生子滋長也

魁蛤

一名魁陸
一名活東
舊本不載
所出州土
生東海今登萊諸州皆有之形正圓兩
頭空表有文取無時蜀本云形圓長似
大腹檳榔兩頭有乳陶云狹長外有
縱橫文理云是老蝙蝠化為之至少

節蹶通服丹石人食之免生瘡腫熱毒
海石 海粉 海石即海蛤異名同類海粉又海石
火煅研成總因鹹軟堅之名但治頑痰[illegible]必
用之
○按丹溪曰海粉即海石熱痰能降濕痰能燥
結痰能軟頑痰能消宜為丸散勿煎湯液又
治帶下云無海石以蛤粉亦可可見海石蛤
粉明是二物衍義又以海石功用盡註蛤粉
條下則海石蛤粉雖是二物亦可相通治也
又云蛤粉乃燒蛤蜊殼為之今考本經諸註
並指海蛤即海石大海蛤而謂之海石者蓋
海蛤非有肉之蛤乃蛤殼也殼在海中久被
風濤蕩礪廉稜消盡其所存者無復形質光
瑩礧況雜于泥沙有似碎石故曰海石煉台
為粉故曰海粉其蛤粉乃燒蛤蜊殼而[illegible]
蛤蜊人所常食其殼多而易取海石[illegible]

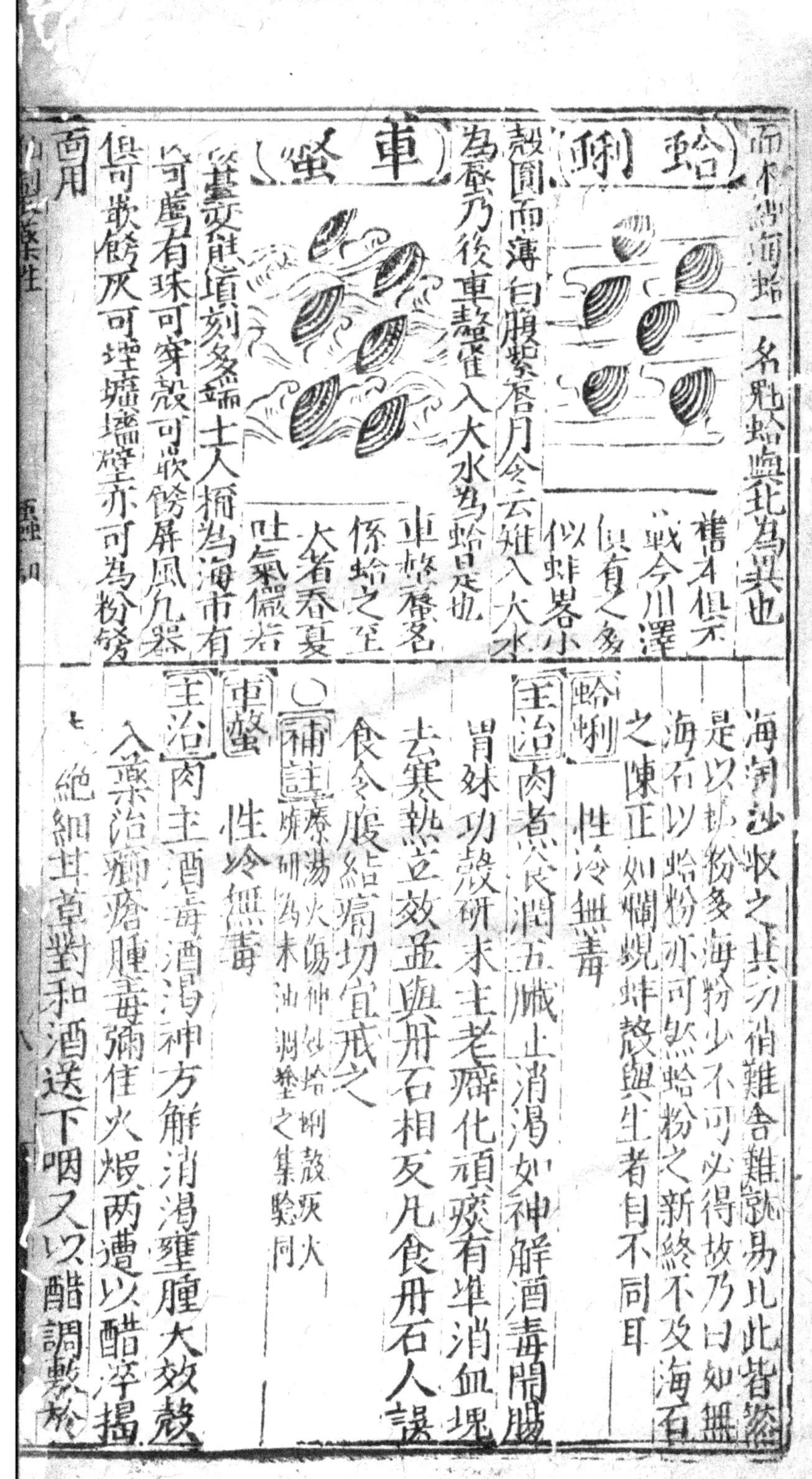
而不尚海蛤一名魁蛤與此為異也

蛤蜊

舊本俱不載今川澤俱有之多似蚌略小殼圓而薄白腹紫唇月令云雉入大水為蜃乃後車螯雀入大水為蛤是也

車螯

車螯蜃名係蛤之至大者春夏吐氣儼若樓臺改態填刻多端士大夫稱為海市有奇驚有珠可穿殼可嵌飾屏風几器俱可嵌飾灰可埋壙牆壁亦可為粉發面用

仙製藥性　鱗部

海間沙收之其功消難舍雜就易凡此皆慈是以蛤粉多海粉少不可必得故乃曰如無海石以蛤粉亦可然蛤粉之新終不及海石之陳正如爛蜆蚌殼與生者自不同耳

蛤蜊　性冷無毒

主治　肉煮食潤五臟止消渴如神解酒毒開腸胃妹功殼研末主老癖化頑痰有準消血塊去寒熱立效並與丹石相反凡食丹石人誤食令腹結痛切宜戒之

○補註　療湯火傷神效蛤蜊殼灰火煅研為末油調塗之集驗同

車螯　性冷無毒

主治　肉主酒毒酒渴神方解消渴壅腫大效殼入藥治癰瘡腫毒彌佳火煅兩遭以醋淬搗絕細甘草對和酒送下咽又以醋調敷於

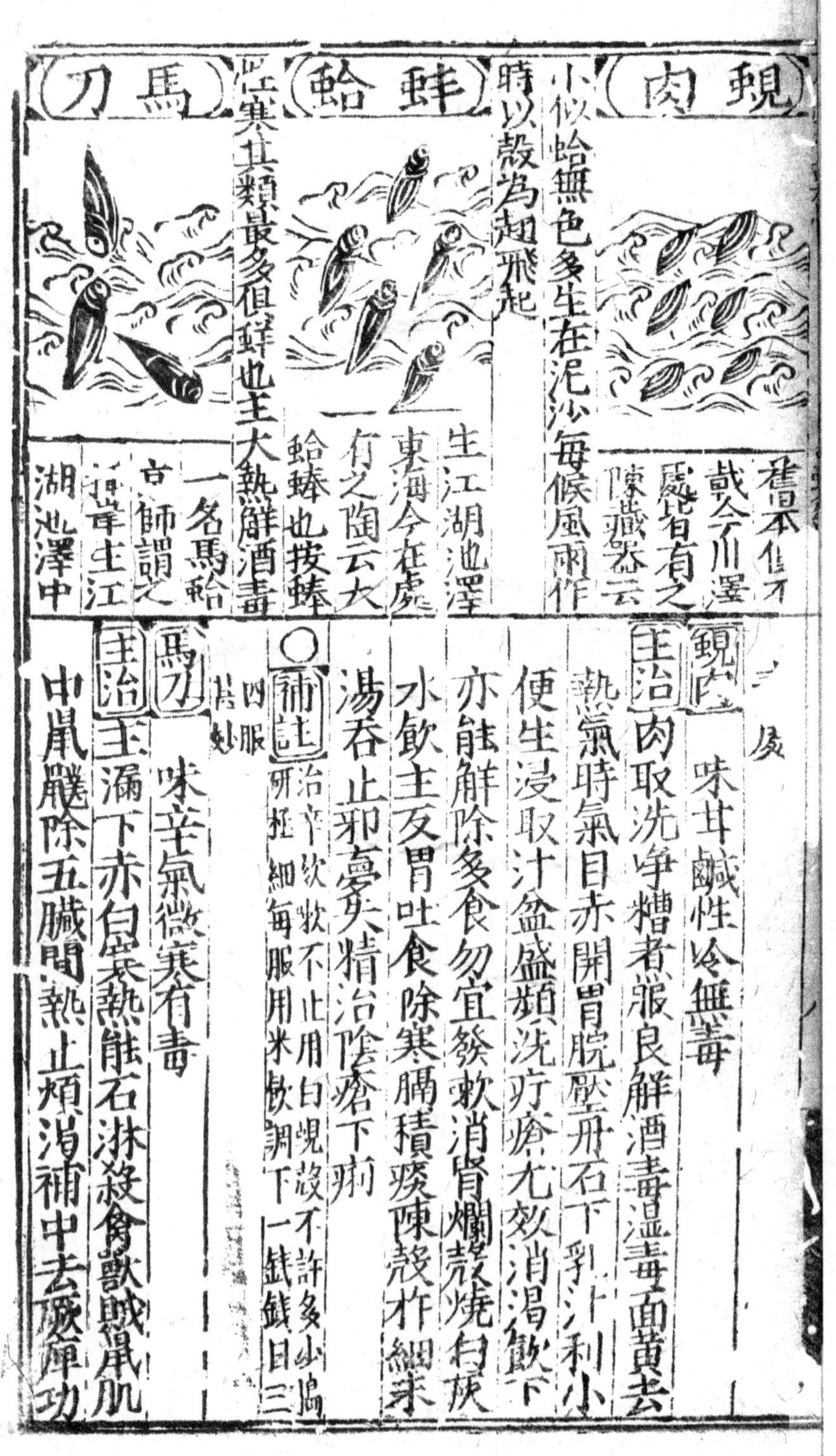

蜆肉

舊本但不載今川澤處處皆有之陳藏器云小似蛤無色多生在泥沙每候風雨作時以殼為翅飛起

蚌蛤

生江湖池澤東海今在處有之陶云大蛤蚌也按蚌江漢其類最多但蚌也主大熱解酒毒

馬刀

一名馬蛤古師謂之[illegible]岸生江湖池澤中

蜆肉　味甘鹹性冷無毒

主治　肉取洗淨糟煮服良解酒毒溫毒面黃去熱氣時氣目赤開胃脘壓丹石下乳汁利小便生浸取汁盌盛頻洗疔瘡尤效消渴飲下亦能解除多食勿宜發嗽消胃爛殼燒白灰水飲主反胃吐食除寒膈積痰陳殼柞細末湯吞止邪夢失精治陰瘡下痢

○補註　治产欬嗽不止用白蜆殼不許多少搗研極細每服用米飲調下一錢錢日三四服甚妙

馬刀　味辛氣微寒有毒

主治　主漏下赤白寒熱能石淋殺禽獸賊鼠肌中鼠膿除五臟間熱止煩消補中去厥痺功

及東海生蘿皆有之細長小蛙也豈六三四寸闊五六分以來頭小銳多在沙泥中江漢間人名爲蟶姥亦食其肉大類蚌方書稀用

（蝛蜼）

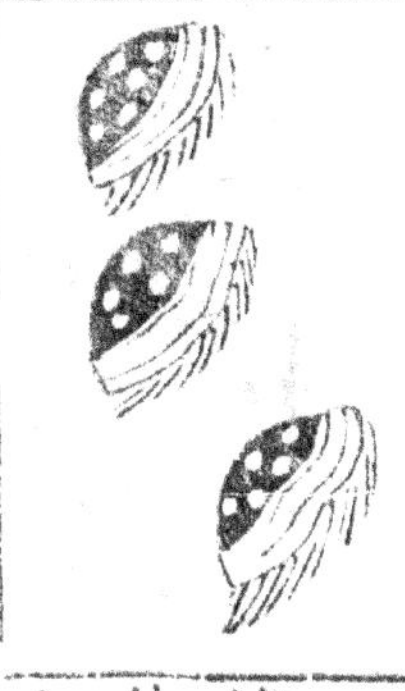

一名生進舊本俱不載所出州土今在處有之其形有毛似蛤而長扁殼燒作末服之主野雞病人食其肉無功用也

（蚶殼）

蚶殼一名瓦壟子舊本不載所出州郡生海水中狀類瓦屋故名瓦壟大如人拳

多利機關驗准

（蚶蛤）味甘鹹性冷無毒

（主治）止消渴除煩而解熱毒補婦女虛勞損傷不足血崩帶下堪止用石藥毒服良治痔瘻爛痢明眼目神方以黃連末納口內取汁點點赤眼并肓爛殼粉米飲調下斷胃痰飲堪治

蛤粉　性冷無毒

（主治）瘡疥止痢大效住嘔除逆神方醋調傅癰腫毒消癰利石停痰

（蝛蜼）似蛤殼燒灰作末服之主痔疾之神方

（蚶殼）即瓦壟子味鹹氣溫無毒

（主治）消婦人血塊立效雖癥瘕並消逐男子痃[illegible]功凡積聚悉逐

者力優小若栗子者力少火煅封月再
三度細研篩入絹兩曹務實粉賦入藥

蟶肉

舊本但不
載生海中
及閩廣其
形亦似蚌

長二三寸大如指兩頭開但天行病後
不宜食切忌之

淡菜

一名殼菜
舊本但不
載生閩廣
及南海似

水母一頭尖中銜少毛海人亦名淡菜
北人多不識雖形狀不典而甚益人有
人好食亦可燒令汁沸出食之令

煆

吃甘氣溫無毒肉煮熟肉為此所以酒調宜卻病亦用
主治 主心腹冷氣治腰脊冷風利五臟而健胃
消宿食而溫中益血氣神方駐顏益陽事允
吹須飯壓下不爾令人口乾
○補註 治一切血氣冷氣癥癖取殼和瓦壁燒
灰為末以米醋淬三度後埋令藏器膏
九梧仁大
酒送下

蟶

味甘氣溫無毒
主治 主冷痢而補虛勞瘵胸中邪熱煩悶治壚
人產後虛損殊功與服用石人大効

淡菜

味甘美氣溫無毒
主治 主虛羸勞損及精血少者治癥瘕疼痛與
腹中冷氣婦人崩漏帶下神方大
血結 劑療產支血結腹內冷痛能消

頭悶目闇可微利即止常時頻燒食即
令不宜人與火米死煮熟後除肉內兩
邊鎖久毛了更入蘆蔔或以蘇或冬瓜
皮同煮即更妙

龜甲

一名神屋
産不俱不
處生南海
池澤湖中
云屬金石
水陰中陽也無毒深澤陰山處處但有
得神龜甲為上神龜產水中底殼當心
前有一處四方透明如琥珀色者是也
分陰陽用繞靈頭方殼圓腳短者為陽
龜形長頭尖腳長者為陰龜陰人用陽
陽人用陰今医不復分別殺死煮脫者

下痢腰疼取肉作臛宜人發石能令腸結大
益陽事尤潤毛髮

【龜甲】味鹹甘氣平有毒

【主治】主驚恚氣心腹疼痛癈風濕痺骨肉熱寒
尊補陰衰借性氣引達諸藥善滋腎損伏功
力復足真元漏下崩帶並敺癥瘕痎瘧咸却
傷寒勞復或肌體寒熱欲死者殊功腰背痠
疼及手足重弱難舉者易效治小兒顖門不
合理女子濕癢陰瘡逐瘀血積燒續筋骨斷
絕因其性靈於物方家多用補心久服輕身
益氣資智

○【補註】令子易產燒龜甲末酒服方寸匕○治小兒頭瘡不燥燒灰為末麻油調搽效

【圖】煮炙除風痺身腫癃氣及踒折並奇又蠰

力微自死肉敗者力弱只取底片炙之
旁弦精製擇直酥油或用猪脂醇酒旋
塗旋炙直待脆黃杵細末作丸十二月
忌食犯則損命畏狗膽惡沙參水中龜
其骨白而厚色至分明所以供卜人及
入藥用以長一尺二寸為善

秦龜

秦龜山中
龜不入水
者是也生
山之陰土
中或云秦
以地理志云生山之陰者是秦地山陰生
今其形大小無定大者有如碑趺食草
根竹萌冬月藏土中至春而出遊山谷
中今市肆間人或畜養為玩至冬而

主屋痛拘攣緩急併癱瘓皆効作成羔服
尤補虚羸

〔龜血〕塗脫肛縮腸

○〔補註〕治卒得咳嗽生龜三枚治如食法去腸以水五升煮取三升以漬麴釀米四升如常法熟飲二升令盡此則永斷

〔龜溺〕止久嗽斷瘧

○〔補註〕治小兒龜背以尿摩胸背上差○滴耳中治耳聾亦驗溺最難得採時置雄龜于漆盤中以鏡照之龜見影淫發而失溺急以物收又法以紙燃火上熁熱以点其尻亦致失溺然不及鏡照快也

〔龜頭骨〕宜帶入水身骨堪帶入山並令不迷未為無益

○〔補註〕五月五日取頭陰乾為末服之亦令人長遠入山不怯

〔敗龜〕又名敗板又曰龜板一名漏天機 治血麻痺神方療風癱

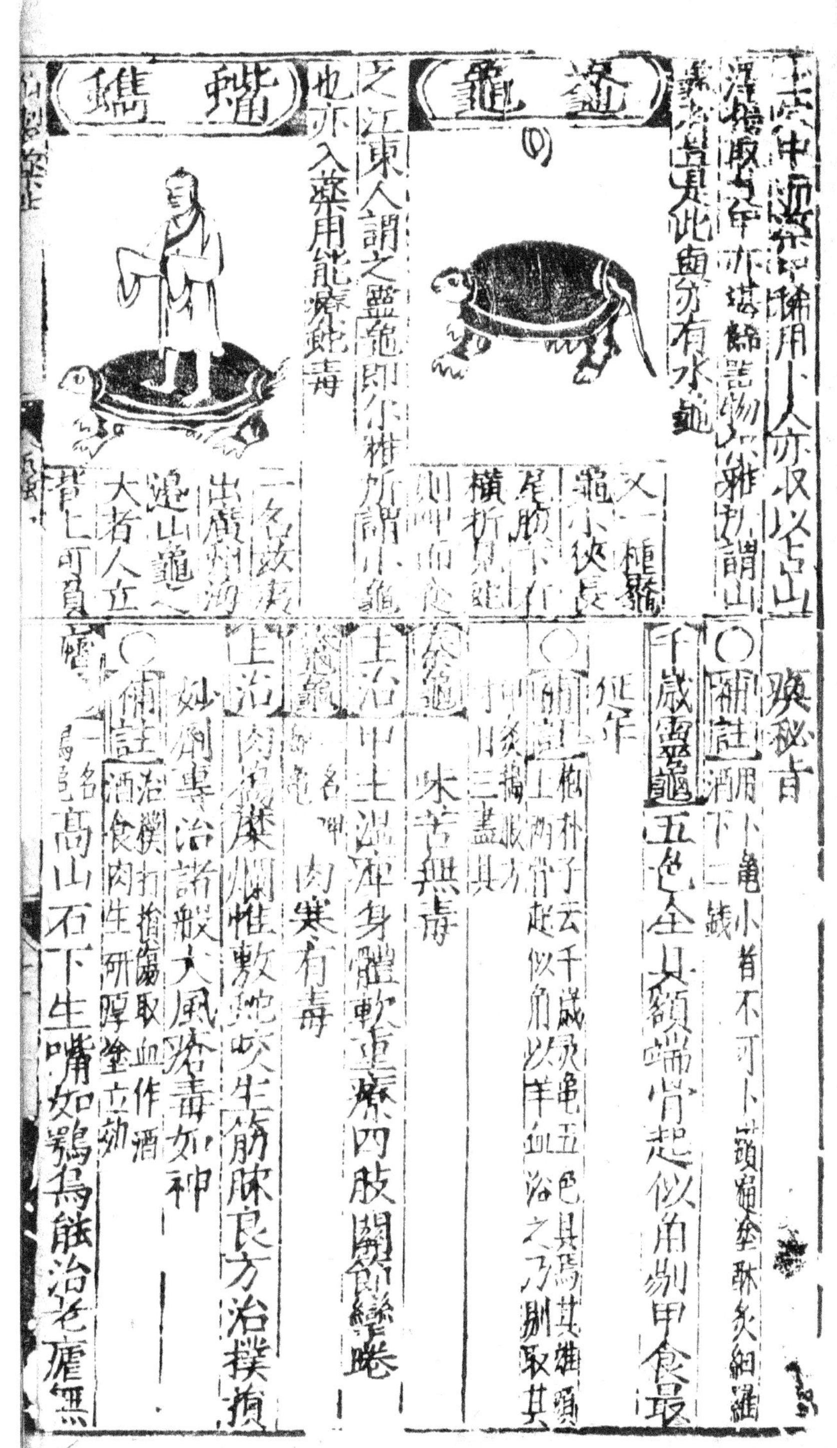

土衣中[illegible]用卜人亦收以占山
澤[illegible]取[illegible]亦[illegible]諸物[illegible]雅[illegible]謂山
龜[illegible]此龜分有水龜

秦龜

之江東人謂之蟕蠵即小柑所謂小龜
也亦入藥用能療蛇毒

蟕蠵

又一種[illegible]龜小狹長
尾[illegible]
横折[illegible]
[illegible]

一名[illegible]
出[illegible]
邊山龜
大者人立
背上可負

換秘旨

○附註 酒用卜龜小者不可卜[illegible]頭[illegible]炙細羅酒下二錢

千歲靈龜 五色金具額端骨起似角別甲最

○附註 抱朴子云千歲靈龜五色具焉其雄頭上兩骨起似角以羊血浴之乃剔取其

[illegible]炙搗服方寸匕日三盡其

秦龜 味苦無毒

主治 中土濕痹身體軟重四肢關節攣踡

蟕蠵 一名蜱 肉寒有毒

主治 肉治[illegible]痹惟敷蛇咬生筋脈良方治撲損

妙劑專治諸般大風疥毒如神

○附註 治撲打損傷取血作酒食肉生研厚塗立効

[illegible]一名[illegible]高山石下生嘴如鸚鳥能治毛瘡無

而行潮循間甚多鄉人取殼以生得全者為貴初日木盤出其肉龜殼是毒龜吼如牛声動山谷工人以其甲通明黄色者煮拍陷瑇瑁爲器今人所謂龜筒據此乃別是一種也

瑇瑁

一名玳瑁生嶺南山水間今亦出廣南蓋龜類也首似龜首如鸚鵡嘴背甲皆有紅點斑文其大者有如盤入藥須生者乃靈帶之亦可以辟蠱毒凡遇飲食有毒則必自搖動死者則不能神矣昔唐嗣薛王之鎮南海海人有獻生瑇瑁者王取上甲一小片繫於左臂欲以辟

發燒灰湯調服下二錢微利而止

【綠毛龜】蘄州出産浮水面綠色鮮明包縛額端能禁邪瘧收藏書笥堪辟蠹蟲

【鱟】氣平有微毒其殼味帶苦

【主治】中刀箭悶絶欲死取血飲數傷立差殼治婦人赤白漏下破積癥冷痹頭風關節氣壅良方經水過下更妙

【瑇瑁】即玳瑁肉氣寒肉味甘氣平無毒

【主治】肉主風毒行氣血去胸膈中之風痰鎮心脾逐邪熱利大小腸之赤澁治心内風邪通女人經脉解煩熱而止驚癇消腫毒而破癥結飲血解百藥毒甲亦與肉同功

【補註】療中蠱毒生玳瑁以水磨如濃汁服一盞即解○解百藥毒刺其血飲之即效

毒肖甚被殺者毒復甚於他已後必何其私殺後生蟲子若售處並無傷矣又二種鼈曾亦隨現也一類也其形如笠四足縮而無指其甲有黑珠文采亦好但薄而色淺不任作器惟堪貼飾耳今人謂之鼊皮不入藥用

鼈甲

出江河湖潭州陽池澤今處處有之以岳州沅江洞庭湖色綠七兩為佳大者有毒殺人治多九肋益妙惡礬石取無時仍生取甲剔去肉為好不用煮脫者但看有連厭及乾嚴便真若上兩邊骨出是已被蒸煮過使

味鹹氣平無毒

○按方藥用散龜版者及龜死深山之中形肉爛滲甲內人或撿拾得此有名奈何本經下即鑽灼者為尤北方陰氣而生為陰中至陰之物大能補陰而治陰血不足是以下焦滋補丸藥多用為君惟此敗者血肉滲盡性氣具全匪特補足真元抑且引達諸藥空腹吞服久掌成功故諸明醫方中但用此味不書曰龜版而特曰敗龜版者蓋亦真知功力健捷使人必求得之而弗畧也若以鑽灼過者為然不過束縛作灶燒炙焦燥而已較生者何殊用治病何益又何取義特加敗字諄諄以示人耶

也古今治瘕癖虛勞方中用之最多婦人漏下五色羸瘦者燒甲令黃色篩末酒服方寸匕日三又合訶梨勒皮乾薑三物等分為丸空腹三十丸治癖最良又醋炙令黃擣末以牛乳一合調一匙朝日服之主瘀氣其肉食之亦益人補虛去血熱但不可久食則損人以其性冷耳魚池多畜守魚不隨鼈起奴来切大寒而有毒主折傷止痛化血生擣其肉及血傅之道家云可併諸厭穢死氣書像亦能止之無裙而頭足不縮者名納食之令人昏塞誤中其毒以黃芪吳藍煎湯服之立解其殼亦主傳尸勞及女子經閉

主治勞熱漬童便摩堅積漬釅醋調晝夜文火炙脆入石臼杵細成霜所惡須知理石礬石散瘀癖癥瘕及息肉陰蝕痔疽除勞瘦骨蒸併溫瘧往來寒熱愈腸癰消腫下瘀血與墮胎

【補註】治久患勞瘦癖等方用鼈甲二兩塗酥炙令黃去裙為末臨卧時溫酒調下二錢○治人心孔昏塞多忘喜誤丙午日取鼈甲著衣帶上○治難產取鼈甲燒灰服方寸匕立出○石淋者取鼈甲杵末以酒服方寸匕日二三下石子瘥○治癆骨蒸方鼈及頭燒灰作末以傅之○治小兒癇鼈甲炙令黃擣為末取一錢乳服亦可蜜丸如小豆大服○療上氣急滿坐卧不得方鼈甲一兩炙令黃細擣為散服以水二升煎服五合煮前服一錢匕食後蜜水服一錢○治腰痛不得俛仰鼈甲一枚擣末服方寸匕○治大大陰頭癰師所不能醫鼈甲一枚燒令末之以雞子白和傅之良○治病新起早勞食飲多致復欲死燒鼈甲服方寸匕效○治老瘡炙鼈甲杵為末服方寸匕致時令三服盡用

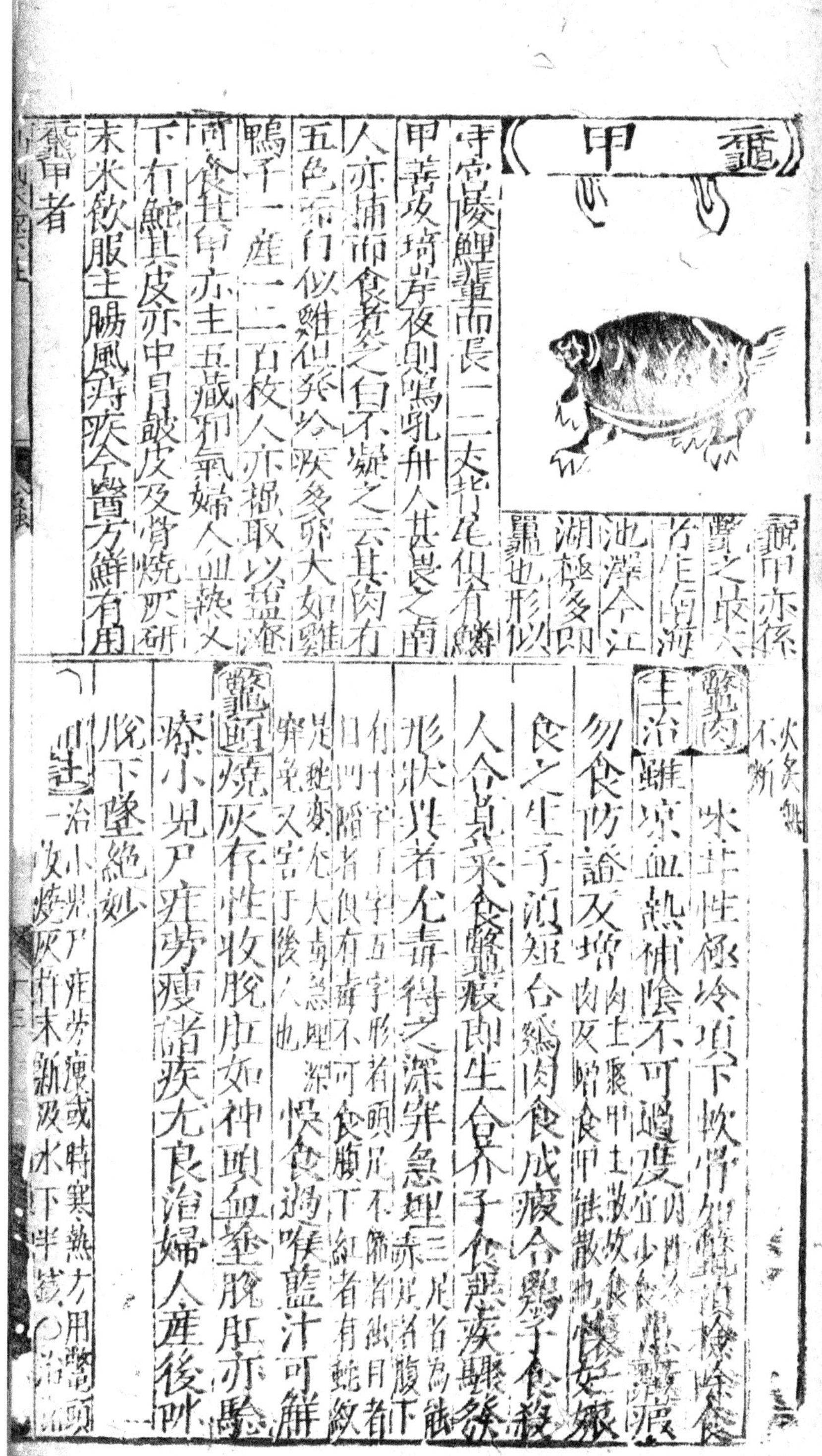

鼈甲

鼈甲亦係鱉之最大者生海南池澤今江湖極多即鼉也形似守宮陵鯉鱓而長一二丈背尾俱有鱗甲善攻埼岸夜則鳴吼舟人甚畏之南人亦捕而食煮之白不凝之云其肉有五色而白似雞但發冷疾多卵大如雞鴨子一產一二百枚人亦掘取以鹽淹可食其卵亦主五藏邪氣婦人血熱又下有鮀其皮亦中冒鼓皮及骨燒灰研末米飲服主腸風痔疾今醫方鮮有用鼉甲者

火炙鮮不斷

【鼈肉】味甘性極冷宜下軟骨[illegible]食

【主治】雖涼血熱補陰不可過度[illegible]瘕勿食防諭及增肉上聚中土散效食肉又暗食甲鮮散肉妊娠食之生子項短合雞肉食成瘕合雞子食殺人合莧菜食鼈瘕即生合芥子食患疾驟發形狀異者尤毒得之深井急埋三足者為鼈赤足者腹下有十字王字形者頭足不縮者獨目者目四陷者俱有毒不可食腹下紅者有蛇紋足雞爪大身急埋深穿兇又害子後人也誤食過喉藍汁可解

【鼈頭】燒灰存性收脫肛如神頭血塗脫肛亦驗療小兒尸疰勞瘦骨蒸尤良治婦人產後陰脫下墜絕妙

【附方】治小兒尸疰勞瘦或時寒熱方用鼈頭一枚燒灰杵末新汲水下半錢○治[illegible]

鮀魚甲

也。魚名作鼉字。本經作鮀魚之別名也。出本經。今以鼉為鮀，非也，宜改為鼉字。生湖畔土窟中，形似守宮而大，長丈餘，背尾俱有鱗甲。今江西諸州皆有之。畏狗脂、芫花、甘遂。用之當炙。皮可以貫鼓，肉至補益。於物難死，沸湯沃口，入腹良久乃剝爾。鼉肉亦補，食之如鼈，云此等老者多能變化為邪魅，自非急勿食之。甲炙浸酒服之。口內涎有毒。長一丈者能吐氣成霧致雨，力至猛，能攻陷江岸。生背暗目，有鬬形如龍，大長者自齧其尾，極難死。

□□六□鉅死鼈頭二枚燒令絕研末以傲油上手按擦之

【鼈卵】鹽淹煮吞，補陰虛亦驗

【鼈膏】塗拔髮孔內，永使絕根。眼睫倒毛，發入可資除害

○【補註】膏脫人毛髮，拔去，塗孔中即不生。若欲重生者，以白犬乳汁塗拔處，當出黑毛。

【太乙曰】○凡使要綠色，九肋，多裙，重七兩者為之。○治破塊消癥定心藥中用之。每箇鼈甲以六一泥固濟瓶子底了，乾，於大火以物潛於中，與頭醋下火煎之，盡三升醋為度，仍去裙并肋骨了，方炙乾，然入藥中用。又治勞去熱藥中用，依前泥，用童子小便煮，晝夜盡小便一斗二升為度，後去裙留骨，於石上搥，石臼中搗成粉了，以雞肶皮裹之，取東流水三兩斗盆盛，閣於盆上一宿，至明任用，力有萬倍也。

【鼉甲】臣　味鹹　氣平　無毒　肉甘極冷

【主治】甲功用與鼈甲同。【肉】療綏冷瘀疾瘡疾。【皮】燒灰米飲調，主腸風痔疾。【脂】塗摩，鐵燒淮南

壽甚奇畏人於穴中掘之亦人抱亦須
百人牽一人抱亦須一人牽不然終不
可出深州與嗣常食其肉後為蟲所嚙
便為蟲矜此物靈強不可殺既是龍類
宜去其煞

白花蛇

一名褰鼻

蛇白花者生南地及蜀郡雖有黔土惟取蘄州頭長小角鋒尾生佛指甲項逆直珠白點背纏方勝花紋因所得名觀之猶異諸蛇鼻生向下此獨鼻向上生一名褰鼻蛇諸蛇死閉眼睛是則眼開如活舒蘄連界上殺獲兩眼則一閉一開

主用驗

○補遺　治風痺取皮骨燒灰研末米飲服甚奇入紅雞冠花木仁樹林和空心服效

鮀魚甲　臣　味酸微温有毒蜀漆為之使

主治　主瘡疥殺蟲治風頭瘙疥心腹癥瘕伏堅可破積聚寒熱結痛甚除瘀婦人血崩帶下治小兒使閉氣癃瘻五邪涕泣時驚止小腹疼腫痛

鮀肉　味甘氣平有小毒

主治　主温氣百邪鬼魅諸毒治小氣吸吸足不立地

肝　治五尸癆瘵

膏　摩風及惡瘡疵噴人生惡瘡

○補遺　治五尸蠱肝一具熟炙切食盡亦用蒜虀食之

宋　生南山下中大如錢腹下赤如血亦云首水馬腳皆令仆倒耳

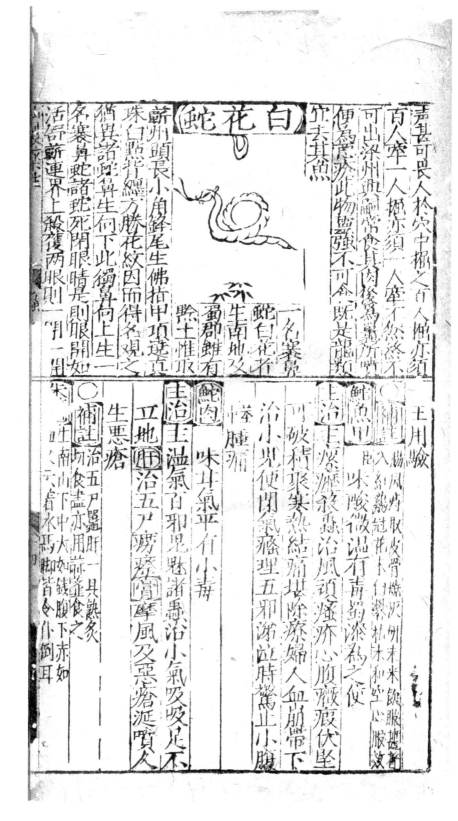

驗此可辨偽真據理誠難解悟此毒蓋世帶之主刀刃不傷佩之亦令人有媚

哭足中者輙自斷之補養已痊未接

小戉又常入人屋壁腥臭氣如爛瓜人

忽聞之即心辟逐得者少上頭頌務令

透乾去淨頭尾骨皮清酒浸飲

烏蛇

生商洛山今蘄州黃州山中有之性善而不嚙物黑色如漆背有三稜渾如劍脊者為良尾細尖長能穿百錢者猶暇然蝕不陷有身長一丈餘者蛇類中此蛇入藥為最多在蘆叢中嗅其花氣亦乘南風而吸最難採捕多於蘆枝上得之至枯死而

白花蛇 君 味甘鹹溫有毒

主治 治肺風鼻塞去癮疹浮風濕痺不仁骨節疼痛名服效口眼喎斜半身不遂者有功止風痛甚速性竄而然去風毒癱瘓力倍故爾功倍於諸蛇癩麻風白癜風髭眉脫落鼻柱瘍壞者急救鶴膝風雞距風筋爪拘攣肌肉消蝕者速效諸藥力莫及者悉能引達成功

○補註 趙崖禎云當悉蛇所螫處貼蛇皮便於其上灸之引出毒氣即止○升使即云治風亦何治風緣蛇性竄即令引藥至於有風疾處因其竅之治使升一切蛇須認取雄雌及州土有蘄州烏蛇只重三分至一兩者妙也頭尾全眼不陷如活者頭上有湍二寸一路可長半分已來頭尾相對使之大熊彼處若得雌雄蛇後附其進呈二三分之不采別處也乾字記云此蛇不食生命蘆花氣其南風升蘆枝上最難

眼小微稱之重三分至一两者為上龜大者轉重力弥減也又頭有逆毛二寸一路可長半分以來頭尾相對用之入神此極難得也主治功力累綴種生各處甚多依前製勿差任為丸浸酒若熬膏藥頭尾多丸亍嘗於順安軍塘濼堤上見一烏蛇長一丈餘有鼠狼齧蛇頭曳之而去是亦相畏伏爾市者多偽以他蛇熏黑色貨之不可不察也烏蛇脊高世謂之劍脊烏稍江東有黑稍蛇能纏物至死亦如其類生商洛山

金蛇

金蛇出賓登州大如中指長尺許常登木寺

害人也又有重十觔至一盤者其蛇身烏光頭圓尾尖細眼目赤光用之中也蛇腹下有白腸帶子一條可長一寸已來即是雄也採得去之頭無皮鱗帶子了二寸許割之以苦酒浸之一宿至明漉出向柳木炭火焙之令乾却以酥炙之酥盡為度炙乾後於屋下巳地上掘一坑可深一尺已來安蛇於中一宿至明再炙令乾任用凡修事一切蛇並去貼并上皮了乾濕須酒煮過用之

烏蛇　君　味甘氣平無毒又云有小毒

主治　治諸風皮膚不仁散癮瘮身體瘙癢治熱毒風眉髭脫落者殊功理耳聾及疥肌生瘡者效妙

○補註　治面上瘡及若易容方用烏蛇二两燒灰為末以臘月豬脂調傅之○治耳聾以綿裹蛇膏塞耳中神效○商州有人患大風家人惡之山中為起茅屋有烏蛇墮酒罌中病人不知飲酒漸差罌底尚有蛇骨方底尚有蛇骨方知其由也烏蛇脊高世

蛇　味甘有小毒　此物有二種其頭大尾小者名青皮瓜不入藥惟腹

十五

似蟲窠而……
飲露身作金色照日有光及能解金毒
亦有銀蛇解銀毒今不見有捕得者而
信州上饒靈山鄉出一種蛇酷似此
彼人呼為金星地鱔冬月收捕之亦能
解眾毒止泄瀉及邪熱人中金毒候之
法含服取銀口中含至曉銀變為金色
者是也令人肉作雞腳裂

蛇皮

一名龍子衣一名蛇符一名龍子皮一名龍子單衣一名弓皮生荊州川谷及田野五月五日十五日取之良畏磁石及酒陶隱居云草中不甚見虺蝮蛻惟有長者多是赤蝰□□黃頷輩其皮一□

自即□小竹蛇也□□者

【主治】治諸般腫毒如神主風癰腫痔妙

【金蛇】【銀蛇】味鹹氣平無毒

【主治】金蛇能解生金毒銀蛇亦解銀毒

○【補註】人中金藥毒者取蛇四寸炙令黃煮汁飲頻服之以差為度

【蛇蛻】臣　味鹹甘氣平無毒

【主治】去翳膜明澈雙睛止嘔逆辟除諸惡療大人腸痔蠱毒治小兒瘈瘲驚癇瘈瘲弄舌搖頭理五邪言語僻越癲疾寒熱治良安胎熬用尤捷又火熬之亦敷瘡瘺

○【補註】治白駁用燒末醋調傅上佳○治身生白駁以皮熟摩之數百遍訖棄草中○治諸腫失治有膿燒蛇皮水和封上○治□□□以燒灰末拭之傅上○日月未足而欲産以蛇皮一條燒□□□袋盛繫腰○治惡瘡十年不差似癩者燒全□

可復識今往往得尔皆須完全石上者彌佳燒之主療諸疾除也今按陳藏器本草云蛇蛻主瘻瘡取正發日以蛇皮塞病人兩耳臨發又以手持少許并服一合塩醋汁令吐也臣禹錫等謹按藥性論云蛇蛻皮臣有毒能主百鬼魅甚治喉痺日華子云治蠱毒辟惡止嘔逆治小兒驚癇客忤催生瘧疾白癜風煎汁傅入藥並炙用

蚺蛇膽

舊本不載所出州土出今廣二州領南諸州今出桂廣已南高賀等州大者徑尺丈餘許而麄短其形似鱧魚頭若蠡蚺、

盧臣　味甘苦有小毒

蛻一條為末豬脂和傅上○治橫生逆產有蛇皮一條飛子內塩泥固濟有性燒為黑灰每服二錢用榆白皮湯調服立下○五痔肛脫肛以蛻皮一枚拈大若溢用掘地作坑燒取有孔板覆坑坐上蟲盡出也○去蛻露瘡用蛇蛻燒末和水調傅上○治纏喉風咽喉中如束氣不通蛇蛻炙黃以當歸等分為末溫酒調一錢匕得吐愈○治產不順手足先見者蛇蛻皮燒作灰研面東酒服一錢匕更以藥末傅手足即順也○療兒吹着妳腫疼欲作急療方蛇蛻一尺七寸燒令黑研以好酒一盞微溫頓服未甚效更服○治陷甲生入肉常有血疼痛蛇皮一條燒存性雄黃一彈子同研以溫漿水洗瘡針破貼藥○治小兒重腭重斷腫痛燒末傅之效○小兒初生月蝕瘡及惡瘡燒末和豬脂傅上○小兒喉痺腫痛燒末以乳汁服一錢效○小兒重舌焦灸研末日三傅舌下一度着一豆許○治小兒吐血燒蛇蛻末以乳汁調服○治小兒生諸毒瘡在頭面燒末和豬脂傅上

太乙曰：凡使勿用青黃蒼色者要用白如銀色者凡欲使先於屋下以地掘一坑可埋一尺二寸安蛇皮於中一宿至卯時出用醋浸時於火上炙乾用之

尾圓無鱗或言鱗角變為之也大者三
二圍在地行住不舉頭者是真舉頭者
非真形多相似彼土人以此別之富膽
又相乱也真膏蟲蟲如梨豆子相著似
虵膏皆大如梅李子真膽狹長通黑皮
膜極薄舐之甜苦剔取如米粟著淨水
中浮游水上迴旋行走者為真多著亦
即沉散其少著逕沉者諸録異云雷州
有養蛇户每歲五月五日即擔舁蚺蛇
入官以取膽每一蛇皆兩人擔舁致大
篋篋中藉以軟草屈盤其中將取之則
出置地上用杈拐十數翻轉蛇腹旋復
按之使不得轉側約分寸於腹間剖出
肝膽膽狀若鴨子大切取已却內肝腹
中以線縫合創口蛇亦復活舁歸放於

【臣】膽主心腹䘌痛治疳䘌瘡瘻眼目腫痛熱
之立效小兒八癎服之即止【別錄】主瘟疫氣良
可膾食尤妙【圖經】治皮膚間毒風氣神效療產
後腹痛餘疾
○【補註】治小兒急疳瘡用蚺蛇膽細研水調傅
之○療瘟瘑久不斷体瘦昏多睡坐則
閉目食不下蚺蛇膽大如豆二枚煮通草汁
研膽以意多少飲之并塗五心并下部○療
齒䘌蚺蛇膽末傅之○顏含嫂失明嘗藥視
膳不衿不食嫂曰須用蚺蛇膽點良含計盡
求不得忽一童子以一合授含含開視乃蚺
蛇膽也後嫂目遂差○盧元欽患大風唯鼻
未倒五月五日取蚺蛇膽欲進或云肉
可治風遂一截蛇肉食之百日平復
【蚺蛇膽】君 味苦氣寒有毒
【主治】膽主諸䘌瘡神效治下部蟲極良【別錄】療癩
疾而醫諸瘻下結氣止心腹痛除蠱毒仙方
【保】器小養取能治痔瘻【反】疔瘇惡瘡堪療

川澤其膽暴乾以充土貢或云蛇被取膽他日見捕者則逡巡側身露腹瘡明已無膽以此自脫或云此蛇至難死剖膽後能活三年未知的否耳

蚺蛇膽

一名蚖蛇　出南漢海　金州房州　均州皆有

其蛇黑色黃頷尖口毒最烈虺形短而扁毒不異於蚖中人不即療多死蛇類甚眾惟此二種及青蛙為猛療之並別有方多在人家屋間吞鼠子及雀雛見其腹大破取鼠乾之療鼠瘻陳藏器云蛇中此蛇獨胎產形短鼻反錦文其毒最猛著手斷手著足斷足不爾令身糜

骨疽癰毒疥癬蚖皮主身癢瘍瘑治瘻瘡瘰癧腹中死胎鼠瘻有功膏摩著物皆透

○衍註 治白癩大腹蛇一條勿令傷以酒漬之大者一斗小者五升以煉火溫令消熱取蛇一寸許以臘月豬脂和傅上○治胃脘痛取死蛇一條以水煎取濃汁浸腫處令易之○生蝨取一枚及蛇蛻亦得燒坐上當有蟲如馬尾出仍取蛇肉塞鼻中亦主赤痢取骨燒為黑末飲下三錢

蝮頭蛇　有大毒尾良當中有約從約斷之出蒼梧諸縣

主治　頭含毒藥人至死

○補註 嶺南人名為藍藥解之法以尾作脯與食之即愈

辨　味鹹氣寒有毒又云微毒

主治　散血解結益氣養筋除胸熱悶煩去面黶瘑癬癒漆瘡化漆成水仙方以化漆水服之長生續筋骨

筋即連之足中髓致中黃餅點斷筋斷處即連風痰人食

漬矣至七八月毒盛時當自齧木以洩其毒其木即死又吐口中沫於草木上著人身成瘡名曰蛇漠卒難療治所主與蝮蛇同方衆蛇之中此獨胎產本功外宜城間山人服一枚活者若中以醇酒一斗投之埋於馬溺處周年已後開取酒味猶存蛇已消化有患大風及諸惡風惡瘡瘰癧皮膚頑痺半身枯死皮膚手足藏府間重疾並主之不過服一升已來當覺舉身習習服訖服他藥不復得力亦有小毒不可頓服

螃蠏

生陂澤中穴于沮洳每八九月出食稻芒

其痕復發慄孕婦食下令產橫生主鐵戶炎煙可集群鼠形狀異者有毒中藏赤頭獨螯獨目及斑目或兩目相向者又有腹下有骨六足者名蛫四足者名北並有大毒不可食俗誤入喉未免被害蔽蒜冬瓜黑豆煎汁並可解除瓜主破胞墮胎亦通產後血閉餘種主治各有所長

○〔補註〕亦療折傷傳之效○小兒解顱不合生蟹足骨半兩焙乾白斂半兩為末用乳汁和貼骨縫上以差為度○金瘡方續筋取蟹黃及腹中肉熬末入瘡中○妊娠婦人不得食螃蟹令兒橫生也

〔蠘 蝤蛑〕殼闊多黃兩螯最銳行大人風螯最銳斷物如芟刈

〔蟛蜞〕主小兒閃癖者與食之良

〔蟚螖〕略小食多吐利損人

〔蟛螖〕至微有毛蟹流蟹殺毒食則令人吐下至困

稻熟時太出田内各執一穗以朝其魁隨小從其所之晝夜觱沸望長江而去自江轉海其形益大或謂持稻以輸海神也行旁横有八跪二螯八足殼黃稱現十二星點微紅如鯉之三十六鱗大小相類腹虛實隨月盛衰種雌雄在腹大小雌者臍丸而大雄者臍尖而小漁人捕取霜後盜往未經霜取者有毒不可食酒糟醉死藏留餽品亦為珍味凡取食忌見灯火犯則發燒忽變十二月勿食蠏傷神能殺人常毒

蝤蛑

一名蟳其殼扁而最大後足甚濶嶺南人蜡

擁劍蠏　大小兩螯大螯持鬭常伸小螯供食銋蠏亦有毒蓄不宜食之又名桀一名執火以其螯赤故也

蟹殼　味苦氣平有小毒

主治　搗生若如泥敷亦白遊腫口瘡齲䘌過宿毒消又動風氣最發疥瘡

蝦鮓　迺熱飯拌造同食忌雞肉須知

○衍義　史記晋勝脩不信其後有至東海者取鬚長四丈四尺封以寄之

海馬　性溫平無毒

主治　下胎易產果難產聖藥興陽不痿誠取樂春方治血氣亦效

○補註　主婦人難產帶之於身神驗亦可以手持之或燒為末酒調服效

味鹹氣涼無毒

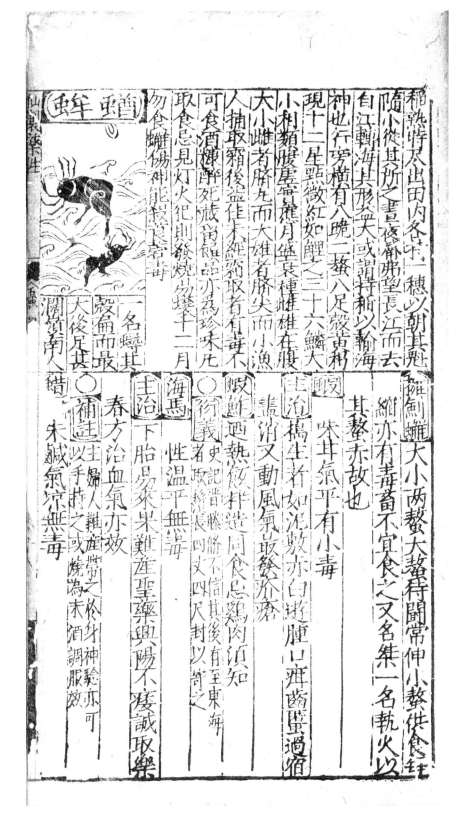

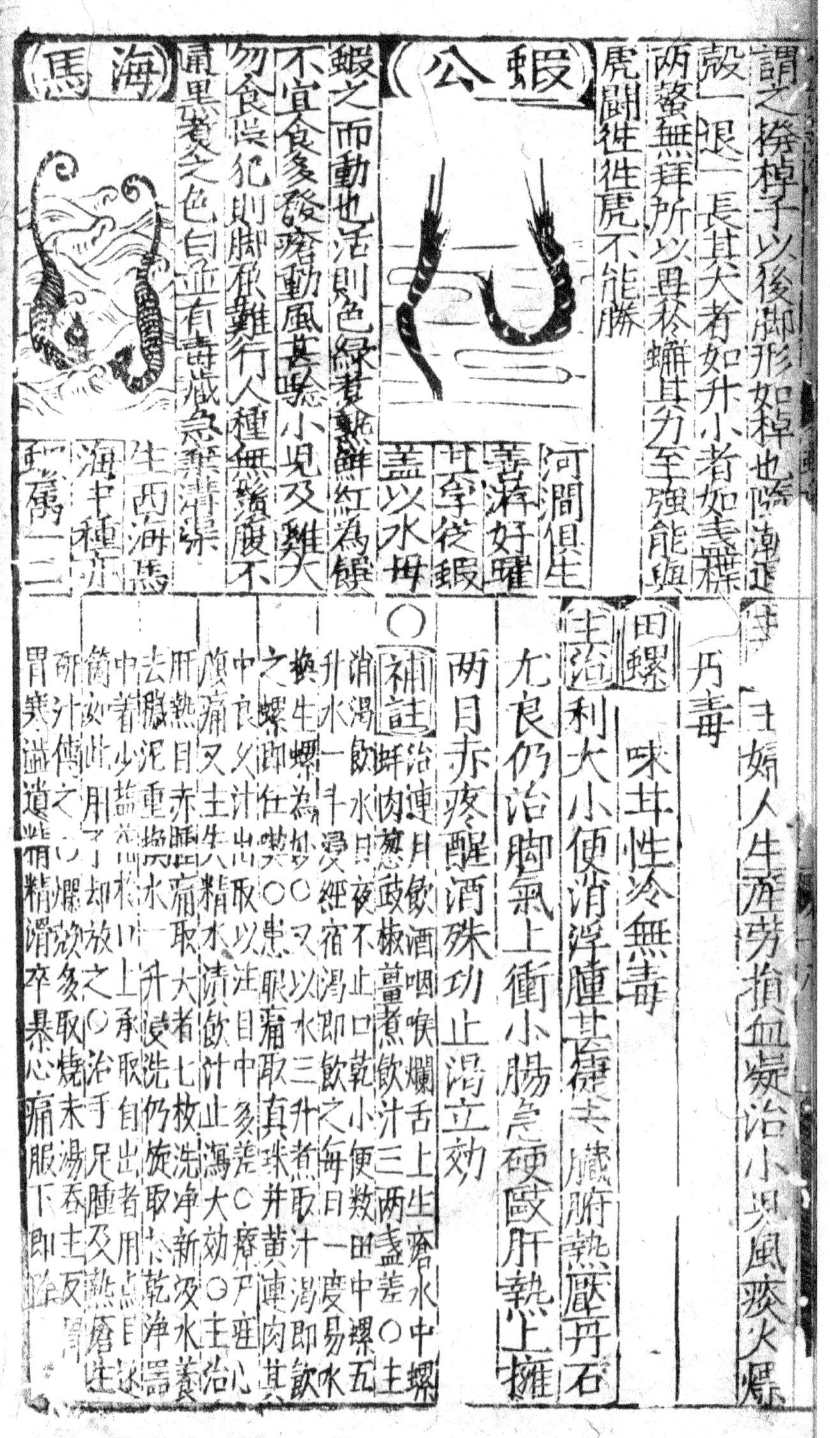

謂之撓棹子以後脚形如棹也除濕延
殼一退一長其大者如升小者如麥粿
兩螯無鋒所以畏於蝤其力至強能與
虎鬬往往虎不能勝

主婦人生産勞損血凝治小兒風痰火爆
丹毒

田螺　味甘性冷無毒

主治　利大小便消浮腫其毒去臟腑熱壓丹石
尤良仍治脚氣上衝小腸急硬毆肝熱上擁
兩目赤疼醒酒殊功止渴立効

河澗俱生
善游好躍
其孕從蝦
蓋以水母

蝦公

蝦之而動也活則色緑煮熟鮮紅為蝦
不宜食多發瘡動風甚嘷念小兒及雞犬
勿食誤犯則脚屈難行人種無鬚腹不
滿黑養之色白並有毒藏急難消渠

海馬

生西海馬
海中種亦
一屬一二

○補註　治連月飲酒咽喉爛舌上生瘡水中螺
蚌肉葱豉椒薑煮飲汁三兩盞差○主
消渴飲水日夜不止口乾小便數田中螺五
升水一斗浸經宿渴即飲之每日一度易水
換生螺為妙○○又以水三升煮取汁渴即飲
之螺螄任喫○患眼痛取真珠并黄連內其
中良久汁出取以注目中多差○療尸疰心
腹痛又主失精水漬飲汁止瀉大効○主治
肝熱目赤腫痛取大者七枚洗淨新汲水養
去泥穢重換水一升浸洗仍旋取於乾淨器
中着少鹽花於上承取自出者用點目逐
箇如此用了却放之○治手足腫及熱瘡佳
研汁傅之○爛殼多取燒末湯吞主反胃
胃寒遺精滑卒暴心痛服下即除

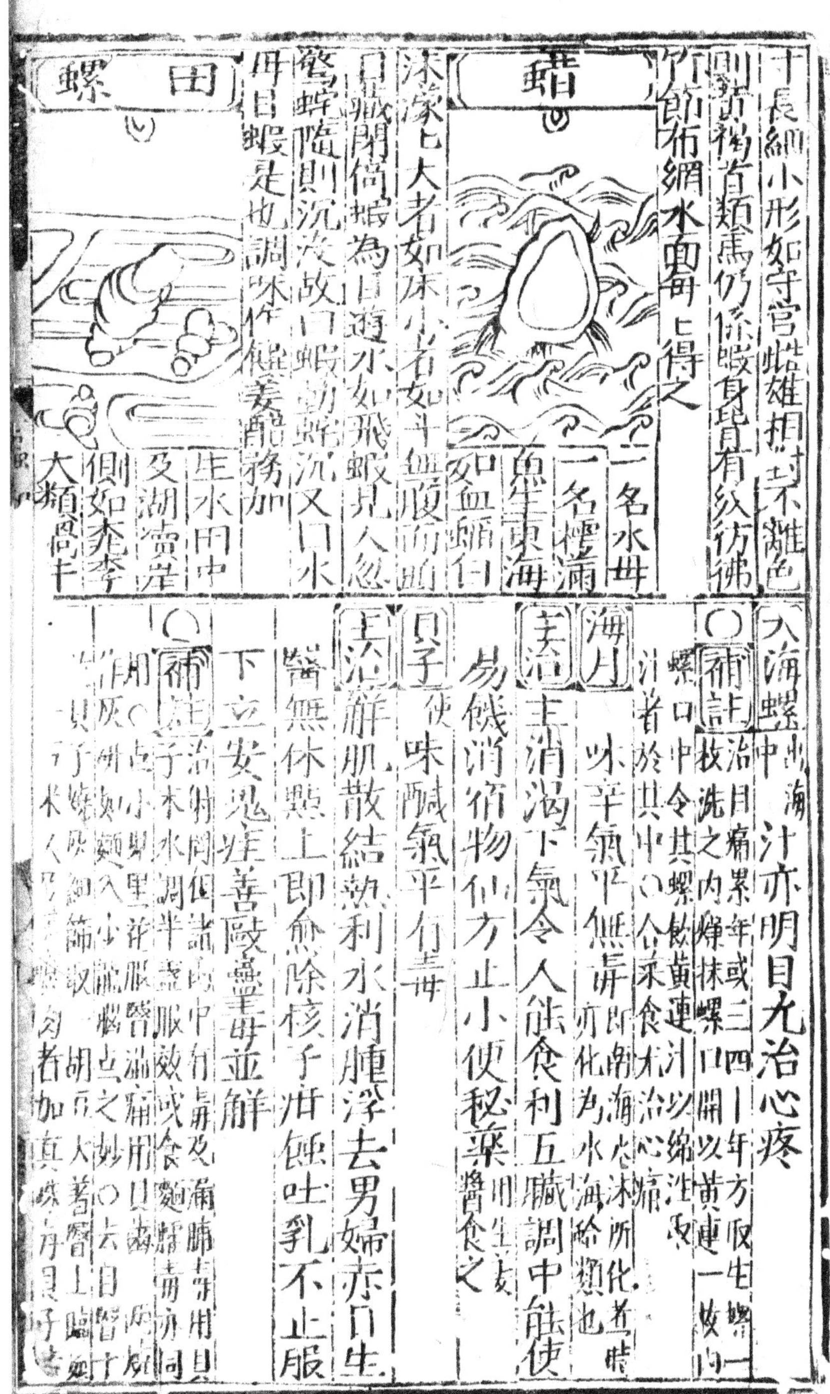

寸長細小形如守宮牝牡雄相對不離色
則斑褐首類馬仍係蝦身背有紋彷彿
竹節布網水面每々得之

蜡

一名水母
一名樗蒲
自生東海
如血餡白

沫凝々大者如床小者如斗無腹而頭
目藏閉倚蝦為目遊水如飛蝦見人忽
驚蜂隨則沉沒故曰蝦蚴蛇沉又曰水
母曰蝦是也調味作饌羞餚務加

田螺

生水田中
及湖瀆岸
側如杏李
大類高千

入海螺 中出海 汁亦明目尤治心疼

○補註 治目痛累年或三四十年方取生螺一枚洗之內燥抹螺口開以黃連一枚內螺口中令其螺飲黃連汁以綿注取汁着於其中○合采食不治心痛

海月 味辛氣平無毒 即海內沫所化煮時亦化為水海蛤類也

主治 主消渴下氣令人能食利五臟調中能使易餓消宿物仙方止小便秘藥 用生姜醬食之

貝子 使 味鹹氣平有毒

主治 主治解肌散結熱利水消腫浮去男婦赤白生翳無休點上即愈除核子瘡蝕吐乳不止服下立安兇瘧善蔽蠱毒並解

○補註 治射罔但諸肉中有毒及漏脯毒用貝子末水調半錢服效或食麪毒亦同 用○點小兒黑花服腎淵痛用貝齒[illegible] 作灰研如麪入少龍腦點之妙○去白翳十[illegible] [illegible]貝子燒灰細篩取一胡豆大著翳上臨臥[illegible] [illegible]木人[illegible]肉者加真珠末貝子[illegible]

尖長色則青黃採于秋夏㵎酒煮熟挑
圓大者是小小泥有稜名螭螺亦止渴
不能下水食之當於米泔浸去泥此物
至難死有誤泥在壁中三十年猶活能
伏氣飲露唯生穿殼而出即死爛殼燒
為灰末服

貝子

一名貝齒生東海池澤亦產海涯大貝如酒盃出日南小貝貝齒也背紫黑蝸殼
㲉同腹潔白魚齒近似畫者每用砑紙
嬰兒常帶壓驚除又呼壓驚螺上古珍
之以為宝貨故賄賂貢賦賞賜以錢字
偕著字皆從貝意者如此矣至今雲南猶

〇治食物中毒取貝子一枚含自止

【太乙曰】凡使勿用花蟲殼其二味相似只是用之無效凡使先用苦酒与蜜相對秤二味相和了將貝子於酒蜜中蒸取出却於清酒中淘令淨研用

【[illegible]】俗呼蝦蚾螺 味辛氣涼屬土與水微毒

【主治】主邪氣而破癥堅理陰瘡而散癰腫治小兒洞瀉下痢炙研水調吞之療大人跌撲損傷諸搗泥爛罯上風濕生癬燒灰和豬脂敷瘟疫發班取汁淹井水服煨熟啖殺蟲蝕成癖作膾食祛犬咬發狂一切鼠瘻惡瘡未敷亦可消釋

〇【補註】治小兒疳痢成瘠幾危者取夫頭皮藏𤻲瘰藥包裹外加厚紙再包入火煨熟與食二隻十餘日全愈若口中作渴宜汁飲之〇治癬瘡方取瘡唸燒為末以豬脂和塗之妙〇治腹蛇咬用生者一枚搗爛傅之治風邪帳蟥燒灰碎似半分每服一錢調

作餓用又名海巴蓋亦不遠士也醫家入藥製法須知醋漿等分和蒸焙酒洵淨研末用

蟾蜍

一名苦蚉
一名石蚉
舊本不載

所出州土

今江湖田野山岡處處有之狀同蝦蟆形獨胖大又呼石膜背多班痱癉癩腹有八字朋舊不解鳴叫不能跳躑行極遲緩得此總名節濕總作陰雨時即出其皮汁能有毒入嚙之口皆腫入得濕病殃出困若生食一兩並無不差者五月五日取東行者五枚反縛著密室中閉之明日親自解者取為術用甚使

三四服差○治卒狂言鬼語燒蝦蟆作末酒服方寸匕日三○治小兒初得月蝕瘡五月蝦蟆燒作末豬脂和傅之○治小兒患臍及臍瘡久不差者燒蝦蟆作末傅之日三四度差○腸頭挺出以皮一片瓶內燒熏用處○治蛀瘡蟲咬問去毒皆治之以蝦蟆燒灰好醋和傅日三五度傅之差○小兒洞泄下痢燒蝦蟆末飲調方寸匕服○治小兒口瘡五月五日蝦蟆炙作末傅瘡上即差並治小兒蓐瘡

太乙曰

有多般勿誤用有黑虎有蚼黃有黃鳬有蚖蝞有蟾其形各別其蝦蟆皮上腹下有斑點腳短即不鳴叫黑虎身小黑觜小頭蚼黃斑色前大後腿小有尾子一條黃蜦遍身黃色腹下有臍帶長五七分已來所住立處帶下有自然汁出發蛔即夜鳴腰細口大皮發也鬢蟾即黃斑頭有肉角凡使蟾先去皮并腸及爪子陰乾然後塗酥炙令乾每修事一箇用牛酥一分炙盡為度若使黑虎即和頭尾皮爪並陰乾酒浸三日漉出焙乾用

防

塗玉鞁滑而易截

○雷公云肪塗玉則刻之如用如肪得不多取肥白到血卷之雕刻亦如蠟丸古之玉器

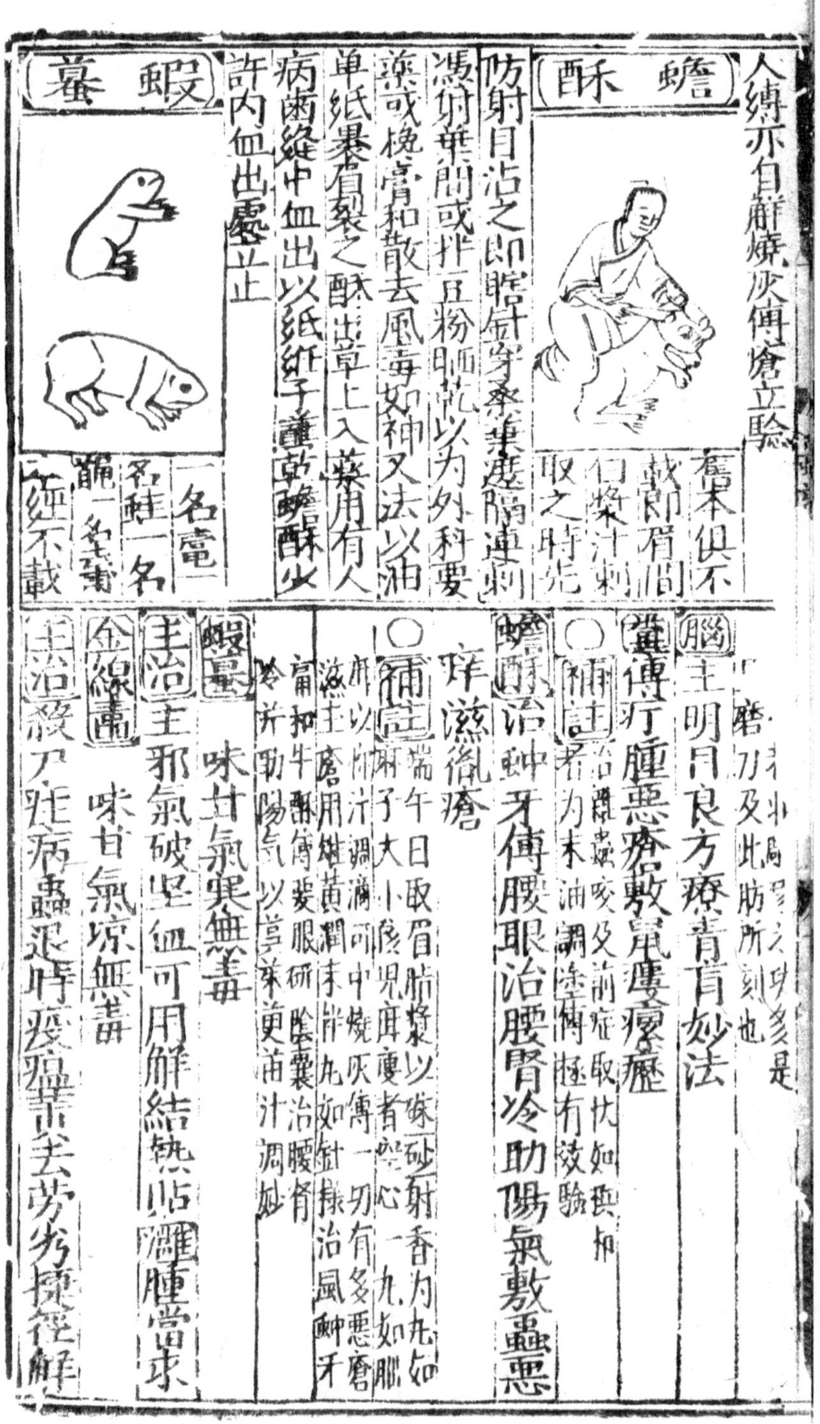

人縛不自解燒灰傅瘡立驗

蟾酥

舊本俱不載即眉間白漿汁刺取之時先防射目治之即瞎宜穿桼葉遮隔連刺憑射華間或拌豆粉曬乾以為外科要藥或換膏和散去風毒如神又法以油單紙裹肩裂之酥出草上入藥用有人病齒縫中血出以紙紝子蘸乾蟾酥少許內血出處立止

蝦蟇

一名鼃一名蛙一名蟈一名[illegible]經不載

右小[illegible]之功多是磨刀及此肪所刻也

【腦】主明目良方療青盲妙法

【糞】傅疔腫惡瘡敷鼠瘻瘰癧

○【補註】治鼠齧咬及前症取扶如甚加者为末油調塗傅極有效驗

【蟾酥】治蚛牙傅腰眼治腰腎冷助陽氣敷蟲惡痒滋亂瘡

○【補註】端午日取眉脂以硃砂射香为丸如麻子大小孩兒疳瘦者空心一丸如腦疳以奶汁調滴耳中燒灰傅一切有多惡瘡滋主瘡用雄黃調末作丸如針孔治風蚛牙痛和牛酥傅腰眼研陰囊治腰腎冷并助陽氣以草等更苗汁調妙

【蝦蟇】味甘氣寒無毒

【主治】主邪氣破堅血可用解結熱貼癰腫當求

【金線鼃】味甘氣涼無毒

【主治】殺尸疰病蟲退時瘦瘟黃去勞劣熱疰解

所出州土生江湖田野今池澤水中在処有之腹大形小皮上多黒斑點能跳接百蟲食之時時作呷呷声者陶云蛤鼃蟬其類最多背青而緑色者俗謂之青鼃又名青蛙背作黄紋者人謂之金線鼃大腹而春青者俗名水鴨其鳴甚忙黒色者南人呼為蛤子食之至美長肱而又背綠亦曰石鴨一種小形色青腹細觜尖後脚長致善躍能鳴喚者即藥中所用鼃是也其餘螻蝈石撥蠼子之類非藥中所用不復采載周礼掌蝈氏云鼃黽焚牡菊灰洒之則死牡菊无花菊也蝦蟇蟾蜍雖皆一類而功用小别亦當别用之治聞記云蝦蟇大者名田父能食蛇蛇行田父逐之蛇不得

热毒神方

〇【補註】治人面赤頸項大者名蝦蟇瘟並搗汁水調空心服此方極効曾活數名

【青鼃】味甘氣寒冷又云性平無毒

【主治】主小兒赤氣肌瘡臍傷大效解劳热止痛

治氣不足仙方

〇【補註】蝕肛食下部肛尽腸穿者取長股蝦蟇青背者一枚雞骨一分燒灰合吹下部令深又云數用大驗

【石鴨】亦名上鴨其形長肱背綠者其鳴甚壯【水鷄】南人呼為蛤子月令所謂雀入大水為蛤者其形大腹脊青者衍義云大其声則曰蛙小其声則曰蛤二者宜之味最美曰浙東閩蜀俱為珍瑶雅獎能調虚損亦補尤宜產婦女科也

去田父嚙其尾久之蛇死屖後數寸皮不損肉已殺也世傳蛇噉鼃今乃云田父食蛇其說頗怪當時別有一種如此耳昔宙独行方治蚕咬取田父脊背上白汁和蚁子灰塗之差

蝸牛

一名蠡牛 俗呼為瓜牛生山中或人家蟲

未春雨零多生池澤草間盛夏日炎白然樹木葉下蝸懸葉下往往升高涎沫既及隨即枯死頭有四角故以牛名行自殼而行則頭角並起遇物驚便縮縮乃首尾俱藏剂提同大者取功勝□火炒過殺毒殺名天蘿色白入藥治病

【科】蟲侍蝦蟇仔初生腸水除草上如索縋纏漸見點日逐黑深似豆磊粒春來水煖鳴以聒之乃謂聒之子也書云鼈影抱蝦蟇聲轮者是焉始出色黑頭圓有尾無足稍大足生尾脫聚夥成群俗呼蝌蟇黏亦入方藥用子正黑多取合桑椹染鬚永不皓白詳載赤根白皮條中形已成爛搗為大瘡敷藥絕無瘢痕其卵得之亦主明目

【蝸牛】味鹹氣寒有小毒

【主治】主賊風口眼喎僻治驚癇筋脉拘攣收大腸脫肛止蹶跌消渴喉閉痹疾每匕擅名【殺】治疽最美【延】止消渴有效

〇【補注】治齒䘌用蝸牛殼二十枚燒灰細研每用揩齒良〇治蜈公咬方用□

循宜久一種名號寄名形正相似炙炙殼即便走出食之大益顏色

蛞蝓

一名陵蠡　一名土蝸　一名附蝸

生太山池澤及陰地沙石垣下今在處有之其頭形類猶似蝸牛蟲者頭有二角但背負殼耳蘇云無殼蝸牛非也今按本經一名陵蠡又有土蝸之名且蝸蠡者皆龜殼之屬也陶云若無殼則不合有蝸名是也又據今下濕處有一種蟲大於蝸牛無殼而有角云是蝸牛之老者

牛腌取汁滴入咬處○治大腸久積虛冷每因大便脫肛收不得用蝸牛一兩燒灰猪脂和傅之立差○治發背以蝸牛二百个活者以一升淨瓶入蝸牛用新汲水一盞浸瓶中封係自晚至明取出蝸牛放之其水如涎將真蛤粉不以多少旋調傅以鷄翎掃之瘡上日可十餘度其熱痛止瘡便愈○治小兒一切痔疾取蝸牛殼七个淨洗不得有壁土令乾同麝香中龕合盛却用紙糊於飯甑內蒸之下饋時安之至飯熟取出細研嚥下喫一日食於之○主消渴取蝸牛十四枚以水三合浸之甕中以器覆之一宿其蟲自出治器上取水飲不過三劑

蛞蝓　味鹹氣寒無毒

主治　主賊風喎僻軼筋良方療脫肛驚癇攣縮

炒劑

蜒蚰　如釵股大色近正黃足生若蜈蚣多脊無負殼好油脂延入人耳竅故此名乃使人

本經註云菖蒲去蚰蜒來蜒蚰亦其氣芬

蠍

旧本不著所出州土注云出青州皆良今京東西及河陝州郡皆有之惟欲紫(?)小者今人捕得皆火逼乾死收之方書謂之蛜伊蝌祁蠍前謂螫蠍後謂蠆陶云蠍有雌雄雄者螫人痛止在一處雌者痛牽諸處若是雄者用井泥傅之溫則易雌者當用瓦屋溝下泥傅之或不值天雨泥可汲新水從屋上淋下取泥用又可畫地作十字取上土水服五分匕又云曾經螫毒痛若不可忍諸法療不效有人令以冷水漬指亦漬手即不痛水微煖復痛即易冷水餘處不可用冷水浸則

二(?)所召爾

【蠍】味甘辛有毒

【主治】療小兒風癇手足抽掣毆大人風中口眼喎斜却風痰耳聾解風毒癮疹

○【補註】治小兒驚風用蠍一个不去頭尾薄荷四葉裹合火上炙令薄荷焦同碾為末作四服湯下大人風涎只一服○治耳聾因肝虛所致十年內二服愈蠍至小者四十九枚生薑如蠍大四十九片二物同器內炒至生薑乾為度為末都作一服初夜溫酒下至二更盡量飲至醉不妨次日耳中如笙簧即効○治小兒風癇取蠍五枚以一大石榴割頭去子作瓮子樣內蠍其中以頭蓋之紙筋和黃泥封裹以微火炙乾漸加火燒令通赤良久去火待冷去泥取中焦黑者細研乳汁調半錢匕灌之便定兒稍大則以防風湯調服之

【斑猫】使 味辛一云味鹹氣寒有大毒[illegible]

【主治】治寒熱鬼疰蠱毒療鼠瘻疥癬[illegible]

以故紙糊之小竅則易之皆妙又有呪禁法今人亦能用之有應今市家收取無特先日曝逼甚熱渴飼青泥滿腹向烈火炙干令色赤容易售人致斑重又多縱利拯病入劑悉以土除用全用梢並復炒褐盡煎湯液任作散丸

斑猫

一名蟹螯
一名龍苗
一名龍蚝
一名斑菌

一名螣髮一名晏青生河東川谷今處處有之七八月方生夥集交飛常在苑豆花葉上長五六分甲上黃黑斑文烏腹尖喙如巴豆大就葉上採之或綱張取納瓶內陰乾去翅足惡曾青豆花畏

蝕死肌除石癃血積祛瘰癧而大効利水道最為奇潰肉墮胎孕婦忌食

〇補註 救急治疔腫方斑猫一枚搶破以針劃瘡上作米字封之即根乃出〇治乾癬積年生痂搔之黃水出每逢陰雨即痒用斑猫半兩微炒為末蜜調傅之〇治大人小瘰癧內消方斑猫一兩去翅足用粟米同斑猫炒令米焦黃去米不用細研入乾荷四兩同研勻以烏鷄子清丸如菉豆大心臘茶下三丸加至五丸却每日減一丸至三丸後每日服五丸〇治沙虱毒斑猫一枚一枚末服之一枚燒令煙絶研末以傅瘡中立差〇治瘰癧經久不差斑猫一枚去翅足微炙以漿水一盞空腹吞之用蜜水下重者不過七枚差妊娠或已不下欲下胎燒斑猫末服一枚即下凡用去翅足以米同炒至米黃色為度夫米不用研細末入藥若生用者即令人吐瀉無休

太乙曰

氣味 味辛微溫有毒

主治 主瘰癧蠱毒如神治風疰鬼疰尤驗墮胎

巴豆丹參空青

芫青

本經不載所出州土今處處有之其形頗與班猫相類但純青綠色背上一道黃文尖喙今出寧州三四月芫花發時乃生多就花上採之暴乾凡用班猫芫青亭長之類當以糯米同炒看米色黃黑即為熟便出之去頭足及翅翼更以亂髮裹之柱屋東栄一宿然後用之則去毒矣舊說班猫芫青葛上亭長地膽皆一類之物而各隨時變易凡取用當辨别明白

之髮藥止淋之秘方

太乙曰 芫青班猫亭長赤頭等四件其将名不同所居所食所效各不同其芫青觜尖背上有一畫黃班猫背上上一畫黃一畫黑觜尖處一小点赤在豆葉上居食豆葉汁亭長形黑黃在蔓葉上居食蔓膠汁赤頭額上有大紅一点身黑用各有處凡修事芫青班猫亭長赤頭並用糯米小麻子相拌同炒待米黃黑出去麻子等去兩翅足并頭用血餘裹懸於東牆角上一夜至明取用

葛上亭長

味辛氣微温有毒

主治 主蠱毒鬼疰而有挙破淋結積聚以何[illegible]能通淋閉亦且墮胎

太乙曰 凡用班猫芫青亭長之類當以糯米同炒看米色黃黑即出去頭足及翅脚以亂髮裹懸屋柱上一宿然後入藥用

地膽

味辛氣寒有毒

主治 主鬼疰寒熱鼠瘻治惡瘡蝕瘡死肌[illegible]

葛上亭長

舊本不載本出雍州陶云其蟲身黑而頭赤喻如人着玄衣赤幘故名亭長葛花開時方有於葛華上取之形如芫青腹中有白子如小米二三分取着白板上陰乾燥二三日藥成若有人患十年淋症服三枚八九年還服二枚服將以水着小杯中如棗許內藥盞中瓜甲研當扁扁見於水中仰頭乃令人瀉着咽候中勿令近牙齒間藥雖微小下喉自發藥當至下焦淋所少頃藥大作煩急不可堪者飲乾麥飯汁則藥勢止也若有乾麥飯但水亦可耳老小服三分之

齆息肉散結氣石淋癥瘕疾立破懷姙者忌之

〇補註　結氣石淋服一刀圭即下〇療瘧取服則根從小便出上亦吐之効

蜈蚣

味辛氣溫有毒

主治　主心腹寒熱癥癖去三蟲惡血墮胎噉蛇虺蟲魚惡毒殺鬼物蠱疰精邪去瘀血墮胎逐積聚除瘧雞性好食人若中其毒者以烏鷄糞水調塗之大蒜亦妙又畏蛞蝓蜒蚰觸之即死亦可取敷其毒也

〇補註　治射工水弩毒以蜈蚣大者一炙為末和苦酒傅之亦治口噤〇治小兒撮口病但看舌上有瘡如粟米大是也以蜈蚣汁刮破指甲所傷兩頭肉差如無生者乾者亦得〇治丹毒瘤蜈蚣一條乾者白礬皂子大雷丸一箇百部二錢并同為末醋調塗之〇治初生兒口噤不開不收乳者赤足蜈蚣去足炙末猪乳二合調半錢分三四服溫灌之

太乙曰　凡使勿用千足蟲真似足是頭上有白肉面并紫尖若誤用并把著腥臭氣入

一當下淋疾如膿血連〻爾石去者或如指頭或青或黃男女服之皆愈此蟲四五六月為葛上亭長七月為班猫九十月為地膽隨時變耳亭長時頭當赤身黑若藥不快淋不下以意節度更增服之今醫家多只用班猫芫青而亭長地膽稀有使者人亦少採

地膽

一名蚖青　一名青蛙

生汶山川谷陶云真者出梁州狀如大馬蟻有翼偽者即班猫所化狀如大豆大都療體略同必不能得真爾此亦可用故有芫青之名唐云形如大馬蟻者今見出邠州者是也

頂[illegible]以蜈蚣[illegible]熟蚣末於土器中炒令木末焦黑後去木末了用竹刀刮去足甲了用

馬陸

味辛氣溫有毒

主治　破腹中堅癥積聚去息肉白禿惡瘡散瘡結脇滿祛寒熱往來

太乙曰　凡使收得後糠頭炒令糠頭焦黑取陸出用竹刮足去頭了研成末用

樗雞

味苦氣平有小毒

主治　主心腹邪氣治陰痿益精腰痛下氣即療補中益氣尤宜能強志生子好顏色輕身

白殭蠶

味鹹辛氣平升也陰中陽也屬火有土與木得金氣殭而不化無毒一說性溫有小毒

主治　主逐風濕殊功口噤失音者必用拔疔毒極効腫突幾危者急敷主小兒驚癇夜啼

所以不上者未見也。蜀本云：二月三月八月九月篁葉上取之，形似蚱，色黃背所化也。此一蟲五變，為療皆相似。二月三月在芫花上即呼芫青，四月五月在王不留行上即呼王不留行蟲，六月七月在葛花上即呼為葛上亭長，八月在豆花上即呼斑貓，九月十月欲還地蟄即呼為地膽，此是偽地膽爾。

蜈蚣

生吳中川谷及江南。今江浙山南唐鄧間皆有之，多在土石及人家屋壁間，形似馬陸，扁身長黑頭，赤足，以頭足赤者為勝，七八月取之，黃足者最多，人以火炙

婦人崩中赤白，止陰癢，去三蟲，滅黑點及諸瘡瘢痕，面色令好，散風痰併結滯痰塊僂痺使丹溪云治痰乃取其火中清化之氣用以從治相火散濁亦結滯之痰耳毆分娩難除久瘧傷寒後陰易

○衍注治瘰癧，白姜蚕為散，水服五分，差。○治大風半身不遂，蚕沙兩碩，熟蒸作直袋二隻，各受七斗，熟盛一袋，着患處，如冷即取餘袋，一依前法，數數換，一日不禁，差。又以羊肚釀粳米、葱白、薑、椒、豉等爛煮熟，菜日食一枚，十日即止。○治背瘡，効驗，以針挑四畔，白姜蚕為散，水和敷之，即拔出根。○下奶，浸白姜蚕末兩錢，酒調下，少頃以脂麻茶一錢，熱投之，撚頭十遍，妳汁如泉。○治卒頭痛，白姜蚕為末，去絲，以熟水下二錢，差。○治喉閉，白姜蚕、天南星刮皮，等分，生為末，每服一字，以生薑汁下，如咽喉開不得，以小筒子灌之，涎出后，用大蒜一塊，略炙過，含之，小可以傳唇上，立差。○治風痰，白姜蚕七箇，直者細研，以薑汁一茶脚，溫水調灌。○治風痔，忽痛腫忽消，發渴不定，白姜蚕二兩，浙剉，令微黃為末，烏梅肉為丸，如梧仁大，每服用薑蜜湯下五丸，空心服。○療野火丹，從背上兩脇起者

令亦以當之不堪用也其性能制蛇忽見大蛇便緣而噉其腦陶隱居云今赤足者多出京口長山高麗山茅山亦甚有於腐爛積草處得之勿令傷暴乾之入藥慢火炙黃去頭足研末

俗呼為百節蟲一名百足一名馬軸其傷人呼名為馬蚿亦呼馬蚿又名刀環生玄菟山谷此蟲形長五六寸大如細筆管狀如大蜈身如槎節節有細蹙紋起紫黑色光潤書云百足之蟲至死不僵此蟲足甚多寸寸斷便寸行或百足死則側臥如環也有人自毒服一條即死

姜蚕二七枚和煙少單擣全之○治所為隱疹疼痛成瘡用白姜蚕焙令黃色細研為末用酒服之立差○主偏正頭疼并夾腦風連兩太陽穴疼痛以白姜蚕細研為末用葱茶調服方寸○主小兒口瘡通白者及風疳瘡蝕透者以白姜蚕炒黃色減去蚕上黃肉毛為末用蜜和敷效○治小兒撮口及發噤者以白姜蚕二枚為末用蜜和傅小兒脣口即差○主黑點令人面色好用白姜蚕黑牽牛細辛等分為末如澡豆用之又治小兒胎𧏾良○治刀斧所傷及一切金瘡以白姜蚕不以多少炒令黃色細研為末傅之立愈○治中風急喉痹欲死者用白姜蚕以火焙乾令黃色搗篩為末用生薑自然汁調灌喉中效○治婦人崩中下血不止以衣中白魚姜蚕等分為末以井花水服日三服差○主中風失音并一切風疾及小兒客忤男子陰痒病女子帶下以白姜蚕七枚為末用酒調服方寸效

太乙曰凡使先須以糯米泔浸一日待蚕桑涎出如蝸牛涎浮於水面上然后漉出微火焙乾以布淨拭蚕上黃肉毛并黑口甲了單擣篩如粉用也

原蠶蛾

氣溫味醎畧有小毒

西京上陽宮及內城甎牆中亦多入藥
其鮮李云五六月在樹鳴冬則藏今人呼
為飛蛾蠶也並不必是馬陸尔今有一
細黃蟲狀如蜈蚣而甚長俗名土蟲雞
食之輒悶亦至死

樗雞

本經不載

所出州土

生河內川
谷樗木上

今近都皆有之形似寒蟬而小七月採
暴乾爾雅翰天雞郭朴云小蟲黑身赤
頭一名莎雞又曰樗雞李巡曰酸雞廣
雅謂之樗鳩五色具者為雄良青黑質
白斑者是雌不入藥又云類樂蛾但頭
足微黑翅兩重外一重灰色下一重深

【主治】強陰道陰痿必用交接不倦益精氣禁固難來
敷諸瘡滅瘢止能血燥腎治暴風尿血愈火凍
金瘡

○【補注】治刀斧傷止血生肌天蛾散晚蚕蛾為
末粽勻絹袋之隨手瘡合血止一切金
瘡亦治○小兒撮口及發噤方晚蚕蛾二
枚炙令黃為末蜜和傅兒口唇內○兒倒產
難生原蚕子燒末飲服三錢○治小兒口
瘡及風疳瘡苛晚蚕蛾細研貼瘡上妙

【蠶沙】氣溫無毒

【主治】治濕痺癮疹癱風主腸鳴熱中消渴

○【補注】治風瘙癮疹遍身痒成瘡用蚕沙一升
水二斗煮取一斗二升去滓溫熱得所
以洗之宜避風○治婦人始覺妊娠轉女為
男法取原蚕屎一枚井花水服之日三服○
治消疾用晚蚕沙焙乾為
末冷水下二錢不過數服

【蠶布紙】氣平無毒

【主治】治吐血鼻血止血腸風瀉血崩中帶下即除赤

紅五色皆具腹大今在樗木上人呼為紅娘子頭翅皆赤疑即此也今人用之行瘀血血閉古方大黃蟅者也用近則似用然今所謂莎雞者亦生樗木上六月后出飛而振羽索索作声人或畜之樊中但頭方腹大翅羽外青内紅而身不黑頭不赤此殊不類蓋别一種而同名

白殭蠶

生潁川平澤今所在養蠶處皆有之用自殭死白色而條直者為佳四月取勿令中濕濕則有毒不可用以去絲綿及子惡茯苓萆薢桔梗桑螵蛸今醫家用治中風急喉痺欲死者擣篩細末生薑

白痢疾絕妙傳方腫瘡入藥燒末

【蠶退】多治血風甚益女婦止帶漏崩中赤白痢疾除腸風下血吐衄鼻洪疔腫取灰敷牙疳加麝貼牙宣灰擦齦上口瘡灰敷患間又治邪祟風癲灰酒調下立愈

○【補註】治纏喉風其喉痺牙宣牙癰口瘡并小兒走馬疳蚕退紙不計多少燒成灰存性又煉蜜和丸如鷄頭大含化嚥津牙宣牙癰搽齦上口瘡乾傅患處小兒走馬疳入麝香少許貼患處佳○凡狂發欲走或自高貴稱神皆應備諸火灸乃得水差耳若或悲泣呻吟者此為邪祟以蚕紙杵灰酒水任下差療風癲也○蚕退治婦人血風此則邪起時所蛻皮是也其蚕退紙謂之蚕連亦燒灰用之治婦人血露

【綠桑螺】此螺全似蝸牛黃小雨後好緣桑葉

【主治】主人患脫肛立縮燒末和豬膏傅良

○【補註】脫肛緑桑樹螺燒之以豬脂和傅之立縮亦可末傅之

自然汁調灌之下喉立愈〇一人合衣魚鷹
屎白等分為末面膏和塗瘡上瘢痕便滅

原蠶蛾

本經不載
所出州土
今東南州郡多養此

蠶蛾〻皆有之此是重養者俗呼為晚蠶入藥務擇雄蛾以其敏於生育折去翅足微火炒黃合散為丸臨宜使用此人不甚復養恐其損桑而周禮禁原蠶者鄭康成注云為其傷馬傷馬亦是其一事耳但而言曰原蠶一歲再登非不利也然王法禁之者為其殘桑是也人逝務養市中貨者亦多早蛾不可用也至於用蠶沙蠶退亦須用晚出者惟白

【蠶繭孔】燒研酒調立使腫癰透孔一繭一孔功同茅針若煎湯液服之殺蟲止瀉並效

【繰絲湯】甕貯埋土內年深消渴病來急宜取飲引清氣上朝口舌降相火下泄膀胱因屬火有金之用故也

【烏爛死蠶】在簇上烏臭者 有小毒

【主治】主外野雞病效傳有根蝕瘡良白死蠶主白遊赤死蠶主赤遊並塗之妙 遊即彪也

【繭鹵汁】鹽繭甕下收之是繭中蛹汁故能殺蟲非為鹵鹹也

【主治】主山蜍山蛭百蟲咬毒治蠶蝕瘡疥牛馬蟲瘡蚊蛭及諸蟲咬毒汁效小兒去瘡疥為湯浴良

〇【補註】治諸蟲入肉 鹽繭甕下收之以竹筒盛 [illegible]可預帶一筒取[illegible]

殭蠶不着草曉但用白而條直者凡用蠶並須去絲蠶不用食桑者蠶蛾益陽方中多用之今衍義曰原蠶蛾有負復敏速之義此則第二番蛾也白殭蠶條中已具原飼午代殼又以三升醇酒拌蠶屎五斗用甑蒸熱於暖室中鋪於油單上令患風冷氣閉及近感癱風人就所患一邊卧着溫熱厚蓋覆汗出爲度若虛人須常在左右防大熱昏冒仍令頭面在外不得壅覆未全愈間再作

蠶退

一名馬鳴退近世醫家少用蠶退紙而東方諸醫用蠶欲老眠起所蛻皮雖二者

中蓋持一片乾淹治則辟諸蛇蠍茶治本經蛭條云山人自有療法豈非此乎

【針線袋】取安所卧褥下勿令患者知之

【主治】治婦人產後腸中痒其不可忍者如神

【故錦】燒灰傅小兒口內熱瘡煮汁療嶺南蠱毒

【故緋帛錦】有食錦蟲蠱如指環食故緋帛錦如蠶之食桑

【主治】主惡瘡諸瘡神效療疔腫毒腫尤良

○【補註】主惡瘡丁腫毒腫諸瘡有根者作膏用帛如手大用取露蜂房彎頭棘刺爛草節二七亂髮燒為末空心服方寸大主毒腫緋帛亦入諸膏主疔腫用為上小兒初生臍未落時腫痛水出燒為末細研傅之五色帛主盗汗拭訖弃五道頭

【五色帛】主盗汗不止用拭訖而棄五道頭

【赦日線】九人在牢獄日經赦得出候赦日於所被囚枷上合者

【主治】取為囚徒縫衣令犯罪而恩宥

【蠶蛹】味鹹甘氣平無毒

之用各殊然東人所用者爲止用之當微炒和諸藥可作丸散服

桑螵蛸

一名蟷蠰生桑枝螳螂子也本經不載所出州土今在處有之螳螂逢木便產一枚出子百數多在小木荊棘間桑上者爲得桑皮之津氣故以爲佳而市之貨者多非其須連枝折之爲驗然僞者亦能以膠着桑枝上入藥不宜也三月四月採蒸過收之亦以炙不爾則令人泄一法採得便以熱漿水浸一伏時焙乾更於柳木灰中炮令黃用之畏旋覆花戴椹宜白龍骨

主治 主女人血閉腰痛治男子虛損腎衰泄精強陰補中除疝止精泄而愈白濁通淋閉以利小便又禁小便自遺故本經註云虛而遺方中不可缺也俗謂禁泉寶亦指此焉

○**補註** 治底耳方用桑螵蛸一箇慢火炙及八分熟存性細研入射香一字爲末摻在耳內半字如神效如有膿先用綿包子撚去次后摻藥末入在耳內○治妊娠小便數不禁桑螵蛸十二枚搗爲散分作兩服米飲下楊氏産乳司○療小便不通及胞轉桑螵蛸搗末米飲服方寸匕日三服○安神魂定心志治健忘小便數補心氣桑螵蛸遠志菖蒲龍骨人參茯神當歸龜甲醋炙已上各一兩爲末夜卧人參湯調下二錢如无桑上者即用餘者仍須以炙桑白皮佐之量多少可也蓋桑白皮行水意以接螵蛸就腎經用桑螵蛸之意如此然治男女虛損益精陰痿夢失精遺溺疝瘕小便白濁腎衰不可闕也

太乙曰 凡使勿用諸雜樹上生者螵蛸不入藥中用凡採覓須桑樹東畔枝上者採得去核子用沸漿水浸淘七遍令水遍沸於瓷中鍋中熬令乾用勿亂別修事却無效也

蜘蛛

舊本不載所出州郡其品類極多而在處但有爾雅曰次蟗鼅鼄江東呼為蝃蝥又云土鼅鼄長脚者俗呼為喜子在地布網者草鼅鼄絡幕草上者名蟏蛸長脚者小蜘蛛陶云酒用懸網狀如魚罾者亦名生王則爾雅所為蟗鼅鼄郭璞所謂蝃蝥是也但能牽絲網巧不如蠶孔入藥方須私擇網布簷角者如腹大黑色者佳收取無時制服為證又云取身尤大深灰色腹内有蒼黄膿者良一種亦斑者俗名絡新婦亦入方術用之其餘雜種並不入藥

蜘蛛 氣微寒有毒

主治 大人狐疝偏痛睪丸或時上下者宜研散調小兒大腹丁奚行步三年者瘻癖者須爆熟一噉久瘧寒熱可斷乾嘔霍亂能祛蚯虺咬搗汁塗蜈蚣咬用活娶牙腫作嘗數退瘻核漬酒飲消

絲網 善療健忘能使人巧七夕取食獲苻功繫瘤贅而消爛纏痔漏而脫落

此用花蜘蛛曝之尤妙

○補註 治瘰癧无問有頭無頭用大蜘蛛五枚日乾細研酥調如麪脂日兩度貼之○崔氏治疣目以蜘蛛網絲遶纏之自落○中風口喎僻取蜘蛛子摩其偏急頰車上候視正即止亦可向火摩之○治背瘡孫驗方取户乾蜘蛛研以醋和先挑四畔令血出根撥露用蜘蛛乾研易日至夜根出大有神效○治鼠瘻腫核痛若已有瘡口出膿水者燒蜘蛛二七枚傅之○治人心孔昏塞多忘喜誤七月七日取蜘蛛網著領中勿令人知

石龍子

一名蜥蜴一名山龍子一名守宮生平陽川谷及荆山石間今在處有之五月採著石上令乾踞硫黃斑循無莫尔雅云蠑螈蜥蜴蝘蜓守宮四者一物形狀相類而四名也字林云蠑螈蛇醫也說文云在草曰蜥蜴在壁曰蝘蜓唐云蛇師生山谷頭大尾短小青黃或白斑者是蝘蜓似蛇師不生山谷在人家屋壁間荆楚江淮人名蝘蜓河濟之間名守宮亦名蠑螈又名蠍虎以其常在屋壁故名守宮亦名壁宮未必如術銅朱點婦人也其名龍子及五色者並名蜥蜴五

永不忘也○辛脫肛燒蜘蛛肚傅肛上○蜈蚣咬取蜘蛛一枚咬處安當自飲毒蜘蛛死痛未止更着生者○孫真人備急治齒牙有孔蜘蛛殼一枚綿裹按其內○治蝎螫人疾蜘蛛汁傅之差○治產後欬逆經三五日不止欲死方煎壁鏡窠三五箇呷差○治蝕多特脫肛疼痛黑聖散大蜘蛛一箇瓠葉重裹綿係定合子內燒令黑色存性取出細研入黃丹少許同研凡有上件疾先用白礬葱椒煎湯洗浴拭乾後將藥末摻在軟處帛上將手掌按托入收之○繫指並贅瘤方以花蜘蛛網上大網絲於黃丹中養之繫指身瘤夜繫至旦自下○療陰狐疝偏有大小時時上下者蜘蛛十四枚熬焦桂半兩二物為散每服八分七月用蜜丸亦通

【太乙曰】凡使勿用五色者兼大身上有刺毛生者并薄小者已上並不堪用凡欲用要在屋西面有網身小尻大腹內有蒼黃膿者真也凡用去頭足了研如膏投入藥中用

【壁錢蟲】氣平無毒 蟲似蜘蛛作白幕如錢頭足研如熬散入藥用在闇間北入呼為壁繭

【主治】主鼻衄金瘡下血不止捺汁點瘡上立效

形皆細長尾与身相類似蛇著四足去足便直蛇形也蛇医則不然按此諸文即是在草澤中也名蝾螈蜥蜴在壁者名蝘蜓守宫也然則入藥當用草澤者以五色具者為雄而良色不具者為雌力劣耳

（蛤　蚧）

生嶺南山中有城墻奇底多首類蝦蟇背如蠶子尾長身短頭色土黄一雌一雄自以名焉行走無異蝘蜓時常護惜尾稍人見欲取之輒自嚙斷其尾因得釋去巢穴多依榕木亦有在古牆成樓間者人欲得其首尾完者乃以長柄兩股

療外野鷄病下血擣將漿滴入鼻中如神【[illegible]】主小兒吐逆交嘔取二七煑汁飲之

【石龍子】　味鹹氣寒有小毒

【主治】破石淋下血利小便水道主五癃閉之神方祛邪結氣之妙劑

【蛤蚧】　味鹹氣平有小毒一云無毒

【主治】主肺虚聲欬無休治肺痿血咯不已傳屍勞瘵悉逐着体邪魅咸祛仍通月經更利水道殺鬼物邪氣立效療淋漓折傷尤良

○【補註】治久欬不愈肺間積虛熱久則成瘡故嗽出膿血曉夕不止喉中氣塞胸膈噎痛蛤蚧阿膠生犀角鹿角膠羚羊角各一兩除膠外皆為末以入膠分四服每服用河水三升於銀石器中慢火煮至半升濾去滓臨卧微温細呷其滓候服盡再捶都作一服以水三升煎至半升如前服若病人久虛不喜水當遞減水

鐵叉如粘綱子狀伺於榕木門以叉刺之并一股中腦一股著尾故不能齧則入藥乃炙製宗雷公云頭足鱗鼠雌雄並用男用陽女用陰以酥炙黃熟研末倘或驚諸術家務須口含少許奔走百步不喘方真

刺蝟皮

生楚山川谷田野今在處山林中皆有之狀類猯㹠脚短多刺尾長寸餘人觸近便藏頭足外皆刺不可嚮尔惟見鵲則反腹受啄或云惡鵲聲故欲掩取之猶蚌鷸也此類亦多惟蒼白色脚似猪蹄者佳鼠脚

太乙曰 凡使須認雌雄若雄為蛤皮鮑口大身小尾麁雄為蛤口尖身大尾小男服雌女服雄凡修事服之去甲上尾上并摸上肉毛毒在眼如斯修事了用酒浸方乾用紙兩重於火上緩隔焙紙炙待焇重紙乾焦透後去紙取蛤於於瓷器中盛於東舍角畔懸一宿取用力可十倍勿傷尾效在尾也

刺蝟皮 臣 味苦甘氣平有小毒又云無毒得酒為良

主治 治翻胃吐逆鼻衄住腹痛疝積下血赤白五色血汁不止者殊功治陰蝕痔瘺有頭多年不差者妙剤主陰腫痛引窜腰背理腸風病下血無禁肥下焦少秘藥理胃氣之神方

脂 可煑五金八石兼理瀉血腸風

皮 燒灰酒調胃逆即止生煑汁服反胃堪醫

膽 可治鷹

食肉

者次其毛賊有兩岐者名山枳鼠肉味酸者名虎鼠味苦而皮褐色類兔皮者名山狍凡此皆不堪用猶宜細識耳採無時勿使中濕肉與脂皆中用畏桔梗麥門冬

螻蛄

一名蟪蛄
一名天螻
一名螜生
東城平澤

夜出者良夏至取暴乾穴土居立夏出翅短不能飛遠声鳴只在夜間月令謂螻蟈鳴即此是也倍云土狗因類狗形得之文火炙黃研成細末入藥

〇補註 治鼻衄鼻塞齆用蝟皮一枚燒[illegible]研半錢綿裹塞鼻〇治五痔蝟皮方三枚大切熏黃如棗大熟艾右三味穿地作坑調和取便熏之取口中熏黃煙氣為佳火氣稍盡即停三日將息更熏之三度永瘥勿犯風冷羹臛將補慎忌鷄猪魚等[illegible]二十日後補〇治蠱毒下血蝟皮燒末水服方寸當吐蠱毒〇治下部腸痔如蟲齧蝟皮燒灰生油和傅之佳〇治腸痔大便下血燒蝟皮傅之〇小兒卒驚啼狀如物刺燒蝟皮三寸為末乳頭飲兒飲服亦得

衍義云 蝟皮取乾皮兼刺用刺作制治紕帛絕此物兼治胃逆開胃氣有功從蟲從胃有理焉膽治鷹食病世有養者去而復來久亦不去當縮身藏足之時人溺之即開合穿山甲等分燒存性治痔入肉豆蔻一半末之空肚熱米飲調二錢服〇蝟肉可食以五味汁淹炙食之良不得食其骨也其骨瘦人使人縮小也詳按主下焦勞理胃氣令人能食其皮可燒灰和酒服及炙令黃煮汁飲之主胃逆細剉炒令黑入丸中治腸風瀉痔其效

[illegible] 味鹹氣寒無毒一云有毒

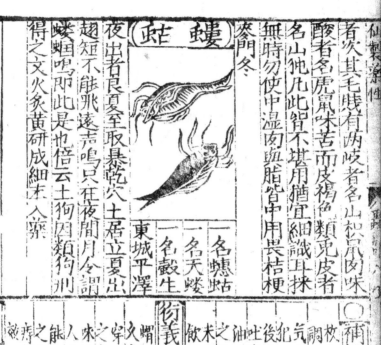

蚱蟬

一名為啞蟬　蔗為鳴蟬　殼為枯蟬　一名伏

錯圖經家呼為蟬蛻本經不載所出州土但云生楊柳樹上今處處有之蟬類甚多爾雅謂之馬蟬今夏中所鳴者比衆蟬最大蜩蟬形大而黑身與声般大者六七月乃鳴始終一般声與昔人所螫者本草謂之蚱蟬其實一種耳又醫方多用蟬殼亦此蟬所蛻殼也本生於土中云是蠐螬所轉化久而化成此蟲至夏便登木而蛻乘昏夜方出土中昇高處拆且殼折蟬出所以皆夜出者一以畏人二畏日炙乾其殼而不能蛻也至時

主治　治十種水腫[illegible]双分上下左右取功左令左腫消右使右腫[illegible]退上消上體下退下焦又云從腰以後利[illegible]為下二便要藥從腰以前歛澁為止二便捷[illegible]方若拔刺入肉中多取腦敷上仍治口瘡[illegible]毒以酒播溫服能上產難亦潰癰疽退諸[illegible]而下哽咽解熱毒而除惡瘡堪瘳虛人戒勿用之因其性急故也

○補注　治十種水腫腫滿喘促不得睡臥以螻蛄五枚乾為末食前湯調半錢至一錢小便通效○治鯁螻蛄腦一物吞亦差○治刺不出傅之刺即出○治箭鏃在咽喉胸鬲及針刺不出以螻蛄搗取汁滴上三五度箭頭自出○治石淋導水用螻蛄七枚鹽二兩同於新瓦上鋪蓋焙乾研末溫酒調一錢服之即愈

蚱蟬　使　味鹹甘氣寒無毒

主治　治產婦胎衣不下通乳墮胎主小兒驚癇

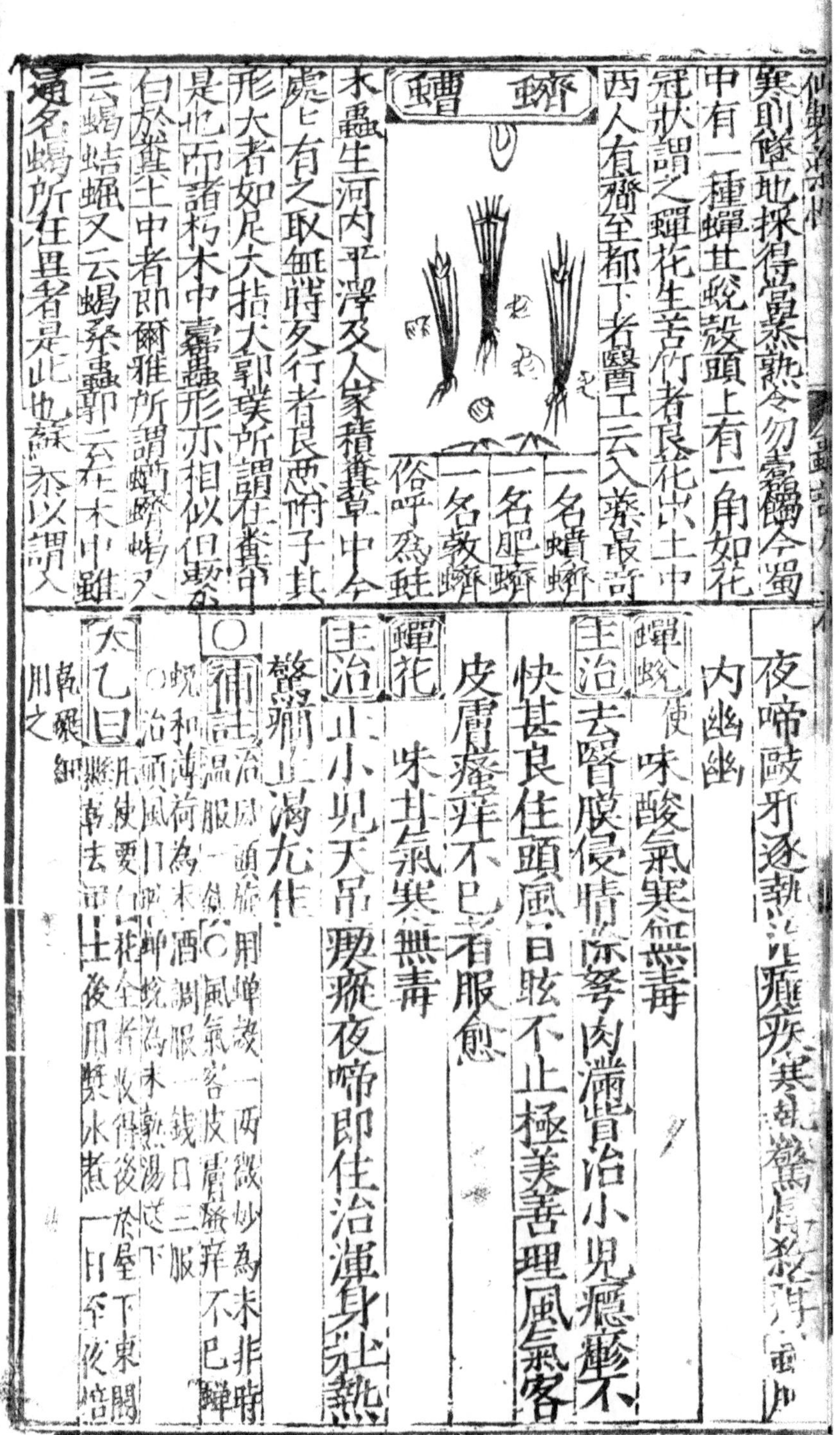

寒則墜地採得當蒸熟令勿蠹蝕今蜀中有一種蟬其蛻殼頭上有一角如花冠狀謂之蟬花生苦竹者良花出土中西人有齎至都下者醫工云入藥最奇

蠐螬

一名蟦蠐　一名肥蠐　一名敦蠐　俗呼為蛣

木蟲生河內平澤及人家積糞草中今處處有之取無時多行者良惡附子其形大者如足大指大郭璞所謂在糞中是也而諸朽木中蠹蟲形亦相似但潔白於糞土中者即爾雅所謂蝤蠐蝎又云蝎蛣蝹又云蝎桑蠹郭云在木中雖通名蝎所在異者是此也蘇恭以謂入

夜啼殺邪逐熱治癇疾寒熱驚悸[illegible]內幽幽

【蟬蛻】使　味酸氣寒無毒

【主治】去瞖膜侵睛努肉滿眥治小兒癮疹不快甚良佳頭風目眩不止極美善理風氣客皮膚瘙痒不已者服愈

【蟬花】味甘氣寒無毒

【主治】小兒天吊驚癇夜啼即住治渾身壯熱驚癇止渴尤佳

〇【補註】治風頭旋用蟬殼一兩微炒為末非時溫服一錢〇風氣客皮膚瘙痒不已蟬蛻和薄荷為末酒調服一錢日三服〇治頭風口噤蟬蛻為末熱湯送下

【太乙曰】凡使要白花全者收得後於屋下東閣懸乾去泥土後用漿水煮一日至夜焙乾碾細用之

藥當用不中者乃與本經生于糞草中相反矣生桑木中白有桑蠹條桑蠹即蛣蝸也與此主療殊別今醫家與產婦下乳藥用之乃是揃糞土中者其效速

青蚨

味辛氣溫無毒

主治 主補中堅益陽道去冷氣悅澤顏色一名蟱蝸一名魚伯其名狀蜩蝸如蟬大辛益可食其子如蠶種著木上南方有山中雖雌常不相相捨主秘精縮小便青色相似人採得取其子歸則母飛來雖潛取必知處殺其母塗錢子塗貫用錢則自還淮南子萬畢云青蚨一名魚伯以母血塗八

蠐螬

臣 味鹹氣微溫有毒又云味甘微寒無毒

蜚蠊為之使

主治 主惡血血瘀痹氣破折血脇下堅滿破骨踒血結而療金瘡內塞產後中寒而下乳汁青瞖白膜汁滴目中尤良喉痹寒將點下咽即除傳癰疽痔漏惡瘡止吐血在胸腹不去

○補註 刪繁丹去皮中浸淫名火丹方取蠐螬末傅之○治稻芒入眼取蠐螬以新布覆目上持蠐螬從布上摩之其芒出着布上良也○治竹木刺在肉中不出蠐螬碎之傅刺上立出○治癰疽痔漏惡瘡及小兒丹末蠐螬傅上差○治口瘡截頭翻過拭瘡効

太乙曰 凡使桑樹柳樹中者妙凡收得後陰乾後與糯米同炒待米焦黑為度然後去米取之去口畔并身上肉毛及黑塵了作三四截碾成粉用之

衍義云 蠐螬此蟲諸朽木根下有之揩木津其故根下多有此蟲其木身未有完者亦有生於糞土中者雖肥但大腹中黑不若樹木中生者雖瘦而稍白生研水絞汁濾[illegible]

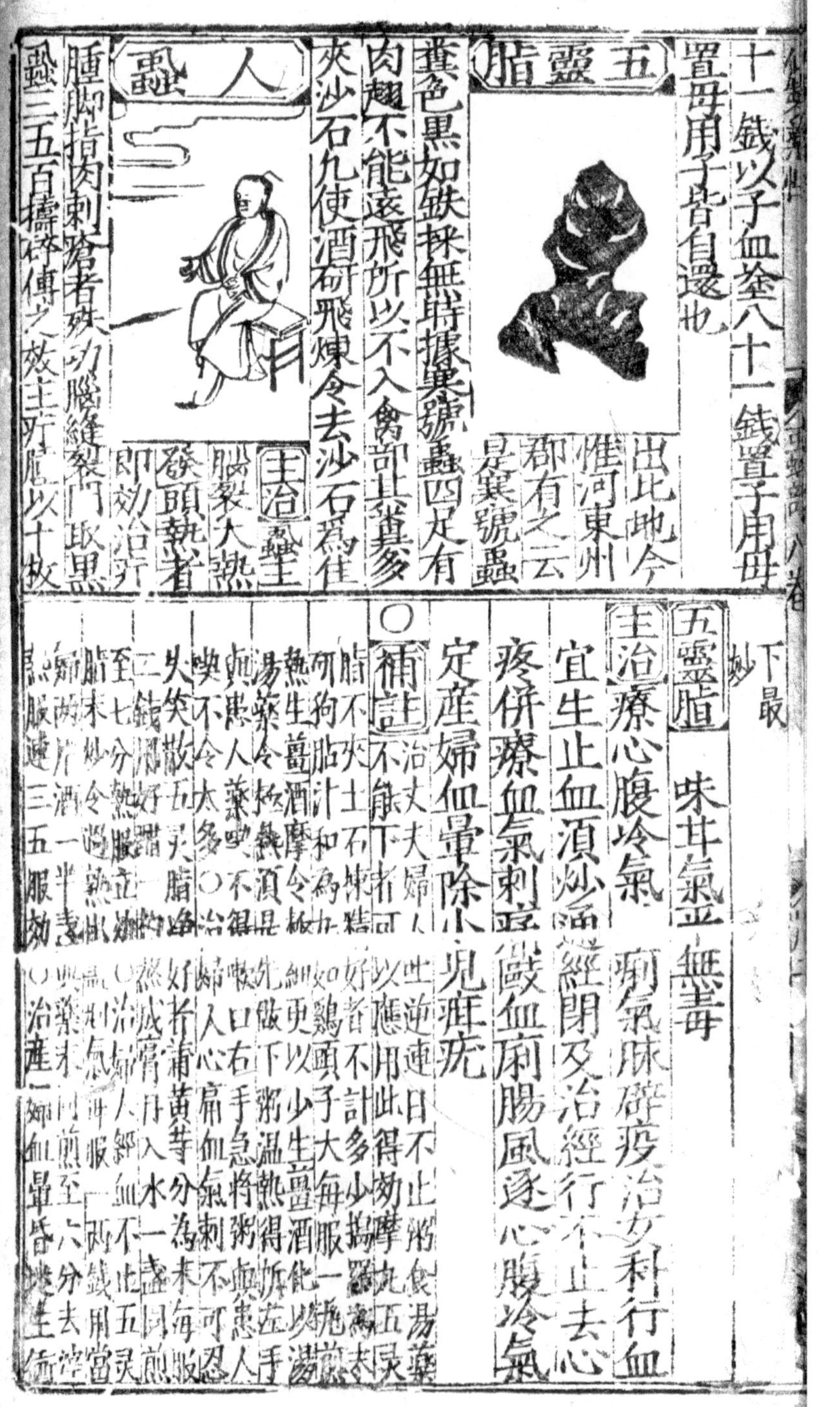

十一錢以子血塗八十一錢置子用母

置母用子皆自還也

五靈脂

出此地今惟河東州郡有之云是寒號蟲

糞色黑如鐵採無時據寒號蟲四足有

肉翅不能遠飛所以不入禽部其糞多

夾沙石九使酒研飛煉令去沙石爲佳

人蝨

主治蝨壁

腳裂大熱

發頭熱者

即効治疔

腫腳指肉刺瘡者殊功腳縫裂門取黑

蝨三五百擣碎傳之效主疔腫以十枚

下最妙

五靈脂　味甘氣溫無毒

主治　療心腹冷氣　痢氣脉癖痃治女科行血

宜生止血須炒令絕經閉及治經行不止去心

疼併療血氣刺痛截血崩腸風逐心腹冷氣

定產婦血暈除小兒疳疣

○補註

治丈夫婦人不能下者可脂不夾土石揀精可狗膽汁和為丸熱生薑酒磨令極湯藥令極熱須是與患人藥吃不得喫不令太多○治失笑散五靈脂二錢用好醋至七分熱服立脂末炒令過熟出婦兩片酒一半然服連三五服効

吐逆連日不止粥食湯藥以應用此得效摩丸五錢好者不計多少搗羅為末如雞頭子大每服一丸煎細更以少生薑酒化以湯先做下粥溫熱得所左手嗽口右手急將粥與患人婦入心扁血氣刺不可忍好杵蒲黃等分為末每服然減膏丹入水一盞同煎○治婦人經血不止五錢焦刺氣研服一兩錢用當與藥末同煎至六分去滓○治產一婦血暈昏迷生

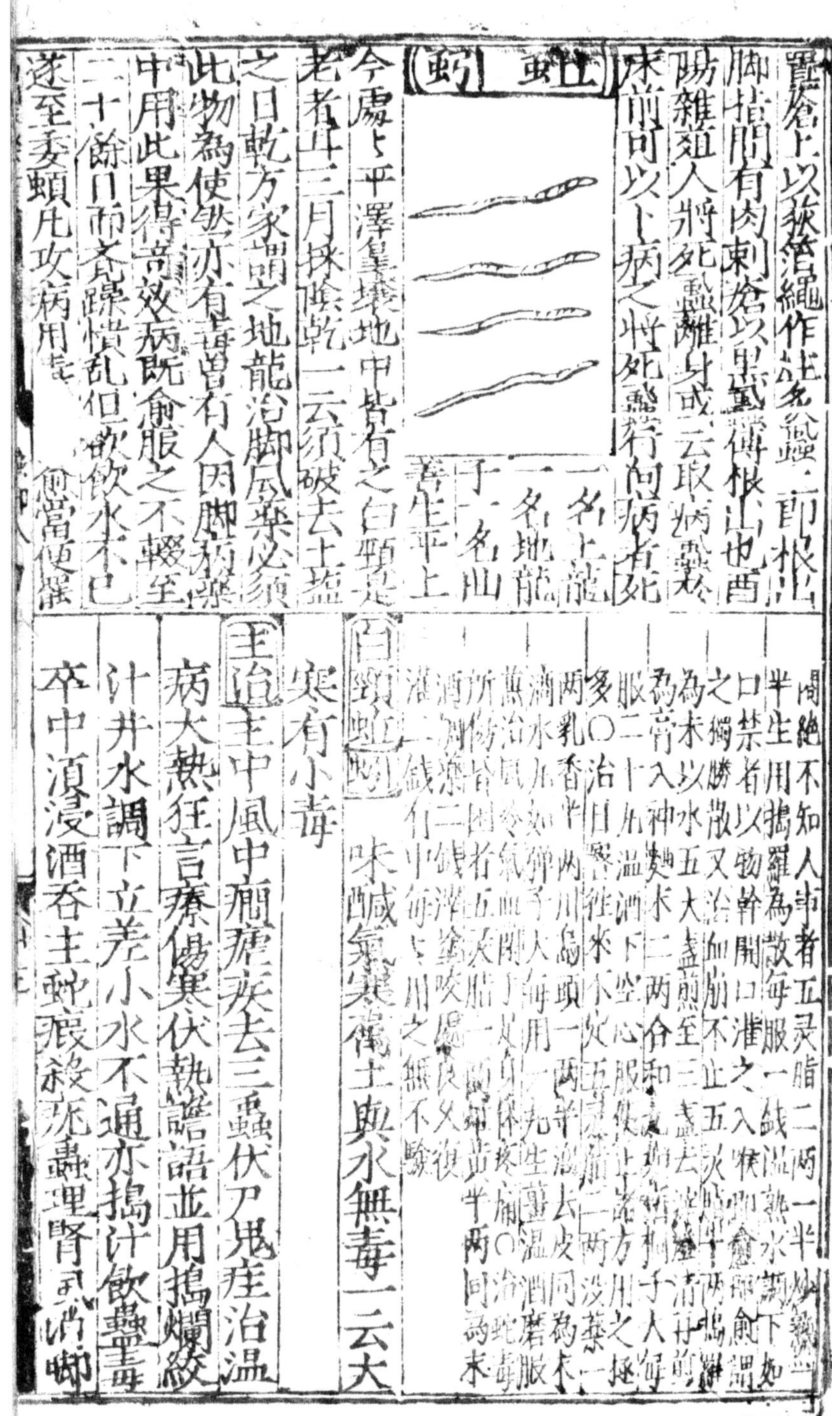

置瘡上以荻箔繩作炷灸虱上即根出

脚指間有肉刺瘡以黑虱傅根出也西

陽雜俎人將死虱離身或云取病虱於

床前可以卜病之將死虱行向病者必死

蚯蚓

一名土龍一名地龍子一名曲善生平上

今處處平澤皐壤地中皆有之白頸是

老者其三月採陰乾一云須破去土鹽

之日乾方家謂之地龍治脚風藥必須

此物為使然亦有毒曾有人因脚病藥

中用此果得奇效病既愈服之不輟至

二十餘日而覺躁憒亂但欲飲水不已

遂至委頓凡攻病用毛　愈當便罷

悶絶不知人事者五靈脂二兩一半炒熟一

半生用搗羅為散每服一錢温熱水調下如

口禁者以物斡開口灌之入喉即愈謂

之獨勝散又治血崩不止五靈脂十兩搗羅

為末以水五大盞煎至三盞去滓澄清再煎

為膏入神麯末二兩合和丸如梧桐子大每

服二十丸温酒下空心服便止諸方用之極

多○治目暗雀盲不見五靈脂二兩沒藥一

兩乳香半兩川烏頭一兩半炮去皮同為末

滴水丸如彈子大每用一丸生薑温酒磨服

兼治風冷氣血閉手足身體疼痛○治蛇毒

所傷皆因右五靈脂一兩雄黃半兩同為末

酒調二錢澤塗咬處良久又復

灌二錢有中毒者用之無不驗

白頸蚯蚓

味鹹氣寒屬土與水無毒一云大

寒有小毒

主治

主中風中癎痙疾去三蟲伏尸鬼疰治温

病大熱狂言療傷寒伏熱讝語並用搗爛絞

汁井水調下立差小水不通亦搗汁飲蠱毒

卒中須浸酒吞主蛇瘕殺蚘蟲理腎風消脚

服也其屎呼為蚓螻并塩傅瘡去熱毒

蠮螉

一名螟蛉一名土蜂生熊耳川谷及牂牁

或人家屋間今處處有之黑色而細腰啣泥在土中作穴但摙上於人家壁間或器物傍作房如此竹管是也詩云螟蛉有子蜾蠃負之螟蛉桑蟲也蜾蠃蒲盧也言蒲盧取桑蟲之子負持而去嫗養之以成其子又揚雄法言云螟蛉之子殪而逢蜾蠃祝之曰類我類我注云蜾蠃遇螟蛉而受化久乃變成蜂爾云生卵如粟米大者未必非祝蟲而成之也宋齊丘所謂蠮螉之蟲孕螟蛉之

氣又療黃疸行溢如神人或被其咬作瘡塩水浸之即解

○補註 治風赤眼以地龍十條炙黃為末夜臥以冷茶調下三錢○治蚰蜒入耳地龍一條內葱葉中化水滴耳中其蚰蜒亦化為水○治代指用蚯蚓一條杵為泥傅之○治裂齒痛取死曲蟮末傅上○治小便不通用蚯蚓杵以冷水濾過濃服半椀立通甚大解熱疾不知人事欲死者服之立效○治耳于立以乾地龍入鹽貯在葱尾內為水點之○治蜘蛛咬遍身瘡子以葱一枚去尖頭作孔將蚯蚓入葱葉中緊捏兩頭勿洩氣頻搖動即化為水點咬處差○治交接勞復陰卵腫或縮入腹腹絞痛或便絕蚯蚓數條絞取汁服之良○治中蠱毒或吐下血若爛肝取蚯蚓十四枚以苦酒三升漬之蚓死但服其汁已死者皆可活

蚯蚓屎 呼為引螻 封猘犬咬毒仍出犬毛殊功

○補註 治一切丹毒流腫用其屎水和傅之○治火丹取曲蟮糞水和泥傅之○治小兒吐乳用田中地龍糞一兩研末空心以米飲調下半錢不過二三服效○治齒斷宣露

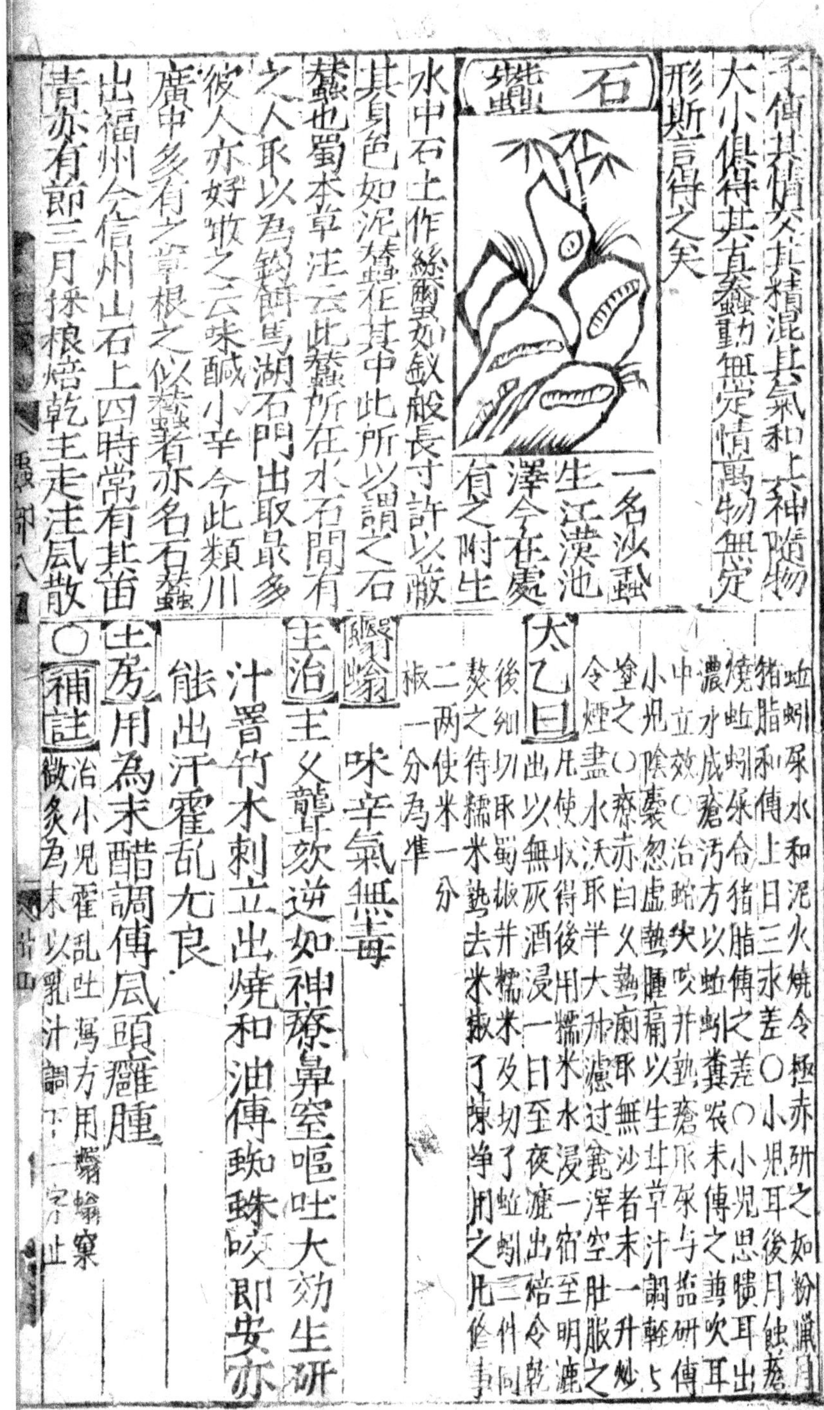

子御其精交其精混其氣和上神隨物大小俱得其真蠢動無定情萬物無定形斯言得之矣

石蠶

一名沙蝨　生江漢池澤今在處有之附生

水中石上作絲繭如釵股長寸許以蔽其身色如泥蠶在其中此所以謂之石蠶也蜀本草注云此蠶所在水石間有之人取以為鈎餌馬湖石門出取最多彼人亦好啖之云味鹹小辛今此類川廣中多有之草根之似蠶者亦名石蠶出福州今信州山石上四時常有其苗青亦有節三月採根焙乾主走注風散

蚯蚓屎水和泥火燒令極赤研之如粉瀸月猪脂和傅上日三永差○小兒耳後月蝕瘡燒蚯蚓屎合猪脂傅之差○小兒患聤耳出濃水成瘡汚方以蚯蚓糞碾末傅之兼吹耳中立效○治蚰蜒入耳并熱瘡取屎与齒研傅小兒陰囊忽虛熱腫痛以生甘草汁調輕[illegible]傅塗之○療赤白久熱痢取無沙者末一升炒令煙盡水沃取半大升濾过甕滓空肚服之

【太乙曰】凡使收得後用糯米水浸一宿至明漉出以無灰酒浸一日至夜漉出焙令乾後細切取蜀椒并糯米及切了蚯蚓三件同熬之待糯米熟去米椒了揀淨用之凡修事二兩使米一分椒一分為準

【[illegible]】味辛氣無毒

【主治】主久聾欬逆如神療鼻窒嘔吐大効生研汁置竹木刺立出燒和油傅蜘蛛咬即安亦能出汗霍乱尤良

【出方】用為末醋調傅風頭癰腫

○【補註】治小兒霍乱吐瀉方用蟰蛸窠微炙為末以乳汁調下一字止

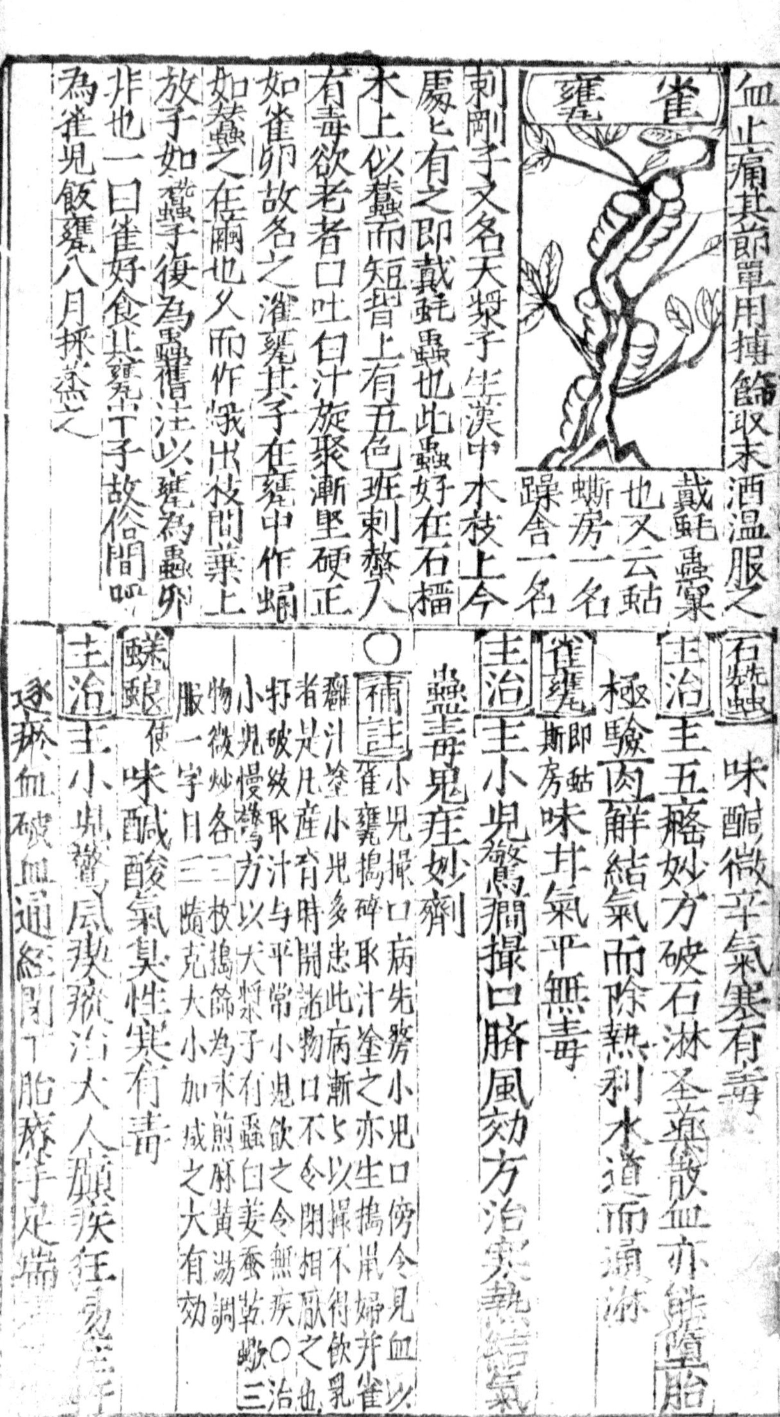

血止痛其節單用搗篩取末酒温服之

戴𧍧蟲窠也又云蛅蟖房一名躁舍一名刺剛子又名天漿子生漢中木枝上今處處有之即戴𧍧蟲也此蟲好在石榴木上似蠶而短背上有五色斑刺螫人有毒欲老者口吐白汁旋聚漸堅硬正如雀卵故名之雀甕其子在甕中作蛹如蠶之在繭也久而作蛾出枝間葉上放子如蠶子復為蟲舊注以甕為蟲卵非也一曰雀好食其甕中子故俗間呼為雀兒飯甕八月採蒸之

【石蛓】味酣微辛氣寒有毒

【主治】主五癃妙方破石淋圣藥散血亦能墮胎極驗肉解結氣而除熱利水道而滴淋

【雀甕】即蛅蟖房 味甘氣平無毒

【主治】主小兒驚癇撮口臍風効方治寒熱結氣蠱毒鬼疰妙劑

○【補註】小兒撮口病先旁小兒口傍令見血以雀甕搗碎取汁塗之亦生搗鼠婦并雀甕汁塗小兒多患此病漸漸以撮不得飲乳者是凡産育時開諸物口不令閉相厭之也打破絞取汁与平常小兒飲之令無疾○治小兒慢驚方以天漿子有蟲白姜蚕乾蠍三物微炒各三枚搗篩為末煎麻黄湯調服一字日三隨兒大小加減之大有効

【蜣蜋】使 味鹹酸氣臭性寒有毒

【主治】主小兒驚風瘛瘲治大人癲疾狂易忽[illegible]逐瘀血破血通經閉下胎療手足端[illegible]

蜣蜋

一名天仙子一名蛣蜣俗名推屎蟲生長沙池澤今處處有之其類極多取其大者又鼻高目深者名胡蜣蜋用之最佳有大小二種一種大者為胡蜣蜋身黑光腹翼下有小黃子附母而飛行晝不行夜方飛出至人家庭户中見燈光則來一種小者身黑暗晝方飛出夜不飛可以雅牛莊子云蛣蜣之智在於轉丸其喜入人糞中取屎丸而却推之五月五日取蒸藏之臨用去翅足火炙勿置水中令人吐畏羊角羊肉石膏擣為丸塞下部引痔蟲出盡永差

愈腹脹寒熱奔豚治疔瘡惡瘡出箭頭鐵鏃小兒疳蟲蝕用治而立效

○【補註】治一切惡瘡及沙虱水弩惡疽並皆治之用蜣蜋十枚端午日收乾者佳杵末油調傳之○治癰瘍風取塗中死蜣蜋杵爛之當出令不封之一宿差○治蜂瘻燒死蜣蜋末和醋傳之○若大赫瘡已灸之以蜣蜋乾者為末和鹽水傳瘡四畔周回如韭葉闊狹○治小兒重舌燒蜣蜋末和唾傳舌上○小兒大人忽得惡瘡未辨識者取蜣蜋杵絞取汁傳其上○治鼠瘻死蜣蜋燒作末苦酒和傳之數過即愈先以鹽湯洗○治附骨疽蜣蜋七枚和大麥爛搗封之○疔瘡取蜣蜋心腹下稍白者研貼半日許再易血盡根出愈如神忌食羊肉○一切惡瘡疽鼠瘻取十數枚杵爛傳之或乾者杵末油調傳○箭鏃入骨微熱巴豆並研勻塗傷處待極痒不可忍便撼動箭鏃拔出之○塵沙入眼不可出生取一枚手持其背於眼上影之塵沙自出

鼠婦

味鹹氣溫微寒無毒又云有毒

【主治】通月閉而破血瘕利小便以宣癃[illegible]

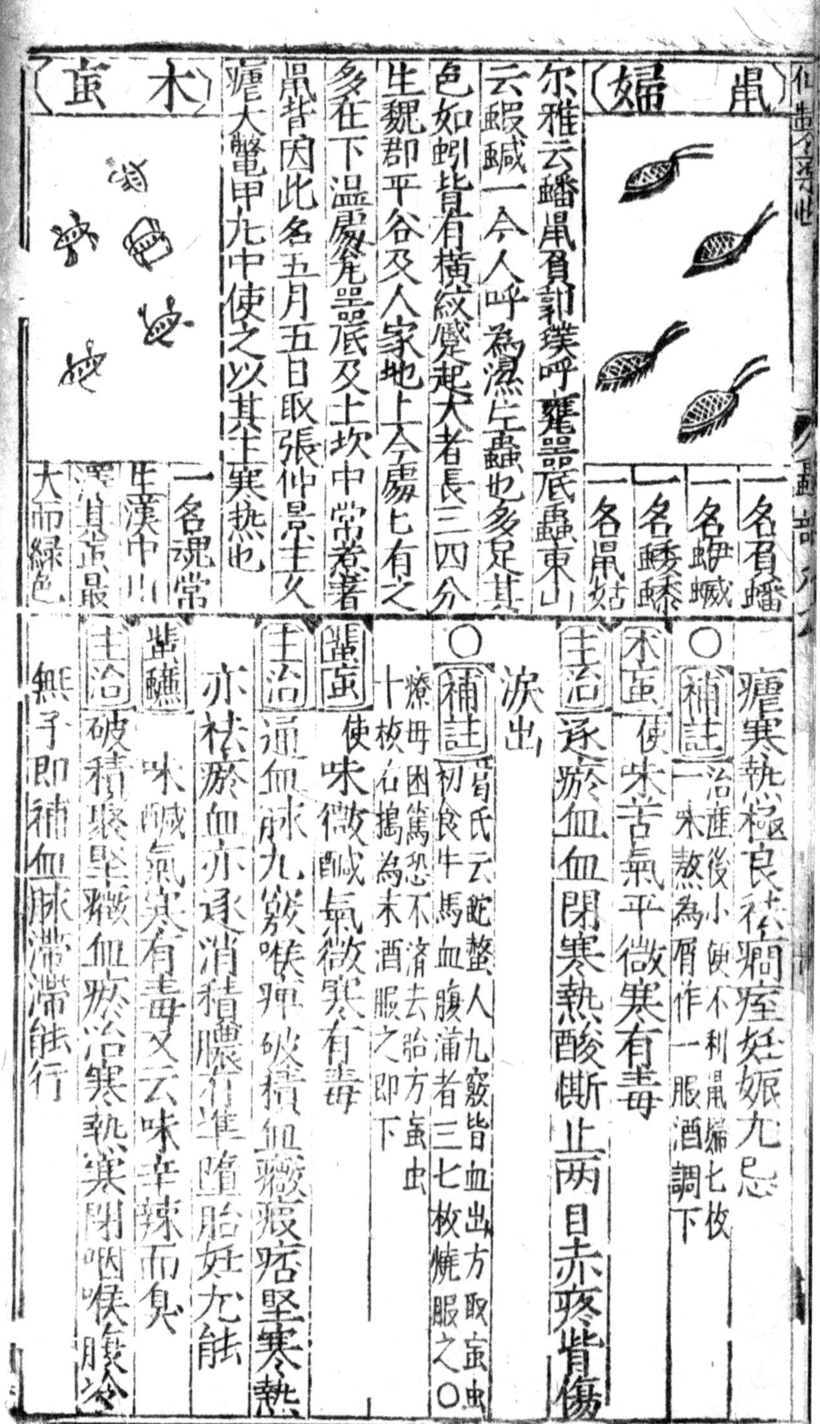

鼠婦

一名負蟠 一名蛜蝛 一名鼠𧒂 一名鼠姑

爾雅云蟠鼠負郭璞呼甕器底蟲東山云鼠蝛一名人呼為濕生蟲也多足其色如蚓背有横紋蹙起大者長三四分生魏郡平谷及人家地上今處處有之多在下溫處甕器底及土坎中常惹著鼠背因此名五月五日取張仲景主久瘧大鱉甲丸中使之以其主寒熱也

木虻

一名魂常 生漢中川澤今處處最大而綠色

瘧寒熱極良袪癎痙妊娠尤忌

〇【補註】治產後小便不利鼠婦七枚一味熬為屑作一服酒調下

【本經】使 味苦氣平微寒有毒

【主治】逐瘀血血閉寒熱酸嘶止兩目赤疼眥傷淚出

〇【補註】肖氏云蛇螫人九竅皆血出方取虻虫初食牛馬血腹滿者三七枚燒服之〇療母困篤恐不濟去胎方虻虫十枚右擣為末酒服之即下

【蜚虻】使 味微鹹氣微寒有毒

【主治】通血脈九竅喉痺破積血癥瘕痞堅寒熱亦袪瘀血亦逐消積膿推墮胎妊尤能

【蜚蠊】味鹹氣寒有毒又云味辛辣而臭

【主治】破積聚堅癥血瘀治寒熱寒閉咽喉腹冷無子即補血脈滯滯能行

淺若飼蜞也吮牛馬腹有血者爲良收取陰乾去翅足炒用按木䖟從木葉中出卷葉如手形圓著葉江破中初出如白蛆漸大羽化訢破便飛即能齧物塞北亦有嶺南極多如古度花成蛾耳本經既出木䖟又出蜚䖟明知木䖟是葉內之䖟飛䖟是已飛之蟲飛是羽化亦猶在蛹如蠶之與蛾爾不既化一物不合二出應是功用不同後人與注尔

蜚䖟

一名蜚蟲亦能飛者其形大似蜜蜂氣米不殊麻黃單悉即医所用䖟蟲是也又一種小䖟名鹿䖟大如蠅齧牛馬亦猛

水蛭

蚑 馬蝗 蜞

味鹹苦氣平微寒有毒

主治 活者堪吮癰疽腫毒惡血取名蜞針（載利科書）炒者去積聚血瘕堅癥立方抵當（仲景傷寒方有抵當湯抵當丸）治折傷利水道通月信墮妊娠

○補註 治折傷用水蛭新瓦上焙乾爲細末熱酒調下一錢食頃痛可更一服痛止便將折骨藥封以物夾定直候至效○治從高墜下及打擊內傷神效射香水蛭各一對剉碎炒令煙出二件研爲末酒調一錢當下畜血未止再服其效如神○癰疽腫毒取十餘枚次第令將瘡處血滿自脫更用肌者取皮破肉白差

太乙曰 採得之當用篁竹筒盛待乾又米泔浸一宿後暴乾以冬豬脂煎令焦黃然後用之勿誤採石蛭泥蛭用石泥二蛭頭尖腰麤色赤不入藥誤食之則令人眼中生煙漸至枯損今用水中小者耳

鮫鯉甲

使 味甘鹹氣微寒有小毒

主治 治五邪驚悸啼小兒驚邪婦人鬼魅悲泣

市人採賣之三種倶以療血為本餘療雖小有異同用之不為嫌亦五月採腹有血者良人伺其嗷嚙牛馬身腹紅者掩取乾之用入藥須去翅足淮南子曰取積血斷木兪鑴丘主功此以積推之

蜚蝱

一名石蠹
一名盧蜰
一名負盤
南人謂之

滑蟲生晉陽川澤及人家屋間形亦似䗪蟲而輕小能飛本在草中八九月知寒多入人家屋裏逃有兩三種以作𤋎薑氣者為真南人亦啖之又云形似蟞蟻腹下赤二月八月採收此蟲多在樹間百十為聚爾雅云蜚蠦蜰即負盤臭蟲

燒之存性酒服祛蟻瘺山嵐瘴瘧傳尸勞疰癬惡瘡燒末搽之諸風亦去

○【補註】吹乳疼痛取甲炙黃木通各一兩白蘞銅半兩搗羅為末每服二錢温酒調○治氣痔下膿血燒一兩存性五[illegible]仁三分同為末光飲調二錢甚者加蝟皮一兩燒○治產后血氣上衝心成血暈山甲一兩童便浸一宿取出慢火炙令黃為散每服一錢狗膽少許熱酒調下非時服之○肘后治蟻入耳燒鯪鯉甲末以水調灌之即出○治蟻漏取鯪鯉甲二七枚為末豬膏和傅之

【衣魚】使 味鹹氣溫無毒

【主治】主婦人疝瘕小便不利即通療口眼喎斜項強背起立效淋閉取以摩臍及小腹而溺下傅瘡同合鷹屎白殭蠶而瘢滅尤能下胎善點目瞖

【補註】治沙石草滓目中眯不出白魚以乳汁和注目中○主眼瞖白魚末注少許於

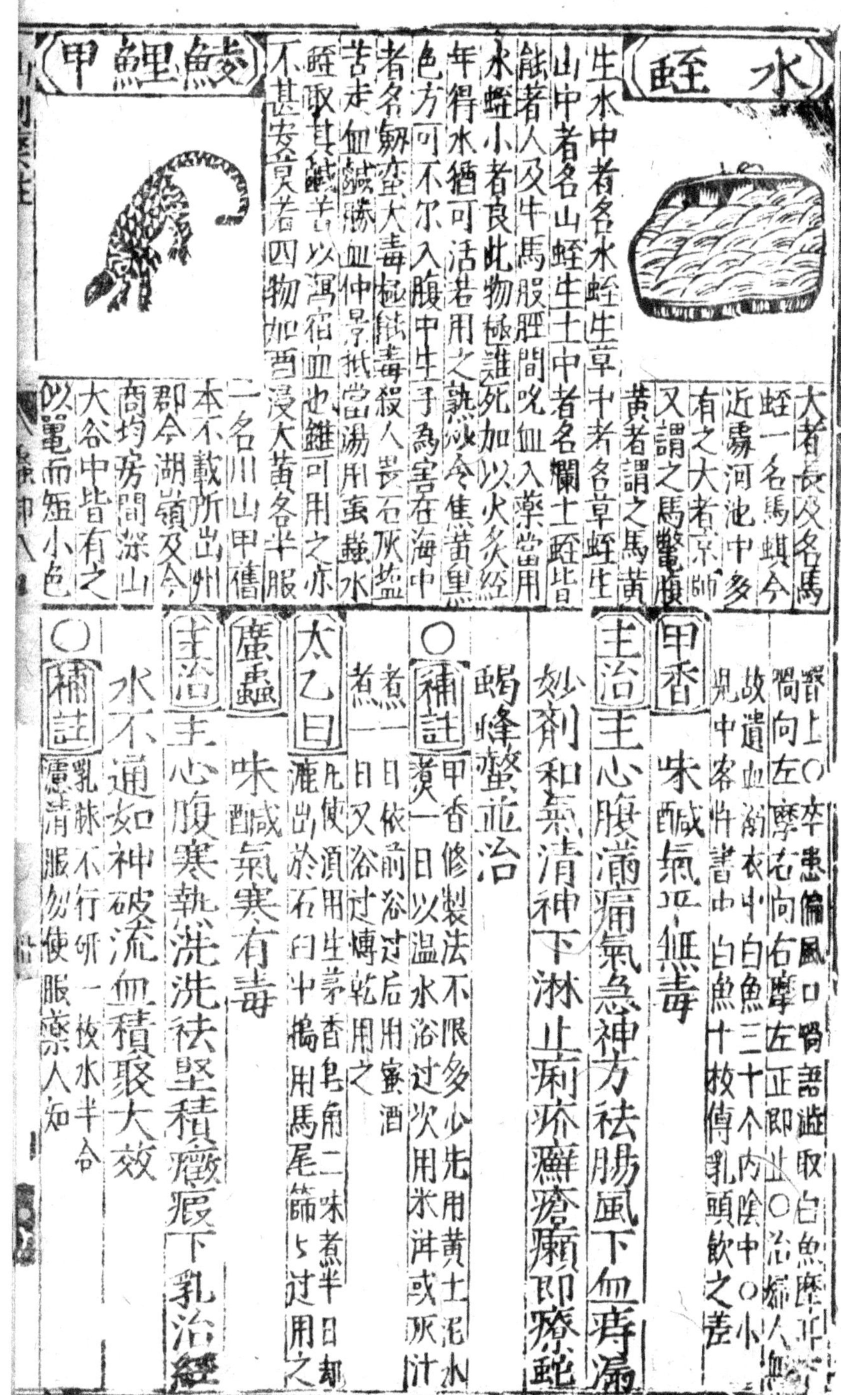

水蛭

大者長尺名馬蛭一名馬蜞今近處河池中多有之大者京師又謂之馬鼈腹黃者謂之馬黃

生水中者名水蛭生草中者名草蛭生山中者名山蛭生土中者名爛土蛭皆能著人及牛馬股脛間咂血入藥當用水蛭小者良此物極難死加以火炙經年得水猶可活若用之熟炙令焦黃黑色方可不尔入腹中生子為害在海中者名螃蛭大毒極能毒殺人畏石灰鹽苦走血鹹勝血仲景抵當湯用䖟蟲水蛭取其鹹苦以瀉宿血也雖可用之亦不甚安莫若四物加酒浸大黃各半服

鯪鯉甲

一名川山甲舊本不載所出州郡今湖嶺及今商均房間深山大谷中皆有之以鼉而短小色

腎上○卒患偏風口喎語澁取白魚摩耳喎向左摩右向右摩左正即止○治婦人無故遺血溺衣中白魚三十个內陰中○小兒中客忤書中白魚十枚傳乳頭飲之差

【甲香】味鹹氣平無毒

【主治】主心腹滿痛氣急神方祛腸風下血痔漏妙劑和氣清神下淋止痢疥癬瘡癩即療蛇蠍蜂蠆並治

○【補註】甲香修製法不限多少先用黃土泥水煮一日以温水浴过次用米泔或灰汁煮一日依前浴过后用蜜酒煮一日又浴过博乾用之

【太乙曰】凡使須用生茅香皂角二味煮半日却漉出於石臼中擣用馬尾篩篩过用之

【䖟蟲】味鹹氣寒有毒

【主治】主心腹寒熱洗洗祛堅積癥瘕下乳治經水不通如神破瘀流血積聚大效

○【補註】乳脉不行研一枚水半合澄清服勿使服藥人知

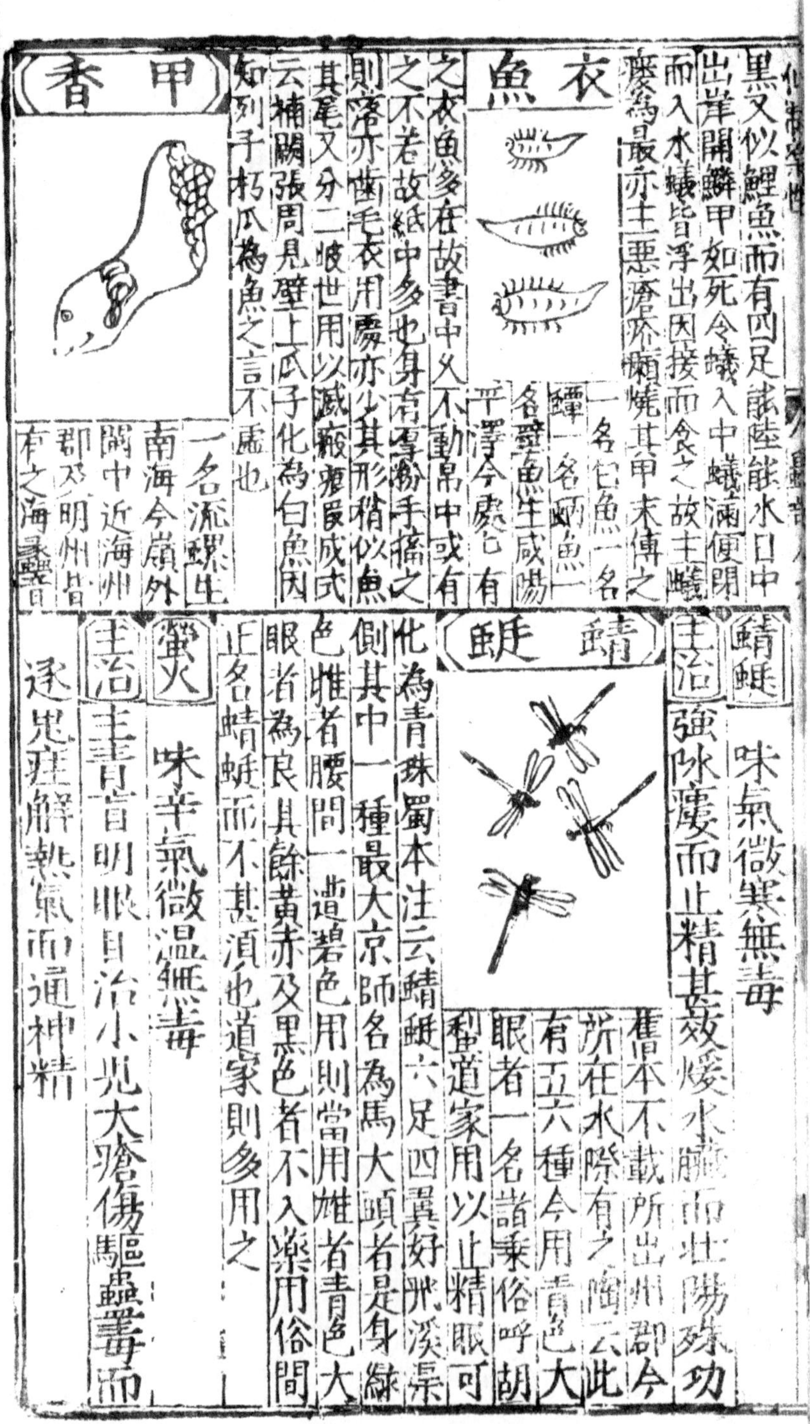

黑又似鯉魚而有四足能陸能水日中出岸開鱗甲如死令蟻入中蟻滿便閉而入水蟻皆浮出因接而食之故主蟻瘻為最亦主惡瘡疥癩燒其甲末傅之

衣魚

一名白魚一名蟫一名蛃魚一名壁魚生咸陽平澤今處處有

之衣魚多在故書中久不動帛中或有之不若故紙中多也身有厚粉手搐之則落亦嚙毛衣用處亦少其形稍似魚其尾又分二岐世用以滅瘢痕段成式云補闕張周見壁上瓜子化為白魚因知列子朽瓜為魚之言不虛也

甲香

一名流螺生南海今嶺外閩中近海州郡及明州皆有之海蠡

蜻蜓

蜻蜓　味氣微寒無毒

主治　強陰瘻而止精甚效燮水臟而壯陽殊功

舊本不載所出州郡今所在水際有之陶云此有五六種今用青色大眼者一名諸乘俗呼胡黎道家用以止精眼可化為青珠蜀本注云蜻蜓六足四翼好飛溪渠側其中一種最大京師名為馬大頭者是身綠色雄者腰間一遭碧色用則當用雄者青色大眼者為良其餘黃赤及黑色者不入藥用俗間正名蜻蜓而不甚須也道家則多用之

螢火　味辛氣微溫無毒

主治　主青盲明眼目治小兒火瘡傷驅蟲毒而逐鬼瘧解熱氣而通神精

螺之揜也南州異物志曰甲香大者如甌面前一邊直攙長數寸圍殼岨峿有刺其揜雜衆香燒之使益芳獨燒則臭一名流螺諸螺之中流最厚味是也其蠡大如小拳青黃色長四五寸人亦啖其肉凡蠡之類亦多絶有大者珠蠡瑩潔如珠鸚鵡蠡形似鸚鵡頭並堪酒盃者梭尾蠡如梭狀釋輩所中香蠡能管香煙與吹者皆不入藥況攙龍腦用之甚佳今医家稀用但合香家所用先以酒煮去腥及涎云可聚香使不散也

〔䗪蟲〕

一名土蟞一名簸箕蟲生河東川澤及沙中人家牆

〔螢火〕

一名夜光一名放光一名熠燿一名即炤生階地池澤陶云此是腐草及爛竹根所化初猶未如蟲腹下已有光數日便變而能飛方術家捕取內酒中令死乃乾之俗藥用之亦稀衍義曰螢常在大暑前後飛出是得大火之氣而化故如此明照也今人用者少月令雖曰腐草所化然非陰濕處終無

〔海蠶沙〕　味鹹性大溫無毒

〔主治〕主虛勞冷氣療諸風攣搐久服補虛羸悅澤顏色補虛羸能輕身耐老延年生南海山石間其蠶大如拇指其砂甚白如玉粉狀每有節難得真者多被人以水搜葛粉石灰以抳齒印成者非縱服而無益慎之

壁下土中濕處狀似鼠婦而大者寸餘形扁如鱉竈但有鱗而無甲今小兒多捕以負物為戲十月取暴乾畏屋遊皂莢菖蒲

〈諸蟲有毒〉不可食者鱉目白殺人腹下卜字及五字不可食頷下有骨如鱉不利人蝦蟆白食之腹中生蟲蟹腹下有毛兩目相向者中有骨不利人鱉肉共雞肉食成瘕病也

魚部

蠡魚

一名鮦魚　一名鱧魚　爾雅云鱧　鮀今京東人呼鮦魚俗云黑鱧魚其實一類也生九江池澤今處處有之陶以為公蠣蛇所變至難死猶有蛇性據上所說則黑鯉魚者亦至難死形近蛇類浙中人多食之然本經著鱧魚主濕痺下水而黑鱧魚主婦人妊娠千金方有安胎單用黑鱧魚湯方而本經不言有此功用恐是漏落耳肝腸亦入藥諸魚膽苦惟此膽味甘可食為異也今道家以謂頭有

魚部

蠡魚　味甘氣寒無毒

主治　主濕痺面目浮腫下大小二便雍塞療五痔初方有瘡者忌食

○**補註**　療患腸痔每大便常有血鱧魚膾姜薺食之佳任性多少差忌冷毒物○治十種水氣病不差垂死鱧魚一頭重一斤已上右熟取汁和冬瓜葱白作羹食之○治野雞病下血不止腸疼痛鱧魚一頭如食法作鱠蒜虀食之○小便壅塞氣又作鱠與脚氣風氣人食之又效以大者洗去泥開肚以胡椒末半两切大蒜三两顆內魚腹中縫合并和小豆一升煮之臨熟下蘿蔔三五顆如指大切葱一握煮熟空腹服之并豆汁強飽盡食之至夜即洩氣無限三五日更一頓下一切惡氣又十二月作醬良也

肝　冷敗瘡中蟲諸魚灰並主哽咽

腸　貼痔瘻蝕、骬者良

膽　治喉閉不收者效

星為厭世有知之者往往不敢食又發故疾亦須忌爾今用之療病亦止取其一端耳

鯽魚

一名鮒魚
本經不載
所出州土
今所在池澤皆有之似鯉魚色黑而體促肚大而脊隆亦有大者至重二三斤性温无毒諸魚中最可食或云稷米所化故其腹尚有米色又有一種脊高腹狹小者名鯽魚功用亦與鯽同但力差劣耳又黔州有一種重脣石鯽魚亦其類也春不食其頭又不可合猪肝雞肉食○衍義云諸魚皆屬火惟鯽魚屬土故有陽明而

○補註 療痔鱧魚腸三具炙令香以綿裹之內穀道中一食頃蟲當出魚腸數易之盡三枚差○治急喉閉逡巡不救者蠡魚膽臘月收陰乾為末每服少許点患處藥至即差病深則水調灌之

鯽魚 味甘氣平又云性温無毒

主治 温胃理胃弱不下食調中能下氣而補虛主諸瘡燒以醬汁和塗或取猪脂煎用作膾療腸澼水穀不調及主赤白痢并治野雞病益五臟和蓴菜作羮服最良斷暴痢合大蒜食之極効

○補註 治小兒腦疳鼻痒毛髮作穗面黃羸瘦益腦用鯽魚膽滴于鼻中三五日甚効○丹石熱毒發者取茭首和鯽魚作羮食一兩頓即差○小兒頭瘡髮燒鯽魚末醬汁和傅之○治牙齒疼取鯽魚內鹽花於肚中燒作灰末傅之即差○主惡核腫不散取鯽魚杵傅之○治脾胃氣冷不能下食虛弱無力膾羹鯽魚半斤細切起作膾沸豉汁

有調胃實腸之功多食能動火諸魚皆然鯽魚治暴痢和蒜食之有少熱和醬食之有少冷又夏月熱痢可食之冬益冬月中則不治也骨燒為灰傅𧏾瘡上三五度差謹按其子調中益肝氣凡魚生子皆粘在草上及土中寒冬月水过後亦不腐壞每到五月三伏時雨中便化為魚食鯽魚不得食沙糖令人成疳蟲丹石熱毒發者同芥菜作羹食

鮧魚

一名鯷魚
一名鮎魚
又名鰋魚
生江河湖海池澤中今在處有之其魚大首方口背青黑無鱗其類有三種腹俱大者名

熱投之着胡椒乾薑蒔蘿橘皮等末空心之○主脚氣及上氣取鯽魚一尺長者作鱠食一兩頓差○熱病差後百日食五辛者必目暗鯽魚作膾熏之○治小兒面上忽生瘡黃水出鯽魚頭燒末和醬清汁傅日易之○小兒丹鯽魚肉細切五合小豆搗屑二合和更杵如泥和水傅之○療妊娠時行傷寒鯽魚一頭燒作灰酒服方寸汁出差傷寒類要同○中風寒熱腹中絞痛以乾鯽魚一頭燒作末三指撮以苦酒服之溫服取汗出良

【頭】主小兒頭瘡口瘡重舌目瞖【膽】治小兒腦疳鼻痒面黃毛髮作穗羸瘦

○【補註】治患腸痔大便常有血食鯽魚及隨意任作飽食孫真人同○治咳嗽取鯽魚頭燒存性為末服之

【鮧魚】味甘氣暖無毒又云有毒

【主治】血主百病妙方【涎】主三消仙劑【目灰】治刺傷而中毒水【鯷魚】利小便而消浮腫

○【補註】主三消取生魚涎浸黃連末作丸飯後烏梅煎飲下五七丸日三服減[illegible]

鱯魚口小背黄腹者名鯸魚鮐即河豘也又云鮐亦名鰋詩小雅云魚麗于罶鰋鱧傳云鰋鮎也爾雅釋魚鰋鮎郭璞云今鰋額白魚鮎別名鳀江東通呼鮎為鮧是也不可與牛肝合食令人患風多噎鮎魚鱯大約相似主諸補益無鱗有毒勿多食赤目赤鬚者並殺人也鱯四季不可食又不可與野猪肉合食令人吐瀉鮠秦人呼為鱝魚能動痼疾不可與野鷄野猪肉合食令人患癩此三魚大抵寒而有毒非食品之佳味也

河豘魚

一名鯸魚

一名䂓魚

一名吹肚魚 陳藏器

傷中毒水燒魚目灰塗之

【河豘魚】味甘氣温有大毒又云無毒

【主治】理腰脚去瘡疥殺蟲補虛羸去溼氣消腫痔疾食瘳小疾亦去

○【補註】衍義云河豘經言无毒此魚實有大毒味雖珍然修治不如法食之殺人不可不慎也厚生者不食亦可其煮法去肝及子水洗血净後釜器净處盖密煮之忌沾灰塵殺人尤嚥宜焚欄柳木荻草煮佳勿用炲煤

【江豘魚】如豘形大出没鼻中為声舟人候之知大風雨漁網得獲取脂燃燈用摩病及摴博即明照讀書及紡績即暗俗言懶婦所化是亦未必為然

【海豘魚】味鹹無毒

【主治】主飛尸蠱毒大効治時行瘴瘧功【肪】[illegible]

一名鯸魚上文名鮠魚俗亦西施乳味猶珍羞江淮河海俱生率以冬至後出中者肖象此魚應之故解易信及豚魚是也形類科斗鱧短尾花背黑而上有黃紋腹白而目能開閉內無膽外無腮觸物輒嗔脹腹毬大翻浮水面又名嗔魚肉味甜珍肝子極毒火魚及獺並無敢吞得之須如法烹調不爾則中毒卒殞毒中枚急嚼蘆根或以橄欖木煎蒲飲濃湯可解

海豘魚

生大海中候風潮出形如豘鼻中声腦上有孔噴水直上百數為群人先取得其

瘡疥癬痔瘻瘰大馬癇疥殺蟲

【鯉魚膽】味苦氣寒無毒蜀漆為使

【主治】主目熱赤痛尤良點青盲眼瞖極妙耳內聾滴之即聰小兒熱腫塗之立解久服強悍而益志氣

〇【補註】小兒咽腫喉痹以鯉魚膽二七枚和灶底土以塗咽喉立差○療雀目鯉魚膽及腦傳之燥痛即明

【鯉魚肉】味甘氣平又云氣寒無毒

【主治】燒灰治欬逆氣喘上氣煮食療水腫脚滿下氣治黃疸即退止煩渴尤良安胎胎動堪醫懷妊身腫立退破冷氣痃癖氣塊作脹治橫關伏梁

〇【補註】治水病腫鯉魚一頭極大者去頭尾及骨惟取肉以水二斗赤小豆一升

子繫著水中毋自來就而取之其子如蠶魚子數万爲群常隨母而行

鯉魚

生九江池澤今處處有之即赤鯉魚也其脊中鱗一道每鱗上皆有小黑點從頭數至尾無大小皆三十六鱗古云五尺之鯉与一寸之鯉大小雖殊而鱗之數同也崔豹云擇鯉魚有數種兗州人謂赤鯉爲玄駒謂白鯉爲白驥黃鯉爲黃雉蓋諸魚中此爲最佳又能神變故多貴之今人食品中以爲上味鯉魚鮓不得和豆藿葉食之成瘦其魚子不得合豬肝食之凡修理可去脊上兩筋及黑血）

魚肉煮可取二升已上汁生布絞去滓頓服盡如不能盡分為二服後用溫令緩服盡當不利七盡即差○主上氣欬嗽胸膈方滿氣喘鯉魚一頭切作鱠以姜醋食之蒜虀亦得○主肺欬嗽氣喘促鯉魚一頭重四兩去鱗紙裹火炮去刺研煮粥空腹食之○療妊娠傷寒鯉魚一頭燒末酒服方寸匕令汗出並乳無汁○凡腫已潰未潰者燒鯉魚作灰和塗之一切腫上以差為度○下乳汁燒鯉魚一頭研為末酒調下一錢服○治暴痢小鯉一枚燒為末米飲調服之大人小兒俱服得

【鯉魚血】主小兒丹毒及瘡塗之立差【膓】治小兒癇疾驚忤食之即驗【魚鱗】燒存性酒研破產婦滯血【腦髓】取煮粥折胎療人耳暴聾【膓】主小兒肌瘡瘻癧蟲【目】治刺傷風水內瘡中汁出【骨】主赤白帶下陰蝕哽不出【齒】主癃閉石淋皮療癮瘮惡瘡

【補註】治水氣利小便除浮腫用鯉魚一頭重一斤者治如食法修事食之○煉魚脂

血毒故也食魚去乙魚目旁有骨名乙如篆乙字食之令人鯁又雞魚切忌煙不得令熏着眼損人眼光三兩日內必見驗也又天行病後不可食再發即死其在沙石中者有毒多在腦中不得食頭腹中有宿瘕不可食害人又服門冬人亦不可食其膽肉骨齒皆入藥古今方書並用之胡治治中風脚弱短氣腹滿有鯉魚湯大㝡勝脂血目睛腦髓亦單使治疾

鱓魚

即鱓魚腹下黃俗呼爲黃鱓亦似蛇頭也似鰻鱺魚而細長亦似蛇而無鱗有青黃

背橫骨中六七日不出取鯽魚鱗皮合燒燒作屑以水服之即出未出更服○療瘻[illegible]魚腸切作五段火上炙之洗瘡拭乾以腸搨之冷則易自暮至旦乾止痒開看蟲出差○療卒淋鯉魚齒燒灰酒服方寸○治石淋鯉魚齒一升篩末以三歲苦酒和分三服不食旦服一分日中服一分暮服一分差刺在肉中中風水腫痛者燒鯉魚眼睛作灰內瘡中汁出即可

鱓魚　味甘氣大溫無毒

主治　主補中益血療瀋脣溫痺治產後淋瀝血氣不調除腹冷氣腸鳴補損羸瘦能肥止血大效　鱓魚血　治癖瘡及瘻斷取血塗之　穿魚繩　主竹木骨入目汁點即出　乾鱓頭　主消渴食不消去冷氣除痞疥

○補註　治婦人乳結硬疼用鱓魚皮燒灰末空心溫酒調服二錢○補五藏逐十二風邪患惡氣人常作臛空腹飽食便以衣蓋臥少頃當汗出如白膠汗從腰脚中出候汗[illegible]

二色生水岸泥窟中所在皆有之記云
鱓魚夏出冬蟄亦以氣養食和實時節也
作臛當重煮之亦不可以桑薪煮之性
熱作臛食之亦補而時行病起食之多
復又患令人霍亂

鮑魚

俗呼為鮑魚字相似鮑又言鹽鮑之以成

故也今此鮑魚乃是調魚長大許合完
淡乾之而都無臭氣要自療漏血不知
何者為良今以漢沔間所作淡乾魚味
辛而臭者蘇又引李當之本草亦言胸
中濕者良其以暴不以鹽外雖乾而
魚肥故中温也中温則亦臭矣一説鮑

緩五木湯浴須慎風一日
更三五日一服并治濕風

鮑魚 味辛臭氣温無毒

主治 主墜墮骽蹶折血瘀血痹在四肢不散
者甚效治女子姙娠中風寒熱腹痛并血崩
不退者神功

〇**補註** 治姙娠中風寒熱腹中絞痛不可針
灸乾魚一枚燒末酒服方寸取汁

鮫魚 味甘鹹氣平無毒

主治 主心氣而止吐血祛兒疰而解蠱毒膾治
喉痺開即開皮主蠱氣蠱疰堪治療食魚
中毒又粧餙劍鞍

〇**補註** 蟲喉閉取膽汁和白礬末灭為丸如指
頭大綿裹內喉中良久吐惡涎沫即開
脉乃取之〇食魚中毒收皮燒灰末服之效
〇治五尸鬼疰百毒惡氣著鮫魚皮散主之
鮫魚皮炙 朱砂 雄黃 金牙 蜀椒 天雄 細辛 鬼臼
射香 乾薑 雞舌香 桂心 蘘草各一兩 貝母半

魚自是一種形似小鯖魚生海中氣甚臭秦始皇取置車中者是也此說雖辨亦近所據素問治血枯雀卵丸飲鮑魚汁以利腸中蜀本圖經注云十月後取魚去腸繩穿淡乾之仍魚皆堪食不的取一色也據陶注作淡當用少鹽不知正何種魚爾又據本經云勿令中之足知入藥當少以鹽鮑成之有鹽則中鹹而不臭鹽少則味苦而臭矣古人云與不善人居如入鮑魚之肆謂惡人之行如鮑魚之臭也若其實則今荊楚鮑魚頗臭而微辛方家亦少用衍義云泗州後州作之餘皆不出當

兩蜈蚣炙蜥蜴炙各二枚凡十六物治下篩塩清酒服半錢匕日三漸增至

石首魚　味甘無毒肉候乾名為春頭中有石如棊子故名又野鴨頭中有石云是此魚所化生東海不堪鮮食

主治　肉生和蓴菜作羹能開胃氣而益力乾者鯗火炙食嗽消瓜成水而主中惡療卒腹脹飲食不消初暴下痢出水能鳴大能明目夜視有光　**腦石**　治石淋癃閉燒末及水磨服

鯖魚　味甘氣平無毒其魚似鯽而鱗食皆其色小而短似生江湖中

主治　能補虛勞稍發瘡痍

鱸魚　味甘氣平有小毒

主治　補五臟而和腸胃益肝腎而健筋骨治水氣多食宜人雖小毒不至發病調中為最亦且安胎作鮓作鱠尤佳曝乾末甚香美

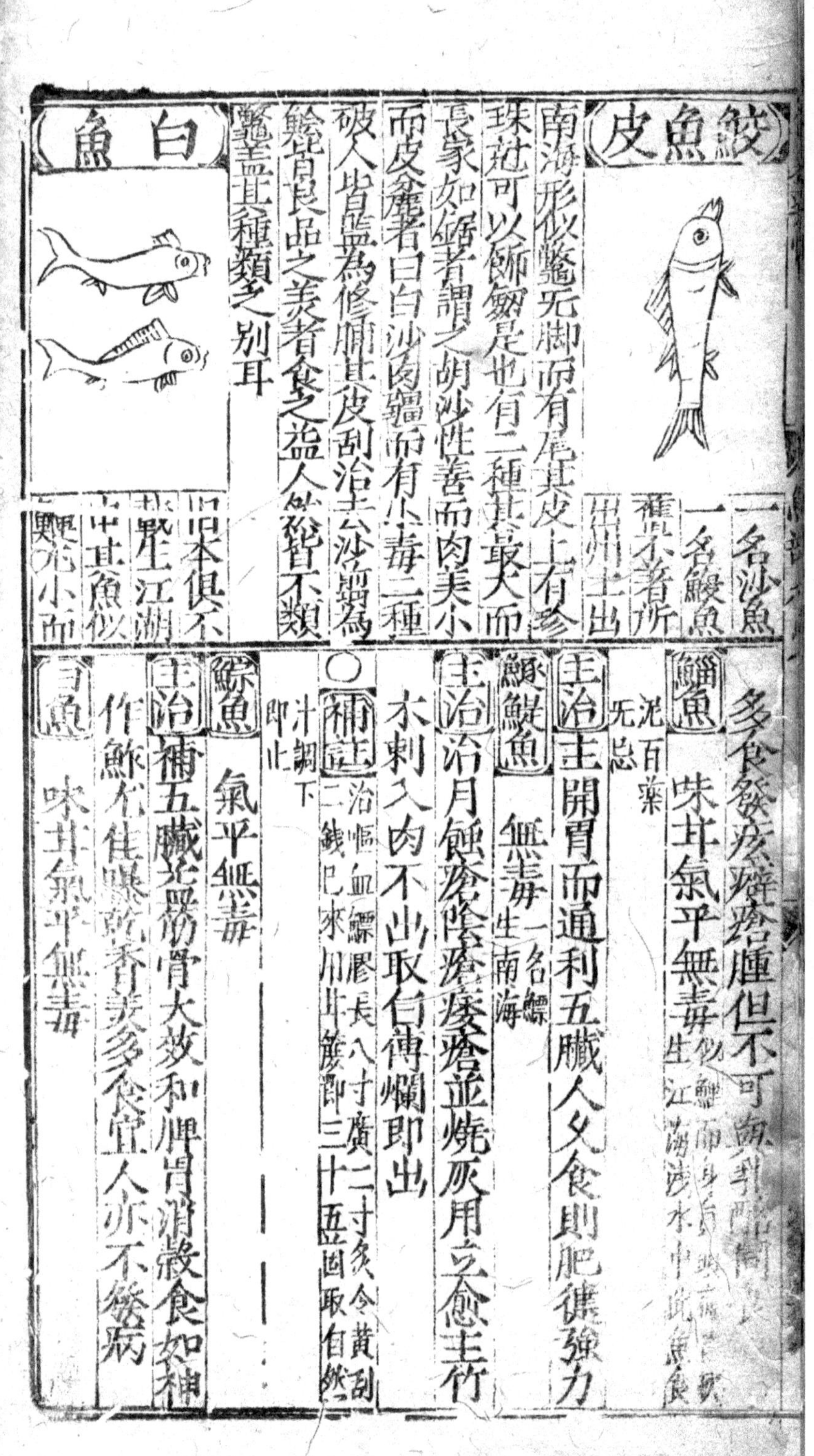

鮫魚皮

一名沙魚 一名鰒魚 舊不著所出州土 出南海形似鼈无脚而有尾其皮上有珍珠斑可以飾劒是也有二種其最大而長喙如鋸者謂之胡沙性善而肉美小而皮麤者曰白沙肉彊而有小毒二種破人皆鹽為脩脯其皮刮治去沙翦為鱠皆良品之美者食之益人然皆不類鼈蓋其種類之別耳

白魚

舊本俱不載生江湖中其魚似鯉而小而

多食發疥癬瘡腫但不可與乳酪同食

鯔魚 味甘氣平無毒 似鯉而身圓頭扁骨軟生江海淺水中[illegible] 泥百藥无忌

主治 主開胃而通利五臟人久食則肥健強力

鯸鮧魚 無毒 一名鰾 生南海

主治 治月蝕瘡陰瘡痿瘡並燒灰用之愈主竹木刺入肉不出取白傅爛即出

○補註 治嘔血鰾膠長八寸廣二寸炙令黃刮二錢已來用甘蔗節三十五個取自然汁調下即止

鯮魚 氣平無毒

主治 補五臟益筋骨大效和脾胃消穀食如神作鮓尤佳曝乾香美多食宜人亦不發病

目魚 味甘氣平無毒

鯼細鰦長色白頭昂大者長六七尺和食作羮一兩頓而已新鮮者好食蒸鮮宿者不堪食令人腹中生蟲或發作鯗糟藏猶可食又可多了於蒸醋中生者忌食之調五藏助脾氣能消食與十二經絡餅餐不相及氣時人好作餅多發之猶少動氣多亦不損人也患瘡瘤人不可食發膿多瘡云不發作鯗食之良

青魚

一名烏鰡　一名鯖魚　生江湖間　今在處有

之其魚似鯉鯇而背色正青南人多以作鮓所謂五侯鯖鮓是也不可同葵蒜服水人亦勿啖也又頭中有枕取

【主治】主胃氣開胃下食去水氣令人從肥潤五臟而理血脉補肝虛而明眼目

【青魚】味甘氣平無毒又云有微毒

【主治】肉主脚氣濕痹脚軟益心力煩懣煩悶療水氣併服止腹痛仁煑【眼睛】汁點最能夜視而令眼目光明【頭枕】磨服主心腹痛而治水血氣【膽】滴汁目中主目闇而塗惡瘡乾末吹喉下骨鯁而治喉痺

○【補註】治喉閉及骨鯁以臘月取青魚膽陰乾如患此證及骨鯁即以膽少許口中含嚥津即愈又用綠礬大者為末一兩竹筒盛好陸續聚魚膽七箇待乾為末遇喉風痺塞取末吹下喉中立差○治脚氣煩悶又韭白煮食之效○卒心痛取水頭枕水研服良

【鱖魚】味甘氣平無毒又云稍有毒

【主治】主腹內惡血去腹間小蟲益氣力令人肥

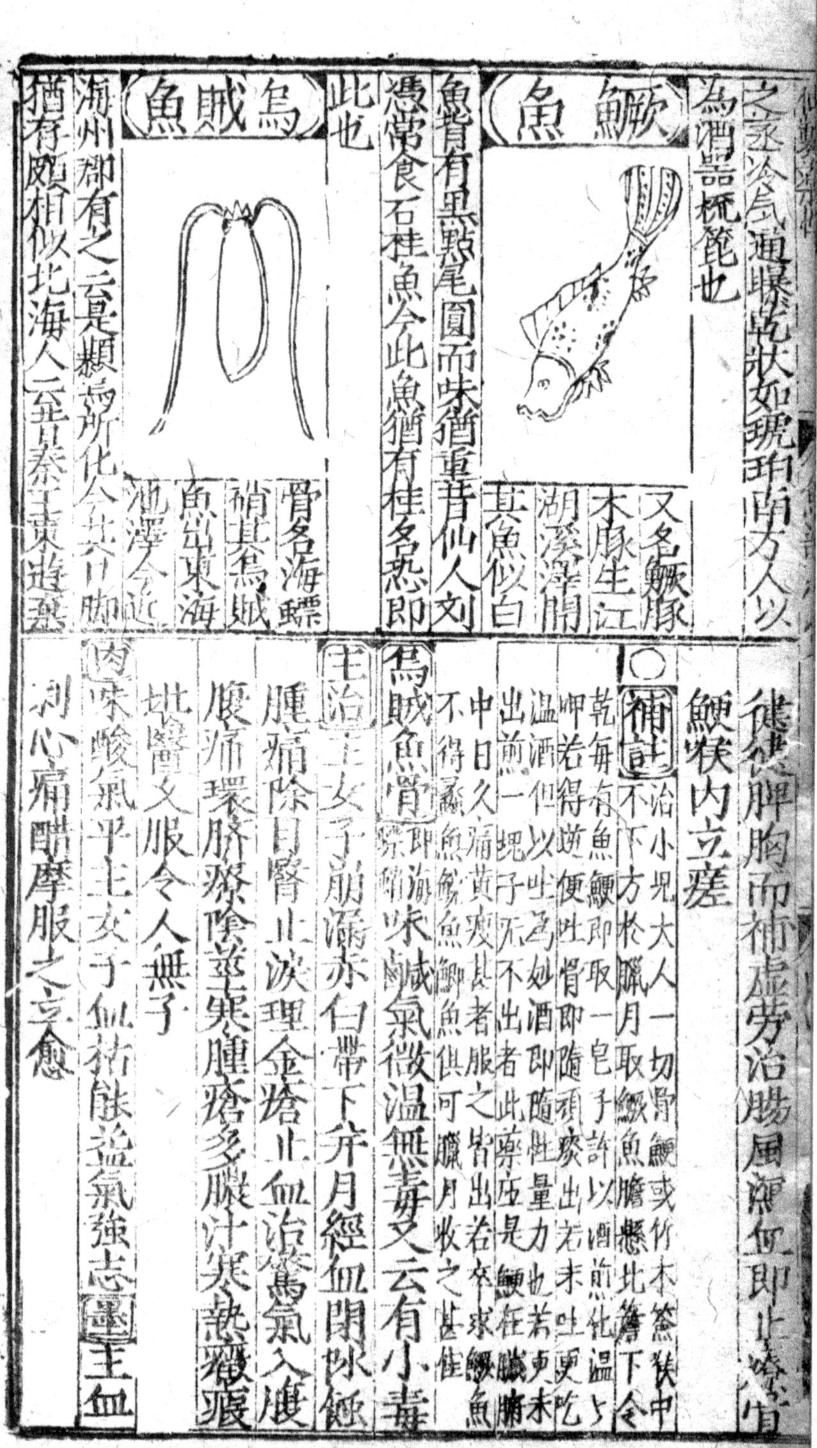

之豪㕘氣通曝乾狀如琥珀南方人以
爲酒器梳篦也

鮫魚

又名鮫䰾
木䰾生江
湖溪澤間
其魚似白
魚背有黑點尾圓而味猶重昔仙人劉
憑常食石桂魚今此魚猶有桂名恐即
此也

烏賊魚

骨名海螵
蛸其烏賊
魚出東海
池澤今近
海州郡有之云是䳜烏所化今其口腳
猶存頗相似北海人云昔秦王東遊棄

健脾胸而補虛勞治腸風瀉血即止發肯
鯁猴内立瘥

〇補註 治小兒大人一切骨鯁或竹木簽鯁中不下方於臘月取鱖魚膽懸北簷下令
乾每有魚鯁即取一皂子許以酒煎化溫溫
呷若得逆便吐骨即隨頑痰出若未吐更吃
溫酒但以吐爲妙酒即隨性量力也若更未
出煎一䰾子無不出者此藥應是鯁在臟腑
中日久痛黃瘦甚者服之皆出若卒求鱖魚
不得蠡魚鯿魚鯽魚俱可臘月收之甚佳

烏賊魚骨 即海螵蛸 味鹹氣微溫無毒又云有小毒

主治 主女子崩漏赤白帶下并月經血閉陰蝕
腫痛除目腎止淚理金瘡止血治驚氣入腹
腹痛環臍殺陰並寒腫瘡多膿汁寒熱癥瘕
比醫文服令人無子

肉 味酸氣平主女子血枯能益氣強志 墨 主血
刺心痛醋摩服之立愈

鵜鵋於海化爲此魚其形一如筭袋兩帶極長墨猶在腹也又云性嗜烏常自浮於水上烏見以爲死往啄之乃卷取入水故謂烏賊上能噴波噀墨以溷水所以自衛使水匿不能爲人所害口在腹下八足聚生口傍只一骨厚三四分似小舟輕虛而白又有兩鬚如帶可以自纜故名纜魚南越志云烏賊有矴遇風便虬前一鬚下矴而住腹中血及膽正如墨中以書也世謂烏賊懷墨而知礼其肉食之益人取無時其無骨者名柔魚又更有章舉石距二物以比相類惡而差大味更珍好食品所貴重然不入藥用故畧之惡白歛白及附子

〇補註 治傷寒熱毒氣攻眼生赤白瞖用烏賊魚骨一兩不用大皮杵末入龍腦少許令細日三四度取少許点之○治癧瘍風三年鮮癬烏賊魚骨先布磨肉赤即傅之○治婦人陰戶嫁痛烏賊骨燒末酒下方寸匕日三服○治丈夫陰頭癰師不能治烏賊骨末粉傅之良○治疳眼烏賊魚骨牡蠣並等分為末糊丸如皂子大每服用猪子肝一具藥一丸清米泔內煮肝熟為度和肝食用煮肝泔水下三兩服○治小兒重舌燒烏賊魚骨和鷄子黃傅之喉及舌上○小兒痢下細研為末飲下之○婦人血瘕殺小蟲并水中蟲投骨於井中蟲死腹中○墨主血刺心痛醋摩服之○大人下痢炙令黃去皮細研成粉調粥服之良○目中一切浮瞖細研和蜜点之甚妙○又点馬眼熱淚最良

太乙曰 凡使勿用沙魚骨緣真相似只是上文橫不入藥中用凡使要上文順渾用血鹵作水浸并煑一伏時了漉出於坯下掘一地坑可盛得前件烏賊魚骨多少先燒坑子去炭灰了盛藥一宿至明出取出用之其效倍多

鰻鱺魚 味甘氣平有毒又云氣寒有微毒

主治 補虛勞不足煖腰膝起陽殺傳尸疰氣并

鰻鱺魚

本經不載

所出州土 今在處有之似鱓而腹大青黃色云是蛟蜃之類善攻碕岸使輒頹阤近江河居人酷畏之此雖魚有毒而能補五藏虛損久病羸瘵人可和五味以米煮食之患諸瘡瘻瘍其有風者長食歙州出一種背有五色文其功最勝出海中者名海鰻相類而大功用亦同海人又名慈鰻又名猧狗魚鰻魚短小常在泥中于衘冬斗瘦取一二枚以竹筩從口灸鼻生泄之立肥也

蠱毒瘵婦人產户瘡蟲癢治皮膚惡瘡疥𤻲暨痔瘻𤸷腰背間濕風痺常如水洗爊下部蟲䘌諸般草石藥毒驅寒濕脚氣及𤺋癧風醫婦人帶下及百般病傳蝕項及面上白駁浸淫漸長燻氈中並竹木斷辟蟲今無取乾者燒至內或化為水置其骨於箱衣斷蠹魚

〇附方 治諸蟲心痛多吐四肢不和冷氣上攻心腹滿悶用鰻鱺魚淡炙令熟令患人三五度食之〇治蚊蟲以鰻鱺魚乾者於室燒之即蚊子化為水矣〇治骨蒸勞瘦及腸風下蟲以魚二斤治如食法切作段子入鐺內以酒二盞煮入鹽醋中食之〇以效治瘡心痛收鰻鱺魚淡炙令熟與患人食之一二枚水差無食亦佳〇治惡瘡用蚘魚骨杵末入諸色膏藥中相和令傅一䋲花子貼之〇主五痔瘻瘡殺蟲方鰻鱺魚一頭治如食法切作片炙著椒鹽醬調和食之〇治頸項及面上白駁浸淫漸長有似癬但無瘡可治鰻鱺魚脂傅之先拭剥上刮使燥痛後以魚脂傅之一度便愈甚者不過三度〇白剥風疹

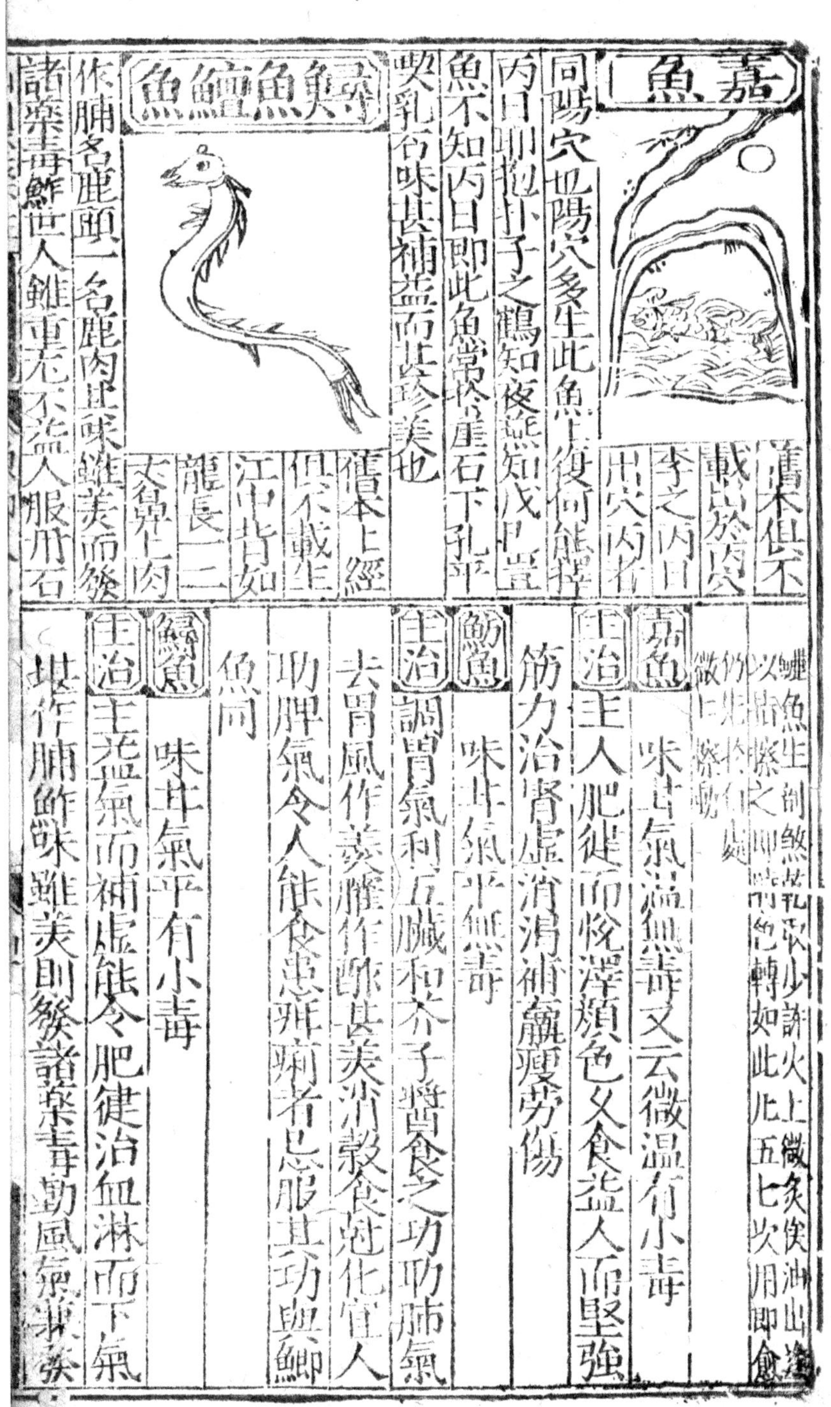

嘉魚

舊本俱不載出於丙李之丙日用穴內者同鴨穴也鴨穴多生此魚上後何能釋丙日卯抱卯子之鶴知夜燕知戊巳豈魚不知丙日即此魚常於崖石下孔中吸乳石味甚補益而比珍羞也

鱘魚鱣魚

舊本上經俱不載生江中背如龍長一二丈鼻上肉作脯名鹿頭一名鹿肉其味雖美而發諸藥毒鮓世人雖重尤不益人服丹石

鱧魚生剖煞放乳取少許火上微炙使油出塗以將擦之即時刮色轉如此凡五七次用即愈仍先將於白處微上擦破

嘉魚 味甘氣溫無毒又云微溫有小毒

主治 主人肥健而悅澤顏色久食益人而堅強筋力治腎虛消渴補羸瘦勞傷

鯽魚 味甘氣平無毒

主治 調胃氣利五臟和以芥子醬食之功助肺氣去胃風作羹臛作鮓甚美消穀食進化宜人功脾氣令人能食患痢者忌服其功與鯽魚同

鱘魚 味甘氣平有小毒

主治 主益氣而補虛能令肥健治血淋而下氣其作脯鮓味雖美則發諸藥毒動風氣

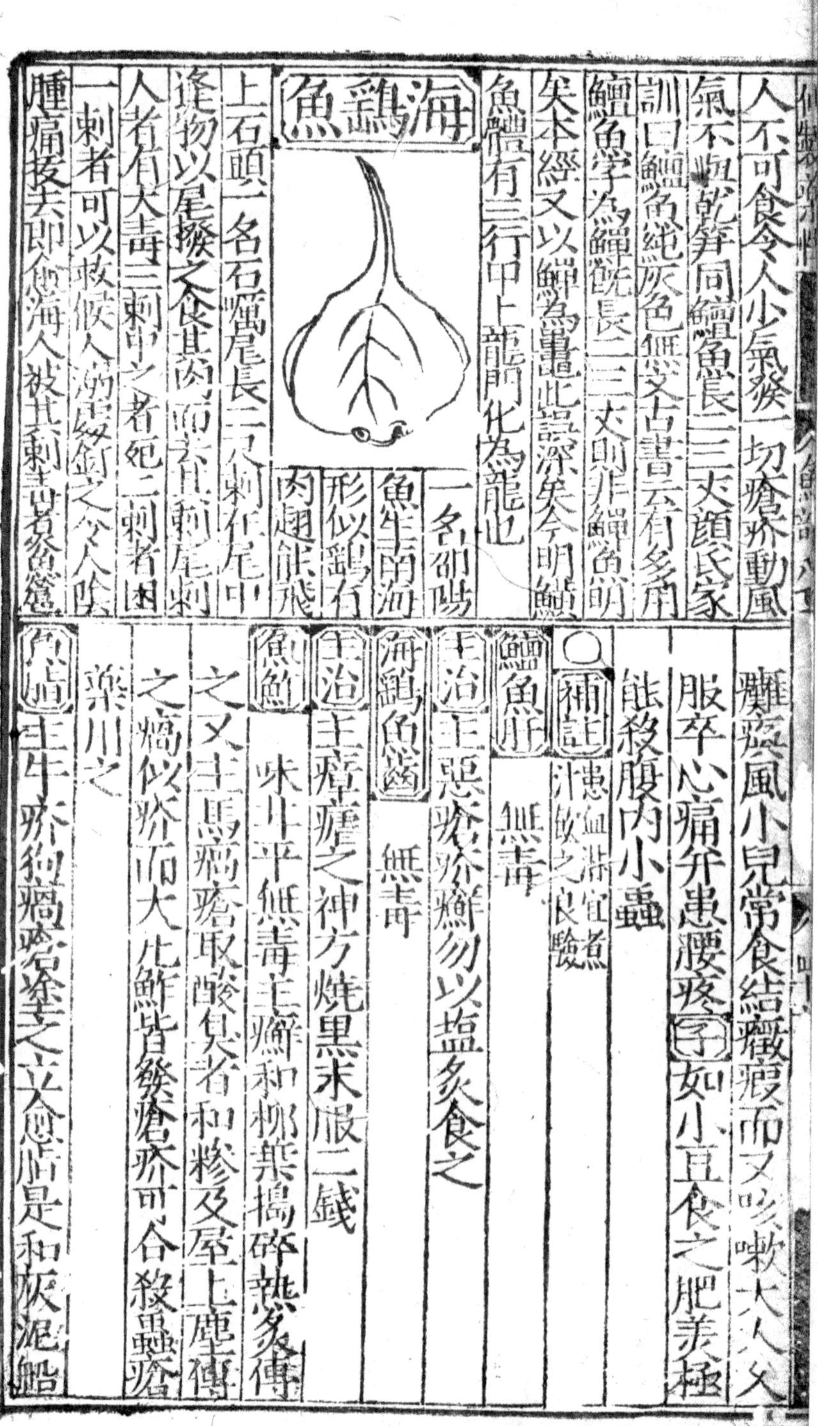
人不可食令人少氣發一切瘡疥動風
氣不通乾鮮同鱣魚長二三丈顏氏家
訓曰鱣魚純灰色無文古書云有多用
鱣魚字為鱓魚既長二三丈則非鱓魚明
矣本經又以鱓為鼉鼉此誤深矣今明鱣
魚體有三行甲上龍門化為龍也

海鷂魚

一名邵陽
魚生東海
形似鷂有
肉翅能飛
上石頭一名石蠣尾長二尺刺在尾中
逢物以尾撥之食其肉而去其刺尾刺
人者有大毒三刺中之者死二刺者困
一刺者可以救候人溺處釘之令人陰
腫痛拔去即愈海人被其刺毒者灸魚扈

癱瘓風小兒常食結癥瘕而又咳嗽大人久
服卒心痛并患腰疼【子】如小豆食之肥美極
能殺腹內小蟲
○【補註】患血淋宜煮汁飲之良驗
【鱣魚肝】無毒
【主治】主惡瘡疥癬勿以鹽炙食之
【海鷂魚齒】無毒
【主治】主瘴瘧之神方燒黑末服二錢
【魚鮓】味甘平無毒主癬和柳葉搗碎熱炙傅
之又主馬瘑瘡取酸臭者和糝及屋上塵傅
之瘑似疥而大凡鮓皆發瘡疥可合殺蟲瘡
藥用之
【魚脂】主牛疥狗瘑瘡塗之立愈脂是和灰泥船

竹久須倒皮作之已
凡魚目有睫殺人目得開合殺
人逆鰓殺人腦中白連珠殺人無鰓殺
人二目不同殺人連鱗者殺人白鬐殺
人腹下丹字殺人魚師大者有毒食之
殺人矣月魚頭有白色如連珠至脊上
腹中無膽者殺人魚汁不可合鹿肉
食之鯽魚不可合猴雉肉食之鰌鱓不
可合白犬血食之鯉魚子不可合豬肝
食之鯽魚小爾青魚鮓不可合生胡荽
及生葵并麥醬食之鰕無鬚及腹下通
黑及生之煑之白者不可食生鰕鱠不可
合雞肉食之亦損人矣

者腥臭為佳又主癥瘕取銅器盛二升作大火
炷脂上燃之令燋瘢於瘢上熨之以紙貼腹
上晝夜勿息火良

魚鱠　味甘溫菰菜羹食之溫補去冷氣濕痺除
膀胱水穀中氣結心下酸水腹內伏梁冷痃
結癖疝氣補腰脚起陽道

鯽魚鱠　主腸澼水穀不調下痢小兒大人丹毒
風眩

鯉魚鱠　主冷氣上塊結在心腹並宜蒜薤進之
魚鱠以菰菜為羹吳人謂之金羹玉鱠開胃
口利大小腸食鱠不欲近夜食不銷無欲冷
水腹內為蟲時行病起石鱠令人胃弱又不
可同乳酪食之令人霍亂凡食之以蒜[illegible]

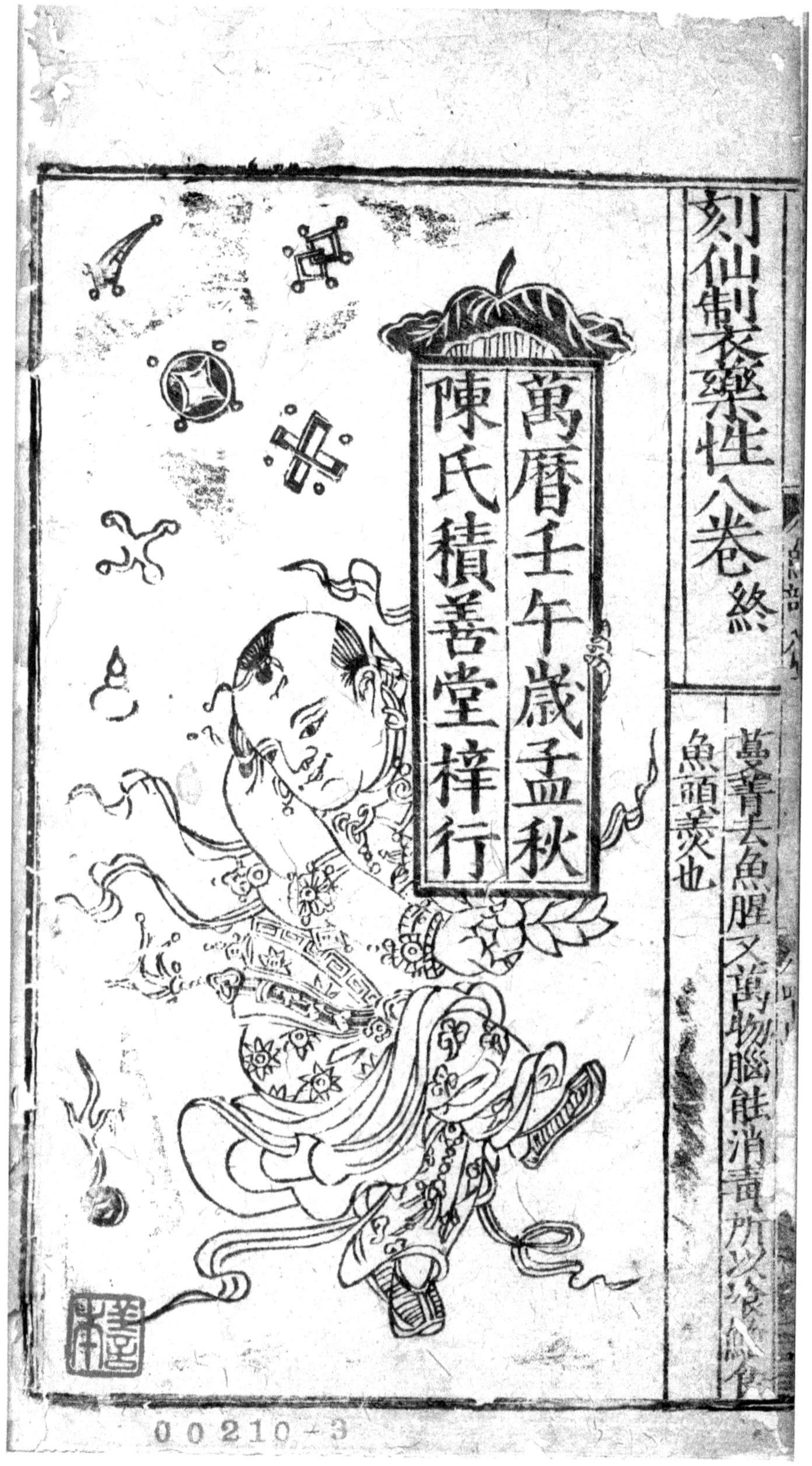

蔓菁去魚腥又萬物腦能消毒所以食魚
魚頭羹也

刻仙製藥性八卷終